Autobiografische Geschichten

Eine Lehrkraft während meiner
Fachschulausbildung:

„Herr Hennig, Sie werden nie erwachsen!"

© 2021Klaus Hennig
Umschlag, Illustration: Sebastian Hennig
Lektorat, Korrektorat: Angela Strohwald
Weitere Mitwirkende: MADNIZZ

Verlag & Druck:
tredition GmbH, Halenreie 40-44,
22359 Hamburg

ISBN
Paperback   ISBN 978-3-347-36768-5
Hardcover   ISBN 978-3-347-36769-2
e-Book   ISBN 978-3-347-36770-8

Inhalt

Für meine große Liebe

Felicitas,

der „Bianca Madonna" von Saló

Klaus Hennig

Mein Leben in einer Diktatur

mit

Augenzwinkern

Autobiografische Geschichten

Vorwort

Sportjournalist Karl Heinz Otto

Judo-Europameister Klaus Hennig:
„Ich kann alles, aber nichts richtig."

Eine Autobiografie in Kurzgeschichten mit dem neugierig machenden Titel: 40 Jahre Diktatur mit Augenzwinkern

Der Titel des umfangreichen autobiografischen Werkes des erfolgreichen Berliner Sportlers und Physiotherapeuten Klaus Hennig erweckt Neugier und reizt zum Lesen. Auch wenn er sagt, es gäbe heute mehr Bücherschreiber als Leser und jedes zweite Buch werde als Bestseller zum Kauf angeboten, Klaus Hennigs ohne fremde Hilfe vollbrachte Fleißarbeit legt man nicht mehr aus der Hand.

Mit seiner einleitenden Gliederung hat er eigentlich schon sein Anliegen deutlich gemacht: Anteil nehmen an einer interessanten Karriere in jenem Staat DDR, der so manches Mal nicht widersprüchlicher sein konnte und seine Bürger zwischen himmelhochjauchzend und zu Tode betrübt beschäftigte.

Wo soll man anfangen, über einen Freund und teilweise journalistischen Weggefährten das vorliegende zu Papier gebrachte Lebenswerk zu beurteilen? Die umfangreichen Zeilen verdeutlichen den Charakter eines Menschen, der ehrlich, bescheiden und höflich ist, der zwar sein Leben selbst gestalten will, sich aber der Diktatur des Leistungsstrebens unterzieht, wie in diesem Fall des Sports.

So gesehen sind der EM-Titel in Berlin mit dem Finalsieg über den damals fast unschlagbaren Niederländer Wim Ruska, 5 weitere EM-Bronzemedaillen im Schwergewicht und der Open-Kategorie, Landesmeistertitel und Weltcup-Triumphe beredter Beweis. Rückblickend auf 77 Lebensjahre kann man, abgesehen von den ersten 16, sein Leben in drei wichtige

Abschnitte untergliedern: 10 Jahre Judo Hochleistungssport mit den schon erwähnten Erfolgen, aber auch den Kehrseiten der Medaillen. 18 Jahre als Fach-Physiotherapeut Sportmedizin und erfolgreicher Seelentröster bei seinen Sportlerinnen und Sportlern, wenn das bis zum Horizont reichende Grau nicht weichen wollte. Wie Klaus Hennig behauptet, war es die schönste Zeit seines Lebens. Abschnitt 3 waren die Jahre als selbstständiger Physiotherapeut nach dem Fall der Mauer, die er genauso souverän meisterte und auf keinen Fall missen möchte.

Ich bin fast versucht, ihn als Lebenskünstler zu bezeichnen. Trotzdem ist Klaus Hennig ein kritischer Zeitgenosse geblieben und gehört keinesfalls zur Gruppe der Ja-Sager.

In seinen vorliegenden umfangreichen biografischen Erlebnissen nährt er bei den Lesern auf über 400 Seiten die Neugier in vielfältiger Weise. Begonnen in dem letzten Kriegsjahr in Breslau, über die beschwerliche Flucht mit der Mutter, dem Bruder und den Großeltern in Richtung Sachsen, wo sein Vater in dem kleinen Dorf Großböhla, aus amerikanischer Gefangenschaft kommend, zu ihnen stieß. Nach beruflicher Neuorientierung des Vaters zog die Familie ins mecklenburgische Schwerin, wo es dann nicht mehr lange dauerte, bis letztlich die sportliche Karriere begann. Schon in diesem Zeitraffer lässt er spüren, vielseitig und zielstrebig zu sein. So gesehen grenzt sein Spruch, er könne alles aber nichts richtig, an eine Lüge. Klaus Hennig, gelernter Siebdrucker, war ein exzellenter Sportsmann auf Europas Judo-Matten. Er ist musikalisch talentiert, schreibt viele seiner Liedertexte selbst, hat ein derartiges handwerkliches Können, dass er seine Wohnung mit Herzblut ausgestaltet hat und ist zudem ein sehr vielseitiger und beliebter Physiotherapeut mit eigener Praxis gewesen. Manche seiner Patienten behaupteten sogar, er besäße Zauberhände. Was soll ich dem noch hinzufügen. KHO

An den geneigten Leser

Warum tue ich mir das an, Erinnerungen niederzuschreiben? Zumal es, so scheint es mir, mehr Bücherschreiber als Bücherleser gibt. Resignieren müsste ich auch, weil mindestens jedes zweite Buch, welches auf dem hart umkämpften Literaturmarkt erscheint, ein Bestseller ist.

Da ich ein „verträumter Realist" bin, habe ich natürlich echte Probleme, so einen gewaltigen Gipfel erstürmen zu wollen. Der Zuspruch meiner Familie und vor allem die Menge an Mutmachern aus dem großen Kreis meiner ehemaligen Patienten, die ich mehr oder weniger 17 Jahre während meiner Selbständigkeit als Physiotherapeut betreute, veranlassten mich, diesen Gedanken etwas mehr Aufmerksamkeit zu widmen.

Was mir dabei besonders auffiel, war das außerordentlich große und vor allem ehrliche Interesse unserer Schwestern und Brüder aus den alten Bundesländern.

Deren Wunsch nach Hintergrundinformationen war immens. Zumal der überwiegende Teil sowieso davon überzeugt war, dass das meiste der Informationen in den Medien Müll ist. Wie viele Fragen ich im Laufe der Jahre beantworten musste, und das nach bestem Wissen und Gewissen, kann ich nicht mehr nachvollziehen, aber es waren sehr viele.

Rückblickend, und da meine ich nicht die Jahre als selbständiger Therapeut, sondern beginnend mit dem Hineinwachsen in den ersten Arbeiter- und Bauernstaat deutscher Nation. Die kleinen und größeren Probleme, mit denen ein sich entwickelnder DDR-Bürger sich auseinandersetzen und herumschlagen musste. Aber auch die vielen wunderschönen Erlebnisse, die die Suppe des Lebens erst richtig schmackhaft machten.

Zehn Jahre Kampfauftrag als „Diplomat im Trainingsanzug", benutzt als Mittel zum Zweck, gehören ebenso dazu wie die tollen Jahre als Sportphysiotherapeut.

Was wäre ein Rückblick ohne die Zeit, die neben den so herbeigesehnten Bananen, den Westautos und den Neckermann-Reisen in die große, freie Welt, auch die Schatten einer kapitalistisch orientierten Demokratie mit sich brachte.

Vieles wurde gerade zu diesem Teil meines Blickes in die nähere Vergangenheit geschrieben. Von denen, die das alles nicht so wollten, wie wir es jetzt haben. Von denen, die das alles haben wollten, aber doch nicht alles bekommen konnten und dann gibt es auch noch jene, die es genau wissen, dass sie enttäuscht wurden, dass es also doch nicht das Gelbe vom Ei ist, aber es nicht zugeben wollen. Genau denen möchte ich das alte Bibelzitat nicht vorenthalten: „Wer hier ohne Fehl und Tadel, der werfe den ersten Stein!"

Aber schön aufpassen, dass er nicht wieder auf die großen Zehen fällt. Gerade sie, die immer wieder über die sogenannten „Gestrigen" schimpfen, haben nicht begriffen, dass sie zu der hasserfüllten Gruppe der ewig Vorgestrigen gehören.

Nicht, dass ich alles akzeptiert hätte, was im Arbeiter- und Bauernstaat geschehen ist. Aber diese Arbeiter und Bauern haben versucht, etwas vollkommen Neues und Menschliches auf die Beine zu stellen. Dazu noch ein weiser Spruch unserer Altvorderen: „Wo Macht ist, ist Machtmissbrauch."

Wenn es dann in der richtig großen Gruppe von Gleichen eine Menge „noch Gleicherer" gibt, ist der Schlamassel vorprogrammiert. So ganz nebenbei für diejenigen, denen ich auf die Zunge getreten sein sollte: Meine Nichte in Meck-Pomm hat nach langer Arbeitslosigkeit einen Vollzeitjob bekommen, natürlich unterbezahlt und in einer kirchlichen Kindertagesstätte. Bedingung war, sie musste in die Kirche eintreten. Mit dem Eintritt in die CDU tut sie sich noch etwas schwer, aber ich denke, wenn man ihr eines Tages den Posten einer leitenden Fachkraft unter der Bedingung Parteizugehörigkeit verspricht, fällt sie um. Oder sollte ich mich täuschen?

Wer jetzt immer noch nicht begriffen hat, wie der Hase läuft, dem ist nicht zu helfen. Dazu noch so ein altmodischer Spruch: „Allen Menschen recht getan, ist eine Kunst, die niemand kann." Nicht einmal in einer richtigen Demokratie. Jede Demokratie beinhaltet gleichzeitig eine Diktatur, zumindest für diejenigen, die von der Mehrheit überstimmt wurden! Manchmal frage ich mich, ob der Mensch überhaupt fähig ist, eine echte Demokratie auszuüben.

Neid und Missgunst sind ein Kennzeichen unserer heutigen Gesellschaft. Oder hat jemand erlebt, dass es in unserem kleinen, dem Kommunismus entgegenstrebenden SED- und Blockflötenstaat vorgekommen ist, dass in einer einzigen Nacht -zig Trabis, Wartburgs oder Ladas abgefackelt wurden? Ach ja, stimmt ja, die Autonomen, die bei uns Bürgerrechtler hießen, saßen ja alle im Stasiknast.

Verstehen Sie mich bitte richtig. Ich möchte keinem wahrhaften Bürgerrechtler unterstellen, dass er für eine falsche Sache seinen Mund aufgemacht hat. Aber leider gab es einen weitaus größeren Teil der Bevölkerung, der so weit zufrieden war. Wenn es auch zum Studienplatz, zur kleinen Einraumwohnung mit Außentoilette oder sogar für einen Trabi-Bezugsschein über den Umweg, Mitglied der Sozialistischen Einheitspartei zu werden, geschah. Es liegt in der Natur des Menschen, mit dem Rücken an die Wand, dann wird alles nicht so schlimm!

Mit meinen manchmal klitzekleinen Kurzgeschichten möchte ich dazu beitragen, dass der Leser einmal einen vollkommen anderen Blick auf die Dinge bekommt, vor allem diejenigen, die nicht am Aufbau des Sozialismus teilnehmen konnten oder durften.

Eines kann ich mit absoluter Gewissheit sagen. Seit meinem 18. Lebensjahr muss ich kontinuierlich rasieren und als absoluter Nassrasierer kann ich mir seit sage und schreibe 50 Jahren dabei in die Augen schauen, Mein Gesicht ist zwar um etliche Furchen und Falten reicher geworden, aber ich habe es nicht verloren!

Übrigens, wer es noch nicht wissen sollte, Erich Honecker war nicht nur Dachdecker, er war auch Wessi!

1. Flucht

Wie alle in meinem Alter, die sogenannte Kriegs- und Nachkriegsgeneration, haben wir etwas erlebt und können auch deshalb einiges erzählen. Es muss nur jemand die „unterste Schublade" aufziehen und schon quellen Geschichten, Anekdoten und Informationen aus ihr hervor. Merkwürdig nur, dass mit zunehmendem Alter und immer größer werdendem Abstand das weniger Angenehme als immer weniger unangenehm empfunden wird. Manches erstrahlt sogar in einem hehren Schein.

Wenn ich mir mit ganzer Kraft und sehr viel Phantasie vorstelle, wie meiner Mutter und den Großeltern zumute gewesen sein muss – Vater war schon drei Jahre an der Ostfront – als es an der Wohnungstür klingelte und der Blockwart mit zwei Kettenhunden – wie man die Militärpolizei im Volksmund nannte – vor ihnen stand, um im Befehlston mitzuteilen, dass sie eine halbe Stunde Zeit hätten, das Nötigste einzupacken, um sich zum Abtransport auf dem Bahnhof einzufinden. Dann erst kann man eventuell erfühlen, welches Gewicht und welche brutale Kraft Erinnerungen besitzen. Die russische Armee stand vor Breslau und da die Stadt zur „Festung" erklärt wurde, bedeutete es: alle Zivilisten raus und Verteidigung mit allen verfügbaren Mitteln.

Was aus meiner Geburtsstadt wurde, brauche ich nicht weiter zu beschreiben. Ihr erging es wie vielen anderen Großstädten in ganz Europa. Wenn ich also einmal besagte „Schublade" aufzog oder sie immer noch ab und zu aufziehe, wird es mir nicht gelingen, wirklich diese Emotionen herüberzubringen, die meine Familie während dieser schrecklichen Zeit begleiteten. Vielleicht sollten wir der Natur auch dankbar dafür sein, dass sie es so eingerichtet hat, Erinnerungen in ein dickes Wattebett zu legen, wo sie dann von Jahr zu Jahr immer tiefer sinken und im heutigen Lärm und Trubel kaum noch an die Oberfläche gelangen.

Um es aber trotzdem mal zu versuchen, der jetzigen, äußerst materiell ausgerichteten Generation zu verklickern, wie es so ablief, ein Beispiel:

Fangen wir beim an der Tür Klingeln an! Draußen stehen drei uniformierte Herren, bis an die Zähne bewaffnet, mit dunklen Sonnenbrillen, Stahlhelm auf den Köpfen und in Kampfanzüge gekleidet. Aus deren vielen und ausgebeulten Taschen sehe ich gefüllte Ersatzmagazine für die Schnellfeuerwaffen und viele andere geheimnisvolle, aber äußerst gefährlich aussehende Kriegsspielzeuge quellen.

Kaugummi kauend erklärt mir einer der drei im Kriegsdienst befindlichen Berufssoldaten der internationalen Kampftruppe Deutschland, dass ich mich innerhalb von 15 Minuten, der Krieg ist schneller geworden, an den Dampferanlegestellen in Treptow einzufinden habe. Es sei nur das Notwendigste mitzunehmen, da es fraglich ist, ob ich überhaupt einen Platz auf den wenigen Schiffen bekäme. Berlin wird in knapp zwei Stunden geflutet und liegt dann 3000 m unter dem Meeressspiegel. Nach einer minutenlangen Leere, die German GIs klingeln gerade bei unseren vietnamesischen Nachbarn, beginne ich, völlig neben mir stehend, nach etwas Mitnehmens wertem zu suchen. Das bisschen Bargeld und die zehn Hefter mit den Versicherungsunterlagen fallen mir als erstes ein. Aber Himmelherrgott sakra, wo ist der mit der Hausratversicherung? Ich weiß genau, dass darin die Police gegen Wasserschäden abgeheftet ist. Mein Gott, und ein bisschen Wechselwäsche bräuchte ich doch auch, zumal meine Blase auch nicht mehr die dichteste ist, was ich gerade just in diesem Moment spüre. Die Gedanken überschlagen sich und sind der anfänglichen Starre schlagartig gewichen. Fotos! Ja, Fotos sind ganz wichtig. Nicht nur wegen der schönen Erinnerungen, sondern in jedem Falle auch für die Hausratversicherung. Denn die wollen im Ernstfall Fotos sehen, um den Wert des Verlustobjektes objektiver einschätzen zu können. Schließlich ist es mir gelungen, eine Reisetasche, gefüllt mit dem Nötigsten, über meine Schulter zu hängen, um mich auf den Weg zu meiner Dampferanlegestelle zu machen. Nicht ohne mich vorher noch einmal mit einem tieftraurigen Blick von all den liebgewonnenen Dingen zu verabschieden. Sorgfältig schließe ich die Wohnungstür, stecke den Schlüssel in die Hosentasche und trete aus dem elfgeschossigen Wohnhaus auf die Straße.

Aber es war ja nur so ähnlich. Abgesehen von der Dampferanlegestelle, wo es im wirklichen Leben ein Bahnhof war und dem Fluten der deutschen Hauptstadt kann man es doch so ungefähr vergleichen. Alles war ungewiss. Während ich im Vergleich nur von mir sprach, musste unsere Mutter sich auch noch den Kopf für uns zwei Kinder und ihre alten Eltern zermartern.

Von all dem merkte ich nichts. Ich lag ja noch im zarten Alter von nicht ganz einem Jahr in meinem Bettchen oder in meinem korbgeflochtenen, zwei Handbreit über dem Erdboden rollenden Kinderwagen. Alles, was ich hier niederschreibe, habe ich später von meinen Eltern, meinem Opa, meiner Oma und meinem großen Bruder erfahren.

Welches Chaos auf dem Bahnhof herrschte, brauche ich nicht näher zu beschreiben. Tausende und Abertausende Flüchtlinge hatten in diesem Moment die gleichen Probleme. Fakt ist, unsere Familie wurde in einen Viehwaggon gepfercht. Die etwas feudaleren Personenwagen waren längst zum sicheren Westteil des Deutschen Reiches unterwegs. Letztendlich konnten wir aber froh sein, auf diese Weise der immer näherkommenden Front zu entwischen. „Es ist nichts so schlecht, dass es nicht etwas Gutes hätte." Diesen Spruch werde ich noch des Öfteren verwenden, da er nicht weniger als das Gesetz der Polarität beinhaltet. Umfallen konnte keiner. Unser Waggon war maßlos überfüllt. Da außerhalb des Waggons Temperaturen von -20° herrschten, hatten nur die ein Problem, die an den Wänden standen oder, wie mein Bruder, der auf einem Koffer Platz gefunden hatte und sitzen durfte. Während ich mollig warm in meiner körpereigenen Schlammpackung schlummern konnte, musste man meinem Bruder einen Teil seiner blonden, arischen Haarpracht abschneiden, da dieselbe an der Waggonwand festgefroren war, während er ein Kurzzeit-Nickerchen machte.

Was hatte ich doch für ein Glück, welches auch nicht enden sollte, als wir das erste Mal Halt machten. Nach Aussage meiner Mutter war es Dresden in Sachsen. Hier war endlich die Gelegenheit, die zwei Toten aus dem Waggon zu schaffen, die die Enge und den Stress nicht verkraftet hatten. Sicherlich machte auch ich Probleme, denn meine anfangs warme

Fangopackung war doch empfindlich kalt geworden, und mit Verpflegung sah es auch nicht rosig aus.

Unterbrochen wurde die dramatische Situation von unserem Lokführer, der einzige Führer, auf den man sich damals verlassen konnte. Irgendwie hatte er ein mulmiges Gefühl und das Glück, einige Zentner Kohle bunkern zu können, sodass wir die Stadt an der Elbe hinter uns lassen konnten. Schwein gehabt! Vierzehn Tage später wurde Dresden von unseren jetzigen besten Freunden, den Alliierten, flächendeckend plattgemacht.

Pünktlich auf den Gongschlag, zu meinem ersten Geburtstag, trafen wir in Oschatz ein. Bevor wir auf die einzelnen Dörfer verteilt wurden, kamen wir in einer Schulsporthalle unter.

Hier stellte sich heraus, wie lernfähig kleine Kinder sind, wenn die Erfahrung mit Schmerzen verbunden ist. Nach Tagen das erste warme Essen. Nudelsuppe!

Meine Schmerzen im leeren Bäuchlein müssen erheblich gewesen sein und mein Bruder verbürgt sich dafür.

Ich forderte von meiner Mutter energisch den Löffel, da es mir nicht schnell genug ging. Das war der Moment, wo ich ganz bewusst und allein das erste Mal mit eigenen Händen Nahrung zu mir nahm.

Sicherlich lässt sich nur so erklären, dass Nudelsuppe immer noch, nach so vielen Jahrzehnten, zu meinen liebsten Speisen gehört.

Einige Tage später bezogen wir unser neues Übergangquartier in Neuböhla, keine zehn Kilometer von Oschatz entfernt. Hier fand uns nach einer wahren Odyssee unser Vater, wohlbehalten und, was zu dieser Zeit nicht selbstverständlich war, „unbeschädigt" und gesund wieder.

2. Erste Begegnung mit unseren Befreiern

Lange brauchten wir nicht in der Turnhallte kampieren. Wir bekamen bald ein Quartier in Neuböhla zugewiesen. Ob sich die Besitzerin der dortigen Wassermühle über die Zwangseinquartierung gefreut hat, möchte ich bezweifeln. Ich denke mal nicht, denn es wurde in späteren Jahren bei Familienfeierlichkeiten oft darüber berichtet und gelacht, was die Müllerin für eine herrlich gefüllte Speisekammer hatte, zu der sich meine Mutter und später auch mein, aus amerikanischer Gefangenschaft zurückgekehrter Vater, Zutritt verschaffen konnten. Sicherlich lag es auch daran, dass mein Vater in jungen Jahren einige Zeit bei der Wach- und Schließgesellschaft beschäftigt war.

So recht wollte er übrigens anfangs nicht an meine Existenz und seine Vaterschaft glauben. Denn vom Zeitpunkt meiner Reise als Spermium bis zum ersten Zusammentreffen mit ihm waren immerhin 25 Monate ins Land gegangen. Er musste sich aber anhand genetischer Ähnlichkeiten, wie z. B. meine Ohren, zur Vaterschaft bekennen.

Zu dieser Zeit sah es unsere Großmutter als hehres Ziel an, mir das Laufen beizubringen. Irgendwer brauchte meinen Kinderwagen nötiger und hatte ihn gestohlen. Aber ich denke, der wirkliche Grund seines Verschwindens war sein Inhalt. Mein Bruder hatte sich einer großen Gruppe Menschen angeschlossen, deren Ziel der große Lebensmittelspeicher in Oschatz war. Gerüchte machten die Runde, dass er geplündert werden sollte. Keiner konnte sagen, was die anrückende Rote Armee übriglassen würde. Also schnappte sich Jost mein Kinder-Cabrio und marschierte voller Hoffnung mit. Schwer beladen mit „Beute" schob er auf dem Heimweg den Kinderwagen gute acht Kilometer in Richtung Neuböhla, um ihn unter der Treppe, wo er sonst auch parkte, abzustellen. Er hatte viel zu erzählen, und was er dort erlebte, wird er nie mehr vergessen. Während die Eltern sich sorgten, wo ihr Ältester sich wohl herumtrieb, sah er tatsächlich Menschen, die wie in dem alten Schlager „Wer hat den Käse zum Bahnhof gerollt" Käse in der Größe von Wagenrädern zum Bahnhof rollten. Ebenfalls wurde er Zeuge, wie ein Mann unter der Last eines mit Kaffee gefüllten Sacks zusammenbrach. Kein Wunder, denn der kam aus der dritten Etage und traf ihn unvorbereitet.

Aber nichts hatte meinen Bruder davon abhalten können, meinen im harten Überlebenskampf bis zum Rand gefüllten Kinderwagen wieder an den angestammten Platz zu schieben.

Als er unseren Eltern stolz den Inhalt präsentieren wollte – aber das habe ich schon erzählt. Wie schlimm muss es für den kleinen Kerl, meinen großen Bruder, gewesen sein, festzustellen, dass mein Wagen, gefüllt bis zur Oberkante mit Rollen Drops, verschwunden war. Es waren turbulente Zeiten und das Schicksal befahl mir endlich, Laufen zu lernen.

Oma hatte ein Handtuch um meine Brust gelegt, unter den Armen hindurchgezogen und hielt mich so wie eine Marionette aufrecht.

Plötzlich waren sie da! Ehe meine Großmutter begriff, bremste ein russisches Panzerfahrzeug und aus der geöffneten Luke stiegen einige Soldaten aus, unter anderem ein weiblicher Offizier. Da ich schon immer ein kleiner freundlicher Kerl war, fand man Gefallen an mir. Man nahm mich in die Arme, scherzte und lachte, setzte mir eine Pelzmütze auf und reichte mich weiter, wo der nächste Rotarmist seine Späße mit mir machte.

Oma Martha wurde es immer banger ums Herz und als die Offizierin ihr auch noch anbot, mich mitzunehmen, damit ich es besser hätte, riss sie mich an sich und sprintete, mich fest an ihren Körper gepresst, zurück in die Mühle.

Hier waren wir sicher, denn zu diesem Zeitpunkt war Victor, ein russischer Offizier und im Zivilleben Lehrer für deutsche Sprache, ebenfalls Quartiergast der Müllerin.

Wahrscheinlich war es das Alter meines Bruders, welches ausschlaggebend war, dass er sich mehr mit ihm beschäftigte. Denn immerhin war Jost schon 8 Jahre und hätte in die zweite Klasse gehen müssen, hatte aber so gut wie nie eine Schule über längere Zeit von innen gesehen. An diesem Umstand war nicht so sehr seine Einstellung zum Lernen schuld, sondern vielmehr die Kriegswirren.

So verwunderte es nicht, dass Victor als berufener Pädagoge ab und zu mal meinen Bruder unterrichtete. Eine seiner ersten Stunden blieb ihm tief im Gedächtnis haften. Aus heutiger Sicht wäre Staatsbürgerkunde oder Politikunterricht die treffendere Bezeichnung.

Auf Victors Schreibtisch stand ein porzellanener Aschenbecher, auf dessen Rand drei Hunde saßen. Anhand dieser Vierbeiner versuchte ihn der „Gastdozent" mit der Politik des Siegerlandes vertraut zu machen. Victor zeigte nacheinander auf die Hunde und nannte sie beim Namen. Hitler, Goebbels und der wahrscheinlich dickste sollte Göring heißen. Mein Bruder, der von jeher eine schnelle Auffassungsgabe hatte, kam ihm zuvor und benannte den letzten der drei Aschenbecherbewacher mit Stalin! Namen, die er sich aus Gesprächen der Erwachsenen eingeprägt hatte und die zu dieser Zeit in aller Munde waren.

Dafür bekam er die gewaltige Schlagkraft der Roten Armee in Form einer klatschenden Ohrfeige zu spüren.

Das resolute Einschreiten unserer Mutter verhinderte Schlimmeres. Sollte Victor jemals das Alter erreicht haben und die Zeit erleben dürfen, als der 1. Sekretär der Kommunistischen Partei der SU, Nikita Chruschtschow, auf dem 20. Parteitag der KPDSU ein- für allemal mit dem Stalinspuk ein Ende machte, muss es ihn doch unendlich in seiner russischen Seele geschmerzt haben. Ein kleiner achtjähriger deutscher Junge hatte intuitiv mehr politisches Gespür für die dritte räudige Töle auf dem Aschenbecherrand als der Erwachsene, Lehrer und Offizier der Roten Armee!

3. Das Gemeindehaus oder die zweite Begegnung

Wieder einmal waren wir umgezogen und wohnten jetzt richtig fürstlich. Ein winziges Häuschen, am Dorfteich von Großböhla gelegen, welches der Gemeinde gehörte und demzufolge Gemeindehaus genannt wurde.

Ab hier kann ich voll mitreden, denn an diese Zeit kann ich mich recht gut erinnern. Unsere Eltern wuchsen über sich selbst hinaus. Das muss besonders hervorgehoben werden. Denn als Großstädter ein Schwein im eigenen Stall bis zur Schlachtreife zu füttern, Gänse, Enten und Hühner sowie eine Ziege ihr Eigen zu nennen, das war schon gewaltig. Meine Welt war in Ordnung.

Besonders erinnere ich mich an die Sommernächte. Wenn wir beiden Jungen in unserer winzigen Schlafkammer lagen und dem Quakkonzert der Teichbewohner lauschten, bis wir in Orpheus Arme sanken.

Alle Frösche Sachsens schienen sich zur Paarungszeit in unserem Feuchtbiotop versammelt zu haben, zumindest behauptete es unser Vater. So ist es nun mal.

„Was dem einen sin Uhl, ist dem andern sin Nachtigall." Unterdessen wuchsen wir ungebunden und ich denke auch recht glücklich in unserer kleinen Kate auf. Bis zu dem Moment, wo ich das erste Mal meine neue rote Spielhose anziehen durfte. Feuerwehrrot, mit winzigen gelben Blümchen übersät. So hübsch, wie ich darin aussah und mir gefiel, so sehr erboste sich der uneingeschränkte Herrscher des Hofes. Der Chef unserer sechs Hühner, ein großer, prächtiger, bunter Hahn. Sobald er mich kommen sah, stürzte er sich auf mich, um mir seine Lufthoheit eindrucksvoll zu demonstrieren. Während er, wild mit den Flügeln schlagend, auf meinem Kopf landete, hackte er mit dem Schnabel ziemlich schmerzhaft auf mir herum. Das geschah nicht nur einmal. Was wiederum bedeutete, dass seine Lebenszeit begrenzt war. Unser Vater sah sich gezwungen, ihm den Garaus zu machen. Genüsslich aß ich die leckere Nudelsuppe, die Mutti aus dem gekillten Bösewicht zauberte! Sie kam wahrscheinlich nur der Suppe nahe, die ich bei unserer Ankunft in der Oschatzer Schulsporthalle zu essen bekam.

Und wieder einmal war die Welt für mich in Ordnung, denn das Böse wurde letztendlich bestraft. Ich machte mir noch keine Gedanken darüber, was die zurückgebliebenen sechs Witwen des Hahns wohl ohne ihren Lustgockel anstellen würden. Aber sicherlich hat unser Vater für einen weniger aggressiven Nachfolger gesorgt. Dass das Leben so schön sein kann!

Eines Sommertages, für mich gab es nur schöne Sommertage, rief mich unsere Mutter ins Haus. Ich hatte auf den Eingangsstufen gesessen und wie so oft vor mich hingeträumt. Grundsätzlich wurde die Eingangstür, die zur Straßenseite führte, immer abgeschlossen. Eine Sicherheitsmaßnahme in diesen unsicheren Zeiten. Viel zu stehlen hätte es bei uns „Heimatvertriebenen" oder Umsiedlern, wie man uns auch nannte, nicht gegeben. Alles, was wir besaßen, waren Spenden oder Leihgaben. Der eigentliche Grund waren die herumstreunenden, hormongeplagten Kämpfer der Roten Armee. Es war also nicht ungewöhnlich, wenn plötzlich ein winziger Prozentsatz davon im Dorf auftauchte, um ihr vermeintliches Siegerrecht einzufordern.

Keine halbe Stunde, nachdem Mutter hinter mir die Tür verschlossen hatte, sollte ich Zeuge eines solchen Versuches werden. Während wir beide am Mittagstisch saßen, mein Bruder war noch in der Schule in Calbitz und Vater arbeitete wieder in seinem erlernten Beruf in der vier Kilometer entfernten Kleinstadt, pochte es energisch an unserer Eingangstür. Vorsichtig öffnete Mutti. Draußen standen zwei russische Soldaten, die nicht gekommen waren, um mich eventuell wieder auf den Arm zu heben und mit mir zu scherzen. Die wollten etwas anderes. Was, wusste ich nicht, aber ich spürte Angst in mir aufsteigen. Der so vehement an die Tür geklopft hatte, schob sofort seinen linken gestiefelten Fuß in den Türspalt und grunzte seinen Wunsch alkoholisiert meiner Mutter ins Gesicht: „Frau,

du fick-fick!" Danach ging alles ganz schnell. Mutter trat dem Wünschel-
rutenträger mit ihren schweren Arbeitsschuhen so heftig gegen das
Schienbein, dass er vor Schmerzen schrie und für den Bruchteil einer
Sekunde überfordert war und den Fuß zurückzog. Blitzschnell schloss sie
die Tür, schob den Riegel davor und zeitgleich schrie sie: „Schnell Klausel,
schieb hinten den Riegel vor!" Die hintere Tür führte auf den kleinen Hof.
Großmutter sei Dank! Sie hatte mich das Laufen gelehrt und alles Weitere
lief von allein.

Wie ein Wirbelwind flitzte ich die paar Meter zur Rückseite des Hauses und
schob den großen, eisernen Riegel vor. Es hätte keine Sekunde später sein
dürfen. Zwei tiefe Atemzüge vergingen und draußen schlugen die kräftigen
Fäuste des russischen Proletariats gegen die stabile Holztür.

Auch an der Vorderseite versuchte der Schienbeingeschädigte, sich Einlass
zu verschaffen, aber gottlob, so wackelig wie unser Häuschen aussah, die
Türen hielten! Fest aneinandergeschmiegt lauschten wir den Bemühungen,
sich mit Gewalt Einlass zu verschaffen. Irgendwann gaben sie es auf und
es trat Ruhe ein. Wir hörten später von unserer Nachbarin, dass man auch
bei ihnen den Versuch unternommen hatte, ins Haus einzudringen, aber ich
denke mal, der Grund war mehr, sich mit neuem Treibstoff zu versorgen.
Frau Wolf besaß einen winzigen Tante-Emma-Laden und im Angebot
befand sich unter anderem auch Kartoffelschnaps. Es war ein erster
Versuch, wenigstens auf alkoholischem Gebiet zur Normalität
zurückzukehren. Das sollte vorerst die letzte Begegnung mit Vertretern der
Sowjetarmee gewesen sein. Jahre später kamen andere Erlebnisse dazu,
aber das ist eine andere Geschichte.

4. Die Brüterei

Aus welchem Grund auch immer, wieder einmal zogen wir um. Vielleicht hatten unsere Eltern den Freundschaftsbesuch der beiden Rotarmisten als zu aufdringlich empfunden und wollten die Befürchtung eines erneuten Versuches damit ein für alle Mal aus dem Weg räumen.

Unser neues Domizil war ein altes Fachwerkhäuschen in der Pfarrgasse, welche direkt zum Dorffriedhof führte. Keine hundert Meter weiter wohnten unsere Großeltern, und schon das vermittelte ein etwas sicheres Gefühl. Zumal wir nun mit einer vierköpfigen Familie unter einem Dach wohnten. Und noch einen entscheidenden Vorteil hatte der Umzug, zumindest für mich. Die Herrin des Hauses war Brutmeisterin und ihr kleiner Betrieb, also die Bruterei, war in der anderen Hälfte des Hauses untergebracht.

Außerdem waren sich unsere Mutter und Frau Schneider sofort sympathisch, und es dauerte nicht lange und beide wurden Freundinnen. Damit hatten wir auf einmal eine Tante Traudel.

Welch ein Abenteuer sollte dieser Umzug für mich werden! Wir hatten zwar kein Schwein mehr zu füttern, dafür eine Milchziege und Kaninchen. Erstere war dafür verantwortlich, dass ich so groß und stark geworden bin, meinte unsere Mutter. Den Kaninchen haben wir es zu verdanken, dass wir den darauffolgenden kalten Winter eine kuschelig weiche Pelzmütze stolz auf unserem Kopf trugen.

Aber das Schönste und Eindrucksvollste war für mich die Osterzeit. Abenteuer Osterzeit, das war es! Jedes Jahr durfte ich die Metamorphose erleben, die ein gewöhnliches Hühnerei zu einem winzigen, piepsenden, gelben Kuschelknäuel durchläuft. Nichts Schöneres gab es für mich in dieser Zeit.

Während heutzutage die meisten Kinder in unseren Breitengraden zwischen leblosen Kuscheltieren aufwachsen, saß ich, weil ich es durfte, zwischen Hunderten und Aberhunderten winzigen, piepsenden bzw. schnatternden

Weltwundern. Schon das Durchleuchten der Eier war interessant, wenn Tante Traudel die tauben Eier aussortierte und die, welche für die Brüterei die erforderlichen Qualitätsmerkmale aufwiesen, in den Brutschrank legte.

Für mich war sie Gott, denn sie bestimmte, so glaubte ich, welches Ei später ein Eier legendes Huhn, ein Suppenhühnchen oder ein stattlicher Gockel werden sollte. Gespannt wartete ich auf den Prozess des Schlüpfens.

Tante Traudel gab mir rechtzeitig Bescheid, wann es losging. Ach, war das aufregend! Zunächst passierte nichts. Doch dann plötzlich bekamen die ersten Eier leichte Risse in der Schale, kleine Löchlein entstanden, in deren Mittelpunkt ein klitzekleines Schnäbelchen versuchte, sich eine Öffnung zu schaffen. Groß genug, um endlich die zu eng gewordene Hülle abzustreifen.

Wie hässlich, nass und verklebt sahen doch die Neuankömmlinge aus. Verloren standen die kleinen Kerlchen auf ihren winzigen Beinen und piepsten kläglich. Ruckzuck wurden sie von der Brutmeisterin eingesammelt und in einen separaten Raum gebracht. Hier herrschten hochsommerliche Temperaturen, die von einer großen, von der Decke herabhängenden Rotlichtlampe erzeugt wurden. Stunde um Stunde füllte sich die Kükenkinderstube.

Während sich in der Mitte des Raumes, genau unter der Lampe, ein großes Knäuel dieser putzigen Winzlinge eng aneinander gekuschelt wärmte, liefen die etwas Älteren umher und pickten neugierig mal hier, mal da, um sich ihre plötzlich so groß gewordene Welt zu erobern. Stolpernd und durcheinanderpurzelnd piepsten sie dabei, dass es eine wahre Freude war.

Aber, wie es nun einmal im Leben ist, wo viel Licht ist, gibt es auch viel Schatten. Den freundlichen, schönen Teil habe ich gerade geschildert, den weniger schönen erlebte ich auch, dann, wenn Tante Traudel selektierte.

Im Anfangsstadium, also als Ei, habe ich es gar nicht als so tragisch empfunden. Aber als die kleinen, goldgelben Knäuel untersucht wurden, weiblich, männlich, nicht verwertbar, weil verkrüppelt oder aus welchem Grund auch immer, nahm Tante Gott das kleine Köpfchen zwischen Zeigefinger und Mittelfinger der rechten Hand und mit einem schnellen

Ruck und einer kurzen Rotation war für das Küken der Aufenthalt auf diesem ach so widersprüchlichen Planeten beendet.

Nur gut, dass wir Menschen Weltmeister im Verdrängen sind. So vergaß ich schnell diese für mich unverständliche Grausamkeit und saß zwischen Hunderten Hühner- und Entenküken und war in diesem Moment das glücklichste Kind der Welt oder des Dorfes, was eigentlich auch reichte.

5. Der Deal

Nur knapp 100 Meter die Pfarrgasse hinunter hatten unsere Großeltern in der Pfarre Unterschlupf gefunden. Eine Kuriosität, die für diese Zeit, unmittelbar nach dem Zusammenbruch des Tausendjährigen Reiches, nicht die einzige bleiben sollte.

Das zerstörte und gekenterte Schiff trieb kieloben und die Überlebenden klammerten sich in ihrer Verzweiflung daran fest. Hoffend, dass es irgendwie weitergeht, trotz unterschiedlichen Glaubens und Parteizugehörigkeit. So kam es also, dass mein Opa als alter, eingefleischter Sozi, der den Arbeiterführer August Bebel noch persönlich kennengelernt hatte und nicht ohne Stolz ein Foto von ihm mit Widmung sein Eigen nannte, mit Oma in dieses barocke, etwas heruntergekommene Gottesquartier einzog.

Sicher war es auch dem Umstand zu verdanken, dass Opa Oskar als Invalide aus dem ersten Weltkrieg zurückgekehrt war und sich damit bei den beiden Schwestern des Hauses einen Sonderbonus verdient hatte. Die zerschossenen Ellenbogen hatte er sich bei dem Versuch geholt, vor Verdun dem Franzosen eine Beule in den Helm zu hauen.

Im Lazarett päppelte man ihn einigermaßen auf und als unvergessliches Andenken behielt er seine im Winkel von 125° versteiften Unterarme. Logischerweise sprach er nicht gerne von dieser Zeit. Und da ich ihn nie anders kennengelernt hatte, war es also ganz normal für mich, dass seine Armbewegungen etwas Holzkaspermäßiges an sich hatten.

Das alles tat dem keinen Abbruch – er war mein allerliebster Großvater auf dieser Welt. Einen anderen hatte ich ja nicht. Denn den Vater meines Vaters lernte ich nicht kennen, da mein Vater seinen Vater schon sehr früh verloren hatte und als Halbwaise aufwuchs. Alles klar?

Da nun die beiden evangelischen Schwestern, die in der Pfarre residierten, und sie waren auch wirklich leibliche Schwestern, meinen Großeltern aus christlicher Nächstenliebe ein Dach über den Kopf zur Verfügung stellten, sah sich Oma Martha gezwungen, ihren Enkel, in dem Falle mich, als Unterpfand zu verhökern. Mein Bruder kam nicht mehr in Frage, er war wesentlich älter und – wie sich später zeigen sollte – als Mittel zum Zweck untauglich. Das Ganze sah dann folgendermaßen aus: Ich, das Enkelkind eines alten Sozialisten, Kind zweier Kommunisten, musste am Religionsunterricht teilnehmen.

Auch im Chor unserer Dorfkirche schmetterte ich mit, dass man ernsthaft in Erwägung zog, mich nach Leipzig zu den Thomanern zu verkaufen. Von da ab boykottierte ich den Gesangsunterricht, und immer, wenn die Textpassage kam „So jauchzt dem Schöpfer, komm!", trällerte ich munter "So Jauchenschöpfer"!

Aber das war noch nicht alles! Manchmal befreiten mich Maria und Elisabeth, die beiden Schwestern, sogar vom offiziellen Schulunterricht. Es geschah zwar höchst selten, aber immer dann, wenn ein Dorfbewohner seinen Löffel beim Schöpfer abgab. Mein damaliger Neulehrer, Herr Tschau, hatte gegen die schwesterliche Allmacht der beiden Jungfrauen nicht die geringste Chance und musste mich wohl oder übel ziehen lassen. Soweit ich mich zurückerinnern kann, sollte es die erste leitende Funktion sein, die ich zum Anfang meines Lebens bekam. Stolz trug ich, schwarz gewandet, das Kreuz mit dem aufgenagelten Herrn Jesus vor dem Trauerzug her zum offenen Grab, um am Kopfende meine Position zu beziehen. Eine willkommene Abwechslung in dem so ruhigen Dorfleben. Außerdem war ich ja hier fast wie zu Hause. Opa übernahm den Job eines Kirchendieners und besserte so seine sehr klägliche Invalidenrente auf.

Kein Wunder, dass der Friedhof für mich kein Ort des Schreckens war. Er war ein Garten, geschützt, umgeben von einer hohen Mauer, die mir das Gefühl vermittelte, geborgen und in Sicherheit zu sein.

Während Großvater die Kirche sauber hielt und auch die Glocke zur festgesetzten Zeit läutete, spielte ich zwischen den Gräbern, sammelte heimlich große Weinbergschnecken, die es in Massen gab, und ließ sie um die Wette kriechen. Es war ein Hof des Friedens, ein Rückzugsgebiet für viele Tiere. Ob Eule, Käuzchen oder viele Singvögel, alle fanden hier ihren

Nistplatz. Für mich als kleiner Junge hatte alles seine Ordnung und Richtigkeit. Dass ich Mittel zum Zweck gewesen sein sollte, kam mir damals nicht in den Sinn. Erst viele Jahre später, auf dem Weg zum Erwachsenwerden, begriff ich, dass man gewisse Kompromisse eingehen muss und noch heute zehre ich von den gemachten Erfahrungen.

6. Der Albtraum unseres Dorfpfarrers

Ich hatte bereits in einer anderen Geschichte angedeutet, dass mein Bruder für den Dienst an Gott nicht zu gebrauchen war. Das lag daran, dass er knappe sechs Jahre älter ist als ich und der Einfluss unserer kommunistischen Eltern sowie unseres Großvaters Oskar auf ihn doch beträchtlich war.

Ich kann mich noch sehr schwach daran erinnern, dass unser Vater mit diabolischer Freude den Wissensdurst seines ältesten Sohnes Jost Norbert, meines großen Bruders, zu stillen versuchte und ihn auf die nächste Bibelstunde vorbereitete. Da Jost schon immer daran arbeitete, ein guter Rhetoriker zu werden, was manchmal ausuferte, denn des Öfteren stand er auf der Kanzel unserer Kirche, um vor einer imaginären Gemeinde zu predigen. Er ließ nichts aus, um noch mehr und vor allem schlagkräftiger argumentieren zu können. Auch ich musste sein flächendeckendes geistiges Bombardement des Öfteren auf mein wesentlich kleineres geistiges Territorium fallen lassen.

Eines Abends klopfte es an unserer Stubentür, man kam direkt vom Hausflur ins Wohnzimmer. Als unser Vater öffnete, stand der Dorfpfarrer vor ihm. Höflich, wie wir unseren Vater kannten, bat er den Vollstrecker Gottes einzutreten. Dieser hatte allerdings nicht die Absicht, längere Zeit bei uns zu verweilen und bat unseren Erzeuger ohne Umschweife, meinen Bruder sofort aus der Bibelstunde exmatrikulieren zu dürfen. Auf die verwunderte Frage, welches der Grund sei, seinen Sohn nicht mehr in den Genuss der Märchenstunde kommen zu lassen, erzählte der geistige Nachkomme Martin Luthers folgende Begebenheit. Er sei nach der letzten Begegnung mit meinem Bruder nicht mehr in der Lage, seine rebellischen Fragen und die wiederum gespickt mit Scheinheiligkeit, zu beantworten.

Es war eindeutig, dass mein Jost den Seelenhirten total aus dem Gleichgewicht gebracht hatte. Wissensdurstig, wie mein großer Bruder nun mal war und ist, wollte er von ihm wissen, ob Gott allmächtig wäre. Die Antwort lautete ungefähr: "Das weiß doch jedes Kind, dass Gott allmächtig

23

ist." Er hatte sich wieder einmal in meinem Bruder getäuscht: „Kann Gott auch Berge erschaffen?" „Wenn Gott allmächtig ist, kann er selbstverständlich auch Berge erschaffen."

„Kann Gott diese Berge auch versetzen?" „Selbstverständlich kann Gott diese Berge, die er eigenhändig schuf, auch anheben und versetzen." Der Seelsorger wurde unruhig und es muss ein äußerst dummes Gefühl von seinem Körper Besitz ergriffen haben. Jost ließ nicht locker: „Kann Gott auch solch große Berge erschaffen, die er nicht anheben und versetzen kann?" Das dumpfe Gefühl hatte die Schmerzgrenze des Hirten erreicht.

Fazit meines Bruders: Wenn er das nicht kann, ist Gott auch nicht allmächtig und die ganze kirchliche Theologie keinen Heller wert.

Schmunzelnd versprach unser Vater, seinen aufmüpfigen Sprössling von nun an nicht mehr in die Bibelstunde zu schicken. Ich glaubte, im Gesicht des Pfarrers eine große Erleichterung wahrzunehmen. Wahrscheinlich bedankte er sich im Innersten bei seinem obersten Chef, dass er ihm beigestanden und bewiesen hat, dass es ihn doch gab, den allmächtigen Gott. Die Wege des Herrn sind unergründlich.

Was er nicht wusste, am Vorabend hatten unser Vater und mein Bruder gerade dieses interessante philosophische Thema durchgearbeitet und somit einen kleinen politischen Glaubenskrieg gewonnen.

Sicherlich sah der Kirchenmann das auf seine Weise. Er war heilfroh, dieses ketzerische Kommunistenbalg los zu sein und wenig später hörten wir ihn, seinen „Hühnerschreck" starten. Für die Leser, welchen diese Bezeichnung fremd sein sollte: Es handelte sich um ein Fahrrad mit Anbaumotor.

Sein Gottvertrauen, dass alles in seinem Sinne geschehe, bewies auch das Pappschild, welches er unter der Lampe seines von der Kirche spendierten „Dienstwagens" befestigt hatte. Auf diesem Schild stand in großen Buchstaben: „Gott beschütze mich!"

Ob es nun die Bitte war, seine miserablen Fahrqualitäten mit schützender Hand zu begleiten oder ihn vor weiteren so problematischen Ungläubigen wie meinem Bruder zu bewahren, weiß ich bis heute nicht.

7. Machtmissbrauch?

Hochzeit in einem Dorf ist immer etwas Großartiges, zumal es meistens Bauernhochzeiten sind. Besonders spektakulär sind logischerweise die Großbauern-Hochzeiten. Wenn durch so eine Verbindung plötzlich aus ein paar 100 Hektar auf einmal 1000 wurden.

Nur gut, dass keiner von uns Umsiedlern heiraten musste. Die Erwachsenen aus unserer Familie waren verheiratet und die Kleinen mussten noch einige Jahre auf die Weide.

Außerdem, was wäre denn unter dem Strich dabei herausgekommen?

Nur zusammengestoppelte und zusammengebettelte Dinge des täglichen Bedarfs. Ich glaube, jeder aus unserer Familie hatte eine andere Tasse und kaum ein Unterteller sah aus wie der andere.

Wir waren heilfroh, richtige Betten zu besitzen: mit Stroh gefüllte Riesensäcke, in denen im Winter ein in Zeitungspapier eingewickelter Ziegelstein lag, der zuvor auf dem kleinen Kanonenofen heißgemacht wurde. War das kuschelig, wenn meine kleinen Füße diesen Stein ertasteten. Mutter deckte mich bis zur Nasenspitze zu, während ich im flackernden Kerzenschein die kristallglitzernden Wände der Schlafkammer bewunderte. Natürlich waren es keine echten Kristalle, sondern der Reif, der sich an den Lehmwänden des nicht beheizbaren Kämmerchens abgesetzt hatte. Also, was hätte eine Hochzeit zwischen solch armen Schluckern schon eingebracht? Dementsprechend waren wir als Umsiedler und Heimatvertriebene aus Schlesien als Halbpolen bei den Großbauern verrufen.

Oft genug bekamen wir es zu spüren, aber wie heißt es doch so schön? „Rache ist süß." Und vor allem die Rache des kleinen Mannes.

So geschah es, dass Opa Oskar wieder einmal die ganze Familie einspannte, da bei so einer Großbauernhochzeit alle drei Glocken geläutet werden mussten. Heutzutage ist es ja keine Kunst zu läuten, alles ist automatisch! Wir aber waren regelrechte Virtuosen am Glockenstrang.

Denn jede der drei Glocken hatte nicht nur ihren eigenen Ton, nein, jede war auch unterschiedlich zu handhaben. Der neuzeitliche Kirchendiener, wenn es ihn überhaupt noch gibt, drückt zur festgelegten Zeit aufs Knöpfchen. Doch ich könnte mir vorstellen, dass auch diese Funktion eine Zeitschaltuhr übernommen hat.

Aber wir waren das unschlagbare „Trio Harmonie", das Glockenteam vor dem Herrn. Während Opa Oskar am Turmfenster stand, von wo er die Pfarrgasse gut einsehen konnte, warteten wir auf sein Startzeichen.

Wir, das waren unsere Mutter an der großen Glocke, mein Bruder Jost an der mittleren und ich, das Küken, hatte die volle Verantwortung für das hohe C oder auch die kleine Bimmel.

Wie gesagt, es war schon etwas Können vonnöten, um ein harmonisches Geläute zu produzieren. Auch darin gab es Unterschiede. War zum Beispiel eine Beerdigung, musste die größte Glocke dumpf, traurig und vom Tempo schwer wie lehmverkrustete Großbauernstiefel schwingen. Die beiden kleineren durften nur zaghaft, aber trotzdem im Rhythmus mithalten. Ganz anders bei einer Hochzeit, und ich betone noch einmal, besonders bei einer Großbauernhochzeit. Hier musste alles mächtig und gewaltig klingen. Die große Glocke Nr. 1 musste den Reichtum demonstrieren. Dementsprechend überwältigend musste ihr Gewummere sein.

Nr. 2 und Nr. 3 hatten die Aufgabe, die Fröhlichkeit des ganzen Festes zu unterstreichen.

Während mein Bruder Jost mit seiner Glocke dafür verantwortlich war, den Abschluss eines guten Geschäftes sowie den Zusammenschluss zweier reicher Familien auszudrücken, war ich, wenn ich es im Nachhinein betrachte, mit dem lieblichen Geklingel von Glocke 3 dafür vorgesehen, das helle Klimpern von Münzen in der Schatulle zu suggerieren. Und wie schon angedeutet, es musste alles im Rhythmus, in Harmonie und Wohlklang ablaufen.

Und das war unsere Stunde. Das war der Augenblick, wo wir am Schalthebel der Macht, am Seil der Oberherrschaft saßen und im wahrsten Sinne des Wortes die Lufthoheit hatten und es auch voll auskosten wollten.

Folgendes Spektakel begann. Es heirateten zwei Großbauerngehöfte oder sollte ich lieber sagen, die Kinder zweier sehr reicher Bauernfamilien? Bei uns Umsiedlern waren sie weniger beliebt. Sie waren das typische Beispiel dafür, dass Geld den Charakter verdirbt. In einer kurzen „Teambesprechung" teilte uns unsere Mutter mit, dass wir kurz vor einer schicksalhaften Machtdemonstration stünden.

Es lag jetzt allein in unseren Händen, denen da unten zu zeigen, wer hier das Läuten hat.

Es war kein Geheimnis, dass die eine Verbindung eingehenden Parteien – Braut und Bräutigam – mit all ihren Verwandten, fünf Jahre früher in braun, mit Hakenkreuzbinde am Arm die Pfarrgasse zur Kirche hinaufmarschiert wären. Sicherlich hätten die drei Glocken ganz anders geläutet werden müssen, an kurzen Seilen und mit einem markigen und zackigen Takt.

In dem Moment kam Opa, der ja am Ausguck stand, und gab mir das Zeichen für „Let's go!".

Als Erster durfte ich am Seil hochspringen und mein Glöckchen zum Klingen bringen. Ich peitschte mein minimales Körpergewicht zur Hochleistung und warf es zugleich in die politische Waagschale.

Auf mein etwas klägliches Gebimmel, welches sehr an eine Kinder-beerdigung erinnerte, setzte Bruder Jost seine Glocke mit einem Bim, Bam, Bom in Schwung, was dann von unserer Kommandeurin und ihrer mächtigen Nr. 1 wummernd in einen wahren Siegestaumel geläutet wurde.

Ich muss noch erwähnen, dass die gesamte Hochzeitsgesellschaft etwa 100 Meter zu Fuß zurücklegen musste, um das Tor der Kirche zu erreichen. Es war für alle Beteiligten der Gang nach Canossa, Variante Großböhla.

Unser Aussichtsposten, Opa Oskar, kam wie von einer Tarantel gestochen in das „Hauptquartier der Widerstandsgruppe Hennig" gestürzt, fuchtelte wild mit seinen versteiften Armen und schrie etwas, was im apokalyptischen Geläut aller drei Glocken in die Weiten des sächsischen Himmels transportiert wurde, um auf ewig in die Geschichte der Familie Hennig einzugehen. Unser Großvater war schon immer ein sehr disziplinierter Mensch, wir, seine Enkel, nicht minder.

Was unsere Mutter zu uns sagte, haben wir prompt ausgeführt – manchmal.

8. Der mysteriöse Tod eines Hundes

Hermann Plötze war der Stellmacher unseres Dorfes und hatte das Glück, unversehrt aus dem 2. Weltkrieg zurückgekehrt zu sein. Er hatte in einem Pionierbataillon gedient und war also mit allen Wassern, die in diesem Beruf nötig waren, gewaschen.

Sein Vollbart, der ihm fast bis an die Brust reichte, ließ ihn wesentlich älter aussehen. Für mich war er jedenfalls uralt. Er war neben dem Tischler, der seine Werkstatt in der unmittelbaren Nähe des Schlosses hatte, dem Schmied sowie dem Bäcker und Herrn Funke, dem Kolonialwarenhändler, einer der wenigen im Dorf, die keine Bauern waren, aber gebraucht wurden. Hermann Plötze baute Leiterwagen und reparierte gebrochene Wagenräder, half hier und dort. Seiner Werkstatt gegenüber war die Dorfschmiede. Beide Handwerksmeister einte eine berufliche Symbiose. Hatte der Stellmacher die Wagenräder gefertigt, musste der Schmied sie mit mächtigen Eisenreifen versehen.

Das war für uns Dorfkinder sehr interessant, ein Schauspiel ohnegleichen und außerdem eine Freilichtveranstaltung, weil die ganze Prozedur vor der Schmiede stattfand.

Nie werde ich den Geruch des verkohlten Holzes vergessen, wenn der Meister mit Geselle und Lehrling den glühenden Metallreifen im Dreiertakt auf das hölzerne Rad schlug. Es klang wie eine Melodie im Dreivierteltakt: bing, bang, bong – bing, bang, bong. Saß der heiße eiserne Ring richtig, wurden einige Eimer kaltes Wasser über Holz und Metall gekippt. Es brodelte und zischte und heißer Wasserdampf stieg auf. Auf diese Weise erzeugte man Spannung, damit der Reifen fest sitzenblieb. Ein wunderbares Spektakel!

Zurück zu Onkel Hermann. Ich kann mich nicht erinnern, ihn je sprechen gehört zu haben. Aber die Werkstatt zog mich magisch an. Es duftete nach frisch gehobeltem Holz. Säuerlich die Eiche, harzig die Kiefer. Es gab kleine Klötzchen, die er mir zum Spielen schenkte, ich war reich! Sicherlich war er es auch, der in mir die Liebe zu diesem einzigartigen Naturmaterial weckte. Wie wundervoll und gleichzeitig rätselhaft war eine frisch abgehobelte Holzlocke.

Zog ich sie vorsichtig auseinander und ließ sie wieder los, rollte sie sich wie von Zauberhand zusammen, überall war Wunderland und ich mittendrin. Auch mein großer Bruder war in der Werkstatt ein gern gesehener Gast. Er durfte sogar schon mit den Werkzeugen arbeiten. So schenkte er mir zu Weihnachten ein selbstgefertigtes Schiff, welches er unter Anleitung unseres großen Vorbildes für mich, seinen kleinen Bruder, angefertigt hatte.

Die eindrucksvollste Erinnerung aber wird die an die große hölzerne Schatztruhe bleiben. Ein Kasten mit Deckel, vor dem ein eisernes Schloss hing. Hier sicherte und lagerte Hermann Plötze die Naturalien, die er von den Bauern zusätzlich für seine Dienstleistung bekam.

Wenn er mich hochhob und auf die Hobelbank setzte, war es für mich, wie in den Himmel gehoben zu werden. Bedächtig öffnete er den Truhendeckel, spähte hinein, suchte und fand, und mit freundlichem Augenzwinkern zauberte er die unterschiedlichsten Leckerbissen hervor. Manchmal war es ein Stück Speck, wovon er eine kräftige Scheibe abschnitt, oder eine Ecke frisch geräucherter Wurst, die er mir spendierte. Genauso zelebrierte er das Teilen eines Apfels oder einer Birne.

Zückte er sein scharfes Taschenmesser, um es aufzuklappen, war das für mich wie das Öffnen der Tür zum Paradies. Still saßen wir auf seiner Werkbank, zwischen uns die hölzerne Truhe und kauten andächtig.

Aber wie gesagt, das waren meine Erlebnisse mit Onkel Hermann. Bei meinem Bruder sahen sie etwas anders aus, aber das lag sicherlich am altersbedingten Vorlauf, den er mir gegenüber hatte.

Eines Tages zogen beide in den nahe gelegenen Wald, der eigentlich der heruntergekommene Schlosspark war. Den hatte er vorher nach alter Munition abgesucht, die ja damals immer noch in mehr oder weniger großen Mengen in der umliegenden Botanik herumlag. Aus diesen – von der Wehrmacht auf ihrer Flucht vor der anrückenden Roten Armee weggeworfenen – Knallkörpern bastelte Hermann seine eigenen Sprengsätze.

Als Nebenerwerbsquelle hatte er für sich die explosive Rodung von alten Holzstubben entdeckt. Das gewonnene Kleinholz verhökerte er in den umliegenden Dörfern. Ich erinnere daran, dass er Pionier im 2. Weltkrieg war und nun fühlte er sich für die Entsorgung der im Busch herumliegenden Munition verantwortlich.

Jetzt mit meinem Bruder hatte er sich einen speziellen, riesigen Stubben ausgesucht, am Rande des Parks, in der Nähe des Schlosses gelegen, etwa 60 Meter vom Hof und der Werkstatt des Tischlers entfernt.

Penibel, wie Meister Plötze war, setzte er die Bohrungen ins Holz, steckte die Ladungen hinein, verstopfte die Öffnungen und legte eine Lunte aus Schwarzpulver, welche er in einer Blechbüchse bei sich trug.

Danach begaben sich beide in Deckung, um das Pulver zu zünden. Eine kleine, zischende Flamme bewegte sich flink in Richtung Baumwurzel.

Onkel Hermann drückte Kopf und Körper meines Bruders fest an den Waldboden und beide warteten gespannt auf die Detonation. Mit einem ohrenbetäubenden Knall tat der Sprengstoff seine Arbeit. Als sich der Rauch verzogen hatte und sie vorsichtig ihre Köpfe hoben, um über den Rand der kleinen Senke zu spähen, in der sie lagen, mussten sie feststellen, dass der Stubben sich nicht bewegt hatte. Er stand wie zuvor an seinem Platz und der „Sprengmeister" zweifelte an seiner fachlichen Kompetenz. Grummelnd erhob er sich, zupfte nervös an seinem Bart, um sich dann vorsichtig dem Tatort zu nähern. Auch mein Bruder war verwundert, dass die Kunst seines Sprengmeisters versagt hatte.

Als sie vor der Wurzel standen, stellten sie schnell fest, welches die Ursache der missglückten Aktion war. Die Baumscheibe zeigte eine kreisrunde Öffnung und der Kern fehlte. Der Grund war ein faulender Ring von wenigen Zentimetern Breite. Als sich die Explosion ereignete, konzentrierte sich der gesamte Druck auf das Kernstück des Stubbens.

Normalerweise wäre der Wurzelstock regelrecht zerhackt worden und man hätte die zerkleinerten Teile nur einsammeln müssen. So aber suchte sich der Druck den leichtesten Weg und ließ den Kern wie das Geschoss eines Granatwerfers in den Himmel jagen.

Wo aber war nun dieser riesige „Korken"? In welcher Richtung sollte man suchen? Diese Frage wurde bald beantwortet. Es sprach sich in Windeseile wie ein Lauffeuer herum. Der Hund des Tischlers sei mit einem großen Stück Holz, von wem auch immer, erschlagen worden. Er lag tot und angekettet vor seiner Hütte. Das Schicksal hatte das brave Tier beim friedlichen Dösen in der Nachmittagssonne erwischt.

Keiner ist auf den Gedanken gekommen, dass der Tod des Tischlerhundes etwas mit den Aktivitäten des Stellmachers zu tun haben könnte. Viele Jahre später erzählte es uns mein Bruder im trauten Familienkreis. Da lebten wir aber schon lange nicht mehr in unserem Dörfchen.

9. Rache kann süß sein

Es muss der Winter 1951/1952 gewesen sein. Die gesamte Dorfjugend hatte sich an der Schafsbrücke zum Rodeln eingefunden. Schafsbrücke deshalb, weil hier der Schäfer des Dorfes sein Gehöft hatte. Außerdem war es die einzige Erhebung weit und breit, die uns diese Möglichkeit bot. Unser Vater hatte bei unserem Stellmacher Hermann Plötze einen Bockschlitten anfertigen lassen. Damit er nicht sofort bei unseren zum Teil gewagten Aktionen demoliert wurde, hatte ihn Onkel Hermann aus bestem Eichenholz gebaut und vom Schmied die Kufen sowie die stabilisierenden Elemente anfertigen lassen.

Der Schlitten war schwer wie ein russischer Panzer und ich denke auch genauso rutschfest. Geschwindigkeit bekamen wir jedenfalls nicht drauf.

Nun geschah es, dass in der Menge der rodelnden Kinder die Freibergfamilie auftauchte. Heute würde man sagen die Freiberggang. Wenn ich mich recht erinnere, waren es acht Kinder. Das Jüngste, Matze, war mein bester Freund. Die Älteren konnte ich nicht leiden, denn sie machten ihrem kleinen Bruder das Leben echt schwer.

An eine Begebenheit kann ich mich noch bestens erinnern. Dieser Vorfall bestärkte mich, den größeren Anteil dieser Sippe als äußerst unsympathisch einzustufen.

Ich hatte für Matze und mich bei unserer Bäckerin für jeden einen Himbeerbonbon erbettelt. Die gute Frau Heschel konnte meinen traurigen Blick auf die bis zum Rand gefüllte Bonbonniere nicht ertragen. Außerdem war das Geld, welches ich mitbekam, genau abgezählt und reichte tatsächlich nur für das Brot.

Während wir genüsslich lutschend die Bäckerei verließen, begegneten uns einige von Matzes Brüdern. Der Älteste bemerkte sofort, dass der Kleinste der Sippe etwas im Mund hatte und forderte ihn barsch auf, seine Schnauze aufzumachen. Ehe mein Freund sich versah, hatte sich sein großer Bruder den Rest des Himbeerbonbons mit seinen dreckigen Fingern aus Matzes

Rachen geangelt und sich in den Mund gesteckt. Über diesen, im wahrsten Sinne des Wortes, Mundraub war ich zutiefst erschüttert, litt ich doch auch zum Teil unter der Allmacht meines Bruders, aber so etwas hätte er nie gemacht. Mein Gerechtigkeitsempfinden bäumte sich in mir auf und machte mir diese Kerle noch unsympathischer. Das Fass sollte bald überlaufen. Es fehlte nur der berühmte eine Tropfen.

Der fiel an diesem Wintertag an der Schafsbrücke. Jost versuchte gerade, unseren T34 zur Abfahrt in Position zu bringen, was aus schon erklärten Gründen nicht so schnell ging. Wahrscheinlich hätte die Abfahrt wesentlich länger sein müssen, um den Vorteil Masse + Geschwindigkeit auszunutzen. Was bedeuten dann knappe zehn Meter? Gerhard Freiberg war diese umständliche Vorbereitung meines Bruders zur „Schussfahrt" zu langsam und so kippte er aus lauter Bosheit den Schlitten samt seinem Besitzer um. Jost überschlug sich mehrmals, während Hermann Plötzes Qualitäts-schlitten ihn so böse getroffen haben musste, dass er vor Schmerzen laut aufschrie und in Tränen ausbrach. Ich hatte ihn bis zu diesem Moment noch nie weinen sehen. Der Heuler vor dem Herrn war ja eigentlich ich. Das war wieder ein Moment, der mein Gerechtigkeitsempfinden bis in die tiefsten Grundmauern erschüttern ließ. Matze plus Jost minus Gerhard Freiberg konnte unter dem Strich nur heißen: „Rache!"

Niedergeschlagen zogen wir in Richtung Pfarrgasse, während mein großer Bruder sicherlich nicht nur wegen der Schmerzen leise weinend neben mir herlief. Das tat weh! Alle Stänkereien und Streitigkeiten zwischen uns waren vergessen. Mein Herz zog sich schmerzhaft zusammen.

Ich konnte und wollte es auch nicht ertragen, geschlagen und kampflos das Feld zu räumen. Eine unendlich kalte Wut stieg in mir auf.

Dieser Urinstinkt, hier ist etwas Ungerechtes geschehen. So etwas durfte nicht sein, das musste bestraft werden. Diese schwarzen Gedanken ließen mich weit über meine Möglichkeiten und Kräfte wachsen.

Während sich Jost ins Haus zurückzog, gab es nur noch ein Ziel für mich. Diese böse Tat musste bestraft werden und ich wusste auch schon wie.

Entschlossen ging ich in den Schuppen, in welchem ein abgewrackter Kinderwagen vor sich hingammelte. Ich erinnerte mich an die Querstande zum Schieben. Sie bestand aus einem stabilen Aluminiumrohr, hatte die idealen Maße und war ruck, zuck ausgebaut. Gut verstaut im Schaft meiner Igelitstiefel machte ich mich damit ohne zu zögern auf den Weg zur Schafsbrücke. Es dämmerte bereits und mein Plan stand fest. Langsam und in kleinen Gruppen kamen die Kinder vom Rodeln zurück. Ich hatte mich am Eingang zum Dorf hinter einem tief verschneiten Busch versteckt und wartete auf meinen großen Moment.

Ich spüre keine Kälte und auch an Hunger oder Durst kann ich mich nicht erinnern. Nur grenzenlose Wut! Wut auf diesen Gerhard Freiberg, der meinen Bruder so erniedrigte und auch meinem besten Freund den Bonbonrest aus dem Mund geraubt hatte.

Plötzlich waren sie da! Die ganze Breite der Dorfstraße einnehmend, zogen sie in Richtung ihrer Räuberhöhle. Das Überraschungsmoment ausnutzend, brach ich brüllend aus meinem Versteck hervor und schlug mit meinem Aluminiumrohr wie Arnold Schwarzenegger als Conan der Barbar mit seinem Riesenschwert wild um mich. Ich traf Köpfe, Arme, Schultern und Beine und keiner konnte mich bremsen. Die Überraschung war mir gelungen. Panik brach in der Freiberggang aus und ich hatte Mühe, ihnen auf ihrer unkontrollierten Flucht noch ein paar tüchtige Hiebe zu versetzen.

So nebenbei, wie aus einem Nebel, hörte ich die hysterischen Schreie der Frau Richter, bei der wir immer unsere Wäsche mangelten: „Der bringt die um, der bringt die um!" Ich musste also einen recht nachhaltigen Eindruck hinterlassen haben, zumal ich nicht einen einzigen Schlag abbekommen hatte.

Die Verfolgungsjagd endete in der Höhe des Gasthofes, weil meine kurzen Beine das Fluchttempo nicht durchhielten und ich sowieso nach links in die Pfarrgasse hätte abbiegen müssen. Angst beflügelt, außerdem hatte ich meinen ganz gewöhnlichen Kampfauftrag erfüllt. Die Ehre meines Bruders und Matzes, meines kleinen Schulfreundes, war wiederhergestellt. Besser hätte ich es als Siebenjähriger Knirps nicht machen können.

10. Operation Küchentisch

So ist es nun manchmal im Leben. Man wünscht sich so manches, aber bekommt etwas ganz anderes. Außerdem kommt es immer auf die Umstände an und die waren in der Mitte des vorigen Jahrhunderts nicht gerade die besten. Also war unsere Mutter doch recht froh, den Beruf einer Frisöse erlernen zu dürfen und nicht den einer OP-Schwester.

Aber wie das Leben manchmal so spielt, man bekommt seine Chance.

Es muss der Sommer '49 gewesen sein. Ich stromerte barfuß durchs Dorf. Hatte meine roten, geblümten Spielhöschen an – ich besaß nur diese eine – und war so recht mit mir und der Wunderwelt zufrieden. Es war herrlich warm und es duftete nach Land. Eine meiner beliebtesten Freizeitbeschäftigungen war die Schatzsuche! Ich kannte jede kleine Müllkippe in Groß- und Kleinböhla, in der Umgebung und zum Teil auch bis nach Lampertswalde. Was gab es da nicht alles zu entdecken! Was Menschen so wegwarfen, es war manchmal unverständlich.

Bei einer dieser Recyclingaktionen passierte es dann auch. Ich trat mit meinen nackten Füßen auf eine dünnwandige kleine Vase, die mir beim Herumschnökern gar nicht aufgefallen war. Es knirschte, ich verspürte einen schneidenden Schmerz in der Fußsohle und als ich sie erschrocken betrachtete, sah ich einen Schnitt, der beängstigend blutete. Hilfe war erforderlich. So humpelte ich laut weinend in Richtung Pfarrhaus davon, überzeugt, dass es sofort Helfer auf den Plan rufen würde.

Opa Oskar war der Retter! Während ich heulend vor den großelterlichen Fenstern stand, hatte Opa die totale Übersicht. Er schnitt eine Scheibe Brot ab, beträufelte sie mit Milch und streute etwas Zucker darüber. Die Wirkung dieses Medikaments war gewaltig. So nebenbei brachte Opa auch etwas weißes Leinen mit, umwickelte fachmännisch meinen verletzten Fuß, tröstete mich und meine kleine Welt war fast wieder in Ordnung. Wenn ich nur richtig hätte auftreten können. So rannte ich tagelang in Spitzfußstellung umher.

Zum Wochenende war große Körperpflege angesagt. Es muss Wochenende gewesen sein, denn ich wurde aus diesem Anlass besonders gründlich von meiner „Borke" befreit.

Soweit meine Erinnerungen zurückreichen, stand ich in einer Schüssel, splitterfasernackt versteht sich. Diese Schüssel stand wiederum auf dem Tisch der Stube.

Mutti seifte mich von oben bis unten ab, während ich mich an ihren Schultern festhielt. Als sie abschließend die Füße reinigen wollte, jaulte ich kurz auf, was sie natürlich stutzig machte und sie eine genauere Untersuchung meines geschundenen Fußes vornahm.

Das war die Stunde meiner ach so geliebten Mutti. Das war der Moment, wo aus einer sanften, braven Frisöse eine blutrünstige OP-Schwester wurde. Sofort hatte sie erkannt, dass etwas mit meinem Fuß nicht in Ordnung war. Alle Beschwörungen meinerseits, dass Opa alles gerichtet hätte, fruchteten nicht.

Sie untersuchte genauer und erspähte eine spitze, scharfkantige Zacke in meiner schon fast verheilten Fußsohle. War ich froh, als sie von mir abließ und in die Schlafkammer ging, um den Strohsack meines Bettes aufzuschütteln. Dachte ich – in Wirklichkeit besprach sie sich mit meinem großen Bruder, teilte ihm ihre Bedenken mit und gemeinsam schmiedeten sie ein höllisches Komplott. So war ich völlig nichtsahnend, als sich mein fast 6 Jahre älterer Bruder auf mich stürzte und mich regelrecht auf dem Tisch festnagelte, womit er sich bei mir für viele Jahre äußerst unbeliebt machte. Was nun folgte, war Inquisition ohne Verhör, nur blanke brutale Folter.

Während Jost mich ohne Gnade auf der Tischplatte rücksichtslos fixierte, hatte unsere Mutter das kleine Kartoffelschälmesser am Salztopf geschärft. Von irgendwoher organisierte sie noch eine Pinzette und wahrscheinlich stand der Wassereimer auch nur neben dem Tisch, um das Blut aufzufangen. Und dann ging es los. Mein Gebrüll muss so bestialisch laut gewesen sein, dass es heute alle Kinderschutzorganisationen der Welt auf den Plan gerufen hätte.

So stürzten nur meine Großeltern ins Zimmer, die mein Gebrüll bis zum Pfarrhaus gehört hatten, und das lag immerhin 80 Meter von uns entfernt. Im Nachhinein sehe ich die Notwendigkeit dieses operativen Eingriffes ein. Mein Bruder amüsiert sich noch heute über meinen überaus lautstarken Protest. Schmunzelnd berichtet er zu gegebenen Anlässen immer wieder davon, wie sehr ich ihn beschimpft hätte. Und das in meinem damaligen sächsischen Dialekt. Ich kannte im Gegensatz zu den heutigen Kids kein schlimmeres Schimpfwort als „du Huxe" oder auf Hochdeutsch „du Ochse"!

11. Unsere neue Heimat – Mecklenburg

Unser Vater war ein intelligenter Mensch und so wunderte es uns nicht, dass ihn sein Beruf als Modelltischler nicht mehr befriedigte. Über die Zunft der schreibenden Volkskorrespondenten ging er seinen Weg und entwickelte sich zum Redakteur.

Sehr oft sahen wir ihn nicht, denn er arbeitete in Berlin und kam nur ab und zu mal zu Besuch, wenn es sein knapp bemessener Zeitplan zuließ. Außerdem gehörte er zu den Pionieren der Bodenreform.

Wieder eine Kraftprobe für unsere Mutter, die ja schon einmal vier Jahre unser Alphatier war, während Vater an der Ostfront für Führer, Volk und Vaterland Keile bezog. Hut ab und im Nachhinein meine uneingeschränkte Hochachtung vor dieser Generation Frauen.

Von Berlin aus verschlug es unseren „alten Herren" in den Norden unserer noch sehr jungen Republik, nach Schwerin. Man hatte ihm dort den Posten des leitenden Redakteurs beim „Bauernecho" angeboten.

Es dauerte nicht lange und er holte uns zu sich, nachdem er längere Zeit möbliert gewohnt hatte.

War das eine Freude für unsere Mutter! Endlich aus der „Verbannung" befreit und wieder Städterin sein dürfen. Was mich erwarten würde, stand auf einem ganz anderen Blatt. Es war eine eiskalte, kristallklare Januarnacht, als wir von unseren Großeltern Abschied nehmen mussten. Ich weinte bitterlich, als ich meinem geliebten Opa um den Hals fiel, um ihn zum Abschied noch einmal zu drücken. Dabei versprach ich ihm schluchzend und unter Tränen, dass ich bestimmt zurückkommen würde. Im Gegenzug versprach er mir wiederum, uns so bald wie möglich mit Oma in unserem neuen Zuhause zu besuchen.

Tröstlich war das auf uns wartende Abenteuer. Mutti hatte bei einem Neubauern des Dorfes einen Pferdeschlitten angemietet. Der Winter war hart und der Schnee lag so hoch, dass er die uns doch so vertraute Landschaft vollkommen veränderte. Man hatte vorgesorgt! Kuschelige

Decken und die für diese kalte Jahreszeit obligatorischen aufgeheizten Ziegelsteine, in Zeitungspapier gewickelt, ergaben eine traumhafte „Fußbodenheizung".

Die Nacht war kristallklar. Ein wundervoller Sternenhimmel breitete sich über uns aus und unser starkes Bauernpferdchen zog uns brav und ergeben durch die bitterkalte Nacht bis zum Dahlener Bahnhof. Von hier ging es nach kurzer Wartezeit nach Leipzig, um von dort mit dem D-Zug in Richtung Mecklenburg zu dampfen.

Viel ist bei mir von dieser Reise nicht hängengeblieben. Ganz dunkel kann ich mich noch an den größten Sackbahnhof Europas erinnern. Mächtig, gewaltig und für mich kleinen Landerpel überaus beängstigend groß.

Der Film der Erinnerungen in meinem Kopfkino läuft ruckelnd weiter und ich sehe mich im Zug auf unserem alten Pappkoffer sitzen. Logischerweise hatten wir keine Sitzplätze ergattern können und mussten mit einem Stehplatz im Gang vorliebnehmen. Nur gut, dass der alte Koffer noch so stabil war und mein geringes Gewicht aushielt, denn so hatte wenigstens ich einen Sitzplatz. Es dauerte auch nicht lange und ich war eingeschlafen. Gestützt von meinem großen Bruder und meiner ach so tapferen und starken Mutter, träumte ich in Richtung Mecklenburg. Dann wieder Filmriss und ich befinde mich im Hotel „Niederländischer Hof" am Pfaffenteich in Schwerin. Hier verbrachten wir die ersten Nächte, da unsere Wohnung noch nicht bezugsfertig war.

An diese Tage denke ich mit sehr gemischten Gefühlen. Die Bandbreite reichte von baffem Erstaunen bis zu tödlichem Erschrecken. Schon die Bezeichnung Pfaffenteich erschien mir maßlos untertrieben. Wie groß ein Teich zu sein hatte, wusste ich genau. In unserem Dorf hatten wir vier Stück davon und alle zusammengenommen hätten nicht mal ein Viertel des Pfaffenteiches ausgemacht. Aber das hier war für mich ein Meer, zumindest stellte ich es mir so vor.

Umso verblüffter war ich, als ich beim Betreten unseres zum Zimmer gehörenden Balkons so viele weiße Tauben sah, die kurioserweise nicht gurrten, sondern eigenartige Schreie ausstießen und auch noch schwimmen konnten. Mein kluger Bruder machte mich darauf aufmerksam, dass es keine Tauben seien, sondern Möwen.

Die Flugkünste dieser gefiederten und schwimmenden Tauben haben mich begeistert. Dagegen waren meine alten Bekannten vom Dorf die reinsten Schwertransporter der Lüfte. Wie geschickt diese zankenden und futterneidischen Flugtiere die von uns in die Luft geworfenen Brotstückchen fingen, begeisterte mich total. Darüber verflog sogar meine Angst, dass der Balkon eventuell abbrechen könnte, wenn wir ihn betraten. Wer weiß, wer weiß?

Allerdings sollte es nicht das einzige Erlebnis der besonderen Art bleiben. Ein gewaltiges Problem bekam ich gleich am Anreisetag. Grummeln im Darm machte mich darauf aufmerksam, dass da etwas raus wollte. Ich wendete mich mit meiner kleinen Sorge an Mutti. Wir hatten zwar einen Balkon, aber keine Toilette. Dieses stille Örtchen gab es nur einmal auf jeder Etage am Ende des dunklen Korridors. Sie erklärte mir, wie ich es bewerkstelligen müsste, mein „großes Geschäft" zu erledigen: „Wenn du fertig bist, ziehst du nur an der Kette mit dem Porzellangriff." Dabei streichelte sie zur Beruhigung meinen weißblonden Schopf, da sie sicherlich den Anflug von Angst in meinen Augen bemerkte. Schon der lange dunkle Gang war für mich Landkind eine echte Herausforderung. Für sie als „Großstädterin im Exil" war alles ganz einfach. Das war sicherlich auch der Grund, weshalb sie mir nicht näher erläuterte, was geschehen würde, wenn ich an besagter Kette ziehe. Zeit meines Lebens war ich mit Plumpsklos aufgewachsen.

Erstaunlicherweise klappte alles bestens. Nach Beendigung meiner Sitzung rubbelte ich das Stück Zeitungspapier zwischen meinen Händen, bis es etwas weicher und geschmeidiger war.

Nach dieser mir wohlbekannten Prozedur und dem üblichen „wisch und weg" zog ich am Porzellangriff. Was nun folgte, war Richard Kimble auf der Flucht.

Bis dahin hatte mir unsere liebe Mutti alles erklärt. Aber dieser gewaltige, alles vernichtende und wegschwemmende Albtraum, der da plötzlich mein gelegtes Häufchen hinfort riss, war für mich zu viel. In meiner Angst, etwas kaputtgemacht zu haben und im Unterbewusstsein auf noch Schlimmeres gefasst, stürzte ich mit halb hochgezogener Hose aus dem kleinen Raum. Ich flüchtete zu meiner Mutter, die sich vor Lachen nicht beruhigen konnte. Was ich in diesem Moment wiederum nicht verstand und etwas deplatziert fand. Zumindest signalisierte mir ihr Verhalten, dass der Weltuntergang noch etwas auf sich warten ließe. Aber dies alles wurde gottlob mit einem wahren Wunder, welches aus der Wand kam, wieder wettgemacht. Immer noch lachend, forderte sie mich auf, mir die Hände zu waschen. Dabei drehte sie an einem goldenen Rädchen über einer im Schrank eingelassenen Schüssel und wie durch einen Zauber floss Wasser aus der Wand.

Ich verstand die Welt nicht mehr. Noch einmal sollte meine zarte, dörflich geprägte Kinderseele belastet werden.

Die erste Nacht in einer so fremden, voller Überraschungen lauernden Parallelwelt, wie würde sie ausgehen – oder wache ich auf und stelle fest, alles war nur ein böser Traum und ich liege auf der Besucherritze zischen Oma und Opa? Während ich mich damit beschäftigte und den fremden Geräuschen lauschte, rieb ich meine Füße aneinander. Eine Einschlafgewohnheit, die ich auch heute nicht lassen kann. Dabei passierte es! Einer meiner großen Zehen blieb im Bettzeug hängen und da dieser Stoff sicherlich schon zu Kaisers Zeiten zu Hotelbettwäsche verarbeitet worden war und durch vieles, jahrelanges Waschen spürbar dünner wurde, war es nicht verwunderlich, dass es wie ein Stück Seidenpapier zerriss.

Ich war auf dem Weg ins Nirwana, so störte es mich nicht weiter und nach drei, vier ruhigen Atemzügen wusste ich von all dem nichts mehr.

Als der Morgen anbrach, griff es wieder fest zu, das Grauen! Ich bemerkte nämlich, dass beide Füße tief im Bettbezug steckten und der Riss sich um einen guten halben Meter vergrößert hatte. Wie sage ich es meiner Mutti? Wie groß war meine Erleichterung, als sie es ganz locker aufnahm. Im Nachhinein begriff ich es.

Das Verfallsdatum der Bettwäsche war vorprogrammiert und ich war letztendlich nur der Vollstrecker. Ehrlich gesagt, war ich froh, nach einer Woche aus diesem unheimlichen Haus endlich in unsere neue Wohnung zu ziehen.

Die Umstellung für mich kleinen Knirps, vom ruhigen, so beschaulichen Landleben, zum brodelnden Trubel einer so großen Stadt war schon beachtlich. Aber so ist nun einmal der Lauf der Dinge und Kinder lernen ganz schnell, mit außergewöhnlichen Situationen umzugehen.

Es dauerte nicht lange und ich war zu Hause, hatte neue Freunde gefunden und auch begriffen, dass der Pfaffenteich wirklich nur ein Teich war. Denn unsere neue Heimat lag inmitten von so viel größeren Seen, dass ich es einfach glauben musste, dass das Meer noch viel, viel größer ist als alle Seen zusammen. Und ganz salzig soll es schmecken. Wobei ich diese Information doch mit einer gewissen Portion Skepsis aufnahm. Aber warum auch nicht, wo hier sogar Wasser aus der Wand kam!

12. Eingewöhnung

Die ersten Wochen vergingen wie im Flug. Sie waren ausgefüllt mit dem Kauf von Möbeln, unserer Umschulung und dem Erkunden der näheren Umgebung. Außerdem erwarteten wir den Umzugswagen, der die paar Habseligkeiten, die wir in den sieben Jahren auf dem Lande zusammengetragen hatten, bringen sollte. Ein Moment, den unsere Mutter am liebsten in die Nachtstunden verlegt hätte. Sollte doch keiner mitbekommen, was da für arme Schlucker ins Haus zogen.

Letztendlich ging alles ganz schnell, da wir Parterre wohnten und auch Helfer gab es genug. Das Wichtigste, was oberste Priorität hatte, waren Gardinen und papierene Faltrollos. Jeder Fußgänger über 1,60 Meter groß hätte an unserem Familienleben locker regen Anteil nehmen können. Wohnzimmer und Kinderzimmer lagen zur Straßenseite, während der Schlafraum der Eltern und die Küche – durch einen langen, dunklen Korridor getrennt – zum Hof zeigten.

Alle Zimmer wurden mit Ofen beheizt und besaßen je zwei Türen. Aus unserem Zimmer konnten wir in die „gute Stube" oder auf den Korridor gelangen, während unsere Eltern Zugang zur Küche oder ebenfalls auf den Flur hatten.

Allen Räumen waren zwei Dinge gemeinsam: die Höhe und im Winter die Kälte. Von Doppelfenstern konnten wir nur träumen und Thermofenster mussten erst erfunden werden. Die feuchte Braunkohle, mit der wir nur im Wohnzimmer heizten, besaß nicht die nötige Kraft, den Raum, wie man so schön sagt, auf Zimmertemperatur zu fahren.

Für mich war es trotzdem ein königlicher Palast im Vergleich zu unseren anderthalb Zimmerchen in Großböhla. Mutti schränkte meine Freude etwas ein. Sie meinte, Palast ja, aber der von den Eiskönigen aus dem Märchen der Gebrüder Grimm. Einen Versuch, sie davon zu überzeugen, dass es doch ein Palast war, weil hier auch Wasser aus der Wand kam, konterte sie mit der Bemerkung: „Zwei Grad kälter und der Wasserstrahl wäre ein langer Eiszapfen." Dass Erwachsene nie zufrieden sein können!

Einen winzigen Raum unserer Wohnung habe ich noch nicht beschrieben und gerade er verdient es besonders. Dieses kleinste „Zimmer" unseres neuen Zuhauses war das Klo. Eigentlich gehörte das „Örtchen" gar nicht dazu, denn es befand sich außerhalb der vier Wände.

Man hatte vom Flur des Hauseinganges ein etwa 1,20 x 1,20 Meter großes Quadrat abgezwackt, eine Bretterwand hochgezogen und das Oberlicht, einen einfachen Fensterrahmen, darauf montiert. Not macht erfinderisch und so heftete unsere Mutti ein Stück Restgardine mit Reiszwecken an den Holzrahmen. Nun konnte man „den Thron besteigen", denn der Vermieter hatte tatsächlich ein richtiges WC einbauen lassen. Nicht eine Minute zweifelte ich daran, dass wir uns kolossal verbessert hatten. Kein Vergleich zu unserem dörflichen Plumpsklo.

Man stelle sich das vor: Etwa 30 Meter ums Haus herum. Bei Wind und Wetter, bei 20 Grad minus oder 30 Grad plus, ob es in Strömen regnete oder der Wintersturm den Schnee zu einer fast unüberwindbaren Verwehung vor die Klotür pustete. So etwas überleben nur die Härtesten!

Am schlimmsten waren die Momente, wenn es klirrend kalt und stockdunkel war und hoher Schnee lag. War es für mich schon gruselig genug, diesen Ort bei Tag aufsuchen zu müssen, so kämpfte ich bis zur letzten Minute, kurz bevor die atomare Kernschmelze einzusetzen drohte. Nur in Begleitung und mit einem Sturmlicht bewaffnet, musste jetzt alles ganz schnell gehen. Während ich in den folgenden Minuten auf dem kreisrunden, abgrundtiefen schwarzen Loch saß, versuchte ich, mir mit einem kleinen selbsterdachten Liedchen Mut zu machen.

Mein Begleitschutz, der natürlich vor der Tür warten musste, hörte dann meine kläglich klingende Kinderstimme, unterbrochen von den üblichen Geräuschen, die man nun mal nicht so einfach unterdrücken konnte.

„Auf dem Klo, da wohnt ein Geist,
der, die, das in Popo beißt.
Mich hat er auch einmal gebissen,
da hab ich ihm auf den Kopf ...“

Und dann die gleiche Strophe wieder von vorne.

Wer also sollte mich nicht verstehen in diesem Moment?

Neben dem sowieso schon guten Gefühl, Überflüssiges loszuwerden, auch noch alle schlimmen Erinnerungen auf kürzestem Weg mit wegzuspülen.

Einen hinnehmbaren Mangel hatte unser winziges Örtchen allerdings. In diesem Falle war es die dünne Bretterwand, die uns von den vorbeieilenden Mitbewohnern des Hauses trennte.

Ich glaube, dass ich schon damals begriffen habe, was Stop-and-go heißt. Außerdem lässt sich so erklären, dass ich beim Betreten eines Hotelzimmers als erstes meine Schritte zum Bad lenke, um mich davon zu überzeigen, dass beim Öffnen der Tür nicht plötzlich ein Plumpsklo dahinter zum Vorschein kommt. Manchmal habe ich das Gefühl, doch einen Knacks wegbekommen zu haben. Welches Kind übersteht so einen Kulturschock unbeschadet?

13. Russenghetto

Die Nebenstraße, an der unser altes, marodes Wohnhaus stand, war nach dem berühmten Troja-Entdecker Heinrich Schliemann benannt worden.

Sie führte vom Haus der Freundschaft in Richtung Schweriner See oder, wie der Volksmund zu sagen pflegte, zum Beutel. Eine sackähnliche Bucht, von einem dicken Schilfgürtel gesäumt, die viele Jahre später zu einem stattlichen Yachthafen mutierte.

Das wirklich Interessante an der Schliemannstraße aber war der gewaltige Holzzaun, der uns den schnellstmöglichen Zugang zum See verwehrte. Diese monströse Bretterwand trennte die sowjetischen Offiziersfamilien, die dahinter lebten, von uns Ostdeutschen, die gerade im Begriff waren, die Kompassnadel der Entwicklung zum Sozialismus auszurichten, um die Vorgaben des 1. Fünfjahresplanes umzusetzen. Von einer wirklichen Trennung kann man eigentlich nicht sprechen, denn für uns Kinder war kein Zaun zu hoch, um nicht überwunden zu werden.

Allerdings gab es genug Momente, wo uns dieses ungehobelte Holzmonster Probleme bereitete. Meistens waren es Splitter aller Größenordnungen, die wir uns bei unseren gewagten Manövern an der Eskaladierwand der Freundschaft unter die Haut trieben.

Auch sonst sorgte dieser Zaun für manche Überraschung. Noch mehr traf es allerdings zu, als das hölzerne Bollwerk auf Anordnung des obersten Sowjets und im harmonischen Einklang mit unserer Partei und Regierung und der sich immer mehr entwickelnden deutsch-sowjetischen Freundschaft demontiert wurde. Aber immer schön der Reihe nach.

Ein Erlebnis aus dieser Zeit ist mir besonders in Erinnerung geblieben. Es beweist eindringlich, wie aufmerksam unsere damalige Volkspolizei war und wie ernst sie ihre Aufgaben als Schutzorgan nahm.

Im Laufe der Zeit hatten sich echte Kinderfreundschaften entwickelt, wie gesagt, dieser Zaun bedeutete für uns kein Hindernis. Ein entscheidender Vorteil bestand darin, dass er keine Spitzen besaß, wie sie bei deutschen Zäunen üblich sind. Zuoberst waren Bretter der Länge nach festgenagelt und breit genug, um mit unseren schmalen Hintern einigermaßen bequem darauf sitzen zu können.

Nun geschah es, dass ich wieder einmal auf eben diesem schmalen Brett saß. Meine deutschen Spielkameraden waren zum Teil noch in der Schule und so arbeitete ich intensiv an der Verbesserung meines russischen Vokabulars, indem ich mich mit einigen Kumpels von der anderen Seite unterhielt.

Zuvor muss ich aber noch eine Erklärung abgeben. Für mein Leben gern wäre ich Clown oder Komiker geworden und es gab nichts Erstrebenswerteres für mich, als Menschen zum Lachen zu bringen und sie glücklich zu sehen.

So gab ich also, auf meinem Brett sitzend, wieder einmal eine Sondervorstellung für die anwesenden kleinen Russkis. Dabei ging es immer temperamentvoll zu. Ich war der reitende und Säbel schwingende Tschapajew, ich kämpfte mit dem imaginären Zauberer Kotschubej und dabei gab ich mein Bestes, um nicht zu sagen, ich entwickelte mich fast zu einem Trapezkünstler.

Vor lauter Clownerie und so viel Spaß an der Sache vergaß ich vollkommen, dass es auf der Rückseite meiner Bühne Menschen gab, die meine Performance falsch deuten könnten. Da man meine begeisterten Zuschauer von der DDR-Seite durch den dichten Bretterzaun nicht sehen konnte, nahm der Streifenpolizist, der mich hart am Knöchel gepackt hatte und vom Zaun zog an, mein Herumgehampele und Fuchteln sei eine offensichtliche Drohung gegen unsere sowjetischen Freunde.

Nichts half mir, er verhaftete mich und ich musste mit zum Markt, wo sich das Polizeirevier befand. Erst dort ließ er mich laufen, nachdem ich ihm, Rotz und Wasser heulend, zigmal erklärt hatte, dass alles nur Spaß war.

Keiner meiner mecklenburgischen Mitbürger, die uns auf dem Weg zum vermeintlichen Schafott begegneten, ahnte, dass ich ein politischer Häftling war. Sicherlich nahmen sie an, ich wäre ein kleiner Ladendieb.

Letztendlich konnte mich dieses Erlebnis nicht davon abbringen, meine Späße auf dem Zaun fortzusetzen. Am darauffolgenden Tag nahm ich meine Tätigkeit wieder auf, beobachtete aber doch etwas aufmerksamer das deutsche Territorium, um gegebenenfalls sofort ins sowjetische Asyl zu flüchten.

Wobei das auch nicht so ohne Risiko war. Eine äußerst schmerzhafte Begebenheit und eine winzige Narbe erinnern mich heute noch daran.

Eines Tages fehlte ein Brett aus meinem vertikalen Bühnenboden. Bequem für mich, da ich nicht mehr über den Zaun klettern musste, um an den See zu kommen bzw. zu meinem Publikum. So beobachtete ich an einem sonnigen Nachmittag zwei russische Soldaten, die dabei waren, einen Lastwagen mit Feuerholz und Kohle vor einem Haus zu entladen. Während ich bequem auf dem unteren Querbrett stand, hielt ich mich an dem oberen, auf dem ich sonst zu sitzen pflegte, fest. Eindeutig befand ich mich im Niemandsland. Einem dieser beiden sowjetischen Muschkis muss meine Anwesenheit äußerst zuwider gewesen sein, vielleicht hatte er auch Ärger mit einem Vorgesetzten. Auf alle Fälle fauchte er mehrmals in meine Richtung, dass ich mich verpfeifen sollte. „Idi damoi"! Also auf Deutsch frei übersetzt: „Hau ab nach Hause!"

Was kümmert es eine deutsche Eiche, in diesem Falle ostdeutsche Eiche, wenn ein russischer Eber seine Schwarte daran wetzt?

Ich stand auf der sicheren Seite und konnte nicht erahnen, dass ich diesen Poltergeist so auf die Palme bringen würde, dass er noch einmal ein kleines Stalingrad inszenierte!

Nach wiederholten wörtlichen Attacken, die ich locker abschmetterte, – mein russisches Vokabular war durch den Umgang mit den Offizierskindern recht ordentlich – griff dieser Unhold einen langen schweren Holzsplitter, der auf der Erde lag, und warf ihn in meine

Richtung. Ehe ich mich aus der Gefahrenzone drehen konnte, stak die Spitze tief in meinem Unterschenkel. Ich sehe noch deutlich, wie das Holzteil eindrang und das schwere Ende nach unten klappte. Danach fiel ich wie eine reife Pflaume nach hinten auf deutsches Territorium oder – wie der inzwischen wieder erstarkte Klassenfeind gesagt hätte – ich fiel auf russisch besetztes Ostgebiet.

Ich glaube, ich hatte noch nicht einmal richtig begriffen, was da soeben passiert war, da kniete der Soldat schon neben mir, zog mit einem Ruck das Corpus Delicti aus meinem zarten Wadenmuskel und wimmerte leise vor sich hin. Ich verstand keine Silbe, vielleicht war es eine Entschuldigung oder ein Stoßgebet an den großen Natschalnik Gottowitsch, alles rückgängig zu machen. Was mich bei allen Schmerzen, die ich hatte, äußerst verwunderte, war die erstaunliche Feststellung, dass ich keinen einzigen Tropfen Blut verlor. Mein Vater erklärte mir später die Wirkung eines Stilettstiches. Die Wunde schließt sich beim Herausziehen und der Gegner verblutet innerlich. Na hallo, war ich heilfroh, dass ich diese Attacke doch einigermaßen überlebt habe.

Eine Lehre zog ich aus dieser Begegnung mit unseren Befreiern. Sie waren nicht nur Befreier, sondern auch Sieger und siegen kann ganz schön schmerzlich sein zumindest für den Befreiten.

14. Die drei Kellerkinder

Die Schliemannstraße war wieder durchgängig, da die so oft strapazierte deutsch-sowjetische Freundschaft es nicht zuließ, dass sich so dicke Freunde voneinander derartig abschirmten. Also wurde eines Tages der Zaun abgerissen und nun konnte der Wind die frische Luft vom Schweriner See die Straße hochpusten, bis zum Haus der Deutsch-Sowjetischen Freundschaft in der Puschkinstraße.

Es gab wohl kaum ein Haus, in dem wir nicht alle Keller und Böden genau kannten. Verschlossen waren nur die Wohnungen und so spazierten wir von Haus zu Haus und von Boden zu Boden. Wir, das waren Holger, Siegmar und ich, erst viel später kam noch „Matze" hinzu. Hier unter den Dächern der Offiziershäuser lagerten die ausgelesenen Prawdas, wenn sie nicht gerade als Gardinenersatz an den Fenstern klebten oder vom Hausherrn zusammen mit dem übel stinkenden Tabak, Machorka, zu Zigaretten gedreht wurden.

Verwunderlich war es, dass wir auf den Böden nur Papier fanden, während die Wodkaflaschen in den Kellern lagerten. Sie wurden durch uns ebenfalls wieder in den wirtschaftlichen Kreislauf integriert und so verdienten wir uns etwas Kleingeld und vollbrachten zugleich eine gute Tat. Schließlich waren wir Pioniere. Gab es nichts mehr zu holen, weil wir alles abgegrast hatten, nutzten wir die Zeit, um uns ein bisschen unbeliebt zu machen.

Ich weiß nicht mehr, wer von meinen Freunden diese grandiose Idee mitbrachte. Ein „Spielzeug der besonderen Art"! Man brauchte nicht viel, eigentlich nur eine sehr fest schließende Blechbüchse, in deren Boden ein kleines Loch gebohrt wurde, ein taubeneigroßes Stück Karbid und Spucke. Jawohl, richtige Spucke!

Für die Kids der Neuzeit kaum nachzuvollziehen, was uns das für Spaß bereitete. Die ganze Aktion lief folgendermaßen ab. Nachdem wir Büchse und Karbid hatten, suchten wir uns ein Haus aus, wo wir wussten, dass dort ein besonders unfreundlicher Offizier wohnte. Meistens traf es Goldzahn. Diesen Namen hatten wir ihm verpasst, weil er einen großen Teil des Goldschatzes mindestens einer Sowjetrepublik als Zahnersatz in seinem Mund herumtrug. Außerdem zierte eine nie fehlende „Papirossa" im linken Mundwinkel sein kantiges Gesicht, und sein aggressiver Charakter vollendete das Bild unseres Lieblingsopfers. Allein der Gedanke an ihn verursachte ein nicht nachvollziehbares Kribbeln im Magen-Darmbereich.

Also, zwei Mann sichteten das Umfeld. War die Luft rein, flitzte der Dritte in den Hausflur, spuckte kräftig auf das in der Büchse befindliche Stück Karbid, schloss schnell die Öffnung mit dem Deckel, drückte ihn kräftig zu, was besonders wichtig war, und verließ genauso schnell, wie er gekommen war, das Haus. Nachdem der Sprengsatz aktiviert war, blieb nicht allzu viel Zeit, uns in sicherer Entfernung niederzulassen, um das folgende Spektakel auszukosten. Nach der gewaltigen Detonation, die durch den leeren Hausflur verstärkt wurde, warteten wir auf den Moment, wo Goldzahn, nur in Stiefelhosen und Socken, wie eine Furie aus dem Haus stürzte. Aus sicherer Entfernung und für Goldzahn nicht einsehbar, bekamen wir wie immer einen Lachanfall und beruhigten uns nur langsam. Das Schlimmste, was uns passieren konnte, war der Verlust der Büchse. Karbid war nicht das Problem, da hatten wir eine unerschöpfliche Quelle. Aber diese Büchse aufzutreiben, war eine gewaltige Herausforderung. Es funktionierte nur mit „Westkaffeebüchsen", denn nur solche schlossen so dicht und fest. Erst wenn alle Kriterien abgestimmt waren, konnten wir sicher sein, dass die Detonation zu unserer vollsten Zufriedenheit und mit entsprechender Lautstärke ablief. Je fester der Deckel, umso lauter der Knall.

Im Nachhinein betrachtet ein etwas makabres Spielchen. Der 2. Weltkrieg lag erst zwölf Jahre zurück, zwei total unterschiedliche Weltsysteme standen sich an der noch offenen Grenze gegenüber. Täglich gab es in den Nachrichten Meldungen von Sabotageanschlägen und so ist es nicht verwunderlich, dass sich „Goldzahn" in ständiger Alarmbereitschaft befand. Sicherlich hatte er auch triftige Gründe, den „Germanskis" nicht über den Weg zu trauen. Das sollten wir auch bald zu spüren bekommen.

Trio Harmonie saß wieder einmal gelangweilt auf den Stufen eines deutschen Hauseinganges. Sicherlich überlegten wir gerade, wie wir diesen Zustand beseitigen könnten. Plötzlich stand Goldzahn vor uns. In voller Montur mit kleiner Ordensspange und seiner Dienstpistole im Halfter. Auch die obligatorische Papirossa im linken Mundwinkel fehlte nicht.

Ich müsste lügen, wenn ich behaupten würde, wir wären nicht erschrocken. Freundlich und mit einem leicht schrägen Grinsen, was uns restlos aus dem Gleichgewicht brachte, forderte er uns auf, ihm zu folgen. Mit einem unangenehmen Gefühl und immer noch fassungslos liefen wir dem russischen Uniformträger brav hinterher. Sicherlich war es auch die Autorität seines Staatsrockes und außerdem war er bewaffnet.

In seinem Wohnhaus angekommen, hieß er uns die Treppen zum uns wohlbekannten Flaschenkeller hinabzugehen. Wiederum alles mit diesem freundlichen schiefen Grinsen. Kaum waren wir in besagter Räumlichkeit, schloss er die Tür hinter sich zu und wir saßen in der Falle. Seelenruhig zog er seine Pistole, lud sie durch, richtete den Lauf auf uns und genoss sichtlich die Wirkung seines Tuns. In diesem Moment hätte ich dem teuflischen Kerl sogar versprochen, sämtliche leeren Wodkaflaschen der vergangenen Monate wieder zurückzubringen. Doch das war es nicht. In seinem harten, abgehackten Deutsch frage er: „Wer chat meine Fahrrad zapzerap gemacht?"

Der erste, der sich von dem Schreck erholte, war Holger. Während wir zwölfjährigen Jungen mit schlotternden Knien und klappernden Zähnen die Hände hoch über den Kopf hielten, wie wir es aus diversen russischen Filmen kannten, fasste Holger seinen ganzen Mut zusammen und stotterte, dass er der Dieb sei. Verdutzt schauten wir unseren Spielkameraden an. Diese Aktion wäre uns nicht verborgen geblieben. Als Goldzahn daraufhin seine Waffe in der Pistolentasche verschwinden ließ, begriffen wir, wie absolut clever Holger gehandelt hatte. Unser unangenehmer Zeitgenosse ging auch prompt auf den Leim und entließ uns aus dem Kohlenkeller, ohne uns jedoch aus den Augen zu lassen. Kaum an der Haustür angekommen, verlieh uns unsere plötzlich wiedergewonnene Freiheit ungeahnte Kräfte.

Wie auf Kommando sprinteten wir in drei verschiedene Richtungen auseinander.

Diese Variante hatte uns schon aus manch heikler Situation gerettet und auch hier bewies Holger seine Cleverness. Mutig jagte er weiter bis zum Markt, wo sich die Polizeiwache befand und zeigte Goldzahn an. Holgers Vertrauen zu unserer Polizei musste grenzenlos gewesen sein. Ein für uns sehr mutiger, aber letztendlich kläglicher Versuch, sich gegen die Willkür unserer sowjetischen Freunde zu behaupten. Sicherlich war es auch einer der Gründe, warum wir Holger nie wiedersahen. Seine Familie war über die grüne Grenze in den Westen gegangen. Trotz aller Niedergeschlagenheit von uns beiden Übriggebliebenen gab es einen Grund zum Schmunzeln. Holger hatte einen echten russischen Familiennamen – Maslow – also Butter. Eine Zeitlang mussten wir noch an unseren Kumpel denken, an Holger Maslow, den Jungsiegfried der Schliemannstraße, wachsblond mit Seitenscheitel, die Haare koppelbreit über den Ohren abgeschoren, genau wie bei uns beiden. Geblieben ist diese kleine Geschichte und manchmal muss ich noch an Holger denken und dann frage ich ihn in Gedanken: „Na Holger, alles in Butter?"

15. Die ersten Hip-Hopper waren Russen

Ein ganz normaler Tag. Unser Vater war gerade zu Hause eingetroffen und hatte mal keine Versammlung. Das bedeutete, draußen war es noch hell. Plötzlich klingelte es dermaßen heftig an der Wohnungstür, dass ich dachte, jemand versucht mit Gewalt, unsere Drehklingel abzureißen. Für mich stand sofort fest, klingeln um diese Zeit und mit der Wucht bedeutete Großalarm! Irgendetwas musste passiert sein, denn sonst würden meine Spielgefährten nicht so kräftig an der Klingel drehen.

Wie verdutzt und erschrocken zugleich war ich, als ich die Tür öffnete. Vor mir stand in seiner ganzen Größe unser spezieller Freund Goldzahn. Es verschlug mir die Sprache. Dass der sich soweit auf unser Gebiet vorwagte, war beachtlich und es musste schon etwas Entsetzliches vorgefallen sein. Dem war auch so. Zur Erläuterung muss ich noch etwas Entscheidendes hinzufügen. Goldzahn hatte eine etwa sechsjährige Tochter, die sich durch einen Sturz von einem Lastkraftwagen beide Beine gebrochen hatte. Abgesehen davon, dass sie seit dieser Zeit steif wie Buratino umherstakste, war sie im Gegensatz zu ihrem Vater ein ganz liebes Menschenkind und wurde der dramatische Mittelpunkt der folgenden Geschichte.

Vermutlich wollte Siegmar seine Russischkenntnisse wie schon so oft ausprobieren. Diesmal handelte es sich aber nicht um das Vokabular aus dem Munde unserer Russischlehrerin. Weiß der Geier, woher er jenen folgenschweren Spruch hatte, der ihm und letztendlich auch mir zum Verhängnis wurde. Vermutlich gefiel ihm der Rhythmus der drei Worte und so ließ er einen Testballon steigen, nicht darauf vorbereitet, dass er damit Goldzahn auf den Plan rief.

Der Ballonstart wurde eine einzige Katastrophe für Sigi und scheiterte äußerst kläglich.

Ausgerechnet an Goldzahns kleiner Tochter musste er den auch für ihn vollkommen unverständlichen Satz ausprobieren. Die kleine, liebe Buratina wusste damit auch nichts anzufangen und so fragte sie ihren Papa, der gerade im Begriff war, das Haus zu verlassen.

Eines muss man Sigi lassen, er kannte zwar nicht die Bedeutung des Gesagten, musste es aber korrekt ausgesprochen haben.

Fünfzig Jahre später hätte kein Hahn danach gekräht, denn es gehört zum normalen Umgangston einer Randgruppe, sich gegenseitig aufzufordern, „ihre Mother zu fucken"! Die Hip-Hopper also. Doch jetzt bedeutete es für Sigi Krieg!

Logisch, dass Buratinas Vater wissen wollte, wer ihr das nahegelegt hat, die eigene Mutter zu fucken. Brav zeigte sie auf den nichtsahnenden Siegmar, der inzwischen mit einigen Wolodjas Murmeln spielte. Das sollte sich buchstäblich schlagartig ändern. Mit einem Hieb der flachen Hand auf Kumpel Sigis Nacken beendete er das freundschaftliche Murmelmatch, zog ihn am Schlafittchen auf seine Augenhöhe und brüllte in der Annahme, dass Siegmar schwerhörig ist: „Wer chat gesagt *'jup twoi match'*?"

Verständlich, dass durch das laute Brüllen und Geschüttele etwas in Sigis Oberstübchen durcheinandergeriet. Wie hätte er mich sonst mit Namen und Adresse benennen können? Der vor Angst schlotternde Freund zeigte ihm auch noch den Eingang unseres Wohnhauses und die Tür zu unserer Wohnung. Viele Jahre später lernte ich das Gedicht „Der Hase im Rausch" von Sergej Michalkow kennen und konnte ihn besser verstehen. Nun aber stand der Löwe vor mir und verursachte ein mittelschweres Erdbeben. Wobei ich trotzdem bemerkte, dass die obligatorische Papirossa im linken Mundwinkel fehlte. Das hatte wahrlich nichts Gutes zu bedeuten. Während ich erschrocken zurückwich, kam unverhofft Hilfe. Urplötzlich stand mein ach so geliebter Vater neben mir. Ruhig und sachlich, wie ich ihn nicht anders kannte, wollte er von dem temperamentvollen Vertreter der Sowjetarmee wissen, welches der unverhoffte Grund dieses Überraschungsangriffes sei. So hatte ich Goldzahn noch nie erlebt! Seine Stimme überschlug sich, er brüllte russische und deutsche Worte durcheinander, so dass es erstaunlich war, dass Vater überhaupt etwas verstand. Fakt war, er machte mich für den primitiven Ausrutscher meines

Freundes verantwortlich. Ich verstand nur Bahnhof. Über so viel vorgetäuschte Dummheit meinerseits geriet der Towarisch vollends außer Kontrolle. Es wurde Zeit, dass unser Vater den Spuk beendete.

Er nutzte die Pause schamlos aus, während die Sowjetmacht Luft holen musste, fuhr ihm sozusagen in die Parade und brachte ihn somit aus der Fassung. Goldzahn schwieg. Nun erfolgte Vaters Gegenangriff!

„Von wem wohl, Genosse Hauptmann, haben unsere Kinder diese unflätigen Worte gelernt?" Ohne eine Antwort abzuwarten, bekam er dieselbe auch noch zu hören.

„Von ihren Soldaten haben unsere Kinder das gelernt, Towarisch Hauptmann! Und nun verlassen Sie sofort dieses Haus, sonst rufe ich die Kommandantur."

Das war ein Zauberwort. Kommandantur bedeutete für jeden Russen bedingungslose Kapitulation und sofortiger Rückzug aus den okkupierten Gebieten. Energisch schloss unser Vater die Korridortür, strich mir mit einer Hand über meinen Blondschopf und ging, ohne die geringste Erregung zu zeigen, zurück in die Wohnstube.

Ich war sprachlos und zugleich verblüfft. Für mich stand unerschütterlich fest, ich besaß den besten Vater der Welt.

Später gestand ich aber auch den gleichen Titel dem Vater unserer kleinen Freundin Buratina zu.

Als etwas Gras über diese Geschichte gewachsen war, zollte mein Vater dem Goldzahn und Buratinas Erzeuger alle Achtung. Ich verstand die Welt nicht mehr. Aber es wäre nicht unser Vater gewesen, wenn er es mir nicht überzeugend erklärt hätte.

16. Spekulation Bundesverdienstkreuz?

Unsere Eltern waren politisch sehr aktiv und engagiert. Sie gehörten zu den ehrlichen und aufrichtigen Menschen, welche nach dem Schrecken der zurückliegenden Kriegsjahre den ernsthaften Versuch unternahmen, ein besseres Deutschland aufzubauen.

Logischerweise standen wir an ihrer Seite, um sie bei diesem schwierigen Unterfangen tatkräftig zu unterstützen.

Meine Aufgabe bestand darin, Einladungszettel für die verschiedensten Mitgliederversammlungen auszutragen. Diese informativen Mitteilungen waren förmlich gehalten und ohne Namen. Ich hätte sie in jeden Briefkasten werfen können. So einfach war es aber nicht, denn ich besaß eine Namensliste, die ich abzuarbeiten hatte.

Jeder, der darauf stand, musste und sollte auch seinen Zettel erhalten. Eine Aufgabe, die mich zwar kurzfristig um meine Freizeit brachte, aber auf diese Weise wurde ich langsam und sicher auf den Ernst des Lebens vorbereitet.

Köstlich, wenn ich jetzt nach fast fünf Jahrzehnten in den ersten Tagebüchern meiner Kindheit stöbere. Hier finde ich Namen, die mir damals etwas bedeutet haben. Sorgen und Nöte, die ich meinem ersten Büchlein anvertraute. Und da, wo mir die Worte fehlten, malte ich einfach meine Gedanken als kleine Karikaturen in das schwarz gebundene Heftchen. Nun lasse ich sie wieder auferstehen, aus der Sicht eines nie richtig erwachsen werden Wollenden.

So berichtet es zum Beispiel von einer wirklichen Heldentat, wenn man es aus heutiger Sicht betrachtet.

Denn zwischen dieser Geschichte und dem heutigen Tag liegen satte 40 Jahre finsterer Diktatur des Proletariats und immerhin 20 Jahre Recht, Freiheit und Demagogie, Entschuldigung Demokratie. Man ist nicht mehr der Jüngste.

So entdeckte ich beim Durchstöbern meiner Kindheitsabenteuer folgende lustige Begebenheit.

Es war wieder einmal so weit. Ein Stapel Einladungszettel lag auf dem Küchentisch, als ich aus der Schule kam. Daneben die obligatorische Namensliste. Dazu eine Kurzmitteilung meiner im täglichen Berufsstress stehenden Mutter, mit der Bitte, die Einladungen wie üblich an den betreffenden Personenkreis zu verteilen.

Ratzbatz war die Aktion beendet und alle Namen hatten ihr kleines Häkchen erhalten. Auftrag ausgeführt. Ein ziemlich großer Zettelstapel blieb übrig. Ich war also im Besitz einer ansehnlichen Menge nicht mehr benötigter handlicher Parteiinformationen.

Was würden unsere heutigen Zwölfjährigen wohl in dieser Situation machen? Ich vermute Folgendes, man erlebt es tagtäglich: Wenn die fliegenden Boten von Geschäftseröffnungen, Autohäusern, Autoankäufern, Pizzerien und weiß der Teufel von welchen informationsbedürftigen Institutionen noch, genug haben von diesem schweißtreibenden Job, lassen sie alles überflüssige Werbematerial irgendwo liegen. Auf Stufen, in Hauseingängen und auf Parkbänken findet man diese Restbestände.

Manchmal verteilt es ein kräftiger Windstoß in alle Himmelsrichtungen, diesen Vorgang bezeichnet man dann als Flugblätter. Etwas ordentlichere Zeitgenossen werfen den Überhang gleich in Papierkörbe oder Müllcontainer, sofern sich diese gerade in unmittelbarer Nähe befinden.

Anders dagegen das Handeln eines Nachkriegskindes. An allem mangelte es. Ich erinnere mich! Wochenlang lief ich mit der Trainingshose meines sechs Jahre älteren Bruders zur Schule. Während sich der Hosenbund in meinen Achselhöhlen befand, musste ich die zu langen Beine dieses äußerst ausgebeulten Kleidungsstückes in den Schaft der Igelit-Stiefel stecken, um nicht darauf herumzutreten. Meine einzige eigene Hose war nicht mehr reparabel und Geld für eine neue war auch nicht da.

Also, was macht ein zwölfjähriger Knabe, der durch die Lebensumstände so spartanisch erzogen wurde? Der erste und folgerichtige Gedanke –

Donnerwetter, so ein Restposten und dazu noch äußerst handlich! Vor meinem inneren Auge tauchte unser stilles Örtchen auf, in dem immer eine alte Zeitung lag. Nicht etwa zum Lesen, naja manchmal schon, um die Zeit zu überbrücken, in der man nutzlos vor sich hin starrte. War das Geschäft erledigt, riss man von der Zeitung hochkonzentriert einen langen breiten Streifen ab. Dieser wurde dann mehrmals in drei bis vier gleich große Teile zerlegt. Nun erfolgte der Knautschvorgang, indem man die zusammengeknickten Blätter kräftig walkte, um sie wiederum im abschließenden Arbeitsgang zu rubbeln. Das war der komplizierteste Moment. Rubbelte man zu wenig, wurde man im entscheidenden Moment schmerzhaft an Sandpapier erinnert. Rubbelte man zu viel, bestand die Gefahr des Durchgreifens, was auch nicht sonderlich angenehm war.

Nun besaß ich diesen Stapel industriell zugeschnittener Mitteilungsblätter der Parteiorganisation. Sie hatten die erforderliche Größe und mussten nur noch gerubbelt werden. Der Konzentration abverlangende Zerreißprozess fiel also weg. Ein winziges Problem wäre noch die Blaupause des Druckes gewesen, aber hinten hat man bekanntlich keine Augen.

Also war es logisch, dass besagter Stapel Papier auf unserem Klo landete. Übrigens bekam ich für diese Sparmaßnahme nicht ein einziges Wort des Lobes von unseren Eltern zu hören. Einige Zeit später, als uns eine befreundete Dolmetscherin der sowjetischen Truppen hinter vorgehaltener Hand erzählte, dass ihr Vater wegen ebensolcher Ungehörigkeit vier Jahre Gulag aufgebrummt bekommen hatte, wurde mir bewusst, auf welch dünnem Eis ich mich bewegt hatte. Besagtes Väterchen benutzte nämlich ein Stück Parteizeitung. Sein Pech war es, dass ausgerechnet auf seinem Papierfetzen ein Portrait von Josef Wissarionowitsch Stalin abgedruckt war. Weil ihm dieses Malheur auf einem kollektiven Plumpsklo passierte, hatte ihn sein Nachbar – der die nachfolgende Sitzung hatte und einen kontrollierenden Blick durch das kreisrunde Loch in die Tiefe warf – im wahrsten Sinne des Wortes angeschissen.

Glück gehabt, wir hatten eine Spültoilette!

Allerdings nimmt in letzter Zeit immer öfter ein Gedanke von mir Besitz. Sollte ich diese Geschichte von meinen damaligen Sparmaßnahmen nicht doch an die Öffentlichkeit bringen. Würde ich das also publik machen und das Ganze als Widerstandskampf gegen die kommunistische Diktatur verkaufen, hätte ich doch sicherlich im Nachhinein die Möglichkeit, dass man mich mit dem Bundesverdienstkreuz auszeichnet.

Wenn ich diese Story im Sommerloch der Bildzeitung anbiete, habe ich doch echt eine Chance.

Den Artikel müsste nur ein fähiger Redakteur in die Hände bekommen, aber davon haben sie bei dem Blatt genug.

17. Und wieder eine Notoperation

Wir wohnten nun schon längere Zeit in Schwerin, fuhren aber in den Sommerferien zu unseren Großeltern aufs Dorf. Wir, das waren unsere Mutter, mein Bruder Jost und ich. Vater war, wie so oft, unabkömmlich und musste arbeiten.

Opa lag schon einige Zeit in Wermsdorf im Krankenhaus und sollte es auch nicht mehr lebend verlassen. Mutter und Oma fuhren allein zu ihm, sicherlich nur, um uns den Anblick eines Sterbenden zu ersparen.

Wir Jungen hüteten die Wohnung bzw. beschäftigten uns anderweitig. Jost hatte durchgesetzt, dass er sein nagelneues Fahrrad mitnehmen durfte, welches er sich in der ersten Hälfte der Ferien auf dem Kohlenhof schwer erarbeitet hatte. Damit war er mobil und ständig unterwegs.

Ich genoss den herrlichen Sommer auf dem Lande zutiefst, besuchte alle meine ehemaligen Abenteuerspielplätze aus vergangenen Zeiten oder spielte unter der uralten Linde vor dem Haus. Über mir im Schatten spendenden Blätterdach summten Tausende fleißige Bienen in der Hoffnung, doch noch einen winzigen Rest Nektar aus den schon verwelkenden Blüten zu saugen. Meine kleine Welt war rundum in Ordnung.

Bis zu jenem Moment, wo ich aus Neugierde, vielleicht auch aus Langeweile, den Dachboden des Pfarrhauses aufsuchte, in dem Oma und Opa seit unserer Flucht aus Breslau wohnten. Für mich hatte die Pfarre etwas Unheimliches an sich. Schon Napoleons Truppen hatten dort ihr Unwesen getrieben und auch sonst war alles ein bisschen gruselig. Eine Aura von geheimnisvoller Düsternis umgab das Gebäude. Schon die Eingangshalle war zutiefst beeindruckend.

Die Decke hatte Jahrzehnte keine Farbe gesehen, die Wände trugen ein grau-schwarzes Kleid und glichen eher dem Gewölbe einer alten Abtei. Gleich neben dem Treppenaufgang ins Obergeschoss hing ein riesiges Bild, welches das Jüngste Gericht thematisierte.

Aufgrund meiner damaligen Körpergröße sah ich natürlich nur den unteren Teil genauer, während der obere der Dunkelheit des Raumes zum Opfer fiel. Immer, wenn ich in die erste Etage musste, zog dieses Gemälde magisch meine Blicke auf sich und ich sah die Ketzer und Sünder in die Höllenfeuer stürzen, wo sie von Teufeln und entsetzlichen Monstern bis an ihr ewiges Ende gequält wurden.

Für meine kindliche Fantasie war es jedes Mal ein Albtraum, wenn ich da allein vorbeimusste. Fluchtartig durchquerte ich diese Vorhalle, um so schnell wie nur möglich die etwa vierzig Quadratmeter hinter mich zu bringen.

Im Obergeschoss angekommen, war es nicht mehr so schlimm. Es war heller und außerdem waren hier, vom langen Korridor abgehend, die Küche und das einzige Zimmer von Oma und Opa. Also tief Luft holen und nichts wie durch und die Treppen hoch!

Um auf den Dachboden, diesen geheimnisvollen, zu gelangen, musste ich mich erst überzeugen, dass die beiden älteren Fräulein Jäger, mit denen sich unsere Großeltern die oberste Etage teilten, nicht doch zufällig anwesend waren.

Aber es war keine Seele außer meiner kleinen unschuldigen in Gottes evangelischem Nebenquartier.

Sicherlich waren die Schwestern im Obstgarten, wo sie sich mit den Bienenstöcken beschäftigten. Leise stieg ich die Stufen zum Boden empor, vorsichtig jedes Geräusch vermeidend, welches mich hätte verraten können.

Als ich die schwere hölzerne Tür hinter mir schloss, befand ich mich urplötzlich in einer anderen Welt.

Es war zum Ersticken heiß. Das Schindeldach hatte sich aufgeheizt und der Geruch eines alten, abgewetzten Biedermeiersofas vermischte sich mit dem typischen, leicht bitteren Duft der alten verstaubten Holzdielen und Stützbalken. Die Hochsommerhitze ließ die Dachsparren knacken und knistern und ein wohliger Schauer lief über meinen Rücken. Verschnürte

Kartons, Kisten und Schubladen in uralten Kommoden bargen einen unendlichen Schatz meiner kindlichen Fantasie.

Schon in der ersten Schachtel, die ich vorsichtig und erwartungsvoll öffnete, wurde ich fündig. Die Reste eines Tischkegelspiels für Kinder fesselte meine Aufmerksamkeit. Es bestand aus kleinen, bauchigen Figuren, die bunt bemalt mein kindliches Auge hoch erfreuten. Auch eine hölzerne Kugel fand sich. Nur einen Tisch, auf dem ich die Kegel hätte aufstellen können, gab es nicht in diesem Wunderland. Kurz entschlossen baute ich alles auf den ungehobelten Bodendielen auf und begann, eine ruhige Kugel zu schieben. Es dauerte keine fünf Minuten, da trieb ich mir einen gewaltigen Holzsplitter unter meinen rechten Daumennagel. Ich kann gar nicht beschreiben, wie schnell ich wieder in der real existierenden Welt war! Ein wahnsinniger Schmerz durchpeitschte meinen Körper und setzte meinem Spiel ein jähes Ende. Fast blind, stolperte ich laut heulend die Bodentreppe hinunter, um irgendwie Hilfe zu bekommen.

Sie kam in Person meines fast erwachsenen Bruders, der gottlob gerade im richtigen Moment mit seinem Simson-Label-Renner von irgendwo herkam.

An meinem markerschütternden Gejaule erkannte er sofort den Ernst der Situation. Zitternd und fast ohnmächtig zeigte ich ihm meinen geschundenen Daumen und sah zum ersten Mal die Ursache dieser bestialischen Schmerzen. Ich hatte mir wahrlich einen erheblichen Teil des Dielenbrettes bis in das Nagelbett getrieben.

Meinem Bruder war beim Anblick dieser Verletzung sofort klar, dass mein Jodeln einen wirklich triftigen Grund hatte und er schritt umgehend zur Tat bzw. zum Fahrrad. Er setzte mich auf die Querstange seines stolzen Stahlrosses und in Windeseile ging es auf dem kürzesten Weg zum Häuschen der Gemeindeschwester. Alle meine Hoffnungen auf Hilfe zerstoben, als wir an der Tür einen handgeschriebenen Zettel fanden: „Bin in Oschatz. Morgen wieder zu gewohnten Zeit! Schwester Ella".

Oschatz lag von Großböhla gute zehn Kilometer entfernt und mein Bruder war sicherlich der Meinung, bis dahin schafft er es nicht, mich lebend einem Arzt vorzustellen.

Kurz entschlossen setzte er mich, jetzt nur noch wimmerndes Bündel Elend, wieder vor sich aufs Rad und fuhr uns zurück zum Pfarrhaus. Was nun?

Jost wäre nicht mein Bruder, hätte er nicht schon einen Plan gehabt. Er hatte immer Pläne. Dieses Mal einen besonders sadistischen. Es ging ihm vor allem darum, mich Weichei abzuhärten. Für seine Methoden mir gegenüber war er im Dorf bekannt. Aber dieses Mal war mir alles egal, ich wäre sogar den Rest meines Lebens in Mädchenkleidern herumgelaufen, wenn nur dieser teuflische Schmerz nicht wäre.

Immer noch leidend, während Tränen und Rotz sich zu einem Bächlein vereinten und auf meinen Oberkörper tropften, saß ich, mit einem kühlenden, nassen Seif Lappen um den malträtierten Daumen gewickelt, auf einem Küchenstuhl und litt jetzt nur noch schluchzend und schluckend still vor mich hin. Jost machte sich in der Zwischenzeit mit dem Rücken zu mir gewandt am Küchenbuffet zu schaffen. Sehen konnte ich nicht, was er tat, aber das Geräusch, was seine für mich nicht sichtbare Tätigkeit verursachte, kannte ich sehr, sehr gut! Er wetzte die Klinge seines Taschenmessers am Rand des tönernen Salzfässchens, wie wir es von den Erwachsenen kannten. Während mich ein lähmendes Entsetzen auf dem Stuhl festwachsen ließ, war damit jede Chance vertan, die Küche fluchtartig zu verlassen. Ich schaffte es nicht. Ehe ich mich versah, klemmte er mein dünnes Ärmchen zwischen seine, vom Radfahren gestählten Oberschenkel, dass ich dachte, unser Dorfstellmacher Hermann Plötze hätte mich in seine Hobelbank gespannt. Er setzte die geschärfte Klinge auf etwa die Hälfte des Daumennagels, machte einen chirurgischen Schnitt und trennte, als wenn er nie etwas anderes gemacht hätte, kurz entschlossen und gekonnt den oberen Teil ab. Dadurch kam er an den abgebrochenen Splitter und zog ihn mit einem kurzen Ruck, der mich fast noch einmal in die Nähe einer Ohnmacht brachte, heraus.

Mit einem Schlag war der schlimmste Schmerz verschwunden. Jost tauchte noch einmal den Lappen in kaltes Wasser, wickelte ihn fachmännisch um den nun zwar blutenden, aber vom Splitter befreiten Daumen, haute mir vertrauensvoll mit der flachen Hand auf die Schulter und ging. Er gab mir nicht einmal Zeit, mich bei ihm für diesen operativen Eingriff zu bedanken. So verwirrt war ich. Vielleicht lag es daran, dass ich heilfroh war, dass er den Daumen überhaupt drangelassen hat.

Als unsere Mutter mit Oma wieder bei uns eintrafen, war der ganz große Schmerz Vergangenheit.

Ich war das erste Mal richtig ehrlich stolz, einen so großen und starken Bruder zu haben.

18. Oma – die Feindin aller Katzen

Die Erinnerungen an unser sächsisches Dörfchen verblassten zunehmend. Mit jedem neuen Erlebnis – ich saugte sie regelrecht auf – wurde es immer mehr aus meinem neuen Leben verdrängt.

Als unser Opa Oskar verstarb und Oma zu uns zog, war es wie das Durchtrennen einer Nabelschnur. Nichts verband mich mehr mit Großböhla, außer ab und zu mal der Gedanke an Großvater. Das geschah immer dann, wenn ich Oma Martha, wie so oft, auf die Palme brachte. Sie stand dann zeternd in der Küche und beschuldigte mich, sie ins Grab bringen zu wollen. Dem war gar nicht so. Ich hatte lediglich einen Kuchen backen wollen, so wie ich es immer von ihr gesehen habe. Aber wahrscheinlich hatte ich mich, wie es mir alle meine Lehrer auf jedem Zeugnis bescheinigten, wieder einmal ablenken lassen.

Mit Mehl, Zucker und Wasser, was bekanntlich in dieser Wohnung aus der Wand kam, knetete ich einen – na sagen wir mal – Teig und drückte ihn in eine Kuchenform. Nachdem ich den Gasherd vorgeheizt hatte, schob ich die Form hinein und wartete stolz auf das Endprodukt. Naja, es fing an, ein bisschen merkwürdig zu riechen, als Oma vom Einkauf kam. Ich bemerkte sie gar nicht. Erst ihr Hustenanfall in der Küchentür, die ich vorsorglich geschlossen hatte, machte mich auf sie aufmerksam und jetzt hatte auch ich den Eindruck, dass etwas mit meinem Kuchen nicht stimmt.

Schimpfend schaltete sie den Herd aus, griff sich einen Topflappen und zog anstelle eines Napfkuchens einen brikettartigen Gegenstand heraus. Wütend warf sie mein missglücktes Backwerk in das gusseiserne Abwaschbecken, wobei sie diese Ankündigung vom vermeintlichen Mordversuch machte.

Zur Strafe musste ich dieses unansehnliche Etwas, nachdem es mit Kaltwasser dekontaminiert wurde, entsorgen. Dabei fiel mir auf, dass die schöne grüne Lackfarbe, mit der meine Sandbackform zuvor bemalt war, nicht mehr existierte. Ganz so schlimm war es dann doch nicht für mich, ich spielte sowieso kaum noch im Buddelkasten.

Das Backen und Kochen überließ ich nach dieser enttäuschenden Erfahrung nun doch lieber unserer Oma. Soweit war ich schon in meiner Entwicklung, dass ich es richtig einschätzen konnte. Die Küche war nun mal ihr Reich. Wehe demjenigen, der sich, so wie ich, erdreistete, ihr diese Domäne streitig zu machen.

Auch mein kleiner Kater Minka hatte mit ihr so seine Problemchen. Streng genommen vermied er es, durchs offene Küchenfenster zu springen, wenn er ihrer ansichtig wurde. Wir wohnten Parterre! Nur das quälende Hungergefühl in seinem kleinen Katerbauch ließ ihn seine Angst verdrängen. Oma war der Meinung, Katzen gehören nicht in Küchen, basta!

Mein zaghafter Versuch, sie davon zu überzeugen, dass die Katze eigentlich ein Kater wäre, ließ sie die bekannte Drohung ausstoßen, dass ich sie ins Grab bringen würde.

Minka bekam das zu fressen, was von unseren warmen Mahlzeiten übrigblieb. Fleisch gab es sowieso nur an Sonn- oder Feiertagen, wenn unsere beiden Frauen dank ihrer Beziehungen welches ergatterten. So musste mein kleiner Kater neben seiner täglichen Beute, die er vermutlich erjagte, mit dem vorliebnehmen, was er auf seinem Teller vorfand. Richtig erfolgreich kann er beim Wildern aber nicht gewesen sein, er fraß eigentlich alles, was ihm vorgesetzt wurde, und das war meistens Eintopf in allen Varianten. Das änderte sich erst, als ich mir eine Angel zulegte, um dem armen Kerl ab und zu mal frischen Fisch zu servieren.

Von diesem Moment an hätte das Leben für unseren Zimmertiger zufrieden und sorglos verlaufen können. Er wurde größer und kräftiger und auch sein Fell bekam einen seidigen Glanz. Aber, er war durch den frischen Fisch auch wählerisch geworden. Das drückte er aus, indem er jetzt an seinem Futternapf vorsichtig schnupperte und dabei, so hatte ich zumindest das Gefühl, seine Nase rümpfte. Wie gesagt, das war meine Beobachtung.

Oma sah etwas anderes, und da sie ja eigentlich ein feiner Mensch war, machte sie sich auch Gedanken um das Wohlbefinden unseres vierbeinigen Familienmitgliedes. Ihr war allerdings entgangen, dass unsere Minka inzwischen ein fast ausgewachsener Kater war. Ein sicheres Zeichen seiner baldigen Mannbarkeit waren die stattlichen Barthaare. Diese waren es auch, die unsere alte Dame vermuten ließen, der Katzenbart ist nur ein Störfaktor beim Fressen. Nur deswegen verzog er immer so eigenartig die Schnauze, meinte sie.

Kurz entschlossen, griff sie sich Minka, und als der noch schwer am Überlegen war – „Warte ich noch auf meinen Chef mit seiner Angel oder fresse ich zum dritten Mal in dieser Woche Eintopf?" –, war es schon geschehen Ehe er begriff, in welcher Gefahr er sich befand, hatte Oma bereits die Schere aus der Schublade gezogen und ratzbatz, eins, zwei, drei, war er seinen Bart im wahrsten Sinne des Wortes los.

Als ich aus der Schule kam, saß er kläglich miauend in seiner Lieblingsecke, strich sich, wie Katzen es beim Putzen tun, mit einer Pfote über seine verschandelte Schnauze und erschrak jedes Mal sichtlich, indem er kurz zusammenzuckte. Es dauerte eine Weile bis ich die Veränderung in seinem hübschen Gesicht bemerkte. Ein Kater ohne Bart!? Komisch. Aber wieso?

Meine an mich persönlich gerichtete Frage beantwortete unsere schwergewichtige Großmutter, als sie mein verdutztes Gesicht sah: „Dein Katzenvieh hatte zu lange Barthaare und da sie sichtlich beim Fressen gestört haben, habe ich sie ihm abgeschnitten."

Beim gemeinsamen Abendbrot im trauten Familienkreise beschwerte ich mich bei unserem Vater über die brutale Rücksichtslosigkeit seiner Schwiegermutter. Enttäuscht musste ich registrieren, dass alle in herzhaftes Gelächter ausbrachen. Nachdem man sich beruhigt hatte, erklärte er unserer Oma die Wichtigkeit und Aufgaben eines Katzenschnurrbartes. Von nun an konnte sie Minka überhaupt nicht mehr leiden. Sie hatte begriffen, dass er von ihrem Eintopf die Schnauze voll hatte.

19. Der Meisterfechter

Wir hatten uns eingelebt in unserer neuen Heimat, in der Stadt, die vom Krieg weitgehend verschont geblieben war. Schwerin, die Stadt der Seen und Wälder! Böse Zungen behaupteten damals, die der Seen, Wälder und Flöhe. Diese Winzlinge, die einem das Leben echt schwer machen konnten, gehörten genauso zu unserem Alltag wie das stundenlange Anstehen in einer Wartegemeinschaft, immer in der Hoffnung, dass doch noch ein Bauer einen Wagen mit Kartoffeln anlieferte. Die Probleme unserer Eltern nahm ich gar nicht so recht wahr. Was sicherlich auch daran lag, dass sie diese von uns fernzuhalten versuchten. Erst viele Jahre später wurde mir bewusst, welche Schlachten unser Vater geschlagen hatte und wie sehr auch unsere Mutter zum kleinen Glück unserer Familie beitrug. Im Nachhinein Hut ab vor dieser Generation und tausend Dank an die beiden.

Es war Frühling, die Schule hatte uns nach dem Unterricht ausgespuckt und uns das Gefühl vermittelt, für einige Stunden frei zu sein. Wir Jungs waren zu Hause, während unsere Eltern wie jeden Tag an der Front im Kampf gegen den aggressiven Kapitalismus in den Schützengräben der Arbeiter- und Bauernmacht lagen, um jedweden Angriff abzuwehren.

Meinem Bruder war irgendwann einmal die Idee gekommen, sich körperlich zu betätigen und das möglichst unter fachlicher Anleitung in einem Sportverein. Nicht irgendeine Sportart. Es musste schon etwas Besonderes sein. Inspiriert durch die vielen sowjetischen Filme – ich kann mich auch an keine anderen Produktionen erinnern –, wurden wir von den sogenannten Kosakenfilmen ganz stark beeinflusst. Sicherlich war das auch der Auslöser für seine Entscheidung.

Während auf der anderen Seite des Eisernen Vorhanges die Westernfilme ganz groß im Kommen waren, kämpften diesseits berittene Rotgardisten, also die legendären Kosaken der Oktoberrevolution, gegen den Rest der

Welt. Es wurde geritten, gehauen und gestochen, geschossen, gemeuchelt und gemordet und immer gewannen die Guten. Schön, sehr schön! Was lag da näher, als der Wunsch, auch zu den Guten zu gehören. Wer verliert denn schon gerne? Also, an diesem besagten Frühlingsnachmittag kam mein Bruder vom ersten Fechttraining nach Hause. Er war nun Mitglied des Sportvereins „Empor Schwerin" und wurde auch sofort für ein geringes Entgelt bekleidet und bewaffnet. Dass er nun Besitzer eines schlabbernden, blau-grauen Trainingsanzuges war, machte mich schon etwas neidisch, während ich für das mickrige, dünne Etwas, dass er Florett nannte, nur ein müdes Lächeln übrighatte.

Natürlich war mir nicht entgangen, wie stolz er war, nun zu der untersten Kaste der Donkosaken zu gehören.

Gespreizt wie ein pubertierender junger Gockel schritt er vor dem großen Spiegel im elterlichen Schlafzimmer umher und betrachtete sich mit Wohlgefallen.

Auf meine skeptische Anfrage, was man mit so einer dünnen und lächerlichen Stahlpeitsche anfangen könnte, bei mir fing Fechten erst ab 5 cm Klingenbreite an, begann er, mir ein schauriges Schlachtengemälde aufzuzeichnen, wo deutsche schwerstgepanzerte Kreuzritter in einer furiosen Keilerei gegen eine zahlenmäßig unterlegene Armee der französischen Revolution, die aber mit eben seiner Waffe ausgerüstet war, fürchterlich Dresche bezogen hatten.

Meine Bemerkung, dass sich besagte Ritter sicherlich totgelacht haben und nicht getötet worden seien, ignorierte er.

Ganz so dumm war ich nicht mehr und das spürte auch mein großer Bruder.

Also versuchte er, mich mit anderen Mitteln zu überzeugen. Er positionierte sich, um mir den üblichen Gruß eines Fechtsportlers vor dem Beginn einer kämpferischen Auseinandersetzung zu demonstrieren. Dabei kommentierte er jede seiner Handlungen mit den entsprechenden Kommandos, was mich doch sichtlich beeindruckte. Sekond – Terz – Quart, soweit ich mich erinnere. Bei der letzten Aktion, die er besonders akkurat und schneidig ausführte, zerdrosch er die Lampenschale, die über ihm hing, in tausend kleine Splitter. Alle Achtung, das war wirklich ein schlagkräftiger Beweis für die Wirksamkeit dieser doch von mir unterschätzten Waffe. Nachdem der lähmende Schreck langsam aus unseren Knochen wich, bekam ich einen fürchterlichen Lachkrampf, während es bei Jost in blinde, kalte Wut umschlug.

Einer Furie gleich stürzte er sich auf mich und sofort wälzten wir uns in dem von ihm produzierten Scherbenhaufen. Gottlob hatte ich in der letzten Zeit kräftemäßig doch etwas zugelegt und so hielt ich mich recht wacker in diesem ungleichen Kampf. Einmal kam ich sogar in die obere Position und konnte mich auf einen seiner schlagkräftigen Unterarme knien, was im Nachhinein ein fataler Fehler von mir war. Aber so ist es nun mal mit dem Schicksal. Ich zerdrückte mit meinem Knie das Glas seiner heißgeliebten Armbanduhr.

Soweit kannte ich meinen Bruder. War es bis jetzt nichts weiter als eine wilde Rangelei, die ihren Höhepunkt im Glassplitterwälzen hatte, so wurde in diesem Moment in meinem Kopf die Alarmstufe Rot aktiviert. Ab dieser Sekunde war Schluss mit lustig und mich rettete nur meine affenartige Geschwindigkeit, mit der ich aus dem Zimmer durch die Küche und aus dem Fenster floh.

Während Jost nur langsam aus der einer Totenstarre gleichenden Parese erwachte, hatte ich schon längst meinen Fluchtpunkt erreicht. Nicht umsonst behauptet man, Angst verleiht Flügel.

Hoch oben im Geäst des alten und mächtigen Apfelbaums hatte ich Asylrecht. Diesen konnte ich entern, ohne einen Gedanken daran zu verschwenden, wo ich meine Füße hinzusetzen oder meine Hände einzukrallen hatte. Kein Baum war für mich zu hoch und schon gar nicht unser Apfelbaum. Gerade hatte ich mich im Geäst des Wipfels niedergelassen, von Verstecken konnte keine Rede sein, da ja nur das erste zarte Grün aus den Knospen hervorlugte, tauchte er auf. Er, mein Bruder, der in der kurzen Zeit der totalen Erstauntheit zum Killer mutierte. Mit einer Behändigkeit, die ich ihm nie zugetraut hätte, schwang er sich aus dem

72

Küchenfenster. Während er mit wutverzerrtem Gesicht Steine aufsammelte, ahnte ich, dass mein Fluchtbaum zur Falle wurde. Jost war zwar ein miserabler Kletterer, dafür jedoch ein guter Stratege. Er erkannte sofort die missliche Lage, in der ich mich befand, und eröffnete das Feuer. Stein um Stein zischte an mir vorbei oder prallte an den dickeren Ästen ab, um zu gefährlichen Querschlägern zu werden. Mein Glück war, dass mein schmächtiger Körper zum größten Teil vom Stamm des Baumes geschützt wurde. Ich musste mich nur etwas nach links oder rechts neigen, um den schwirrenden Geschossen auszuweichen.

Den ungleichen Kampf beendete eine energische Kommandostimme. Unser Vater war etwas früher nach Hause gekommen.

Meinem Bruder war die Lust am Fechtsport vergangen, die Eltern bestanden darauf, dass er die zertrümmerte Lampenschale ersetzen musste und das tat ihm verständlicherweise sehr weh. Doch die Rache ist mein, sprach der Herr. So geschah es, dass ich eines Tages, als die einzige Hose, die ich besaß, den Geist aufgab, die schon beschriebenen taubengrauen, schlabbernden Trainingshosen unseres „Fast Fechters" abtragen musste.

Mich traf das Los aller jüngeren Geschwister, da half auch nicht wesentlich der gestickte Namenszug „Empor" auf diesen Buchsen. Nur gut für mich, dass es eine Zeit war, wo die Kinder nicht schon als Säuglinge in werbewirksame Markenprodukte gewickelt werden. Man war heilfroh, überhaupt etwas auf dem nackten Hintern zu haben. Auch wenn es die zu großen Trainingshosen meines um fast sechs Jahre älteren Bruders waren.

20. Sieht man doch sowieso nicht!

Der Winter 1952/1953 war heftig. Die Straßen waren fast unpassierbar, weil der städtische Schneepflug die weiße Pracht lediglich nach links und rechts an die Seite schob. Im Gegenzug schippten die Hausbewohner den Schnee von den Gehwegen wiederum auf die Straße. So wuchsen von Tag zu Tag die Schneemassen immer mehr in die Höhe und wurden nur durch schmale Öffnungen unterbrochen, durch die man auf die andere Straßenseite wechseln konnte. Die Seen in ganz Mecklenburg waren zugefroren.

Eissegler jagten sich auf der spiegelglatten Fläche und verblüfften mich, das Kind vom Land, mit ihrer enormen Geschwindigkeit. Jeder Tag war ein Abenteuer.

Man konnte jetzt trockenen Fußes alle kleinen und großen Buchten und sogar die zwei Inseln erreichen, die mitten in dem gefrorenen und zur Bewegungslosigkeit verzauberten Binnensee aus dem Eis wuchsen.

Dort, wo der kalte Nordostwind die erstarrte Fläche besonders glattpoliert hatte, legten wir uns auf den Bauch, um in eine schaurig-schöne, unbekannte Unterwasserwelt zu starren. Erst die bittere Kälte, die durch mein dünnes, fadenscheiniges Mäntelchen und die dreilagige Pullover-Unterwäscheisolation drang, holte mich in die Wirklichkeit zurück.

Damit wäre ich beim eigentlichen Thema – warme Unterwäsche!

Während wir Jungs Winterunabhängigkeit demonstrierten, litt unsere Mutter sehr unter dieser feuchtkalten mecklenburgischen Winterzeit. Kam sie von der Arbeit nach Hause und fand nach den üblich anfallenden Hausarbeiten endlich Ruhe, saß sie, in eine dicke Strickjacke gewickelt, in ihrer Lieblingsecke, unmittelbar am Kachelofen.

Übrigens, der Einzige in der gesamten Wohnung, der – aus Mangel an Kohle und Holz – beheizt wurde. Meistens saß die ganze Familie vereint in mehr oder weniger großem Abstand um ihn herum und schmökerte in schöngeistiger Literatur.

Eines Abends wurde dieses Ritual unterbrochen. Mutter hatte sich den Nähkasten zu Füßen gestellt und versuchte, zwei undefinierbare hässliche, graue Lappen irgendwie in Form zu bringen. Dabei waren Schere und Stopfnadel abwechselnd in Aktion. Zwischenzeitlich trafen sich unsere Blicke und mir war, als hätte ich ein warmes Leuchten in ihren Augen bemerkt. Auf alle Fälle musste es etwas besonders Wichtiges sein, denn um nichts in der Welt war das ihre Lieblingsbeschäftigung. Erst als sie mich bat, zu ihr zu kommen, sie müsse mal Maß nehmen, wurde ich stutzig. In der Zwischenzeit hatte ich mitbekommen, dass es sich tatsächlich um zwei nagelneue Scheuerlappen handelte, denen sie die Form einer, na sagen wir es mal schmeichelnd, kurzen, sehr plumpen Hose verpasst hatte. Als sie den Schlüpfergummi auf meine Bauchweite zugeschnitten hatte, ahnte ich Schreckliches. Es sollte noch schlimmer kommen!

Während Mutter den Gummi einzog und beide Enden miteinander vernähte, musste ich meine Hosen ausziehen und mir dann dieses monströse, putzlappengraue Etwas über meine Schlüpfer streifen.

In dieser Nacht hatte ich Albträume!

Der folgende Morgen kam pünktlich. Unter den wachsamen Blicken von Mutti musste ich mir besagtes Textil anziehen. Sie wäre keine gute Mutter gewesen, wenn sie nicht bemerkt hätte, wie sehr ich litt. Warme Unterwäsche war nicht der einzige Mangel, mit dem sich die Bürger des jungen Arbeiter- und Bauernstaates herumzuschlagen hatten. Sie tröstete mich, indem sie es mir ruhig und sachlich erklärte. Außerdem sieht man das Ding sowieso nicht, meinte sie noch. Hauptsache warm.

Ich war ein folgsames Kind und ihre Argumente überzeugten mich letztendlich. Es sollte ganz anders kommen!

Zur Schule hatte ich es nicht weit, knapp fünf Minuten. Im gestreckten Galopp eines Kosakenpferdes, wie wir Kinder zu sagen pflegten, hätte ich locker von Tür zu Tür nur zwei Minuten gebraucht. Ich lag gut in der Zeit und ließ mich von meinem Lieblingstagtraum zur Schule begleiten. Immer, wenn mir der eisige Wind ins Gesicht pustete und mir das Gefühl vermittelte, die Haut würde in Streifen geschnitten, stellte ich mir einen uralten riesigen Baum vor, in dessen mächtigem Stamm sich ein Hohlraum befand. Im Laufe der Winterzeit und immer in diesen fünf bis zehn Minuten bis in unser Klassenzimmer hatte ich diese kuschlige Baumhöhle gedanklich mit trockenem Gras und weichen Blättern ausgepolstert. Den schmalen Einstieg verstopfte ich von innen mit den Produkten meiner Fantasie und es wurde immer wärmer. Diese Kunst, ich bezeichne es einfach mal so, habe ich durch alle Höhen und Tiefen und durch alle Zeiten retten können. Später sollte ich begreifen, dass man es Meditieren nannte. Freundliche Mitmenschen meinten oft, ich wäre ein Träumer, weniger freundliche meinten, ich sei ein Spinner.

In den seltensten Fällen wurde es ein Albtraum und den trug ich an diesem frühen Wintermorgen unter meiner Hose geradewegs in die Schule.

Alles begann ganz normal und nichts ließ den Verdacht aufkommen, dass sich daran etwas ändern würde. Fräulein Grünwald, unsere etwas ältliche Klassenlehrerein, begleitete uns in die Turnhalle zum Sportunterricht. Dieser wurde, wie es üblich war, nicht getrennt von Mädchen und Jungen durchgeführt. Als Unterstufenlehrer musste man die gesamte Bandbreite der Pädagogik beherrschen, so eben auch das Unterrichtsfach Sport.

Es war schon ein schwieriges Unterfangen, diesen quirligen gemischten Haufen der Größe nach antreten zu lassen, geschweige denn, schnell Ruhe und Ordnung zu erreichen.

Die Mädchen quietschten und gackerten, während die Jungen herumzappelten und sich gegenseitig hin und her schubsten. Bevor Fräulein Grünwald diese wilde Meute unter Kontrolle hatte, geschah es!

Von ganz hinten links kam der unverhoffte Angriff. Man bezeichnet ihn auch als Dominoeffekt. Irgendeiner meiner Mitschüler hatte das Gleichgewicht verloren und hielt sich krampfhaft an seinem Nachbarn fest, um nicht zu fallen. Der ebenso seiner Standfestigkeit Beraubte, versuchte, sich bei seiner Nachbarin festzuklammern. Ehe ich es so recht bemerkte, hatte mich die La-Ola-Welle erreicht. Die kleine Ulrike Richter, die links neben mir stand und so herrliche Stielaugen hatte, glotzte mich noch im Fallen blöd an und griff dabei, Halt suchend, in den Hosenstoff und riss mir meine Hose herunter. Bevor auch noch mein Beinkleid, also besagter umfunktionierter Scheuerlappen in die Kniekehlen zu rutschen drohte und die wenigen Zentimeter meiner Peinlichkeit preisgab, hielt ich dieses, von meiner Mutter geschaffene Kleidungsstück geistesgegenwärtig mit der Kraft eines Verzweifelten fest. Zu meinem Glück war der Trubel groß und die allgemeine Heiterkeit verebbte nur langsam. Keiner hatte mitbekommen, was ich da zwischen Hose und Schlüpfer zu verstecken versuchte.

Vielleicht gab es doch die Eine oder den Anderen?! Ich denke aber, dass sie auch nicht viel besser untenherum aussahen. Von wegen, sieht doch keiner! Hauptsache warm.

21. Die plattdeutsche Hymne

Bis zum Ende der dritten Klasse besuchte ich nach dem Schulunterricht den Friedenshort, eine Einrichtung zum Aufbewahren von Kindern, so wie mich, deren Eltern sich rund um die Uhr damit beschäftigten, den Schaden zu reparieren, den ein gewisser GRÖFAZ mit seinen Horden und ihren gehirnamputierten Mitläufern über Deutschland, Europa und einen großen Teil der Welt gebracht hatten.

Hier, in diesem Hort des Friedens, verbrachte ich eine kurze, aber wundervolle Zeit. Einen wesentlichen Anteil an meinem Wohlbefinden hatte die Leiterin der Einrichtung, die auch im selben Haus wohnte.

Frau Rehrik war nicht nur unser aller oberster Boss, sie war auch Mutter von einem ganz süßen Baby, das im Laufgitter, welches in unserem großen Spiel- und Aufenthaltsraum stand, herumkrabbelte.

Dank meiner Fähigkeit, Menschen gewollt oder ungewollt zum Lachen zu bringen, saß ich oft mit im Käfig und bereitete mich unbewusst auf meine viele, viele Jahre später folgende Vaterschaft und Erzieherrolle vor. Alle gehörten zu meiner Ersatzfamilie, für die Zeit, wo meine Eltern ihren Pflichten beim Aufbau des zukünftigen Sozialismus nachkamen und sich erst am späten Abend um meine kleinen und manchmal auch größeren Probleme kümmern konnten. Viel Zeit blieb da nicht, da ich pünktlich ins Bett musste, um mein Programm am nächsten Tag abzuspulen.

Wen wundert es, wenn ich Frau Rehrik eines Tages heiraten wollte. Das sollte aber für immer mein großes Geheimnis bleiben.

An eine merkwürdige, aber sehr interessante Sache aus dieser Zeit muss ich hin und wieder mit Schmunzeln denken.

Es war üblich, unseren Küchenfrauen zu ihrem Geburtstag ein Ständchen zu bringen.

Alle Kinder, von der kleinsten bis zur größten Gruppe, stellten sich wie die Orgelpfeifen im Halbkreis und der Größe nach auf. Was mich als Umsiedlerkind an diesem traditionellen Festakt erstaunte, immer wünschten sich die Küchengeister ein und dasselbe Lied – die mecklenburgische Hymne "Wo die grünen Wiesen leuchten weit und breit, da ist meine Heimat", na usw. Von den Eltern und Großeltern war mir bekannt, dass der Volksmusikschatz der Schlesier sehr groß war. Über die „Ode an das Riesengebirge" bis hin zu den kleineren, lustigeren Liedchen, die mir unser Opa vorgesungen hatte. „Rübezahl pumpse mal, kriegst 'ne Apfelsine."

„Pumpsen" steht hier in diesem Fall für den gemeinen einfachen Darmwind oder kurz gesagt für einen Furz. Also weshalb immer nur ein und dasselbe Lied? Im Laufe der Zeit hätte ich jede Wette gewonnen.

Genauso sicher war es aber auch, dass den guten Küchenfrauen die Tränen aus den Augen kullerten. Im Nachhinein frage ich mich, war unser Geplärre vielleicht daran schuld? Fühlten sich die strammen Damen eventuell einer grausamen, seelischen Folter ausgesetzt?

Genau konnte ich dieses Ritual nicht bis zum Ende nachvollziehen, mir fehlte hinterher jedes Mal ein Stück des Filmes.

Drei Dinge waren unausweichlich und gehörten zusammen wie Latsch und Bommel, Heiß und Kalt oder Dick und Doof. Man wünschte sich immer ein und dasselbe Lied, es kullerten während unseres Gesanges oder spätestens danach die Tränen, wobei ich mit „spätestens" mir nicht ganz so sicher bin, denn drittens fiel ich immer aus dem Kreis der singenden Gratulanten wie ein gefällter Baum vornüber vor die Füße der dirigierenden Erzieherin, weil es mir schwarz vor den Augen wurde.

Sonderlich tröstlich war es nicht für mich, dass ich ungewollt dem Geburtstagskind die Show stahl. Als ich dann wieder die Augen aufschlug, war das Programm beendet. Um dem Wiederholungsfall vorzubeugen, durfte ich bei zukünftigen Geburtstagen auf einem Stühlchen in der vordersten Reihe bei den Kleinsten sitzen. Es war von Erfolg gekrönt. Ein Arzt aus der Poliklinik, den unsere besorgte Mutter auf Anraten Frau Rehriks mit mir aufsuchte, konnte es sich nur so erklären, dass ich beim

Abgesang der langen Strophen sicherlich einen Atemfehler machte und letztendlich hyperventilierte.

Eine weitere Möglichkeit, die ich mir später selbst zusammenbastelte, könnte auch ein politischer Hintergrund gewesen sein. Wäre es nicht möglich, dass ich unterschwellig doch sehr unter dem Verlust meiner, unserer Heimat litt?

Und immer, wenn wir dieses mecklenburgische Heimatlied trällerten, traf es mich eiskalt und der blanke Neid drehte mir das Ventil zur Luftregulation ab. Denn letztendlich hatten meine Sangesbrüder und -schwestern sie noch, ihre Heimat. Ich bin mir fast sicher, dass ich damals posttraumatische Probleme hatte. Wenn ich mir rückblickend meine Gedanken mache, bin ich versucht, den Instanzenweg zu beschreiten und sei es, wenn erforderlich, bis zum Europäischen Gerichtshof. Jeder Kleinstkriminelle und nicht nur die, sondern die erst recht, bekamen in unserer neuen Republik ihre Zuwendung und ihre Rechte. Sie müssen nur beweisen können, dass sie eine schwere Kindheit hatten. Kommt der Tatbestand der Trunkenheit dazu, sähe ich reelle Möglichkeiten, mehr als genug entschädigt zu werden. Aber das mit dem Alkohol glaubt mir keiner. Wobei! Wenn das mit dem Komasaufen der Kids in unserer Realzeit zunimmt und sich die Altersgrenze noch mehr nach unten verschiebt, hätte ich vielleicht eine wirkliche Chance.

Man darf doch wohl mal träumen! Oder?

22. Nichts gegen unsere Oma

In unserem Haus lebten neben mir noch zwei weitere Kinder, die in etwa in meinem Alter waren. Günter Wollenberg, der mit seiner alleinerziehenden Mutter und der Oma unmittelbar über uns wohnte, und der ebenfalls vaterlose, übergewichtige Klaus Lau mit der gleichen personellen Konstellation, allerdings in der dritten Etage, direkt unter dem mit Teerpappe gedeckten Dach.

Mit Günter, dem etwas Jüngeren, verband mich eine richtig gute Freundschaft und außerdem verstanden sich unsere Mütter blendend. Mein Namensvetter Klaus war ein knappes Jahr älter, dafür jedoch mit einer gehörigen Portion Falschheit ausgestattet. Logischerweise, oder sollte ich lieber gezwungenermaßen sagen, spielten wir drei Jungs öfter auf dem Hof oder in dem sich anschließenden Hausgarten zusammen. Wobei Klaus Lau eigentlich immer von Günter und mir als Störfaktor empfunden wurde. Sogar unsere Hauskatzen, und das waren nicht wenige, machten einen Bogen um ihn oder ließen sich erst gar nicht blicken, wenn er auf dem Hof war. Diese Antipathie teilten sich also Mensch und Tier gleichermaßen und das gab mir in meinem tiefsten Inneren recht. Kurzum, Klaus Lau ließ keine Möglichkeit aus zu stänkern, obwohl er sowieso schon auf der untersten Sprosse der Beliebtheitsskala stand.

Da Kinder etwas anders ticken als Erwachsene, spöttelte meine Oma: „Pack schlägt sich, Pack verträgt sich."

Das sollte sich im wahrsten Sinne des Wortes schlagartig ändern und die Hauptdarstellerin in diesem Drama war keine andere als meine Oma. Obwohl sie gar nicht auf unserer Bühne stand und unsere kindlichen Streitereien stets und letztendlich so lapidar abtat – aber irgendwann läuft sogar ein Kinderfass mal über.

Wir drei saßen, wie wir es oft taten, auf den rostigen Stufen der Eisentreppe, die zum Trockenboden des Seitenflügels führte. Das Wetter war typisch für diese Jahreszeit, feucht und kalt, also Anfang November. Lustlos und frierend, die Schultern bis zu den Ohren hochgezogen, warteten wir auf eine zündende Idee.

Insbesondere mich bedrückte dieses feuchtkalte, graue und wie bleiern in der Luft liegende Tief des mecklenburgischen Spätherbstes. Mein sonst so sprichwörtliches sonniges Gemüt schien irgendwo an einem Teil der eisernen Treppe festgefroren zu sein. Sicherlich belastete mich auch der Gedanke an Oma, die am Tag zuvor wegen eines Herzanfalls ins Krankenhaus eingeliefert werden musste. Logisch, dass die Stimmung in meiner Familie auf dem Nullpunkt war. So hing ich meinen Gedanken nach, die dem Wetter in etwa ähnelten, philosophierte versunken vor mich hin und wurde von Klaus Lau unsanft ins Hier und Jetzt zurückgeholt.

Urplötzlich, als hätte er meine Gedanken erraten, zog er über unsere Großmutter her und machte sich lustig über ihren momentanen Zustand. Wäre er ein guter Beobachter gewesen, spätestens jetzt hätte sein klügeres Ich zum Rückzug geblasen. Das muss aber bei den Presswehen auf dem Weg zum Hauptausgang abhandengekommen sein. Oder der Schöpfer hat es beim Sortieren und Verteilen an eine ganz andere Stelle montiert.

„Jetzt liegt die im Krankenhaus auf soo dicken Strohsäcken." Schon das war eine zutiefst beleidigende Bemerkung. Lange genug hatten wir wirklich wie das liebe Vieh auf Stroh schlafen müssen und ich wusste, wie sehr gerade unsere Mutter darunter litt. Nicht umsonst waren die spartanischen Matratzen, die sich unsere Eltern nach dem Umzug vom Dorf in die Stadt geleistet hatten, ihr ganzer Stolz. Wurden sie doch immer wieder daran erinnert, dass es uns schon einmal wesentlich besser ging. Endlich sah man Licht am Ende des Tunnels. Und nun diese blöde Anmache von dem A...! Wie konnte man in dieser Zeit überhaupt so fett werden wie der? Das dachte ich allerdings nur, dafür legte ich aber meine ganze Verachtung in den Blick, mit dem ich dieses vollgefressene Etwas taxierte. Klaus Lau aus der dritten Etage unter dem Pappdach ließ nicht locker, er steigerte sich sogar noch um einiges. Seine Worte waren wie ausgespiene Flammen eines Feuerschluckers, nur unkontrollierter, und da besteht die Möglichkeit, sich kräftig das Maul zu verbrennen.

Krachend und mit der Kraft, die meine angestaute Wut in mir entfacht hatte, schlug meine Faust in sein feistes Gesicht ein und verschob die obere Zahnreihe beträchtlich in den Innenraum.

Während er vor Schmerzen und Schreck laut kreischend das Weite suchte, hinterließ er eine Blutspur, die sich von unserer Eisentreppe bis hoch in die dritte Etage verfolgen ließ. Erstaunt und verblüfft über die Wirkung meines Fausthiebes zog ich es vor, mich erst einmal in Sicherheit zu begeben. Ohne Umschweife beichtete ich unserer Mutter die Tat und deren Hintergründe in der Hoffnung auf Rechtsbeistand. Den bekam ich natürlich und dazu ein dickes Lob für die Aufrechterhaltung der Familienehre. Schließlich war es nicht nur meine Oma, um die es ging, sondern sie war die Mutter meiner Mutter.

Was nun folgte, würde ich als Kampf der Giganten bezeichnen. Familie Lau wohnte, wie ich es bereits erwähnte, unter dem Dach, hoch oben, ganz rechts. Unsere Wohnung befand sich im Parterre ganz unten links. Das Gebrüll des von mir Bestraften konnte man problemlos bis in unsere Küche hören. Dahinein mischte sich das Gezeter der in dieser Situation überforderten zwei Frauen. Die Fronten zwischen unseren Familien waren schon seit unserem Einzug in dieses Haus verhärtet. Letztendlich war Klaus Lau nur ein Produkt seiner Erziehung und drückte damit unmiss-verständlich aus, was seine Familie zu feige war, uns persönlich ins Gesicht zu sagen. Nun aber, nachdem sich die Situation extrem zugespitzt hatte, brachen alle Dämme und es begann ein wortgewaltiges Gemetzel von ganz oben rechts nach ganz unten links und nicht zu knapp in umgekehrter Richtung, von ganz unten links nach ganz oben rechts. Während vom Lau'schen Olymp Schimpfwörter wie ein wahres Göttergewitter auf uns herniederprasselten – ich erinnere mich noch an „Verbrecher, Zigeunerbande" und sogar als „Polacken" beschimpften sie uns –, gab es Gegenfeuer aus dem Hennig'schen Orkus und das war auch nicht ohne. Im reinsten Breslauer Gassenjargon konterte unsere Mutter. Dabei lehnte sie sich manchmal so weit aus dem Fenster, dass ich befürchten musste, sie könnte das Gleichgewicht verlieren. Wie sie später erzählte, hatte es auch einen Grund. Denn immer, wenn sie sich vorbeugte, um zu kontern, zog sich Frau Lau so weit in ihre Wohnung zurück, dass man sie nicht mehr sehen konnte. Sicherlich bereiteten ihr die feurigen Blitze aus den veilchenblauen Augen unserer Mutter erhebliche Probleme, zumal sie noch von dem kräftigen Donner ihrer Stimme begleitet wurden.

Ich kannte unsere Mutter als lebenslustige und temperamentvolle Frau. Aber was ich hier erlebt hatte, verblüffte mich maßlos und erfüllte mich mit unsäglichem Stolz. Da hatte eben eine Tigerin ihr Junges auf Leben und Tod verteidigt.

Die Wirkung dieser wortgewaltigen Auseinandersetzung hatte weitreichendere Folgen, als man es erahnen konnte. Es dauerte keine Woche und die kleine Wohnung unter dem Pappdach stand leer. Familie Lau war eines Nachts still und heimlich über die damals noch offene Grenze in Richtung Hamburg verschwunden.

Dafür zog eine neue Familie ein. Engel mit Namen und aus dem Westen kommend. Sie brachten außer ihrem lustigen oberfränkischen Dialekt auch eine ganz süße kleine Tochter mit. Etwas jünger als ich, aber ein richtiger Engel.

23. Reimershagen

Gemeinsamer Urlaub mit den Eltern, in dieser Zeit? Das war nicht nur außergewöhnlich, sondern sehr abenteuerlich. Die Sonnabende waren ganz normale Arbeitstage in der DDR und auch für uns Schulkinder galt das Gleiche. Den freien Samstag führte der Arbeiter- und Bauernstaat erst später ein. Das höchste der Gefühle war ein Sonntagstrip an die nahe Ostsee. Boltenhagen war nicht allzu weit entfernt, und wenn man den Frühzug nach Wismar nahm, konnte man einen erholsamen Tag an der Küste verbringen. Gesetzt den Fall, man deckte sich mit den nötigen Fressalien und Getränken ein, um über den Tag zu kommen. Die Versorgung war unsere alleinige Angelegenheit und bis zu der Zeit, wo man die tollsten Leckereien bis an den Strandkorb geliefert bekommt, sollten noch einige Jahrzehnte vergehen. Kartoffelsalat mit Buletten, hartgekochte Eier und für den großen Durst mehrere Flaschen Leitungswasser mit Geschmack, sprich Himbeersirup. Dieses Getränk stand ganz oben auf der Wunschliste, weil Himbeersirup genauso Mangelware war wie alles andere auch. Wurde es ein richtig heißer Sommer, konnte man davon nur träumen. Doch es gab zum Glück den guten, altbewährten Malzkaffee. Für den normalen Alltag das richtige Getränk und deswegen stand immer eine große Kanne davon auf dem Küchentisch. Wir Kinder kannten es nicht anders.

So war die Mitteilung unserer Eltern, einmal richtig Urlaub auf dem Lande zu machen, die Sensation. Diesen glücklichen Umstand verdankten wir unserem Vater, der als Redakteur der Zeitschrift „Der freie Bauer" unmittelbar mit dieser Spezies des Arbeiter- und Bauernstaates zu tun hatte. Die liebenswerte Sorte Mensch, die für das leibliche Wohl der Proletarier, Intelligenzler, Beamten, Rentner und natürlich auch für uns Kinder, tagtäglich auf den Feldern und den Beinen war. Wie oft haben wir Jungen davon geträumt, mit unseren Eltern mal so einen richtigen Abenteuerurlaub zu verbringen. Nun sollte er wirklich wahr werden, unser Traum. Ein Landwirt aus dem Dörfchen Reimershagen, der sich auf dem besten Weg befand, irgendwann einmal für seinen Fleiß eine hohe staatliche Auszeichnung zu erhalten, erfüllte unseren so heiß ersehnten Wunsch.

Ein winziges Zimmerchen, in dem, so schien es mir, vier uralte, knarrende Bettgestelle sich gegenseitig den Platz streitig machten, wurde für zwei Wochen unser Zuhause. Die letzten freien Quadratmeter des Raumes nahm eine ebenso betagte Kommode mit fast erblindetem Spiegel und mächtiger, dicker Marmorplatte ein, Sie fand noch Platz, da eines der vier Betten etwas kleiner und kürzer war. Es sollte meines werden.

Das Wenige, was wir mitgenommen hatten in dieses Abenteuerland, passte allemal in den alten, zerbeulten Pappkoffer, auf dem mein Bruder während unserer Vertreibung aus dem Paradies eingeschlafen und mit den Haaren an der Waggonwand festgefroren war. Der Inhalt verschwand in zwei der drei Schubladen der Kommode.

Der einzige Komfort, den das Zimmer aufzuweisen hatte, waren eine porzellanene große Waschschüssel und ein dazugehörender Wasserkrug. Also kein Wasser aus der Wand, aber das kannten wir aus der Zeit, wo wir noch auf dem Dorf wohnten und es war somit kein Thema.

Blickte man aus dem kleinen Fenster, welches den Raum mit Tageslicht versorgte, schaute man auf den Kräutergarten der Bäuerin. In den warmen Nächten stieg ein berauschender Duft in unsere Kammer und mischte sich mit dem penetranten Gestank des Schweinestalles, der sich genau unter unserem Schlafgemach befand. Mich störte es weniger, da ich, ohne Gefahr zu laufen, mal so richtig einen verirrten Magen-Darmwind absetzen konnte. Ich nehme an, da ich nun doch schon einige Jahrzehnte auf diesem Planeten verweile und die Regeln des Anstandes mehr oder weniger beherrsche, dass es meinem Bruder und ich denke mal, ohne die Etikette zu verletzen, auch meinen Eltern nicht anders erging.

Die Zeit vor dem Zubettgehen war immer aufregend, zumindest für mich. Neben den typischen, markanten Duftnoten eines Bauerngehöfts gab es noch etwas anderes Störendes. Kleine, winzige Plagegeister – Flöhe!

Allabendlich konnten wir uns davon überzeugen, dass Mecklenburg nicht nur das Land der Wälder und Seen war, sondern auch das Land der Flöhe. Jeder Abend endete mit dem gleichen Ritual. Mutter holte einen Eimer mit heißem Wasser aus der bäuerlichen Küche und bereitete das große Jagen mit anschließender Reinigung meines Körpers vor.

Nachdem die Waschschüssel geflutet war, zog sie vorsichtig mein Hemd über den Kopf und schüttelte es sachte über der Wasseroberfläche aus, bedacht darauf, jeden Fluchtversuch dieser kleinen Peiniger zu vereiteln. Es verging kein Abend, an dem nicht mindestens drei bis vier dieser flügellosen Kerbtiere dem Jagdfieber unserer Mutter zum Opfer fielen. Waren diese Blutsauger erst einmal im Wasser, gab es kein Entrinnen mehr. Verblüffend, wie sie kraulend den Rand der Schüssel erreichen wollten. Ahnend, dass dort die Möglichkeit bestand, ihr hinteres Beinpaar, welches die Natur mit katapultartigen Muskeln versehen hat, einzusetzen. Einmal am Rand angekommen, musste es schnell gehen. Das war der alles entscheidende Punkt für Mensch und Kerbtier. In dem Moment, wo Floh das vermeintliche Ziel erreichte und als Sieger die Beckenwand berührte, drückte Mutti mit dem Daumennagel der rechten Hand den vermeintlichen Gewinner an den Rand der Porzellanschüssel. Dabei gab es stets ein kurzes knackendes Geräusch und je nach Fördermenge des aus meinem Körper gesaugten Blutes erschien ein roter Fleck am Schüsselrand. Mutter Jägerin wurde von Tag zu Tag besser und es hätte nicht viel gefehlt, dass sie nach jedem Treffer eine Kerbe in das Fußende meines Bettes geschnitten hätte. Nach meiner anschließenden Reinigung fiel ich dank der Menge an Erlebtem in einen tiefen, gesunden Schlaf und das war gut so.

Kaum hatte unsere treusorgende Mutter das zweite Bein unter die Bettdecke gezogen, begann sie mit unerschütterlicher Ruhe, die mecklenburgischen Wälder abzusägen. Darin mischte sich das Zirpen der Grillen und sehr oft auch das bösartige hohe Summen der Mücken. Aus dem Stall unter uns drang das selbstzufriedene Grunzen der Muttersau und ab und zu ein kurzes Quieken der sich um den besten Schlafplatz streitenden Ferkel, welches wiederum von dem sanften, von irgendwoher kommendem Muhen einer träumenden Kuh abgelöst wurde.

Noch deutete es sich nicht an, aber es sollte wieder ein wunderschöner und erlebnisreicher Tag werden, an dem allerdings unser Vater an seine Grenzen stieß.

24. Der Nichtschwimmer

Reimershagen war ein kleines unscheinbares Dörfchen, versteckt in der mecklenburgischen Hügellandschaft, zwischen Krakow, Goldberg und Güstrow. Von Feldern und Wäldern gesäumt, lebte man hier beschaulich und in größter Ruhe. Als ein besonderes Geschenk hatte die sich zurückziehende Eiszeit eine tiefe Senke hinterlassen und sie gnädigerweise mit Wasser gefüllt. Daraus entwickelte sich im Laufe von Tausenden Jahren ein herrlicher kleiner See, umgeben von einem sattgrünen Schilfgürtel.

Es gab nur zwei Möglichkeiten, sich dem offenen Wasser zu nähern. Das war einmal auf der gegenüberliegenden Seite eine schmale Stelle, die von den Jugendlichen der Nachbarschaft zum Baden genutzt wurde und sogar so etwas wie einen kleinen Strand besaß. Trubel herrschte im Sommer nur an den Sonntagen, während in der Woche See und Strand von uns okkupiert wurden. Wir besaßen eine richtige Feuerstelle, auf der unsere Eltern eine mitgebrachte eiserne Pfanne erhitzten. Alles, was sich braten und brutzeln ließ, marschierte dort hinein und wurde anschließend mit größtem Appetit verschlungen. Es war „das" Abenteuer"! Hinter uns der dichte mecklenburgische Urwald und vor uns der Atlantik unserer Fantasie.

Der zweite Zugang zum See lag auf der Seite unseres Dorfes. Hier duckte sich ein im Zerfallen begriffener alter Bootsschuppen tief an die Uferböschung, während das moosbedeckte Reetdach an seinen unteren Rändern von dem im Wind hin und her wogendem Schilf sachte gekitzelt wurde. Ein ebenso alter Steg ragte etliche Meter in den See und vervollständigte die Idylle.

Es dauerte nicht lange und wir Jungen hatten herausgefunden, dass ein bis zum Rand vollgelaufener Fischerkahn im Wasser vor sich hindümpelte, während ein modernder Hanfstrick krampfhaft versuchte, ihn am endgültigen Sinken zu hindern.

Nach einer kurzen Beratung entschlossen wir uns, diese traurige mecklenburgische „Nautilus" zu heben und wieder einsatzfähig zu machen. Mit Hilfe eines Eimers gelang es uns tatsächlich, das Wasser aus dem Boot zu schöpfen und es Zentimeter für Zentimeter über die Wasserlinie zu holen. Das nachrückende Wasser machte uns keine Sorgen, es ließ sich ohne größere Probleme unter Kontrolle halten. Daraufhin beschlossen wir, eine Probefahrt zu unternehmen. Entscheidend war jetzt allein eine gute Technologie. Während Jost sich ins Zeug legte, unser Ziel war die gegenüberliegende Badestelle, schaufelte ich gleichmäßig das eindringende Wasser über Bord. Auf diese etwas mühselige Art kamen wir dem Ufer jedoch recht schnell näher. Wir waren hellauf begeistert von unserer seemännischen Meisterleistung. Zum Abendbrot waren wir pünktlich im Heimathafen und berichteten unseren Eltern stolz von unserem großen Abenteuer, ergab sich doch jetzt die Möglichkeit, den langen Marsch um den See zu unserem Lager und Badeplatz erheblich zu verkürzen. Unser Vater stand diesem Vorschlag allerding eher skeptisch gegenüber. Verständlich, hatten mein Bruder und ich doch vollkommen vergessen, dass er nie schwimmen gelernt hatte. Für uns eher lustig, denn wir begriffen, dass unsere Eltern auch nicht alles beherrschten. Genauso, wie Vater nicht schwimmen gelernt hatte, konnte unsere Mutter nicht Rad fahren.

Trotzdem gelang es, beide davon zu überzeugen, mit uns gemeinsam dieses für sie gewagte Unternehmen zu starten. Vorsorglich rannte ich voraus, um unser U-Boot mit Hilfe des Eimers überfahrtfreundlich und sicher erscheinen zu lassen. Vater beäugte äußerst misstrauisch unser Wasserfahrzeug, nahm dann aber all seinen Mut zusammen und balancierte, sich krampfhaft an der Bootkante festhaltend, zum Heck, wo er sich erleichtert auf der Sitzbank niederließ. Unsere Mutter machte es sich im Bug bequem. Während Jost sich kräftig in die Riemen legte, bestand meine Aufgabe darin, als Lenzpumpe mein Bestes zu geben. Es dauerte nicht lange und wir mussten feststellen, dass unsere Rechnung nicht ganz aufging. Da das Boot jetzt schwerer beladen war, fuhren wir auch langsamer und mit sichtlich mehr Tiefgang. Da wir langsamer fuhren und schwerer geladen hatten, brauchten wir jetzt länger für die Überfahrt. Nach etwa der Hälfte ging unserem Vater das eingedrungene Wasser bis an seine hochgekrempelten Hosenbeine. Es blieb mir nicht verborgen, ihm ging es nicht sonderlich gut.

Während Jost um sein Leben zu rudern schien oder das unseres Vaters, schaufelte ich wie besessen den See dorthin, wo er mit konstanter Boshaftigkeit gerade herkam. Unsere Mutter betrachtete unseren Einsatz mit mehr oder weniger Vergnügen, wahrscheinlich machte sie sich bereits Gedanken, ihren Mann im Rettungsgriff die letzten dreißig Meter an Land zu hieven. Wir schafften es gerade so!

Während Mutti auch die nächsten Male mit an Bord kam, war es Vaters letzte Fahrt. Lieber lief er allein um den See, als sich noch einmal in solch eine Gefahr zu begeben.

25. Mein elfter Geburtstag

Der Januar zeigte sich von seiner unfreundlichsten Seite. Wenn es wenigstens klirrender Frost mit eisigen Schneestürmen gewesen wäre, so wie meistens zu Beginn des neuen Jahres. Aber nein: feucht, matschig und krank machend.

Wen wundert es, dass ich mir wieder einmal eine heftige Erkältung eingefangen hatte, die sich langsam zur Lungenentzündung mauserte. Klar, dass ich in diesem Zustand nicht in die Schule brauchte. Also lag ich in meinem Bett, welches die besorgten Eltern in ihr Schlafzimmer gestellt hatten, und dämmerte tagsüber vor mich hin.

Die einzige Abwechslung kam mit Schwester Hannelore, auf sie hätte ich jedoch gern verzichtet. Sie war nicht nur die gute Freundin unserer Mutter, sondern auch die Mutti meines besten Freundes und, was ganz entscheidend für meine Genesung sein sollte, in ihrer beruflichen Funktion als Krankenschwester hatte sie auch den Auftrag unseres Hausarztes, mir einmal am Tag eine bestialisch schmerzende Penicillin-Spritze in meinen Allerwertesten zu drücken. Wie sehr ich litt, kann nur der ermessen, der schon selbst einmal in den fraglichen Genuss kam.

Penicillin ist verhältnismäßig dickflüssig und dementsprechend nur langsam zu injizieren –Minimalfolter in Zeitlupe! Dazu die herzlosen Kommentare: „Nu hab dich mal nicht so, du Dösbaddel. Lass locker und spann din Nors nich so an!"

Wen wunderts, dass Schwester Hannelore zwar Muttis Freundin war, aber nicht so sehr meine.

War alles überstanden, hatte ich 24 Stunden Ruhe vor ihr. Fünf Tage in Folge erwartete ich das Geräusch des Schlüsselklapperns und das resolut schnappende Umdrehen im Schloss der Wohnungstür. So musste sich ein Todeskandidat in seiner Zelle fühlen. Wobei die Todgeweihten ihre Spritze intravenös bekamen und Penicillin wird intramuskulär verabreicht. Es ist nicht der einzige Unterschied. Ich lebe noch!

Während meine Genesung trotz der fünfmaligen Körperverletzung nicht aufzuhalten war, unternahm in diesem Zeitraum eine Ratte den Versuch, sich mit Hilfe ihrer Schneidezähne in unsere Speisekammer durchzufräsen. Unterbrechen ließ sich dieser Untergrundnager bei seiner Arbeit nur kurzzeitig, und zwar dann, wenn ich kräftig auf die Holzdielen schlug und dabei auch noch laut schrie. Sehr erfolgreich war ich zwar nicht mit meiner Strategie, sorgte aber immerhin dafür, dass sich die Koordinaten merklich veränderten. Eines Nachts war das penetrante Nagegeräusch direkt unter meinem Bett, welches von besagter Speisekammer nur durch eine dünne Wand getrennt war. Das Navigationssystem schien kläglich versagt zu haben oder sollte das plötzliche Umschwenken des Tunnelvortriebs einen anderen Grund haben? Immerhin hatte ich seine unterirdischen Nagetätigkeiten mit meinem Gebrüll und Auf-den-Boden-Stampfen ständig unterbrochen. Haben diese Viecher vielleicht so etwas wie Rachegedanken?

Kindliche Fantasie ist grenzenlos! Von nun an wurde mein Lauschen von Angst begleitet.

Nachts unterstützten mich die Eltern, indem mal der eine oder der andere auf die Dielen schlug und mir so das Gefühl von grenzenloser Geborgenheit gab. Aber der folgende Tag kam und dann war ich wieder allein, so allein! Ich weiß nicht, ob ich mir noch einige Spritzen gewünscht habe, nur um wenigsten für diese kurze Zeit Gesellschaft zu haben.

Eines Nachts war endlich Ruhe, die Ratte hatte also aufgegeben, dachte ich. Am Morgen bemerkte ich beim vorsichtigen Unter-das-Bett-Lugen ein sauberes kreisrundes Loch. Mir standen die Haare zu Berge!

Retter in höchster Not wurde Opa Galow, unser Nachbar, dem unsere Mutter das Problem schilderte. Kurz entschlossen mischte er aus Mörtel und Splittern einer zerschlagenen Bierflasche einen Mix zurecht und verschloss fachmännisch den Tunnelausgang. Von nun an war Ruhe und ich konnte meinem elften Geburtstag entgegenträumen. Wie schön kann doch das Leben sein! Es sollte ein ganz besonderer Tag für mich werden, der sich detailgetreu in meinem Gedächtnis breitmachte und unauslöschlich verankerte.

Bevor Mutter ins Geschäft ging, kam sie jedes Mal ans Bett, um noch einmal nach dem Rechten zu sehen und mir einen Abschiedskuss auf die jetzt fieberfreie Stirn zu geben.

Doch am 27.01.1955 hielt sie ein Sträußchen Alpenveilchen in der linken Hand und ein winziges Päckchen in der rechten. So reich bin ich zu meinem Geburtstag noch nie beschenkt worden. Sicherlich lag es auch an meinem momentanen Gesundheitszustand. Vorsichtig begann ich, in Mutters Beisein die Verschnürung zu lösen! Immer wieder trafen sich unsere erwartungsvollen Blicke. Als ich den Deckel der kleinen Schachtel langsam abhob, sah ich einen winzigen hölzernen Traktor nebst Hänger und roten Rädern – wow! Meine Freude war grenzenlos.

Keine Ratte mehr, auch die schmerzhaften Spritzen waren vergessen und nun diese Überraschung. Nach dem obligatorischen Abschiedskuss und einer sanften Streicheleinheit über meinen zerzausten Kopf war ich wieder für den ganzen Tag allein. Halt, nicht ganz! Ein Sträußchen Alpenveilchen auf dem Fensterbrett erinnerte mich daran, dass es nicht nur mein Ehrentag war, sondern, dass es jemanden gab, der mich sehr liebhatte und dann war da noch der Traktor mit Hänger. Im Nu wurden die Beulen und Falten des Federbettes eine Berglandschaft, durch die sich mein Trecker mühevoll und laut tuckernd seinen Weg bahnte. Es gab Tunnel und Höhlen oder auch mal eine Garage, irgendwann schlief ich müde aber glücklich ein.

Ein leichter, anhaltender Schmerz weckte mich. Meine linke Wange lag auf dem Anhänger und hinterließ für einige Zeit eine kräftige Druckstelle. Wir hatten miteinander gekuschelt.

26. Blutwurst mit Sauerkraut

Die schöne Zeit im Friedenshort sollte für mich zu Ende gehen. Ich kam in die fünfte Klasse und hatte damit die Berechtigung verloren, weiterhin meine Kinderseele in diesem Hort des Friedens baumeln zu lassen. Ein schwerer Schlag für mich, da ich mich dort äußerst wohl- und aufgehoben fühlte.

Frau Rehrik, die Leiterin dieser Kindereinrichtung, bemerkte, wie ich litt und versuchte, mich zu trösten. Der Schuss ging nach hinten los und sie erreichte genau das Gegenteil. Der Hort hatte kurz zuvor neue Kasperlepuppen erhalten, die größer und viel schöner waren als die üblichen. Deswegen hießen sie auch pädagogische Handpuppen. Sie waren – aus welchem Grund auch immer – noch nicht in den Kreislauf der Zerstörung einbezogen worden. Was bedeutete, dass sie bis dahin unter Verschluss waren. Als ich diese wunderschönen Puppen sah und mir bewusst wurde, dass ich damit nie spielen würde, kannte mein Abschiedsschmerz keine Grenzen und die Tränen flossen umso reichlicher. Aber bekanntlich heilt die Zeit alle Wunden und warum sollte es ausgerechnet bei mir anders sein?

Bevor ich Schlüsselkind wurde, durchlief ich kurzzeitig die Phase eines Schulhortkindes – weil es einen triftigen Grund gab, ehe ich diesen Sprung in die totale Selbständigkeit und unbegrenzte Freiheit machen durfte. Meine Eltern hatten mich nicht nur in den Hort gesteckt, damit ich meine Hausaufgaben unter fachlicher Anleitung erledigen konnte. Ich darf auch ausschließen, dass sie bewusst eine künftige sozialistische Persönlichkeit formen lassen wollten. Der Hauptgrund war die Schulspeisung, denn Hortkinder bekamen eine warme Mahlzeit. Was gab es Wichtigeres in diesen Jahren der Entbehrung als warme Garderobe im Winter und eine warme Mahlzeit täglich? Ob es schmeckte, war nicht so wichtig. Was auf den Tisch kam, wurde gegessen, da brauchte man auch keine Ermahnung der Erwachsenen.

Nach dem Unterricht verließen wir unser Klassenzimmer, um uns in den Speiseraum zu begeben. Dieser lag im Untergeschoß oder besser im Keller des Schulgebäudes. Hierher lieferte eine Großküche die Speisen, welche in hässlichen, grünen Warmhaltekübeln von einem Lastkraftwagen gebracht wurden. Gab es Eintopf, war es nur ein riesiger Behälter. Stand aus Versehen ein Fleischgericht mit Beilage auf dem Speiseplan, waren es drei kleinere. So auch an jenem Tag, welcher über meine Zukunft als Schlüsselkind entscheiden sollte. Wie sehr mich dieses Erlebnis erschütterte und für den Rest meines Lebens beeinflusste, erkennt man am besten daran, dass ich jene Speise, die an dem Tag auf den Teller kam, nie wieder in all den Jahren danach, und das sind knappe sechzig, gegessen habe. Blutwurst mit Sauerkraut und Kartoffeln. Auch als „Verkehrsunfall" oder unter der Bezeichnung „tote Oma" bekannt.

Für mich war der Gang in die Küche nahezu eine heilige Handlung. Klar, Hunger hatte ich immer und an manchen Tagen schmeckte es sogar. Was die Küche für mich besonders anziehend machte, war unsere Küchenfee. Sie stammte wie ich aus Breslau und hatte auch in Schwerin eine neue Heimat gefunden. Ein unsichtbares Band verknüpfte uns miteinander und die Sympathie bestand nicht nur meinerseits, Das Resultat war dann meistens eine größere Portion als die meiner Mitschüler oder ein üppiger Nachschlag für „Klausel", wie sie mich liebevoll in ihrem schlesischen Dialekt nannte. An diesem Tag sollte ein Nachschlag der Auslöser meiner nun schon lange anhaltenden Abneigung gegen eine meiner Lieblings-speisen sein.

Leicht gesättigt aber noch mit erwartungsvollem Blick folgte ich dem Löffel, der die Kartoffeln auf den Teller transportierte. Sauerkraut gesellte sich dazu und dann kam der wichtigste Moment.

Nach kräftigem Umrühren des heißbegehrten Wurstbreies landete eine volle Kelle neben den Kartoffeln und dem Kraut. Wie dicht liegt es beieinander, dieses „Himmelhoch jauchzend, zu Tode betrübt". Es sollte eine der wichtigsten Erfahrungen meines Lebens werden. Wir trauten beide unseren Augen nicht. Aus dem schwärzlichen Grützwurstbrei ragte ein

Kamm hervor. So einer, den betagte Damen zu benutzen pflegten, um sich das Haar auf dem Haupt festzustecken. Das kannte ich von meiner Großmutter. Drei solcher leicht gebogenen Kämme kontrollierten ihre „Portierknolle", damit sie sich nicht auflöste. Aber das war noch nicht alles. Zum Überfluss befand sich in diesem hässlichen Etwas auch noch ein gewaltiges Büschel grauer, ausgerupfter Haare. In der Großküche musste eine Auseinandersetzung von ziemlicher Tragweite stattgefunden haben. Um nicht den Tatbestand des Skalpierens bei vollem Bewusstsein zu erfüllen, musste die Täterin oder der Täter das Beweismittel schleunigst beseitigen. Wo wäre es besser verborgen als eben in dieser Blutwurst? Eine Ironie des Schicksals, oder? Blitzschnell legte unsere Küchenfrau den Zeigfinger der linken Hand an ihren gespitzten Mund, riss die Augen weit auf und ließ meinen Teller genauso schnell unter dem Ausgabetresen verschwinden.

Um meinen Nachschlag gebracht, rannte ich aus dem Speiseraum, denn die erste Portion hatte es sich anders überlegt und wollte raus.

Gott sei Dank waren, soweit ich es mitbekam, keine Schneidezähne in der noch nicht verdauten Speise. Oder lagen sie vielleicht noch auf dem Grund des Behälters? Ich sollte es nie erfahren.

27. Der Sturm auf das Winterpalais

Wandertag war immer eine feine Sache. Ich glaube, die Lehrer waren ebenso froh wie wir, wenn sie das Schulgebäude mal nicht betreten mussten. Meistens ging es raus in die Natur und davon gab es in und um Schwerin reichlich. Wir Kinder waren noch lieb und unsere Späße und Streiche kannten Grenzen. Die heutigen Dreizehn- oder Vierzehnjährigen würden unsere Heldentaten nicht mal mit einem müden Lächeln belohnen. Die Zeiten ändern sich halt und die Menschen auch.

Wenn jetzt Pubertierende während der großen Pause in Gruppen zusammenstehen, teilen sie sich meistens in Raucher und Nichtraucher auf. Mit etwas Derartigem kann meine Generation nicht aufwarten. Ich erinnere mich noch detailgetreu an einen schlüpfrigen Witz, den eine Klassenkameradin zum Besten gab und der für uns schon so etwas wie grenzwertig war. Heidi durfte das. Sie war nicht nur das schönste Mädchen in der Klasse, sondern sie besaß bereits ganz deutlich das, was mich und bestimmt auch andere Jungen meines Alters erst wesentlich später zu interessieren begann.

Um es klar auszudrücken, an unseren Wandertagen wurde gewandert. Einer dieser Tage sollte allerdings ganz anders verlaufen als alle bisherigen. Wenn ich Dich, lieber Leser, jetzt auf eine falsche Fährte geführt habe, möchte ich mich dafür entschuldigen, es kam alles ganz anders.

Neben dem wunderschönen Schloss, welches Schwerin besitzt, hat es auch noch andere interessante Bauten. Da wäre das Museum mit seiner breiten, einladenden Treppe und den gewaltigen Säulen, bewacht von zwei grimmig blickenden steinernen Löwen. Auch das Theater verdient erwähnt zu werden, nicht nur als Baudenkmal, sondern vor allem als Bühne. Hier sangen einst Hannelore Guse und Helge Roswaenge, auch Gojko Mitic, Marten Sand und viele andere gute Künstler standen auf den Brettern, die die Welt bedeuten. Es würde ausufern, alle interessanten Bauwerke Schwerins zu erwähnen. Also beschränke ich mich nur noch auf den Marstall, der sich in der Nähe des Schlosses befindet. Ein imposantes

Gebäude, welches im Laufe der Jahrhunderte einiges erlebt haben dürfte. Jahrelang verband sich mit Marstall auch der Begriff Kaserne. Hier und nicht nur hier hatte die Sowjetarmee ihre Soldaten einquartiert. Schwerin war Garnisonstadt und dementsprechend groß war auch das Potenzial an Uniformen und blankgeputzten Messingknöpfen. Auffällig und nicht zu übersehen waren die grün gestrichenen Holzzäune, die neugierigen Blicken jegliche Sicht verwehrten. Dahinter gab es ein anderes Leben und nur ganz selten wurden wir damit konfrontiert. Aber wenn, dann recht eindrucksvoll. Waren es zum Anfang noch Panzer, die donnernd und kettenklirrend durch die Stadt fuhren oder die Einsätze der Militärpolizei der Kommandantur, um ausgerissene Soldaten einzufangen, so normalisierte sich das *nebeneinander* Leben zu einem *miteinander* Leben.

In der gesamten Stadt waren sie präsent. Ob der Offizier, der in unserer kleinen HO mindestens dreimal die Woche sein Sto-Gramm-Wodka-fläschchen kaufte und es ohne abzusetzen noch im Verkaufsraum im Stehen leerte oder der Militär-LKW vor dem Stolpmann'schen Fischhandel, der Karpfen und Aale abholte und neidvolle Blicke auf sich zog. Genauso wie die Offiziersfrauen, die man noch nicht sah, aber schon riechen konnte, weil das Rosenölparfüm für unsere Nasen unerträglich schien. Lustig auch die Schulmädchen mit ihren weißen Riesenschleifen in den Haaren und den ebenso weißen Schürzen mit Rüschen. Daneben die Jungen in militärähnlichen Schuluniformen, die wir auch gerne getragen hätten.

Alles wurde zur Normalität. Genauso normal war es dann auch, als Stück für Stück die Kasernen geräumt wurden und eines Tages unser Marstall leer stand.

Er sollte das auserkorene Ziel unseres nächsten Wandertages werden und da es ein ganz besonderer Wandertag werden sollte, kündigte ihn der Direktor persönlich an.

Um uns die Geschichte unseres großen Bruders und allgegenwärtigen Freundes so richtig nahezubringen, wurde der einstige Pferdestall des Mecklenburgischen Großherzogs von ihm, unserem Direktor, höchst-persönlich zum „Winterpalais" auserkoren.

Na, das war doch mal etwas ganz anderes. Hatten wir Kinder doch schon zig sowjetische Spielfilme gesehen, welche das Thema Oktoberrevolution ausgiebig aufgearbeitet hatten.

Lenins weltbekannter Funkspruch „An Alle, an Alle, an Alle!" hatte auch uns erreicht, einige Jahrzehnte später, aber besser als nie.

Original:

„An alle Regiments-, Divisions-, Armeekorps-, Armee- und sonstige Komitees, an alle Soldaten der revolutionären Armee und an die Matrosen der revolutionären Flotte"

Wie das Leben manchmal spielt, denn erstens kommt es anders und zweitens als man denkt. Ich weiß nicht, warum ich mir so sicher war, zu den siegreichen Rotgardisten zu gehören. Es stand einfach für mich fest, ich war ein guter Junge.

Beide Eltern waren Kommunisten, der Vater meiner Mutti war ein alter Sozi, der irgendwann und kurzzeitig Kontakt zu August Bebel hatte. Was sollte dem also im Wege stehen? Für den obersten Generalstab unserer Schule war es einfach, so mir nix, dir nix Schicksal zu spielen. Es gab in den Altersgruppen zwölf bis vierzehn jeweils drei Klassen. A, B, C – macht unter dem Strich neun. Die maximale Stärke von Fünfundzwanzig ergibt in etwa mit krankheitsbedingten Ausfällen 200 Kämpfer. Diese Anzahl zerfiel in zwei fast gleichstarke Gruppen, Rotgardisten und Weißgardisten. Logischerweise wollte keiner zu den Verlierern gehören, also zu den Weißgardisten. Darum wurde von höherer Stelle festgelegt, wer gut bzw. wer schlecht war. Dieses Vorgehen bezeichnet man dann als Diktatur des Proletariats. Das Schicksal wollte es anders, genau wie im richtigen Leben. Es machte mich zum Weißgardisten, also zu einem Bösen. Ich war sauer, stinksauer! Aber, wie ich es so oft von den Erwachsenen zu hören bekam, wenn man sie fragte, wie das so im Krieg war, bekam man zu hören: „Befehle werden nicht diskutiert, sie werden ausgeführt." Ähnliches sagte unser betagter Mathelehrer Herr Möller, wenn man den Versuch machte, ihm zu erklären, dass man gerade gedacht hatte. „Das Denken überlass den

Pferden, die haben einen größeren Kopf." Ich fügte mich meinem vermeintlichen Schicksal und versprach mir selber, wenigstens ein richtig guter Böser zu sein.

Es ist schon merkwürdig, wie Kinder reagieren, wenn sie plötzlich in Gut und Böse eingeteilt werden. Die Guten freuten sich, als hätten sie vom Direktor persönlich erfahren, dass die Schule für immer abgeschafft wird. Die Schlechten, in diesem Falle die Bösen, maulten herum, weil sie der Meinung waren, ungerecht bestraft worden zu sein. „Allen Menschen recht getan, ist eine Kunst, die niemand kann" – na und den Spruch kennen nicht nur die Politiker.

Die Vorgehensweise bei unserem Sturm auf das Winterpalais war verhältnismäßig einfach. Jeder Teilnehmer wurde verpflichtet, einen wollenen Faden in den Farben der Revolution am Oberarm zu befestigen. Also Bolschewiki rot und ich, als Vertreter der Menschewiki, weiß. Riss man seinem Gegner den Faden vom Arm, musste er aufgeben und den Kampfplatz der Revolution verlassen.

Auf ein Signal hin begann die Prügelei um unser Winterpalais in Miniatur. Schon nach kurzer Zeit bemerkte ich, dass die Roten kaum Verluste zu verzeichnen hatten, während wir vorprogrammierten Verlierer ein immer kleinerer Haufen wurden.

Mit einem Schlag kam mir die Erleuchtung: Der größte Teil der Rotgardisten waren Schüler der drei achten Klassen und in diesem Alter macht sich ein Lebensjahr Unterschied zum Teil drastisch bemerkbar. Das sah man ja besonders bei den Mädchen. Es war also nicht nur das Kampfgebrüll mit tieferen Stimmen.

Meine Wut über so viel taktische Gemeinheit der Lehrkräfte schien grenzenlos. Aus anfänglichem Spiel wurde eine richtige Keilerei. Immer mehr Weißgardisten hauchten ihr Wollfadenleben aus und ein kläglicher Rest, zu dem ich gehörte, verbarrikadierte sich in einer Ecke des riesigen Gebäudes, in dem die reale Rote Armee einige Monate vorher noch ihre LKWs säuberte. Der düstere hohe Raum hatte in der Mitte einen

Laufgraben, um auch von unten die Fahrzeuge gründlich reinigen zu können. Außerdem gab es da noch einen 1½ Zoll großen Wasseranschluss mit Schlauch. Zwei große Torflügel machten es möglich, dass diese kleine Halle bei entsprechender Witterung auch verschlossen werden konnte. Jetzt standen sie weit offen und der betonierte Laufgraben wurde zur letzten Verteidigungslinie. Meinen Wollfaden sollte keiner bekommen, das stand hundertprozentig fest und den meiner beiden letzten Kampfgefährten genau so wenig. Mein Blick fiel auf die russische Autowaschanlage und sofort stand mein Plan fest. Raus aus unserem Schützengraben, Schlauch gepackt und dann hieß es nur noch „Wasser marsch!". Es wurde höchste Zeit. Man hatte uns in unserem Versteck entdeckt und begann mit der Großoffensive.

Die erste Angriffswelle spülte ich regelrecht weg. Bemerkenswert war, wie aus dem soeben noch lauten Siegesgebrüll ein klägliches Jammern wurde: „Das ist gemein. Das ist unfair! Iiiiih!" Wasser ist nun mal nass und ich hatte mir versprochen, ein richtig guter Böser zu sein. Das hatten sie nun davon! Auch das Auftauchen eines Lehrers änderte nichts an dieser Tatsache. Nicht mit mir, wenn schon Niederlage, dann bis zum Reißen des letzten weißen Fadens.

Mit dem unverhofften Erscheinen des Pädagogen erreichte unser verzweifelter Stellungskampf ein vollkommen neues, höheres Niveau. Als er merkte, dass ich auch ihn nicht verschonen würde, gab er den Befehl, beide Flügel des Tores zu schließen. Allein wären die blöden Roten nie darauf gekommen. Meine Frühentwicklung einer „Rotgardisten-waschmaschine", die später von irgendeinem technisch begabten Menschen als Wasserwerfer erfunden wurde und bei Großdemonstrationen traurige Berühmtheit erlangen sollte, war damit außer Gefecht gesetzt – dachten die Bolschewiki mit ihrem Politkommissar! Nachdem es plötzlich dunkel um uns wurde, bemerkte ich sofort eine kreisrunde Öffnung in dem linken Flügel der Tür, wahrscheinlich ein Astloch. Ehe die jubelnden Sieger sich ihres Sieges erfreuen konnten, kommandierte ich wiederum „Wasser marsch!" und steckte den Schlauch durch die Öffnung. Wir waren nicht mehr zu bremsen.

Erst ein gewaltiges Hämmern an die Pforten unseres Winterpalais und die uns wohlbekannte Stimme des Schuldirektors ließ uns aufgeben.

Diese, meine Eigenschaft, eine mir übertragene Aufgabe zu Ende zu bringen, auch wenn sie mir nicht behagte, hat mir in meinem Leben häufig Ärger eingebracht. Vor allem, wenn Ungerechtigkeit mit im Spiel war.

Das Schicksal entschädigte mich sieben Jahre später an eben dieser Stelle mit einem furiosen Sieg, in nur drei Sekunden, über den latein-amerikanischen Judomeister und „Dritten-Dan-Träger" Antonio Tepjerro. Wiederum trugen wir Bänder, nur die Farben hatten sich geändert. Mein „Wollfaden" war inzwischen grün geworden und ein dritter Kyu, aber das ist eine andere Geschichte.

28. Blut geleckt

Das Schuljahr 1957/1958 neigte sich dem Ende entgegen und sollte mit einem sportlichen Höhepunkt seinen Abschluss finden. Fast konnte man von einem traditionellen Abschluss sprechen, denn es war das III. Kreis-Turn- und -Sportfest.

Nur die Besten der Schweriner Grundschulen durften daran eilnehmen. Für mich bedeutete es, dass ich als aktiver Zuschauer zwischen all den anderen Luschen saß. Unsere nicht zu verachtende Aufgabe bestand darin, die Sportelite der Heinrich-Heine-Schule zu Höchstleistungen anzustacheln. Das taten wir dann auch mit Begeisterung und blöden Sprüchen, wie es in diesem Alter üblich ist. Jetzt konnten wir endlich den in diesem Schuljahr angestauten Frust rausbrüllen. Unversehens stand unser Pionierleiter und Organisator unserer Schulmannschaft vor uns. Wie es aussah, gab es Probleme, welche sofort beseitigt werden mussten. Einer unserer Schützen der Luftgewehrtruppe hatte sich aus irgendeinem Grund verdünnisiert. Zumindest war er nicht zum geforderten Zeitpunkt am Schießstand erschienen. Auf seine Frage hin, ob jemand aus unserer Sängertruppe doch mehr draufhat, als nur Zuschauer zu sein und vielleicht mit einem Luftdruckgewehr umgehen könnte, war ich der Einzige, der sich meldete. So recht traute er mir nicht, das sah ich an seinem Gesichtsausdruck. Aber es fehlte ein Schütze und ohne diesen Einen würde die gesamte Mannschaft disqualifiziert. Oha, da hatte ich mir plötzlich eine Verantwortung aufgehalst. Nun musste ich da durch, der erste offizielle Wettkampf meines Lebens! Wow!

So ein richtiger Grünling war ich eigentlich gar nicht. Mein Bruder, der als Mitglied der GST wettkampfmäßig Kleinkaliberschießen trainierte, hatte mich öfter mitgenommen und mir das Einmaleins des Schießens beigebracht. Immer, wenn sich in unserer Stadt die Gelegenheit ergab, unser Können umzusetzen, nutzten wir es schamlos aus. Sobald eine Festveranstaltung angesagt war und die Schausteller ihre Hütten und Karussells aufgebaut hatten, wurden wir zwei zum Schrecken aller

Schießbudenbesitzer. Während ich der Mann fürs Grobe war, lieferte mein Bruder gezielte Filigranarbeit.

Den Gewehrkolben an die Wange gedrückt, konzentrierter Blick über Kimme und Korn, den Zeigefinger der rechten Hand sanft bis zum Spüren des Druckpunktes beugen und – Peng! – zerplatzte das erste weiße Keramikröhrchen. Schaffte ich es nicht mit dem ersten Schuss, war das der Moment für meinen GST-Bruder. Mit traumwandlerischer Genauigkeit putzte er das kleinste Stück übriggebliebenes Röhrchen auch noch weg. Die Ausbeute war ein stattlicher Papierblumenstrauß, welcher für so manchen jungen Mann Anlass war, meinem großen Bruder neidvoll hinterherzuschauen. Es kam auch mal vor, dass ich den Strauß tragen durfte. Unser Ruf eilte uns voraus. Schon nach zwei, drei Tagen ergriffen die Schießbudenbetreiber Gegenmaßnahmen. Es dauerte einige Zeit, ehe wir hinter deren Schliche kamen. Um die Haltbarkeit der leicht splitternden Keramikröhrchen zu erhöhen, wurden sie eine Nacht in Wasser gelegt. Nachdem sie mit Feuchtigkeit gesättigt waren, schob man sie wieder auf die Stiele von Papierblumen-Schornsteinfegern und -Glücksschweinen. Nun platzten sie nicht mehr sofort und es lohnte kaum, weiterhin Geld zu verballern.

Für mich war klar, ich war der richtige Ersatzmann. Vollkommen entspannt absolvierte ich das Wettkampfprogramm. Wie sollte ich auch anders? So etwas wie Wettkampffieber hatte ich bis dahin nicht kennengelernt. Alles in kürzester Zeit rausgeballert und danach wieder zurück zu meinen Kumpels auf die Zuschauertribüne. Es war ähnlich wie auf dem Rummelplatz, nur ohne Papierblumen.

Umso verblüffter war ich, als einige Zeit später wieder einmal die Siegerfanfaren ertönten und uns über die Lautsprecher mitgeteilt wurde, dass ein Nobody namens Klaus Hennig aus der Heinrich-Heine-Schule doch bitte flink zur Siegerehrung kommen möchte, um seine Silbermedaille in Empfang zu nehmen. So nebenbei sagte man mir, dass ich den ersten Platz um nur einen Punkt verfehlt hatte. Mühsam bahnte ich mir den Weg zu dem weißen dreistufigen Holzkasten mit den großen schwarzen Zahlen von eins bis drei und war nicht in der Lage zu begreifen, dass ich da hinaufsteigen sollte. Oben angekommen sah ich immer noch irritiert dem Zeremoniell zu bis plötzlich der Groschen fiel. Da war kein Quäntchen Neid auf den Erstplatzierten, nein, es war meine erste Medaille, mein erster Platz auf dieser Treppe, die mein künftiges Leben total verändern sollte. Das Lob, welches von allen Seiten auf mich einprasselte, war kaum zu ertragen. Irgendwann musste ich doch wieder aufwachen, so etwas träumt man doch nur. Auf einmal war ich jemand! Unvergesslich!

Auf dem kürzesten Weg rannte ich in den Frisiersalon, in dem unsere Mutter arbeitete. Wer kann es mir verdenken, dass ich überglücklich zu ihr stürzte, um ihr meine Trophäe nebst Urkunde zu zeigen. Sie war sichtlich beeindruckt, zumindest tat sie so. Sicherlich dachte sie: „Guck an, jetzt fängt er auch an zu sammeln." Ich schwebte weiter nach Hause, um dort sehnsüchtig und auch mit leichtem Bangen auf unseren Vater zu warten. Er war das alles entscheidende Zünglein an der Waage. Was er sagte, hatte Gewicht und war Gesetz, somit gültig bis an das Weltende.

Was soll ich weiter ausschweifen. Unser Vater bekam feuchte Augen und drückte mich an sich. Das hatte er noch nie gemacht, zumindest konnte ich mich nicht an eine derart überschwängliche Reaktion erinnern. Er erkannte sofort, dass man dem winzigen Funken Nahrung geben musste, um ihn nicht auszulöschen. Es wurde ein Flächenbrand von ungeahnter Größe, von dem nicht einmal er zu träumen gewagt hätte.

Innerhalb von vier Jahren staubte ich bei jedem Sportfest Urkunden und Medaillen ab. Trat dem Ruderverein Dynamo bei, wo wir, mit mir als Schlagmann, im Gig-Doppelvierer bei meinem ersten und einzigen Rennen ebenfalls als Sieger über die Ziellinie fuhren. Es folgten Ehrungen bei Sportfesten, die von den Berufsschulen ausgetragen wurden. Im Kugelstoßen und im Leichtathletik-Mehrkampf stellte ich einige Alters-rekorde auf, um dann mit sechzehn Jahren den für mich entscheidenden Schritt zu tun, den Schritt auf die Judomatte. Aber das ist wieder eine andere Geschichte.

29. Der 400-Meter-Marathon

Das Sportfest der Berufsschulen war immer *der* Höhepunkt vor der Sommerpause. Hier kämpften die pubertierenden Jugendlichen der Schweriner Bildungseinrichtungen um Anerkennung, Medaillen und Urkunden. Auch ich gehörte inzwischen dazu und durfte mich sogar zum guten Mittelfeld zählen mit Aussicht auf vordere Platzierungen in den Disziplinen Kugelstoßen und 100-Meter-Lauf. Spekulativ war auch noch ein Medaillenplatz in der 4×100-m-Staffel drin.

So ein Schulsportfest in dieser Altersgruppe ist immer etwas Besonderes. Während auf den Zuschauerplätzen die weniger sportorientierten Schülerinnen und Schüler kräftig am Balzen waren und sich kaum für die kommenden Ereignisse im Stadioninnenraum interessierten, ging es hier doch schon etwas disziplinierter und leistungsorientierter zu.

Alles lief bestens in der Vorbereitungsphase. Erwärmung und leichte Dehnungsübungen wurden begleitet von misstrauisch kontrollierenden Blicken der sportlichen Gegner und hier und da auch mal einem kleinen Scherz, seltener einer flapsigen, krummen Bemerkung oder, wie man heute zu sagen pflegt, einer Anmache. Auch Gucken war noch erlaubt. Alles fühlte sich gut an, bis zu dem Moment, als unser Sportlehrer zu mir kam, um mir mitzuteilen, dass ich zusätzlich für einen ausgefallenen Schulkameraden als Startläufer in der 4×400-m-Staffel einspringen müsste. Meine Bedenken, dass ich diese Knochenstrecke noch nie absolviert hätte, wischte er mit einer lapidaren Handbewegung weg: „Du rennst einfach los wie immer." Na, wenn er das so sieht, dann wird es schon irgendwie funktionieren. Schließlich ist er mein Sportlehrer und muss davon mehr Ahnung haben als ich, dachte ich!

Während das gemischte Publikum auf den Rängen nun doch mitbekam, dass im Innenraum der Wettkampfarena etwas passierte und eine größere Gruppe auch schon begeistert die Hochspringer anfeuerte, bereitete ich mich, ohne es zu ahnen, auf den schwersten Sportwettkampf meines Lebens vor: Den Kampf gegen mich selbst!

Unser Lauf wurde vom Stadionsprecher angekündigt, während die erste Gruppe, zu der ich gehörte, schon nervös die Aschenbahn zerkratzte. Das Kommando ließ nicht lange auf sich warten.

„Auf die Plätze!" – nochmaliges Lockerschütteln der Beinmuskulatur – „Fertig!" – langsam hoben sich sechs Hintern in die Höhe, während die Finger streng ausgerichtet an dem weißen Kreidestrich lagen und dann kam das erlösende – „Los!".

Den vermeintlichen Startschuss erzeugten zwei mit einem Klappscharnier versehene Bretter, die vom Starter, in diesem Fall von unserem Mathelehrer, mit aller Kraft zusammengeschlagen wurden. Dabei entstand ein schussartiges Geräusch, welches uns wie Revolverkugeln aus dem Lauf ins Rennen schickte.

Speedy Gonzales gleich, bekannt als die schnelle Maus von Mexiko, war ich aus den Blöcken. Bis etwa zur 150- m-Marke lag ich locker zwei Brustlängen vor dem Verfolgerfeld, hatte jedoch die Rechnung ohne den Wirt gemacht. Rechnen war noch nie meine Stärke. Eigentlich hätte ich schon stutzig werden müssen, dass unser Mathepauker als Starter fungierte. Es war kein gutes Omen, aber nun war ich bereits unterwegs, um vom Schicksal unendlich hart geprüft zu werden.

Plötzlich, ohne Vorwarnung, drehte mir etwas meine Sauerstoffzufuhr ab. Auf den folgenden 50 Metern überholte mich das gesamte Läuferfeld und nach etwa 250 Meter sah ich nur noch die Schuhsohlen meiner Gegner. Spikes gab es damals für unsere Preisklasse noch nicht. Eine unsichtbare Dunstglocke senkte sich ohne Unterlass über mich, welche die ankommenden Außengeräusche wie in dicke Watte verpackt an meine Ohren weiterleiteten. Der ungebremste explosive Start und die ersten 100 Meter waren zum schweren, verkrampften Dahinschleppen verkommen. Alle Gelenke hatte ein Etwas in einen imaginären Schraubstock gespannt und zog ihn immer fester zu. Irgendetwas in meinem Brustkorb versuchte, mir die Lungenflügel durch die Speiseröhre zu ziehen. Dieses wiederum verhinderte der Mageninhalt, der krampfhaft versuchte, den gleichen Ausgang zu benutzen. Die Dunstglocke war noch undurchlässiger geworden und zusätzlich stellte sich in der gesamten Beinmuskulatur ein wahnsinniger Schmerz ein, der mich zwang, nur noch in stark verzögerten kleinen Schritten die letzten 80 Meter vorwärts zu kriechen. Mir war alles egal, so egal, dass ich nicht einmal mitbekam, als mich der letzte Läufer vom ersten Wechsel überholte. Ich hatte nur noch ein Verlangen, raus aus diesem elenden Zustand.

Viel später, als der Albtraum längst vorüber war, fragte ich mich, warum habe ich mich nicht einfach aus der Kampfzone genommen und auf den grünen Rasen des Innenraumes fallenlassen? Dort hätte ich erleichtert vor mich hinkotzen können.

Aber nein, da war etwas, was mich voranpeitschte und die allerletzten Reserven in mir mobilisierte.

Während ich mich, total verkrampft, gepeinigt von Schmerzen, langsam, wie eine Schnecke auf Valium Schritt für Schritt meinem Ziel näherte, war es mir nun restlos egal, ob mich auch noch der allerletzte Läufer überholen würde. Ich wollte nur über die weiße Linie kommen.

Den größten Schmerz, den ich allerdings erdulden musste, war nicht die körperliche Pein, sondern das schadenfrohe Gelächter, welches so gehässig und laut war, dass es ohne Probleme die jetzt auch noch in Watte gepackte Dunstglocke durchschlug.

Nie wieder wollte ich so etwas erleben. So eine Erniedrigung meiner sich gerade im Begriff zu reifen befindenden Persönlichkeit.

Noch sehr oft sollte ich in meinem Leben in Situationen geraten, die dieser sehr ähnlich waren.

Allein der Gedanke an jenes hämische, herzlose Gelächter des Zuschauerpöbels ließ mich über meine Kräfte hinauswachsen.

Unser Sportlehrer fing mich hinter der Ziellinie auf und zog mich von der Aschenbahn, wo ich dann zusammenbrach. Mein Sauerstoffdefizit muss gewaltig gewesen sein. Pumpend wie ein abgestürzter Maikäfer lag ich auf dem Rücken, während Lehrkräfte und Sanitäter bemüht waren, meinen Kreislauf zu stabilisieren.

Keiner von den gehässigen Lachern auf den Zuschauerrängen hat damals geahnt, dass das nach Luft japsende Häufchen Elend einmal einer der besten Judokämpfer Europas werden sollte.

Kann man mich jetzt besser verstehen, wenn ich dreist behaupte, alles, was über 100 Meter ist, ist ein Marathonlauf?

Meine spätere große Liebe und jetzige Ehefrau meinte nach einem gemeinsam erlebten Sportfest, dass mein Laufstil dem von James Belushi aus dem Film „Mein Partner mit der kalten Schnauze" gleicht. Als ehemalige aktive Leichtathletin darf sie sich mir gegenüber diese abwertende Äußerung schon mal erlauben oder etwa nicht?

30. Eine schicksalhafte Entscheidung

Auf meinem Weg ins Leben musste ich wie jedes Wesen auf diesem Planeten erst einmal etliche Härteprüfungen über mich ergehen lassen. Wie dicht Freud und Leid beieinander liegen, hatte ich schon erfahren müssen und mir somit die ersten Sporen verdient. Natürlich fehlt einem jungen Menschen die Vorstellungskraft, dass es so bis ans Lebensende weitergehen wird. Aber wie heißt es bekanntlich? Die Hoffnung stirbt zuletzt. Also Spannung aufbauen, Neugierde einschalten und dann ab wie ein geölter Blitz. Oder, wenn man einen philosophiebegeisterten Vorturner hatte, die Ratschläge und Erfahrungen alter Meister der Denkkultur wenigstens zu einem winzigen Teil zu beherzigen. Von Laotse bis Konfuzius über Aristoteles, Homer zu Nitzsche, Karl Marx und Friedrich Engels und auch das gute alte Väterchen Wladimir Iljitsch Lenin – sie alle steuerten einen erheblichen Teil zu meiner Menschwerdung bei. Ich wäre es nicht geworden, wenn ich mich hundertprozentig an diese Richtlinien gehalten hätte. Denn Fehler machen gehört nun einmal zum Leben. Es sind die von vielen Hindernissen gesäumten Wege, die Pflastersteine auf diesem holprigen Pfad.

Der erste Abschnitt dieses unwegsamen, steinigen Canyons hat auch einen Namen – Pubertät!

Abgesehen von zwei bis drei riesigen Pickeln in meinem noch weichlichen runden Gesicht, die ständig ihren Platz änderten und somit immer für eine gewisse Abwechslung sorgten, bemerkte ich nicht allzu viel von dieser Lebensphase. Dass plötzlich Haare an Stellen wuchsen, wo zuvor nichts war, verwunderte mich nicht allzu sehr. Dann schon eher die plötzliche Veränderung an einem bestimmten Körperteil beim Betrachten des monatlichen Nackedeis in der einzigen Zeitschrift mit diesem Leckerli, dem von allen DDR-Bürgern geliebten Magazin.

Aber, wie ich schon erwähnte, ich hatte meinen Sport und eine Lehrstelle als Siebdrucker bei der DEWAG-Werbung und außerdem kam das Magazin, wenn man es überhaupt bekam, nur einmal im Monat.

Sicherlich lag es an der überholten Einstellung unseres Vaters, dass Mädchen für mich erst zu existieren hatten, wenn sie durch die harte Prüfung unseres Elternhauses gegangen waren und den Status „zukünftige Ehefrau" besaßen.

Nach meinem ersten kläglichen Versuch, der katastrophal scheiterte, dieses Kontrollsystem zu unterwandern, gab ich resigniert auf und verschob die ganze Sache in die Zukunft.

Nun konnte ich mich voll und ganz auf meine Berufsausbildung konzentrieren, besuchte die Volkshochschule, um mich im Aquarellmalen und Porträtzeichnen weiterzuentwickeln, legte mir ein Banjo zu, um auch dieser musischen Veranlagung gerecht zu werden und dann war da ja auch noch mein Schulsport.

So etwas wie Langeweile kannte ich nicht. Das ganze Gegenteil war der Fall.

So lebte ich, abgesehen von den Momenten, in denen sich in meinem tiefsten Inneren mein Beuteschema zu profilieren begann, recht zufrieden und glücklich.

Die Sonntage gehörten der Familie, denn die Sonnabende waren ganz normale Arbeitstage. Wir Jungen schliefen bis zum Mittagessen und gaben unseren Eltern damit die Möglichkeit, auch einmal in aller Ruhe das Frühstück zu genießen.

Nach dem obligatorischen Mittagsschläfchen der beiden, welches auch wir bei schlechtem Wetter nahtlos folgen ließen, weil wir auch noch auf das Mittagessen verzichteten, bestand unser Vater aber ohne Wenn und Aber auf dem sonntäglichen Spaziergang. Einer seiner philosophischen Sprüche beim Sich-im-Spiegel-Betrachten lautete: „Die beste Uniform ist ein maßgeschneiderter Zivilanzug!"

Dabei streichelte er andächtig den guten Trevirastoff seines Anzuges. Er wusste, wovon er sprach. Nach vier Jahren Krieg an der Ostfront und dem Verlust seiner Heimat war es verständlich. Mein Bruder machte das Beste daraus. Er war inzwischen Berufssoldat in der noch jungen Volksarmee geworden und ließ sich eine Ausgangsuniform maßschneidern. „Clever!", kann ich da nur sagen.

Es war ein wunderschöner, warmer Sommersonntag, also kein Anlass, länger im Bett zu bleiben. Schick angezogen spazierten wir zum Burggarten, mit dem Ziel Orangerie. Ende der Fünfzigerjahre war sie der Anziehungspunkt der Schweriner Bürger. Im Innenraum des von Doppelsäulen getragenen gesamten Kleinods befand sich ein Freiluftrestaurant. Hier konnte man bei strahlendem Sonnenschein Kaffee und Kuchen bestellen oder ein mehr bzw. weniger gepflegtes Bierchen. An diesem Sonntag war etwas anders. Man hatte auf dem etwas erhöhten Teil des Innenbereiches dicke Matten ausgebreitet, wie sie Sportler, insbesondere Ringkämpfer, zu benutzen pflegten. Unser alter Herr konnte da mitreden, war er doch in seinen besten Zeiten selbst einer.

Zu unserem Erstaunen kündigte man aber keinen Ringkampf an, sondern die Kampfsportgruppe der Schweriner Bereitschaftspolizei. Es dauerte keine Minute und etwa zehn Sportler stellten sich am Rand der Matte auf. Was uns als Zuschauer stutzig machte, waren die seltsam geschneiderten weißen Anzüge, die weit und schlabbrig an ihren Trägern herunterhingen. Das Ganze wurde nur von einem derben, breiten Stoffgürtel zusammengehalten, der von Kämpfer zu Kämpfer auch noch die unterschiedlichsten Farben besaß. Der Vorturner hatte einen braunen Gurt und gab die Kommandos in einer völlig fremden Sprache an die bunten Bauchbinden weiter. Ein furioses Feuerwerk an Vorwärts- und Rückwärtsrollen mit Sprüngen über kniende oder gebückt dastehende Partner begann. Donnerwetter – beachtlich, da steckte Lebensfreude dahinter! Wobei ich über die Qualität der Rollen nörgeln musste. Eine richtige Rolle, ob vorwärts oder zurück, musste doch weich, rund und elastisch ausgeführt werden, zudem schlugen sie dabei immer kräftig mit ausgestrecktem Arm auf die Matte, dass es nur so krachte. Erst als die Sprünge immer höher wurden, die Kämpfer also immer tiefer fielen, ging mir ein Licht auf. Dieses Klatschen war nichts anderes, als den harten Fall zu bremsen. Ein erster Aha-Effekt. Die Sprünge wurden immer verrückter

113

und risikovoller. Alle diese Übungen dienten nur der Erwärmung. Es folgten Partnerübungen. Ein Riesenkerl griff einen vom Wachstum Benachteiligten wild an und flog so jämmerlich auf Kreuz, dass alle Gäste des Lokals dachten, na das wars dann auch! Nein, er war unersättlich in seiner Angriffslust und nahm den Knüppel, den ihm der Braungurtträger reichte, dankbar entgegen, um wiederum wie ein Berserker auf den wesentlich kleineren Blaugurtbesitzer loszugehen. Es dauerte keine Sekunde und er machte wieder einen Freiflugschein. Auch der folgende Messerangriff und die Attacke mit einem Kneipenstuhl endeten gleichermaßen. Das Peinlichste für diesen Unverbesserlichen war dann aber sein letzter Auftritt. Nachdem er nochmals seine Grenzen kennengelernt hatte, transportierte der Liliput den Burschen mit einem speziellen Griff aus unseren Augen, sodass ich dieses Bild der Lächerlichkeit nie vergessen werde. Die Gäste des Restaurants tobten und klatschten laut Beifall für diese spektakuläre Vorstellung und ein großer Teil war sicherlich auch aufrichtig davon überzeugt, dass die jungen Genossen der Bereitschaftspolizei jederzeit in der Lage wären, dem Klassenfeind einen ebenso lächerlichen Abgang zu verpassen.

Meine Augen leuchteten wie zwei polierte Autoscheinwerfer. Das hätte ich auch gerne gekonnt! Aus Spaß an der Sache, sich mit anderen zu prügeln, ohne dass man zuvor echt böse werden musste. Nur so, austricksen und vermeiden, ausgetrickst zu werden. Das war es! Ein winziges Körnchen, an einem Sommersonntag in Familie von einer Kampfsportgruppe „ausgesät", sollte noch einige Zeit in meinem tiefsten Inneren schlummern, ehe es bereit war, zu keimen, um ein Pflänzchen zu werden. Die leicht ironische Bemerkung unseres Vaters über die Weißkittel überhörte ich geflissentlich. Er hätte auch Schwarzkittel sowie Wildschwein sagen können. Ich befand mich in einer anderen Welt. Was ist Ringkampf gegen diese asiatische Kampfkunst?

Langsam verblasste das Erlebte und wanderte in die Schublade angenehmer Erinnerungen.

Bis zu jenem Tag, als ein neuer Kollege in unserer Siebdruckabteilung vorstellig wurde. Während der ersten gemeinsamen Frühstückspause musste er Rede und Antwort stehen. Schließlich wollten wir wissen, mit wem wir einen großen Teil des Tages verbringen werden. Er hatte, wie er berichtete, gerade seinen „Ehrendienst" bei der Bereitschaftspolizei hinter sich gebracht und wollte nun über unseren Betrieb ins normale Berufsleben zurückkehren.

Bei dem Stichwort Polizei öffnete sich ruckartig die Schublade, an die ich schon nicht mehr gedacht hatte und nachdem er auch noch berichtete, dass er Träger eines gelben Gürtels für Nahkampf sei, leuchteten meine Autoscheinwerfer aufs Neue, nur in einem gelblicheren Licht. Gelb steht, glaube ich, für Neid. Den brachte ich auch zum Ausdruck, indem ich mehr für mich als zu ihm meinte, oh, das möchte ich auch alles konnen. Er antwortete mit einer Gegenfrage: „Na, warum meldest du dich nicht an?" Die totale Verblüffung war auf meiner Seite, wurde aber sofort ehrlich und aufrichtig beantwortet. Ich trau mich nicht allein. Na Mensch, da komme ich einfach mit. Ich will sowieso weitermachen, gehen wir zusammen hin, meinte er. Das war es, was ich brauchte. Keine vierundzwanzig Stunden später standen wir in der großen Sporthalle der Volkspolizei am Pfaffenteich. Eine neue Welt tat sich vor mir auf. Judokas und Ringer tummelten sich auf ihren Matten, während in einem anderen Teil des riesigen Saales die hübschesten Mädchen einer Gymnastikgruppe Übungen machten, die ich nicht für möglich gehalten hätte. Wow!

Plötzlich und unerwartet stand er vor uns. Der Braungurtträger aus dem Burggarten. Ich erkannte ihn sofort. Sein nach hinten gerutschtes Haupthaar und vor allem die markanten Säbelbeine, die auch die weiten Judohosen nicht kaschieren konnten. Die an uns gerichtete Frage kam kurz, knapp und militärisch: „Sucht Ihr jemanden?" Mein Kollege machte sich zum Wortführer und erklärte ihm umständlich, dass wir den Wunsch haben, die Kampfsportart zu erlernen. So im Nachhinein verstand ich ihn ein wenig, dass er nie wieder diese Halle betreten würde. Der strenge Kommandoton des Übungsleiters und Chef der Sektion Judo erinnerte ihn fatal an die Zeit, als er das grüne Ehrenkleid tragen durfte und sicherlich war es mit dem gelben Gürtel auch nicht so, wie er es uns geschildert hatte. Warum er aber nicht mehr zur Arbeit kam, blieb mir ein Rätsel. Trotzdem nachträglich meinen tiefen Dank an ihn.

Ich kaufte mir jedenfalls am nächsten Tag in der Sportwarenabteilung des Kaufhauses einen Kimono und dazu den weißen Gürtel des Anfängers, ich wurde judosüchtig.

Unser Vater war zwar etwas grummelig darüber und hätte mich lieber bei den Ringern gesehen, musste aber in recht kurzer Zeit seine Meinung revidieren. Wäre da noch unsere immer um unser Wohl besorgte Mutter, der das Krachen beim Fallen noch nachhaltig in den Ohren dröhnte. Zum Schluss konnte ich auch ihr letztes Argument entkräften, indem ich ernsthaft und feierlich versprach, meine Judokleidung selbst zu waschen.

Das war ihr letzter Versuch, mich davon abzuhalten. Ich höre sie noch heute sagen: „Die schweren Klamotten musst du aber selbst waschen." Das hört sich heute nicht so schlimm an. Aber zu meiner Zeit gab es noch keine Waschmaschinen und alles war blanke Handarbeit, die natürlich hauptsächlich von den Frauen bewältigt wurde. Bei einem 4-Personen-Haushalt fällt eine Menge Schmutzwäsche an. Unsere Mutter sah es also ganz nüchtern, sie wusste, wie schwer so ein Stück nasse Wäsche vom Format einer Judojacke sein konnte. Es musste im Kessel des Waschhauses gekocht, zigmal gespült und ausgewrungen und danach zum Trocknen aufgehängt werden. Dieser letzte Arbeitsgang war im Sommer kein Problem, jedoch im Winter würde dieser Zuckersack, wie sie meinen Kimono lieblos betitelte, das Wohnzimmer verschandeln. Von wegen Ofen und trocknen! Alles das hielt mich nicht davon ab, mich noch tiefer in diese geheimnisvolle Sportart zu verlieben. Ich hatte meinen Weg gefunden, meinen Weg, den ich bis zum bitteren Ende gehen würde.

Aufrechten Ganges und immer mit dem großen Ziel vor Augen, ein echter Samurai zu werden. Die ersten offiziellen Wettkämpfe sollten es bestätigen. Um daran teilnehmen zu können, musste das Weiß meines Anfängergürtels erst in ein freundliches Gelb verwandelt werden. Gelb war anscheinend nicht nur die Farbe des Neides, sondern konnte auch mächtig Angst verbreiten. Zumindest bei mir, wenn ich an die damit verbundene Kyu-Prüfung dachte. Vor den Preis hatten die Götter nun mal den Schweiß und den Fleiß gesetzt. Lenin hatte es nicht ganz so prosaisch ausgedrückt und wesentlich kürzer und knackiger formuliert: „Lernen, lernen, nochmals lernen!" Ich war bereit, es sogar auf Japanisch zu tun und wurde letztendlich vom Prüfer, einem Schwarzgurtträger aus der Hauptstadt Berlin, in den untersten Stand der japanischen Judo-Kaste aufgenommen. Bono eh Klausi! Der 5. Kyu gehörte mir.

Welch eine Freude ergriff von mir Besitz, wenn ich in Vorbereitung auf das Mattentraining mein Ränzlein schnürte. Von nun an wurde der zusammengerollte Judogi von einem farbigen Gürtel umschlungen und zusammengehalten.

Es war ein seltsamer Brauch, den die Judofamilie pflegte. Saubere Kleidung war Pflicht. Es wurde geschrubbt und gewaschen, was das Zeug hielt. Naja – die meisten machten es oder ließen es machen. Aber nicht den Gürtel. Je abgewetzter und zerschlissener er aussah, umso größer der Glorienschein seines Besitzers. Ähnlich einer aufpolierten Ritterrüstung mit Beulen, Dellen und Scharten. Diese holte man sich im Kampf in den vordersten Linien und nicht als Feigling in den letzten Reihen. Wieder hatte ich einen Schritt nach vorn getan. Dass ich mich jetzt schon auf Fachjapanisch artikulieren konnte, machte mich unendlich stolz. Das war doch etwas anderes als der geforderte und befohlene Russischunterricht in der Grundschule.

Wenn man mich nach meinem Spezialwurf fragte oder nach meiner liebsten Bodentechnik, schnurrte ich die Antwort sofort herunter:

"Sode-tsuri-komi-goshi" *(Ärmel-Hebezug-Hüftwurf)* sowie

„Yoko-juji-gatame" *(Leistenstreckhebel/Kreuzhebel).*

Hebel und Würgetechniken gab es auch noch zur Genüge. Deren Namen aneinandergereiht ergaben einen superlangen Satz, welcher den Fragesteller ehrfürchtig erschaudern ließ.

Wer so etwas Fremdartiges aussprechen konnte, dem traute man noch ganz andere Dinge zu. Mich umgab eine geheimnisvolle Aura, vermute ich. Fakt war aber, ich durfte von nun an offizielle Wettkämpfe bestreiten.

Um mein Traumziel zu erreichen, also nur noch für den Judosport zu leben, verging noch etwas Zeit.

Nach dem erkämpften Kreismeistertitel folgten der des Bezirksmeisters sowie einige Siege bei kleineren Turnieren. Damit war der Weg zur Teilnahme an den Deutschen Meisterschaften der Jugend in Berlin geebnet. Aber ich wollte mehr, ich wollte zum Sportclub Dynamo.

Die einzige Möglichkeit, dorthin zu gelangen, war der Weg des Auf-sich-aufmerksam-Machens.

Das erste Mal in meinem Leben in Berlin. Der Mauerbau war noch nicht ganz ein Jahr her und das „Bauwerk" wurde später kontinuierlich zum „antiimperialistischen Schutzwall" ausgebaut. Für mich persönlich nicht von allzu großer Bedeutung, denn wir hatten keine Verwandten ersten oder zweiten Grades auf der anderen Seite. Ein Haus bauen war auch nicht drin, wo wir den Zement vielleicht besser gebraucht hätten. Das, was wir im ganz normalen Alltag erlebten, wie Facharbeiterfluktuation und Intelligenzler-flucht über die grüne Grenze, Sabotageakte in der Industrie und der Landwirtschaft reichte aus, um meinem sich entwickelnden Verstand zu signalisieren, dass das schon alles rechtens ist, was die führenden Köpfe der Arbeiter- und Bauernmacht zur Sicherheit des Staates veranlassten.

Unvergesslich für mich die Bilder in der SVZ von den etwa vierzig toten Kühen auf einer Weide irgendwo in Mecklenburg, die vergiftet wurden. Ja, wer macht denn so etwas? Aber das nur so nebenbei.

Am Morgen des Wettkampftages „zwang" mich unser Übungsleiter freundschaftlich und sehr überzeugend, in der Mitropa-Gaststätte in der Friedrichstraße eine riesige Portion blutroten Tatars mit viel Zwiebeln sowie reichlich Pfeffer und Salz zu verzehren. Das gibt Kraft und Energie, meinte er. Er sollte Recht behalten. Wobei ich manchmal denke, das Ding mit den vielen Zwiebeln war ein ganz geschickter Schachzug von ihm.

Gleich im ersten Kampf wurde ich auf eine harte Probe gestellt. Schneehuhn aus Weimar, gegen den ich schon zweimal in früheren Auseinandersetzungen verloren hatte und der für mich den Status „Angstgegner" besaß, stand mir gegenüber. Was ging in seinem Kopf vor? Er vermied jeglichen Blickkontakt, scharrte nervös mit den nackten Füßen auf der Matte herum und dann nach dem Kommando – „Hajime!" – stürzten wir aufeinander los. Ich hatte nur einen einzigen Gedanken: „Dieses Mal nicht, heute bin ich zur Abwechslung der Gewinner!" Das Schneehuhn werde ich rupfen, dass die Federn nur so fliegen. Es dauerte keine Minute und ich wischte ihn mit einem technisch sauberen, superstarken linken Fußwurf von den langen Beinen. Ich begann, das krachende Geräusch des fallenden Gegners zu lieben.

Was ich damals noch nicht wissen konnte, war, dass mein linker Fuß einmal der eines der besten und schnellsten „Fußfegers" Europas werden sollte. Der Knoten war geplatzt! Den nun folgenden Burschen – der meiner Meinung nach sein richtiges Geburtsdatum getürkt haben musste, denn er sah wesentlich älter aus und hatte die gleiche hohe Stirnglatze wie unser Trainer – walzte ich zu Boden. Hier, eine Etage tiefer, gab es kein Entrinnen für ihn. Ehe er sich fluchtartig wieder in die Senkrechte begeben konnte, knautschte ich ihn mit einer Festhalte dermaßen zusammen, dass er hilflos, wie eine auf dem Rücken gestrandete Schildkröte, mit den Beinen strampelte, während ich den Druck meiner Arme verstärkte und zur Sicherheit noch die rechte Faust unter seinem breiten Kreuz ballte. Als mein Oberkörper auch noch massiv die Spannung erhöhte, indem ich mich schwerer machte, hatte die geballte Faust zwischen seinen Schulterblättern ihre Aufgabe erfüllt. Er gab auf und klopfte ab, wie wir Judokas zu sagen pflegen. Mit dieser energischen Art, meine Wünsche durchzusetzen, marschierte ich bis ins Halbfinale, ohne je über die volle Kampfzeit gegangen zu sein. So etwas spart ungemein Kraft.

Während der Pause vor den Finalkämpfen, die ich ausnutzte, um mal schnell ein bisschen Angst auszupullern, hörte ich, wie sich zwei mir unbekannte Männer über meine gezeigten Leistungen äußerten: „Der kann mal ein ganz Großer werden." Als sich dann auch noch zufällig unsere Blicke trafen, begriff ich, dass er mich meinte. Er nickte mir sogar noch freundlich zu. Mannomann! Das gab echt Auftrieb. Zugleich war es aber auch eine Verpflichtung, die ich, verdammt noch einmal, einzuhalten hatte. Trotzdem, diese freundliche Geste des Unbekannten machte mir Mut. Ich sprach eine wichtig aussehende männliche Person an. Etwas gelangweilt, so schien es mir, beobachtete er das Treiben in der Wettkampfhalle. „Entschuldigung, wie komme ich zum Club?"

Herr Wichtig schaute mich verdutzt an, maß mich mit seinen grauen Augen und dem etwas leicht unterkühlten Blick von oben bis unten und meinte knochentrocken: „Indem man hier Erster wird." Er war kein Berliner, das hörte ich sofort. Der kam bestimmt aus Riesa, wo die Streichhölzer auch herkommen. „Guck an", dachte ich so bei mir, „die eine Fuhre Heu fährst du auch noch in die Scheune." Heißt: „Den Kampf gewinne ich auch noch."

Was soll ich noch groß ausschweifen? Der Knabe, der mir gegenüberstand, war gut, echt gut. Sonst würde er mir jetzt nicht gegenüberstehen. Er kam aus Magdeburg und war tatsächlich einen ganzen Kopf größer. Sein einziger Fehler bestand darin, dass er seinen ersten Angriff zu hoch ansetzte. Die logische Konsequenz – Dummheit muss bestraft werden. Vor allem, wenn sie von einem weitaus höher Graduierten begangen wird.

Das geschieht in dieser Sportart meistens in Bruchteilen von Sekunden. Dem Konter, der seinem unkonzentrierten Angriff folgte, hatte er nichts Gleichwertiges entgegenzusetzen.

Ein Finalkampf, wie man ihn sich nur wünschen kann. Knappe dreißig Sekunden!

Die Zuschauer brüllten auf. Meine Sportkameraden stürmten nach dem Schiedsrichterurteil – Ippon – die Matte. Rissen mir vor überschäumender

Freude fast die Jacke vom Körper und begannen, mich nach dem kollektiven Hochleben ständig in Richtung Deckenbeleuchtung zu werfen. Mir blieb nicht einmal Zeit zu befürchten, nicht mehr aufgefangen zu werden. Und wenn schon – Mensch, ich war ein Judoka, ich war deutscher Meister und Fallen war für heute nicht angesagt.

Die Busfahrt ins heimatliche Schwerin nahm kein Ende. Was würde die Familie sagen, was die Kollegen am anderen Tag? Hach, war das alles aufregend! Unser Trainer hatte inzwischen zu Hausse angerufen. Freunde und Verwandte waren zur Begrüßung erschienen, obwohl es schon spät war.

Gewinnen kann wunderschön sein.

Übrigens, der Besitzer der unterkühlten grauen Augen, dem ich die für mich alles entscheidende Frage stellte, wurde ein knappes halbes Jahr später mein Clubtrainer. Sein Spitzname, so sollte ich erfahren, war „die kalte Hand".

31. Der große Irrtum

Der PKW, den uns die Fahrbereitschaft der BDVP zur Verfügung stellte, um zu unserem Wettkampfort Hoyerswerda zu gelangen, hatte nicht nur nichts unter der Haube, dafür aber mindestens dreißig Jahre auf seinem blechernen Buckel. Wir waren drei Kämpfer, die sich für die Dynamomeisterschaft qualifiziert hatten. Darum wurde uns großzügig dieser Oldtimer mit einem dazugehörigen Fahrer überlassen. Sicherlich lag es auch ein klein wenig daran, dass man dem ersten Deutschen Judomeister, den Schwerin aufzuweisen hatte, eine gewisse Ehrerbietung entgegenbringen wollte. Uns sollte es recht sein, ersparten wir uns doch damit viele Stunden Bahnfahrt, verbunden mit öfters Umsteigen und – was man immer einplanen musste – die nicht zu vermeidenden und allgegenwärtigen Verspätungen.

Allerdings mussten wir unserem „Chauffeur" versprechen, abwechselnd tief und innig zu beten, um ohne Verzug, sprich Panne oder ähnlichen unvorhersehbaren Dingen, unser Ziel zu erreichen. Wir versprachen es.

Kilometer um Kilometer ließ unser Töff-Töff die mecklenburgische Landschaft hinter sich, erreichte ohne größere Probleme brandenburgisches Terrain, um dann in einem riesigen Bogen die Hauptstadt der Deutschen Demokratischen Republik und das vom Klassenfeind besetzte Westberlin hinter sich zu lassen.

Von nun an rollten wir auf der ehemaligen Reichsautobahn Ost in Richtung Sachsen, um mit einem Schlenker nach links unserem Ziel Hoyerswerda näher zu kommen. Geschickt umfuhr unser Kutscher die zum Teil erheblichen Schäden der ererbten Restbestände des Dritten Reiches. Das schaffte er ohne Weiteres, denn die Autobahn ließ schnelleres Fahren nicht zu und wurde auch ohnehin nicht sonderlich stark frequentiert.

Irgendwann erreichten wir unser Ziel und fanden auch ohne Navi die Adresse der Quartiereltern.

Logisch, dass man zu dieser Zeit in keinem Hotel absteigen konnte. Erstens gab es davon sehr wenige und wenn, war kein Geld dafür vorhanden.

So eine Privatunterkunft hat schon etwas Besonderes. Nicht nur, dass es allemal besser war, als in einer saukalten Turnhalle zu übernachten, nein, wenn man einen richtigen Glückstreffer gemacht hatte, wurde man von den netten Leuten auch noch zum Essen eingeladen. Wir hatten so einen Glückstreffer! Es war wie zu Hause. Die Gemütlichkeit und Atmosphäre, die so eine Privatwohnung ausstrahlt, aber vor allem der Dialekt der Eigentümer oder besser gesagt der Mieter, die wiederum Vermieter waren, weil sie ihre Mietwohnung untervermieteten. Dieser Dialekt erinnerte mich sehr an meine Großeltern. Stammten wir doch aus Breslau, welches jetzt Wrocław heißt und in Polen liegt.

In den Anfangsjahren, nach Kriegsende und noch bis fast Ende der Fünfzigerjahre konnten sich die Politiker vor dem eisernen Vorhang noch nicht so sehr daran gewöhnen, dass es Pommern und Schlesien oder die Sudeten nicht mehr gab. Sie sprachen dann von polnisch verwalteten Ostgebieten. Aber das nur so nebenbei. Vergleicht man die Entfernung meiner neuen Heimatstadt in Mecklenburg zu Hoyerswerda oder von Hoyerswerda die Strecke nach Breslau bzw. Wrocław, so liegt das doch gleich um die Ecke. Das war schon mal ein Heimvorteil für mich.

Rechtzeitig gingen wir zu Bett, um den folgenden Tag gut vorbereitet in den Wettkampf zu gehen. Nach dem stundenlangen Geholpere auf den Straßen der Republik dauerte es nicht lange, und wir drei „Samurais" ratzten um die Wette, während unser mecklenburgischer Fahrer irgendwo in einer sorbischen Eckkneipe genüsslich sein wohlverdientes Feierabendbierchen in sich hineinlaufen ließ.

Pünktlich zur gewünschten Zeit weckte uns unser Quartiermeister. Um eventuelle Rangeleien in dem sehr kleinen Bad zu vermeiden, hatten wir am Vorabend die Reihenfolge festgelegt. Da man beschlossen hatte – Alter vor Schönheit – war ich der Letzte unseres Trios. Was wiederum zur Folge hatte, dass ich mit meinen beiden Schlafpartnern zwei Zeugen eines so peinlichen Vorfalles besaß, dass ich vor Schreck und Scham am liebsten in den so oft zitierten Boden versunken wäre.

Man stelle sich einen Samurai kurz vor der alles entscheidenden Schlacht vor. Stunden hatte er damit verbracht, sein dreihundertachtundachtzigmal gefaltetes Schwert zu schleifen. Die Schnittprobe „Blatt im fließenden Bach – zerschneidende Variante" war positiv verlaufen. Auch die „Haar in der Luft spaltende" hatte souverän funktioniert. Er streicht wohlgefällig mit einer Hand seinen prächtigen seidenen Kimono, während die andere den Knauf seiner alles vernichtenden Waffe umklammert. Langsam senkt er den Blick, erfasst noch einmal den Glanz der polierten Kampfstiefel und plötzlich bemerkt er, dass etwas ganz Wichtiges und Entscheidendes seiner Kleidung fehlt.

„Wo ist meine Hose?"

Wer kennt nicht das Gefühl, wenn einem das Blut in den Adern nicht nur gerinnt, sondern gefriert?

Wenn der Kopf nur noch die Funktion hat, einen dann geöffneten Mund und ebenso dämlich glotzende Augen zu beherbergen, wenn das Ticken eines Weckers so laut dröhnt wie die Glocken des Londoner Big Ben, dann kann man in etwa das nachempfinden, was sich in meinem Innersten auszubreiten begann, als ich im Begriff war, noch einmal meine Judokleidung zu kontrollieren. Der Gürtel, der meinen zusammengerollten Kimono fesselte, war da und immer noch quittegelb. Auch die Jacke war, als ich sie ausbreitete, meine mir wohlvertraute Jacke. Als ich aber nur noch mal so zur Kontrolle die Hose entfaltete, ergriff mich ein Gefühlstsunami der unbekannten Art. Das Tuch der vermeintlichen Judohose wurde immer größer, nahm geradezu gigantische Ausmaße an und entwickelte sich vor unser aller Augen in ein riesiges, leinenes Bettlaken aus dem Wäscheschrank unserer Mutter. Ganz im Gegensatz zu mir wälzten sich meine beiden Mitbewohner vor Lachen buchstäblich auf dem Boden und auch meine aufsteigenden Tränen hinderten sie nicht daran, damit aufzuhören. Irgendwann beruhigten sie sich doch. Heinz Stiller, der Älteste von uns, versprach mir, vom Veranstalter eine Ersatzhose zu besorgen, was er auch tatsächlich schaffte.

Mein Kampfgeist hatte einen gewaltigen Knacks erlitten und dementsprechend waren auch meine Kämpfe. Gezeichnet von einer Blamage ohne Ende blieb ich unter meinen Möglichkeiten. Also kein erster Platz.

Die Heimfahrt wurde trotzdem lustig, zumindest für meine Mitstreiter, die immer wieder eine dumme Bemerkung fallen ließen, um sich dann laut brüllend in die Sitze zu werfen. Gott sei Dank wächst über das meiste irgendwann einmal Gras.

32. Geschafft

Man war also doch auf mich aufmerksam geworden. Eines Tages flatterte ein Brief des DJV auf den Schreibtisch unseres Vaters, mit der Bitte, es doch zu ermöglichen, seinen Sohn Klaus zu einem vierzehntägigen Sichtungslehrgang an die Sportschule Kurt Schlosser nach Werdau in Sachen zu schicken. Die persönliche Einladung und die Fahrkarten folgten kurz darauf.

Unsere Eltern hatten sich bereits damit abgefunden, ihren Jüngsten in die große weite Welt ziehen zu lassen und unterstützten mich dementsprechend. Mein Betrieb ermöglichte es mir, ohne Weiteres für diese Zeit meinem Arbeitsplatz untreu zu werden, um an meiner sportlichen Zukunft zu basteln. Außerdem war der Zeitpunkt auch für unsere Kaderabteilung, sprich jetzt Personalabteilung, günstig. Eine personelle Umbesetzung in allen Arbeitsbereichen stand bevor. Also war man darüber recht froh, wenn sich solch kleine Probleme von allein lösten. Mit dem Haussegen der Betriebsleitung, der Gewerkschaft sowie der FDJ-Leitung durfte ich mich auf die Reise ins große Unbekannte begeben.

Natürlich musste ich fest versprechen, keinen zu blamieren, mein Allerbestes zu geben und gesund wiederzukommen. Ich tat es ehrlichen Herzens. Was zur Folge hatte, wirklich eine Einladung zum Sportclub nach Berlin zu erhalten. Die Häscher hatten mich schon auf ihrer Fahndungsliste. Alles Folgende war nur Formsache. Der Mannschaftsleiter der Sektion Judo des SC Dynamo kam persönlich zu meinen Eltern, um – wie man jetzt so schön zu sagen pflegt – Nägel mit Köpfen zu machen. Er nahm mich für zwei Tage mit nach Berlin, um mir meine künftige Wirkungsstätte zu zeigen.

Vom Besichtigen der Internatszimmer über Zuschauen beim Training, Beobachten meiner eventuellen künftigen Judokumpels und dem Gespräch in der Personalabteilung war alles enthalten. Aber schon da fing das Herumgeeiere an. Mir wurde klargemacht, dass ich dann auch Uniformträger sein werde. Aber das sei nicht weiter schlimm, da wir als

126

Sportler die Uniform sowieso kaum tragen müssten. Bei der Besoldung sah es dann schon anders aus. 375 Mark der DDR wäre mein Anfangsgehalt. Hier musste ich dann doch etwas schlucken. Bekam ich doch jetzt nach Abschluss meiner Lehre bereits 420 Mark. Man tröstete und klärte mich auf, dass ich für Unterkunft, Verpflegung und Einkleidung nichts bezahlen müsste.

Außerdem kämen bei entsprechend guter Leistungsentwicklung noch die Auslandsreisen dazu und da bekommt man auch noch extra Taschengeld!

Ein ganz entscheidender Punkt aber war, dass ich auf diese Art und Weise meinen Ehrendienst ableisten würde. Na, das war doch akzeptabel. Ich ließ mich auf den Deal ein. Ganz beiläufig verklickerte man mir, dass die Judomannschaft und einige andere Sportarten ihren eigenen Club bekommen sollten. Dieser war schon im Entstehen und würde in einem Berliner Vorort ganz im Grünen liegen. Hoppegarten! Es sollte einige Zeit vergehen, ehe mir klar wurde, dass Hoppegarten gleich zu ersetzen war mit „Arsch der Welt". Klang der Name zu Anfang ziemlich lustig für mich, so wie „Hoppe, hoppe Pferdchen" oder „Hoppe, hoppe Reiter", traf die sich reimende Textzeile „wenn er runterfällt, dann schreit er" eher für mich zu. Aber zu diesem Thema komme ich später noch. Vorerst stand fest, ich wollte und das mit ganzer Kraft. Vielleicht hatten meine Eltern noch gehofft, ich würde es mir nach dem Berlin-Besuch doch überlegen. Aber wie heißt es in einem alten persischen Spruch: „Wo dem Weisen ein Wink genügt, braucht der Dumme einen Keulenschlag!"

Mit einem winzigen Koffer, der aber alles beinhaltete, was eine liebende Mutter für nötig hielt, um ihren „Kleinen" in die raue, feindliche Welt zu entlassen, stand ich auf dem Bahnsteig. Da wären zum Beispiel zwei Paar halblange Unterhosen, vier Paar Strümpfe, vier Unterhemden, zwei Oberhemden, großkariert, ein etwas dickerer Pullover, eine zweite Hose, mehr hatte ich sowieso nicht, und diverse Stofftaschentücher. Außerdem war da noch der weinrote Trainingsanzug, den ich als Auszeichnung für meinen Meistertitel erhalten hatte, ein Paar Turnschuhe, meine Judo-latschen und zwei Frotteehandtücher sowie ein Geschirrhandtuch. Man weiß ja nie! Den einzigen Kimono trug ich stolz zusammengerollt und mit einem orangenen Gurt über der linken Schulter. Das war die letzte Forderung meines Heimtrainers: „Mit einem Gelbgurt fährst Du mir nicht nach Berlin!" Naja, dann wären da noch Zahnbürste, Rasierzeug, etwas Schreibmaterial und einige Briefmarken.

Außerdem begleiteten mich die vielen herzlichen Wünsche meiner zurückbleibenden Sportkameraden, der Kollegen, die regen Anteil an meiner so plötzlichen Sportkarriere nahmen, und vor allem die meiner lieben Eltern und meines Bruders.

Hätte man diese Wünsche materialisieren können, hätte ein Güterzug wohl nicht ausgereicht. Was mir die Fahrt ins Ungewisse jedoch sehr erleichterte, war der Gedanke daran, dass ich jederzeit einen Fluchtpunkt hatte, zu dem ich zurückkehren konnte.

Nun saß ich erst einmal im Zug, hatte einen Fensterplatz, während der Koffer mit seinem aufgeblähten dicken Bauch in der Gepäckablage klemmte, und wartete auf das Abfahrtssignal – „Zurückbleiben!" – und den schrillen Ton der Trillerpfeife, der nun endgültig die Nabelschnur, mit der ich noch verbunden war, durchtrennen sollte. Langsam setzten sich die Räder des Zuges in Bewegung. Die Geschwindigkeit nahm schnell zu und ich spürte, wie die unbändige Kraft des noch mit Kohle bestückten Stahlkolosses sich langsam auf mich übertrug. Ich war zu allem entschlossen. Ich wollte nicht nur Liegestütze machen, ich wollte die Erdkugel wegschieben.

Während die Räder ihre monotone Melodie bei jedem Schienenstoß mit einem klackernden „Rattatam, Rattatam" rhythmisch untermalten, flogen meine Gedanken in die Zukunft und wechselten mit Lichtgeschwindigkeit in die soeben begonnene Vergangenheit. Mir gingen noch einmal die Worte unseres Vaters durch den Kopf, die einen nachhaltigen Eindruck hinterlassen sollten. Alleinige Schuld trug nur die Formulierung. Ich hatte noch nie derartige Deftigkeiten aus seinem Munde vernommen. Nachdem er sich meiner Abschiedsumarmung entzogen hatte, derlei Herzlichkeit war ihm sichtlich unangenehm, packte er meine Schultern, schaute mir mit leicht verschleiertem Blick in die Augen und sagte: „Bleibe ehrlich mein Junge, vergiss nie deine gute Erziehung und denke immer daran – beim Kacken machen alle krumme Knie." Ich habe seine Worte nie vergessen, ich bin mir gegenüber immer ehrlich gewesen und ich glaube auch sagen zu können, dass ich in entscheidenden Momenten stets an meine gute Erziehung gedacht habe. Was – und das muss ich hervorheben – nicht immer sehr leicht war. Aber das mit dem Kacken hat mich des Öfteren in schwierige Situationen gebracht. Zu diesem Teil werde ich noch einiges berichten können.

Es war schon ein verdammt hartes Brot, was ich jetzt zu kauen bekam. An manchen Brocken wäre ich bald erstickt, aber ich wollte es doch. Es war mein ausdrücklicher Wunsch. Erfahrungen kann man nur begrenzt vermitteln, man muss sie selbst machen und manchmal ist es sogar nützlich, wenn sie weh tun.

Tröstlich war für mich, dass ich für längere Zeit mein Zimmer allein bewohnte. In Eigeninitiative und Dank meiner Geschicklichkeit in fast allen handwerklichen Bereichen baute ich mir ein urgemütliches kleines Nest.

Mein Zimmer hatte als einziges eine Gardine vor dem Fenster. Ich hing selbstgemalte Bilder an die kahlen Wände, drapierte mit viel Finger-spitzengefühl herrliche Blattpflanzen und nach jedem Heimaturlaub brachte ich irgendwelche Kleinigkeiten mit, die mein winziges Refugium verschönerten. Auch mein altes Banjo hing jetzt an der Wand. Ich hatte es allerdings zur gemütlichen Leselampe umfunktioniert, da ich inzwischen auf einer geliehenen Gitarre die ersten Versuche klimperte.

Summa summarum, es war kuschlig und gemütlich. Das Ganze bekam einen alles entscheidenden Kick, als ich mir von Reiner, einem Leichtgewichtler meiner Truppe, ein altes Tonbandgerät auf Ratenzahlung kaufte. Einen halben Zentner schwer, dafür aber mit etlichen Tonbändern als Zugabe, sollte es die Krönung meiner Neuanschaffung werden und der Grund meines ersten knallharten Zusammenstoßes mit der Clubleitung sein.

Ein kleines Bücherregal, auf dem sogar etliche gute Werke von bedeutenden Schriftstellern standen, vervollständigte und rundete mein winziges Stück Glück restlos ab.

Das Kind Klaus war anders als die anderen Kinder! Ich trank keinen Tropfen Alkohol, obwohl ich schon auf die 19 zuging, hatte auch keine Freundin und wer mal einen kurzen Blick in mein Zimmer erhaschen konnte, merkte sofort, dass hier kein cooler Aufreißertyp wohnte.

Nicht zu toppen war meine stets gefüllte Keksdose auf dem Tisch und die kunstgewerbliche Decke, die ich dem Vierbeiner verpasst hatte. Nicht nur ich fühlte mich in meinem kleinen Reich pudelwohl. Nachdem ich etwa schon zwei Monate im Internat wohnte, hatte ich ständig, und das zum Leidwesen unseres Trainers, eine volle Bude. Seine Zimmerkontrollen wurden häufiger und veranlassten ihn, mich ins Gebet zu nehmen. Ich sollte doch bitte nicht mein großes Ziel aus den Augen verlieren. Grund zur Annahme bestand absolut nicht, nur die Tatsache, dass zwei Drittel meiner Besucher weiblich waren, ließen ihn Schlimmeres vermuten.

Was sagte mein Vater immer? „My home is my castle!" Ihm war es gelungen, keinen ungebetenen Gast über unsere Türschwelle zu lassen. Bei mir lag das ein bisschen anders. Ich war Befehlsempfänger. So musste ich oft zulassen, dass man meine kleine „Zugbrücke" herunterließ, um einem weniger willkommenen Gast Einlass zu gewähren.

Davon erzählt die nächste Geschichte.

33. Später Besuch

Längst schon war ich aufgewacht. Mein unbändiger Wunsch, nur noch für den Judosport zu leben, hatte einen sehr kräftigen Dämpfer erhalten. Sicherlich lag es auch an meinem kindlichen Gemüt zu glauben, dass meine Berufung nach Berlin allein dem Umstand geschuldet war, dass ich von Geburt an so ein lieber, fleißiger Junge bin. Schnell hatte man mir klargemacht, dass alles nur einem einzigen Ziel diente, den Klassenfeind zu besiegen, egal wo wir auf ihn trafen. Übersetzt heißt das: „Du kannst gegen alle verlieren, nur nicht gegen einen Sportler aus Westdeutschland." In den Momenten, wo es später zu innerdeutschen Auseinandersetzungen auf der Matte kam und ich doch einmal verlor, war ich heilfroh, kein echter Samurai zu sein, sonst hätte ich der Tradition gehorchend Harakiri machen müssen!

Neu und sehr belastend war für mich auch das „Studium der Klassiker". Nicht nur das Duo Marx/Engels, sondern auch Lenin wurden meine ständigen Begleiter auf dem Weg zum Ruhm. Auch für den Hausgebrauch gab es „Fachliteratur". Jedwede Aktivität unseres Politbüros wurde als DIN-A4-Broschüre in ein rotgebundenes „Studienheft" an uns weitergeleitet. Unser Mannschaftskommandeur H. Hess hatte schon den richtigen Riecher, als er uns im Clubraum des Internats verklickerte, dass wir in Zukunft nicht nur alle gemeinsam die „Politsatire" durchzusetzen hätten. Um dieser Weiterbildungsveranstaltung den nötigen Rahmen zu geben, wurden wir auch noch dementsprechend eingekleidet. Von nun an waren die Sportler der Sektion Judo die einzigen, die einmal im Monat für einige Stunden den Fernsehraum in Beschlag nahmen, und zwar in der Uniform des Wachregiments und zum Gespött aller anderen. Das ganze Theater diente nur dazu, uns auf unseren neuen Club in Hoppegarten einzustimmen. Während unser momentanes Leben mehr ziviler Natur war und wir im Großen und Ganzen damit gut zurechtkamen, ließ unser „Kommandeur" immer wieder durchblicken: „Na wartet nur ab, wenn ihr erst in Hoppegarten stationiert seid." In meinen Ohren war es eine regelrechte Drohung, die Böses ahnen ließ. Bis dahin sollte aber noch einiges geschehen.

Fakt war, die Judokas waren ein rebellischer Haufen, in dessen Zentrum ein junges Talent ruhte, dass seinen Trainern und vor allem den militärischen Vorgesetzten noch eine Menge Nüsse zum Knacken geben sollte.

Aber zurück in mein kleines Zimmerchen.

Eines Abends, es muss etwa 21 Uhr gewesen sein, klopfte es kurz an die Zimmertür. Sicherlich ein Kumpel, der Langeweile hatte. Ein Mädel konnte es um diese Zeit nicht sein, da die meisten zu ihrer persönlichen Sicherheit in das Internat Waldowstraße ausquartiert wurden. Umso größer war mein Erstaunen, den diensthabenden OvD eintreten zu sehen. Noch so ein armes Schwein in Verkleidung, war mein erster Gedanke, der sogar etwas von einer gewissen Sympathie begleitet wurde. Höflich, wie ich bin, stand ich zur Begrüßung auf und fragte ihn, ob er etwa meine Kemenate mit der des diensttuenden Offiziers verwechselt hätte.

Zur Erläuterung: Ab 22 Uhr hatten unsere zivilen Pförtner Feierabend. Um wenigstens eine Winzigkeit den polizeilichen Charakter des Sportclubs Dynamo zu demonstrieren, musste die Nachtschicht von einem Offizier übernommen werden. Dieser konnte ein Trainer, ein altgedienter Sportler mit Offiziersdienstgrad oder ein Funktionär aus der „Erzgebirgsbaude" sein, in der die Clubleitung untergebracht war. Mein später Besucher war ein ehemaliger Sportler; wie fast alle im Club Tätigen; und im Range eines Oberleutnants. „Nein, nein", meinte er grinsend, er wolle sich nur ein bisschen die Zeit vertreiben und plaudern. Außerdem sei ihm zu Ohren gekommen, dass mein Zimmer etwas Besonderes wäre und er dem Trieb seiner Neugierde unterlegen sei. Klar schmeichelte es, aber doch nicht zu dieser Zeit und dann war da noch etwas, was mir ein wenig Unwohlsein bereitete.

Seit einigen Stunden hing ein Foto im DIN-A3-Format der gerade in einem kometenhaften Aufstieg begriffenen Musikgruppe „The Beatles" an meiner Tür. Ein Eiskunstläufer, der für einige Stunden wöchentlich in der

Fotoabteilung des Clubs tätig war, hatte mir die Vergrößerung angefertigt und für einen geringen Obolus verkauft. Logisch, dass ich in gewissem Sinne stolz auf meine Neuerwerbung war. Der Genosse OvD stand immer noch mit dem Rücken zur Tür, bis ich ihm den zweiten Stuhl in meinem Zimmer anbot. Als er Platz genommen hatte, war die Situation keine andere. Er saß mit dem Rücken zur Tür.

Nachdem er alles in Augenschein genommen hatte, was sich in seinem Blickfeld befand, entwickelte sich langsam ein Gespräch.

Während sich die beiden Spulen meines Tonbandgerätes gemächlich drehten und der Lautsprecher gedämpfte Klassikmusik in den kleinen Raum entließ, kann ich nicht leugnen, dass mir diese Situation äußerst grotesk erschien. Während mein Gegenüber voll des Lobes war, wie urgemütlich ich es hätte und vor allem diese wundervolle, beruhigende Musik, was ja nun nicht gerade typisch wäre für meine Altersgruppe, hob ich den Deckel meiner Keksdose und ermunterte ihn, zuzugreifen. Es war nicht der erste Besucher, der sich in meiner Gegenwart und in meiner Wohnhöhle wohlfühlte. Irgendwann musste ich den Genossen Oberleutnant aufmerksam machen, dass es bereits 22 Uhr sei und damit Nachtruhe! Schließlich brauchte ich meinen Schlaf, um den nächsten Tag gut vorbereitet meinen mir auferlegten Klassenauftrag zu erfüllen. Das zog immer! Vor allem aber war es die Harmonie, die ihn zutiefst beeindruckte. Das saubere und geschmackvoll eingerichtete Zimmerchen, die wohltuende Musik. Nicht zu vergessen das zum Teil nette, dahinplätschernde Gespräch, welches ab und zu unterbrochen wurde, wenn wieder einer meiner Kekse in seinen aufgesperrten Mund wanderte und auf Nimmerwiedersehen verschwand. Und dazu noch dieses Pflichtbewusstsein! Alle Achtung! Mein Besuch bedankte sich herzlich bei mir, setzte sich seine Dienstmütze keck auf den schon lichten Schädel, schüttelte mir noch einmal zum Abschied die Hand und drehte sich um. Wenn jemand während unserer philosophischen Gespräche die Wand mit der Tür gegen eine vollkommen glatte Fläche ausgewechselt hätte, ohne dass wir es bemerkt hätten, wäre seine Verblüffung nicht größer gewesen. Aber nun starrte er auf vier, für unsere heutigen Begriffe sehr gut angezogene junge Männer, die jubelnd und lachend ihre Gitarren hochhielten und vielleicht den letzten Termin beim Friseur verpasst hatten, was ihre Frisuren etwas „pilzförmig" aussehnen ließ. „Himmelhoch jauchzend, zu Tode betrübt", so hätte unser Vater diese Situation sicherlich bezeichnet. Merklich irritiert drehte er sich wieder zu mir.

Seine Augenlider begannen leicht zu flattern, zogen sich eng zusammen und fixierten, wie es mir schien, einen ertappten Klassenfeind.

Seine rechte Hand, die soeben noch meine in aller Freundschaft geschüttelt hatte und nun wie gelähmt beim Griff nach der Türklinke in der Luft verweilte, formte sich zur proletarischen Faust, aus deren Zentrum sich spitz der Zeigefinger zu bohren begann, um in Richtung Foto zu deuten.

„Was ist das?" „Ein Bild, ein Bild mit Musikern", war meine ehrliche Antwort. Natürlich ahnte ich, was da auf mich zukommen würde. „Das" – und wiederum bohrte sich der Zeigefinger in Richtung Pilzköpfe – „das verschwindet! Das hat Folgen!"

Er riss die Tür auf und verschwand im Halbdunkel des Flures.

Der nächste Morgen bescherte mir noch vor dem Frühstück wieder einen Besuch. Dieses Mal war es die „kalte Hand", unser Cheftrainer. Obwohl er schon von Natur eine ungesunde Hautfarbe hatte, erschien er mir jetzt noch blasser. Nachdem er die Tür hinter sich ins Schloss fallen ließ, wusste ich sofort, welches der Grund seines so frühen und unverhofften Besuches war. Der OvD hatte sein Wort gehalten. Die „kalte Hand" betrachtete abschätzig mein Türposter, welches immer noch nicht von mir entfernt worden war und teilte mir mit, dass ich sehnsüchtig vom Clubleiter, dem Genossen Kramer, erwartet werde. Eine erkannte Gefahr ist eine halbe Gefahr. Ich wusste, dass mir als Höchststrafe der Rausschmiss drohte. Hatte ich doch mehr oder weniger gegen gewisse Auflagen verstoßen. Keine Westmusik hören, kein Lesen, geschweige denn Verbreitung von Schundliteratur und auch keine Sichtagitationen, die in irgendeiner Weise den Kapitalismus verherrlichen. Da in letzter Zeit mein Heimweh immer stärker wurde sowie der Wunsch, ein kleines mit Schilf gedecktes Bootshaus an irgendeinem See mein Eigen zu nennen, glich mein erahnter Rausschmiss eher einer Belohnung. Ich war auf alles gefasst.

Den Genossen Kramer kannte ich nur vom Hörensagen. Soweit vor war ich bisher durch meine erbrachten sportlichen Leistungen noch nicht gedrungen.

Mich erwartete ein verhältnismäßig sympathischer Mann in den besten Jahren, der mit hochgekrempelten Hemdsärmeln und gelockerter Krawatte hinter einem schlichten Schreibtisch saß. Kurze Begrüßung und dann die Bitte seinerseits, mich zu setzen. Dabei deutete er freundlich auf einen leeren Stuhl. Ehrlich gesagt, war mir dieser Empfang nicht ganz geheuer. Mir wäre ein polternder und schimpfender Funktionär angenehmer gewesen. Grober Klotz, grober Keil! Aber so musste ich meine Verteidigungstaktik ändern. Ehe ich mich versah, wurde ich von ihm in ein interessantes Gespräch verwickelt, welches vor allem das Thema Musik beinhaltete. Während er versuchte, mich von der Gefährlichkeit westlicher Schlager zu überzeugen, konnte ich ihm aber wiederum klarmachen, dass es für mich nicht nur oberflächlich plätschernde Schlagermusik gibt, sondern dass ein großer Teil meiner Tonbänder vor allem mit Opernmusik, also wirklich guter Klassik, bespielt war. Mit keiner Silbe erwähnte er meine an die Tür gepinnten Beatles. Das tat einige Zeit später und von großem, langanhaltendem Beifall begleitet unser allseits beliebter Erster Sekretär (des ZK der SED) und Vorsitzender des Staatsrates der Deutschen Demokratischen Republik, unser geehrter Genosse Walter Ulbricht. Als er bei einer Rede vor den Abgeordneten der Volkskammer auf die von den Pilzköpfen ausgehende ideologische Gefahr mit ihrem primitiven Yeah! Yeah! usw. verwies.

An irgendeinem Punkt hatte sich unser Gespräch festgefahren. Ich war nicht einmal in der Lage, die englisch gesungenen Texte zu verstehen. Dafür konnte ich aber aufgrund meiner Musikalität genau den Unterschied zwischen einem arschlangweiligen Lipsi und einem qualitativ etwas hochwertigeren Song aus Liverpool erkennen. Also, was soll das Ganze?

Der Genosse Kramer war mit seinem Latein am Ende. „Entweder du löschst deine Tonbänder oder du kannst dorthin zurückkehren, wo du hergekommen bist." Ich gab ihm eine deutliche, klare Antwort. „Ich lösche meine Bänder nicht."

Es sei noch kurz angemerkt. Ich war bis zum bitteren Ende, also dem Untergang der DDR, Angehöriger vom SC Dynamo. Ich habe nicht im „Stasiknast" in Hohenschönhausen sitzen müssen, wobei die Verweigerung zum Löschen meiner Tonbänder noch das allerkleinste Delikt war, welches ich mir in den 29 Jahren Zugehörigkeit erlaubt hatte. Ob daran zu einem großen Teil das Buch von Jaroslav Hašek "Der brave Soldat Schwejk" schuld war? Vielleicht!

34. Zwecklos

Ich deutete es bereits an, die Judokas waren ein wilder Haufen und sehr schwer zu kontrollieren. Innerhalb kurzer Zeit hatte ich mir, trotz meiner von Hause aus guten Erziehung, einen respektablen Platz in der Truppe erkämpft. Was mich ein wenig störte, war, ich wurde von Anbeginn „Kläuschen" genannt. Alle hatten sie ihren Spitznahmen oder zumindest wurde der Vor- oder Nachname etwas verändert.

Da war z. B. eine der tragenden Säulen des Mittelgewichts Otto S. Otto hieß „Kunze" oder auch „Vater Kunze". „Gnatz", eigentlich Eberhardt B., war ein Leichtgewichtler und seinen Namen verdankte er dem Charakterzug, bei der geringsten Kritik sofort „vergnatzt" zu reagieren. Reiner S. hörte auf den Namen „Stachel", da er ständig und an jedem etwas auszusetzen hatte. Was sicherlich daran lag, dass er unser FDJ-Sekretär war. Joachim S. hieß nur "Schotte". Er wusste, wie man Geld zusammenhielt und trotzdem auf seine Kosten bzw. auf unsere Rechnung kam. Warum Paul „Trude" genannt wurde, kann ich beim besten Willen nicht mehr nachvollziehen. Auf alle Fälle gehörte er meiner Meinung nach zu den ganz Cleveren. Er zog es vor, wieder in seine Heimatstadt Dresden zurückzukehren und ersparte sich damit viel Ärger, der auf uns mit dem Umzug nach Hoppegarten ungebremst zukam.

Anders war es mit „Jo", der mit bürgerlichem Namen Harald F. hieß. Jo war ein waschechter Berliner, hatte sein Herz zwar auf der linken Seite, aber nicht auf dem rechten Fleck. Das sollte sich auch bestätigen, als er unseren ersten Start im KA (kapitalistischen Ausland) Österreich schamlos ausnutzte und nicht nur uns, also seine Mannschaft, sondern auch noch seine schmutzigen Socken und die dazugehörenden dreckigen Schlüpfer mit Goldleiste, wie Kunze zu sagen pflegte, sowie den zerbeulten Pappkoffer zurückließ und uns damit verriet. Dass er mit seinem klammheimlichen Verschwinden auch seinem Vater, der Offizier der Berliner Feuerwehr war, maßlos schadete, hatte er sicherlich einkalkuliert. Abgesehen davon, dass auch unsere mitreisenden Funktionäre sicherlich einen kräftigen Ordnungsgong, von wegen Aufsichtspflicht vernachlässigt, abbekamen, war es soweit kein sonderlich großer Verlust für uns. Da Jo eigentlich Harald hieß, musste der Ursprung seines Spitznamens sicherlich in der Vorliebe zum amerikanisch besetzten Teil Westberlins gelegen haben. Die Mauer war ja erst ein Jahr alt.

Einfacher war es mit unserem Europameister Karl N. Logisch, dass er „Kalle" genannt wurde. Oder Wolfgang M. Wolfgang war eben „Wolle". Der Leichtgewichtler und Silbermedaillengewinner von Madrid war „Günti" und wenn es mal ernst wurde, nannte man ihn „Günter".

Nur bei einem Sportkameraden weiß ich es mit 100 %iger Sicherheit, wie er zu seinem Pseudonym kam. Ich war sozusagen sein Taufpate.

Judo ist, so glaube ich zumindest, fast allen Menschen als eine sehr dynamische Sportart bekannt. Man versucht, seinen Gegner mit List und Tücke aus der Reserve zu locken, um ihn dann mit einem gezielten Wurf auf die Matte zu hauen. Gelingt das nicht, knautscht man eine Weile im Bodenkampf herum und dort kann es dann schon mal passieren, dass in einem Moment der höchsten Anspannung ein kräftiger Darmwind seinen natürlichen Ausgang sucht und ihn auch findet.

Nun gibt es in diesem Augenblick die unterschiedlichsten Reaktionen der unmittelbar Betroffenen. Meistens – nämlich dann, wenn es akustisch laut und offensichtlich zu vernehmen war – kam Gelächter auf und das betroffene Pärchen hatte plötzlich wesentlich mehr Platz auf der Matte als es eigentlich benötigte. Die Übrigen hatten sich im wahrsten Sinn des Wortes in die etwas entfernteren Ecken gerettet. Hier lachten die Trainer auch noch mit. Wenn aber so ein ganz Leiser, Fieser, Ordinärer sich unhörbar auf die Tatami (Matte aus Reisstroh) auszubreiten begann und es zu ernstgemeinten Protesten kam, dann zerstörte es offensichtlich die Trainingsmoral. Kalle weigerte sich standhaft, das verseuchte Territorium auch nur versuchsweise zu betreten. Er war Europameister aller Klassen und konnte sich das leisten. Hannes, der im wahren Leben Heinz K. hieß und wie Gnatz aus Greiz stammte, schimpfte in seinem Heimatdialekt ebenfalls, dass ihn kaum einer verstand.

Minutenlang wurde auf diese Weise das Training unterbrochen und somit zu einem ernst zu nehmenden Unsicherheitsfaktor im Kampf um höhere sportliche Leistungen.

Und nicht nur das allein. Auch die ethisch-moralische Seite musste man in Betracht ziehen. Durfte ein Genosse oder ein Mitglied der FDJ (Freie Deutsche Jugend) so mir nichts, dir nichts bei der Erfüllung seines Klassenauftrages einfach furzen und damit seinen Sportkameraden die Trainingszeit rauben? Das musste unterbunden werden, zumal es immer deutlicher wurde, dass es eine bestimmte Gruppe war, die es augenscheinlich darauf abgesehen hatte, mit derlei unmoralischem Verhalten den Trainingsbetrieb zu stören. Das Thema wurde zur Chefsache erklärt und folgerichtig an die FDJ-Leitung weiterdelegiert. Und der gehörte ich an. Was blieb uns auch anderes übrig? Stachel setzte sich mit uns zusammen und wir beratschlagten, wie wir diesem Übel wirkungsvoll entgegentreten könnten.

Nur mit einem Appell an die gute Kinderstube konnten wir sicher nichts erreichen. Es musste etwas Wirksameres sein. Angefangen von einer öffentlichen Abmahnung mit Aushang an der Internatswandzeitung bis hin zum Straftraining und dem zusätzlichen Einsatz im nationalen Aufbauwerk, kurz NAW, war alles dabei. Wurde aber wieder verworfen. Außerdem, was macht das für einen Eindruck, die spezifischen Mannschaftsinterna an die große Glocke zu hängen?

Sportfreund X wurde dabei erwischt, den Sportfreund Y gezwungen zu haben, seinen Magendarmwind zu inhalieren. Nein, nein, das musste auch anders funktionieren. Das muss ans Eingemachte gehen, das muss wehtun. Stachel hatte sie plötzlich – die Idee! „Wir richten eine Kasse ein! Für jeden Furz einen Fünfziger Strafe." Das war es! Nun mussten wir es nur in die Tat umsetzen und der Mannschaft klarmachen.

Kurioserweise gab es keinen, der meckerte. Sogar Schotte hielt sich zurück und unsere Spezies zeigten sich kulant, indem sie meinten, dass das schon in Ordnung sei. Aber was machen wir mit dem erwirtschafteten Geld? Als Spende für das notleidende Afrika kam es schon aus moralischen Gründen nicht in Frage. Jo amüsierte sich köstlich bei dem Gedanken, eine Kurzmitteilung im Parteiorgan „Neues Deutschland" zu lesen: Judomannschaft des SC Dynamo spendete den Inhalt ihrer Furzkasse für das Not leidende Angola.

Vater Kunze, der sicherlich ahnte, dass er eine gewisse Favoritenstellung einnahm, machte den Vorschlag, zum Jahresende mit dem ersparten Geld eine Weihnachtsfeier zu organisieren. Dagegen gab es keine Einwände und nach den Regeln einer demokratischen Abstimmung wurde der Vorschlag des Jugendfreundes Kunze einstimmig angenommen. Stolz konnten wir als FDJ-Leitung unserem Trainerkollektiv berichten, dass das Problem Umweltverschmutzung gelöst ist. Unsere politische Arbeit funktionierte also tadellos. Anfangs! Dann ließ der Reiz des Neuen nach und man stellte fest, dass es eigentlich für 50 Pfennige allerhand Spaß gab. Gerade Vater Kunze, der als einer der Ältesten schon verheiratet war, zwei Kinder hatte und allabendlich gute Hausmannskost von seinem Renatchen zum Abendessen vorgesetzt bekam, begann es schamlos auszunutzen. Für ihn war es ein Freibrief. Schließlich und letztendlich bezahlte er auch dafür. Andere zogen nach und meinten nur, kommt uns ja allen zugute – in Anspielung auf die anstehende Weihnachtsfeier. Ich kam mit meiner Strichliste, die ich als Kulturbeauftragter zu führen hatte, kaum nach, während Stachel zum Ende jeder Trainingseinheit die Hand aufmachte und zur Kasse bat. Es sollte aber noch eine Steigerungsmöglichkeit geben! Eines Morgens, es war kurz nach dem Gehaltstag, meinte Kunze, ich habe die Schnauze gestrichen voll von diesen Kinkerlitzchen. Jedes Mal einen Fünfziger in die Kasse stecken, sei ihm zu aufwendig und deswegen löhnte er heute 10 Mark und möchte damit bis zum nächsten Zahltag in Ruhe gelassen werden. Darauf war ich als Strichlistenführer nicht vorbereitet und spürte, wie die Geschichte mir zu entgleiten drohte. Wie sollte ich das jetzt kontrollieren? Denn nach Otto alias Kunze sprangen noch einige andere auf diesen Zug. Wie sollte ich beweisen, dass jemand sein Konto eventuell schon überzogen hatte, also im Dispo war? Erstaunlicherweise lief alles bestens, was unsere Kasse betraf! Alle waren sich irgendwie einig, dass dieses windige Verhalten auf unserer Matte einem guten Zweck diente. Auch ich versuchte, gute Miene zum bösen Spiel zu machen und begann, jetzt über Daumen und Zeigefinger, meine Eintragungen durchzuführen. Zu „Kläuschen" hatte man Vertrauen. Der Einzige, mit dem ich ab und zu kollidierte und der Sperenzchen machte, war unser „Schotte". Man konnte es manchmal wirklich nicht kontrollieren, während des Geknautsches im Bodenkampf. Auch er wurde erwischt und stritt es bis aufs Messer ab. Immerhin 50 Pfennige Verlust! Gott sei Dank hatte ich von allen Seiten gewichtsklassenübergreifende Unterstützung.

Einer fehlt noch in der Riege meiner Sportfreunde, Fred P. Aber auch er sollte nicht lange warten, um einen zünftigen Spitznamen zu erhalten. Fredi war zeitgleich mit mir zum Sportclub gekommen. Auch er hatte sich in Berlin den deutschen Meistertitel der Jugend erkämpft, allerdings im Mittelgewicht. Ein echter Junge von der Küste, mit wasserblauen Augen und auffallend großen Händen, die einem Superschwergewichtler alle Ehre gemacht hätten. Außerdem schaffte es kein anderer unserer Mannschaft, einen Bierdeckel ohne zu knicken verquer in den Mund zu stecken. Nur ihm, Fredi, gelang dieses Kunststück.

Langsam neigte sich das Jahr 1962 dem Ende entgegen und meine Männer machten immer öfter Bemerkungen, die keinen Zweifel aufkommen ließen, dass unsere Furzkasse, so die allgemeingebräuchliche Bezeichnung, nun doch so langsam geknackt werden müsse. Es wurde also Zeit, sich nach einem geeigneten Lokal umzusehen. Kein einfaches Unterfangen, da man ohne Trainer feiern wollte, denn die hatten Augen und Ohren überall. Hätte uns die „kalte Hand", wie wir unseren 1. Trainer nannten, im Nacken gesessen, uns hätte kein Bier geschmeckt.

Hannes und Gnatz organisierten eine kleine Kneipe, welche in einer Gartenkolonie am Fuße des „Mont Klamott" versteckt lag. Unscheinbar und unserer Leitung völlig unbekannt, konnten wir dort bei „Tante Erna" so richtig die Sau rauslassen. Hähnchen, oder wie wir Ostler zu sagen pflegten „Goldbroiler", waren bestellt und das Fass war angezapft. Für die kulturelle Umrahmung war ich zuständig. So etwas war schon immer meine

Welt. Außerdem konnte ich nach fleißigem Üben schon recht ordentlich unsere lautstarken Gesänge mit meiner geliehenen Gitarre begleiten, was die Stimmung neben den Bierchen natürlich ins fast Uferlose wachsen ließ. Es wurde gesungen, dass Tante Ernas Hütte zu beben anfing und ihr alter, fast blinder Schäferhund sich ängstlich hinter dem winzigen Tresen versteckte.

Stachel und ich hatten natürlich schon vorher Kasse gemacht und wussten, dass wir diese Fete locker bezahlen konnten. Aber es musste noch ein besonderer Höhepunkt her. Die Auswertung der Strichliste! Wer hatte am meisten eingezahlt? Oder anders formuliert, wer war der beste Abgasfacharbeiter? Die Urkunde für unseren „Besten" war mir sehr gut gelungen. Alle hatten auf Otto, unseren Vater Kunze, getippt und hier bewies unser Fredi aus Rostock, der durch die „Hintertür" gekommen war, seine wirkliche Größe.

Er besaß nicht nur die mächtigsten Pfoten und er konnte einen Bierdeckel verquer in den Rachen stecken, nein, er hatte auch unseren vermeintlichen Oberpupser um Längen geschlagen. Fred P. wurde an jenem Abend der gefeierte „Verdiente Muffi des Volkes"! Ausgezeichnet von der Leitung unserer FDJ-Gruppe und gefeiert wie ein Held der Arbeit. Wie konnte er das nur geschafft haben? Unbeobachtet von dem wilden Haufen, mich natürlich ausgenommen, schließlich war ich der Buchhalter, stand er nun ganz oben auf dem Siegertreppchen.

Es soll ja wirklich Menschen geben, die nicht verlieren können! Und wieder war ein Spitzname geboren. Wenn wir auch das eigentliche Problem nicht beseitigen konnten, so ist es uns doch gelungen, ein sozialistisches Sportkollektiv vom Feinsten zusammenzuschmieden.

Es wäre fast zur Tradition geworden, genauso wie das Alleine-singen-müssen-vor-der-gesamten-Mannschaft. Egal, ob einer Stimme hatte oder nicht. Dem setzte der Beschluss unseres übergroßen Natschalniks Erich M., unbedingt seinen eigenen Club haben zu wollen, ein resolutes Ende.

35. Fast nackt im Frauengefängnis

Es war Hochsommer, aber richtig. Ein Jahr wie aus dem Bilderbuch. Regen war schon lange nicht mehr gefallen und dementsprechend trocken war das Land. Die Rasenflächen vor den Wohnhäusern und in den Parks der Stadt hatten sich größtenteils in ein schmutziges Gelbbraun verfärbt, während Sträucher und Bäume vor Durst schon einen Teil Blätter abgeworfen hatten. Nur dort, wo öffentliche Plätze waren, versuchten die Stadtgärtner zu retten, was zu retten war. Mitleidige Berliner schleppten eimerweise Wasser zu den Straßenbäumen vor ihren Häusern. Ein Tropfen auf den heißen Stein. Über der Stadt hing eine flirrende Dunstglocke, die durch kein noch so schwaches Lüftchen aus der Ruhe zu bringen war. In den Straßenschluchten staute sich die Hitze und sorgte für den typischen Berliner Duft, der immer dann besonders intensiv wurde, wenn es, wie in diesem Sommer, lange nicht geregnet hatte. Eine Mischung aus Hundekot und dem Gestank, der aus der Kanalisation den Weg nach oben suchte.

Während sich alle, die es sich leisten konnten, in den Freibädern tummelten, versuchte der verbliebene Teil, so gut wie möglich über die Runden zu kommen. Man hatte den Eindruck, dass der größte Teil aller Autofahrer nackt hinter dem Lenker saß. Frauen, die es Anfang der sechziger Jahre noch wenige hinter dem Steuer gab, kutschierten ihren Wagen nicht selten nur mit einem Bikini bekleidet. Eine tolle Aussicht, wenn man als Beifahrer in einem LKW saß.

In meinem Falle genoss ich es in vollen Zügen. Seit kurzer Zeit hatte man mir einen Arbeitsplatz im Sporthotel zugewiesen und hier durfte ich alle anfallenden niedrigen Tätigkeiten verrichten. Der Tätigkeitsbereich war allumfassend. Von der Produktion von Semmelmehl aus vertrockneten Schrippen für Schnitzel und Koteletts in der Hotelküche über das Aussortieren verkeimter Kartoffeln bis zum Transportieren von Taschen und Koffern der Gäste auf die Zimmer war alles enthalten. Da kam meine Versetzung zum fahrenden Personal einer Beförderung gleich. Unsere Aufgabe bestand unter anderem darin, Schmutzwäsche, die in großen

Mengen anfiel, in die Wäscherei zu fahren und die gereinigten Handtücher, Laken und Bettbezüge wieder ins Hotel zu befördern. Mein erster Arbeitstag als Beifahrer sollte ein Erlebnis der besonderen Art werden.

Die frühen Stunden des Tages deuteten schon an, dass sich an der Großwetterlage nichts ändern würde. Beim Aufladen der Wäschekörbe kamen wir bereits ins Schwitzen. Das Fahrerhaus hatte sich in kurzer Zeit zu einer Zweipersonen-Sauna aufgeheizt, was mich wiederum veranlasste, meinen schäbigen, blaugrauen Arbeitskittel auszuziehen. Mein Chef tat es mir gleich. Allerdings trug er zur Arbeitshose noch ein geripptes Trägerhemd, während ich lediglich eine Badehose anhatte. Die Fahrt ging in den Stadtbezirk Mitte, wo die Wäscherei ihren Standort hatte. Mehr erfuhr ich nicht von meinem maulfaulen Chauffeur. Ich genoss es, bei heruntergekurbeltem Fenster fast nackt, den Fahrtwind über die feuchte Haut wehen zu lassen und träumte mich an einen der vielen Berliner Badeseen. Der Traum wurde durch unsere Ankunft unterbrochen.

Ein rotes Backsteingebäude aus der Kaiserzeit oder von noch früher, bemerkte ich flüchtig. Unser Fahrzeug hielt vor einem großen, grau gestrichenen Eisentor, welches plötzlich wie von Geisterhand geöffnet wurde, um uns Einlass zu gewähren.

Gleich danach, unser LKW passte gerade so in die Schleuse, standen wir wieder vor einem eisernen Tor. Während sich die hinter uns liegenden zwei Flügel schlossen und wir für einen Moment im Halbdunkel saßen, öffnete sich ebenso langsam wie das erste Geistertor die Eisenwand vor uns. So nebenbei bemerkte mein Kollege ganz trocken: "So, nu lernste ma einen richtigen Knast kennen!"

Wir fuhren in den von gleißendem Sonnenlicht überfluteten Hof eines Frauengefängnisses. Eine Szene wie aus einem Spielfilm. Der LKW rollt langsam bis zur Mitte des kleinen Platzes und das Tuckern des Motors verstummte.

Wie es mein Job verlangte, sprang ich behände von meinem Beifahrersitz, landete mit beiden Füßen auf dem aufgeheizten Pflaster und starrte gespannt und neugierig in die Höhe, um mir einen ersten Eindruck zu verschaffen. Meine Blicke wanderten über die drohend hoch aufragenden, schmutzigen Klinkerwände, verweilten an den vielen kleinen, vergitterten Fenstern, um langsam über den kahlen, leeren Hof zu schweifen. Hoch über mir im wolkenlosen, azurblauen Himmel die Mittagssonne, die den Innenraum der Haftanstalt in einen Hochofen verwandelt hatte. Über allem lag eine beklemmende Stille, welche jedoch urplötzlich durch eine schrille Frauenstimme zerrissen wurde.

„He Süßa komm hoch, ick mach's dia ohne Bezahlung." Ein paar schmale Hände, die die Gitterstäbe eines der Fenster umklammert hielten, verrieten mir, dass die Ruferin der freundlichen Aufforderung in der ersten Etage zu Hause war.

Das war der Auslöser für noch weitere solcher ermunternder Angebote aus entfernteren Fensterhöhlen.

Nun sah ich auch dort Hände, die die Gitterstäbe umklammerten und auch Gesichter konnte ich erkennen. Mir war in diesem Moment nicht bewusst, welche Qualen ich in diesen armen Geschöpfen auslöste. Da stand ein neunzehnjähriger, athletisch gebauter Kerl, fast splitternackt, nur mit einem dünnen Etwas von einer Badehose bekleidet, mitten auf dem Hof eines Frauengefängnisses und war doch so unendlich weit entfernt. Na, Gott sei Dank auch!

Während ich mir noch nicht im Klaren war, wie ich das Ganze einzuordnen hatte, riss mich eine laute, befehlsgewohnte Stimme aus meiner Starre. „Sind Sie wahnsinnig? Ziehen Sie sich sofort etwas über!"

Hinter mir stand wie aus dem Boden gestampft eine dralle, brünette Schließerin im Range eines Unterleutnants. Diese mehr gebrüllte Aufforderung erweckte im Nu den ganzen Unmut aller Hausbewohnerinnen. Mit gellenden Pfiffen, die ich Frauen nie zugetraut hätte, und lauten Buhrufen versuchten sie, diesen für sie einmaligen Augenblick zu verlängern. Mein erster großer Auftritt vor so vielen Frauen und dazu noch mit solchem Erfolg.

So viele lukrative Angebote sollte ich nie wieder bekommen. Während ich mir mühsam den etwas engen Kittel über meinen schweißnassen Körper streifte, hatte die resolute Wächterin inzwischen mit einigen deftigen Drohungen das Areal wieder unter Kontrolle.

Als ich mit zugeknöpftem Kittel nicht mehr ihr ästhetisches Empfinden beleidigte, trat sie zu mir und meinte grinsend: „Neu hier, was?" Das konnte ich reinen Gewissens bestätigen und entschuldigte mich für meine etwas deplatzierte Anzugsordnung.

„Das ist ja nur für deine Sicherheit", meinte sie daraufhin und winkte sogleich in die Richtung einer kleinen Tür, die mir bisher nicht aufgefallen war. Sie öffnete sich und heraus trat ein Dutzend Frauen in schlabbernden Anzügen, welche an Hose und Jacke mit breiten gelben Streifen versehen waren. Sie trugen vollgepackte Wäschekörbe zu unserem Lastwagen, dessen Heckklappe der Fahrer während meines großen Auftritts schon geöffnet hatte. Hilfsbereit wollte ich einer älteren Frau die Last abnehmen, aber ein lang gezogenes „ich warne Sie", erstickte meinen Versuch im Ansatz. Also konzentrierte ich mich auf das Zuschauen. Was mochten diese Frauen verbrochen haben, dass sie hier im Knast saßen? Ich hatte damals noch keine Ahnung, wozu auch eine Frau alles fähig sein kann. Fragen wollte ich die Aufpasserin im Beisein der Gefangenen auch nicht, also beließ ich es beim Beobachten.

Mit gesenkten Köpfen zog die verkleidete Weiblichkeit an uns vorbei, wuchtete die Körbe zu meinem Kollegen auf die Ladeplattform, während er sie weiter in den hinteren Bereich zerrte. Eigentlich mein Job, aber das hatte ich aufgrund der über mich stürzenden Eindrücke vollkommen ausgeblendet. Die Sittenwächterin hatte alles unter Kontrolle, alles? Zwischendurch erhaschte ich ein kurzes Lächeln der Sünderinnen und sogar Augenzwinkern glaubte ich zu erkennen. Dass bei einigen die Zunge ab und zu über die trockenen Lippen glitt, lag sicherlich an der trockenen, heißen Luft des aufgeheizten Hofes.

Genauso schnell wie sie gekommen waren, verschwanden die Schlabber-anzüge wieder in der dunkeln Öffnung der Gefängniswand. Kein Wort, nicht eine Silbe war in den wenigen Minuten gefallen. Wie ein Spuk kamen sie, um genauso schnell wieder von der hässlichen Klinkerwand verschluckt zu werden. Während mein Kutscher alles fachgerecht verstaute, wagte ich dann doch, einige Fragen an die Genossin Unterleutnant zu richten.

Natürlich wollte ich zuerst wissen, weshalb die Frauen, die gerade die Körbe raus- und reingeschafft hatten, einsaßen. Etwas anders wurde mir zumute, als ich erfuhr, dass neben einigen Kleinstkriminellen auch zwei Mörderinnen dabei waren. Vielleicht wollte sie mir nur imponieren, wie kreuzgefährlich ihr Beruf ist. Auf alle Fälle war ich echt beeindruckt und das vermeintliche Lächeln oder dieses vertrauliche, flüchtige Augenzwinkern bekamen eine ganz andere Dimension. So wie – „Du bist der Nächste!" – oder so ähnlich. Ein Satz hat sich unauslöschlich in meinem Gedächtnis niedergelassen. Als ich mich von ihr verabschiedete, meinte sie: „Es ist wenigen Männern vergönnt, so viele Frauen auf einmal glücklich zu machen!"

Es sollte mein einziger Besuch gewesen sein.

36. Ein Weichei

Es war schon ein sehr hartes Brot, welches man als Neuzugang zu kauen bekam. Um beim Sprachgebrauch von Judokas zu bleiben, mit mir machte man die Matte sauber. Übersetzt heißt das, man versuchte, mit mir die Matte „auszuklopfen". So wie man es in früheren Jahren mit einem verschmutzten Teppich oder Läufer zu tun pflegte.

Es dauerte schon eine gewisse Zeit, bis alle mal probiert hatten, mit welch blöden Tricks und Würfen der Neue zu beeindrucken war. Am schnellsten begriffen die leichteren Gewichtsklassen, dass mit mir doch nicht so ohne Weiteres „Fangeball" zu spielen war. Auch die Mittelgewichtler bemerkten rechtzeitig, dass ich ihnen schnell ihre Grenzen absteckte.

So normalisierte sich mein Leben als Judokämpfer und Clubsportler. Bald war ich einer von ihnen und freute mich über jeden „Frischling", denn der musste akzeptieren, dass ich zu den Alten gehörte.

Es blieb nicht aus, dass es hier und da mal Blessuren gab. Blaue Flecke, abgebrochene Fingernägel bis aufs Blut, Kratzer und Würgemale am Hals wurden zur Normalität.

Der Umgang war rau und herzlich, der Mensch ist nun mal ein Gewohnheitstier. Eines Tages aber war alles ganz anders.

Während eines Übungskampfes hatte mich Karl, unser Schwerer, mit einem Fegewurfangriff dermaßen unglücklich am rechten Sprunggelenk erwischt, dass ich vor Schmerzen laut aufschrie und fast besinnungslos wurde. Nach anfänglichem Gelächter aller Umstehenden merkte man doch schnell, dass etwas Ernsteres vorliegen musste.

Langsam kam ich wieder zu mir, verbiss die Tränen, die mich zu fluten drohten und kämpfte weiter. Zumindest versuchte ich es. Die Zeit bis zum Trainingsende wollte nicht vergehen. Der lädierte Fuß entwickelte sich zur unansehnlichen „Mauke", die beängstigende Formen annahm. Logisch, dass mir mein rechter Straßenschuh beim Anziehen spürbare Probleme bereitete. Mühsam humpelte ich zu unserem Sportarzt, den ich auf Anraten des Trainers aufsuchte. Die Praxisräume lagen in der oberen Etage eines Seitenflügels des Sportforums. Eine Sechser-Elastikbinde, eine Flasche „Optal" zum Kühlen und einige lockere Sprüche sollten genügen, um weiterhin am Training teilzunehmen. Aber etwas stimmte nicht mehr mit meinem Fuß. Im Laufe der Wochen ließ die Schwellung zwar etwas nach, aber bei der geringsten unkontrollierten Belastung knickte der Fuß weg und ließ mich immer wieder jodelnd zusammenbrechen. Meine Mitstreiter gewöhnten sich allmählich an meine „Weicheivorstellung", nur meinem Trainer, der „kalten Hand", ging die gelegentliche, unfreiwillige Show-einlage auf die Nerven. Nach Absprache mit dem verantwortlichen Arzt überwies man mich zu Prof. Dr. Erich an die Charité. Ein älterer, gestandener Mediziner, Fachgebiet chirurgische Orthopädie, mit den aus seiner Studentenzeit unvermeidlichen typischen „Schmissen" in dem sympathischen, aber vernarbten Gesicht.

Schon der erste kontrollierende Daumendruck ließ mich aufschreien. Nach mehrmaligen Versuchen, meinen lädierten Fuß durch Drehen, Ziehen und Verbiegen abzuschrauben, stand seine Diagnose unverrückbar fest: Abriss eines großen Teiles des lateralen Bandapparates des rechten Sprunggelenks und somit nur durch eine schnellstmögliche Operation reparabel. „Na schönen Dank auch!", dachte ich bei mir. Das wars dann.

Zwei Tage später bezog ich mein Quartier in der Reinhardstraße. Aufgeschlossen für alles Neue, und sei es manchmal unangenehm, wartete ich auf das Kommende. Mein Zimmergenosse war nur ein bisschen älter, aber kein Sportler, doch wir verstanden uns auf Anhieb. Leider war es sein letzter Tag im Krankenhaus, da er am folgenden Tag als geheilt entlassen werden sollte. Zeit genug, mir einige wichtige Informationen und Verhaltensmaßregeln zu vermitteln. Darüber war ich so glücklich, dass ich heute noch, nach fünfzig Jahren, eine aufrichtige Dankbarkeit verspüre.

Der erste Tipp betraf die Vorbereitungsphase zur Operation. Es war üblich, am Vorabend dem Delinquenten einen kräftigen Einlauf zu verpassen, damit er während des Eingriffs unter Äthervollnarkose nicht die Werkbank des Chirurgen vollkackt. Diese Prozedur musste man wohl oder übel über sich ergehen lassen. Allein die Vorstellung, dass ich vor einer vollkommen fremden Frau – es gab kein männliches Pflegepersonal auf dieser Station – die Hosen herunterlassen sollte, war schon schlimm genug. Aber dann, diese nach vorn gebeugte Haltung mit entblößtem Hintern und auseinandergezerrten Pobacken war demütigend! Das ängstliche Warten auf den alles entscheidenden Angriff auf meinen jungfräulichen Schließmuskel ließ mich erschauern. Wie sollte ich einem meiner empfindlichsten Körperteile klarmachen, dass da jetzt etwas reinmusste – ein Gummischlauch und zirka ein Liter laufwarmes Wasser, wo doch mein ganzes Leben lang nur etwas herauskam?

Mein Bettnachbar tröstete mich. „Alles halb so wild. Du musst nur sofort nach dem Einlauf die Toilette aufsuchen und dich einschließen und warten, bis nichts mehr geht. Dann bis du auf der sicheren Seite."

Auf meinen verständnislosen Blick berichtete er aus eigenem Erleben. Als er die rektale Wasserspülung nach etwa zehn Minuten nicht mehr länger halten konnte und aufs Klo rannte, saßen dort schon drei schadenfrohe Stationskameraden hinter verschlossenen Türen und warteten auf den Moment, wo sich des Himmels Schleusen öffneten.

Nur das nicht auch noch zu alledem davor, war sofort mein Gedanke und verdrängte etwas die Angst vor dem kommenden Eingriff in meine Intimsphäre.

Sein Tipp war Gold wert. Ich möchte nicht länger auf das delikate Vorspiel eingehen, ich habe es überlebt.

Kaum hatte ich mich nach dem Rückzug der Schwester in eine der Kabinen eingeschlossen, hörte ich schon schlurfende Schritte vom Gang her, die mir sofort signalisierten, hier wollten gleich mehrere Personen ihr Geschäft verrichten. Drei Klinken wurden heruntergedrückt, aber nur zwei Türen ließen sich öffnen. Ich spürte es förmlich durch die weiß gestrichenen Sperrholzwände, wie sich diese Männer verdutzt ansahen, um im gleichen Augenblick loszuwettern: „Mensch, Scheiße, der sitzt schon uffn Thron, der war schneller!" Mein erster klarer Gedanke nach der Sturzflut, die meinen hinteren Ausgang verlassen hatte, war, es ist nichts so schlimm, dass es nicht auch etwas Gutes hätte und sei es nur die gemachte Erfahrung.

Nachdem ich total ermattet aber glücklich wieder auf meinem Bett lag, kam der zweite Tipp von meinem Schlafkumpel: „Sobald die Schwestern mitbekommen, dass du nach der Operation keinen Stuhlgang hattest, bist du fällig." Dabei grinste er vielsagend. „Weil" – er dehnte das Wort unnötig lang – „dann kriegste wieder einen Einlauf." Nur das nicht noch einmal!

„Am besten, du besorgst dir noch gleich zwei Krücken, noch kannst'e laufen." Das war einleuchtend. Denn auf eine „Pfanne" hätten mich keine 100 Schwestern gebracht. Ich besorgte mir sofort zwei Gehhilfen, wie es in der Fachsprache heißt und versteckte sie in dem Federboden meines Bettes, indem ich sie dort festklemmte. Hier konnte sie keiner so schnell finden und das gab mir ein Gefühl von Unabhängigkeit. Das war für mich als Sternzeichen Wassermann von existenzieller Bedeutung. Die Schlacht konnte beginnen, ich war auf alles vorbereitet. Mal sehen, was der kommende Tag mir bringen würde.

Nach einer LMA-Tablette – steht für „Leck mich am A…!" – schlummerte ich selig ein.

Die diensthabende Schwester weckte uns mit einem freundlich gebrüllten „Guten Morgen die Herren" und schmiss mir eine Art Ketzerhemd aufs Deckbett mit dem Befehl „Schlafanzug aus – Hemd an!". Dazu ein Stück strumpfähnliche Binde, die an einem Ende verknotet war und mir von ihr persönlich über den Schädel gestülpt wurde.

In dieser Aufmachung sah ich einem Ketzer, der sich auf seinen Flammentod vorbereitet, nicht unähnlich.

Von nun an brauchte ich keinen Schritt mehr zu laufen. Zwei Männer in Weiß fuhren mich mit dem Bett zum Fahrstuhl. Dort war Umsteigen auf eine schon bereitstehende Trage angesagt. Aus dem Fahrstuhl in ein vor der Tür parkendes Krankenfahrzeug. Operiert wurde in einem anderen Haus, in der Scharnhorststraße. So etwas überstehen nur die Härtesten. Dann ging alles ratzfatz: Vorbereitungsraum, böse Spritze in den Arm, weg!

Und dann hatte ich einen Traum. Keinen schönen, eher einen Albtraum. Überall dicke, fette, schwere Wolken über mir. Sie senkten sich bleischwer auf meinen Körper herab. Mein Brustkorb sowie Beine und Arme wurden immer schwerer und schwerer, sodass ich zu ersticken drohte. Ich kämpfte wie ein Löwe. Aber komischerweise konnte ich meine Extremitäten nicht bewegen. Bleiern lag die wabernde Wolke auf mir. Dann riss der Film!

Nach kurzer Pause, so empfand ich es zumindest, wurde mir kalt. Ich begann zu zittern und wollte nachschauen, warum ausgerechnet mein rechter Fuß eiskalt war. Anheben war aussichtslos, weil irgendetwas mein Bein runterdrückte. Also unternahm ich den Versuch, den Oberkörper aufzurichten. Jetzt vernahm ich allerdings so etwas wie murmelnde Stimmen von ganz weit her und hörte meine, die sehr eigenartig klang, weil die Zunge beim Formen der Worte „Huhhu, kahahalt, maaein Fuus" nicht so richtig wollte, wie sie sollte. Langsam begann mein Bewusstsein auf Normalfunktion umzuschalten. Aber so recht wollte es noch nicht klappen. Wiederum kurzer Filmriss. Nun hörte ich aber deutlich eine Männerstimme, die behauptete: „Mensch ist der Kerl schwer!" Na klar, einen total schlaffen Körper vom Gipstisch auf die Trage herüberzuheben, auf der ich wieder im Krankenauto zur Reinhardstraße transportiert werden sollte, war schon nicht so einfach, zumal ich zu diesem Zeitpunkt in etwa 93 Kilogramm wog, trotz Einlauf! So richtig wollte meine Zunge immer noch nicht.

Als ich den beiden Kollegen vom medizinischen Personal klarmachen wollte, dass ich das schon alleine schaffe, klang es immer noch nicht viel besser. Also drehte ich mich kurzentschlossen auf die Seite. Mein Körper funktionierte anscheinend schon besser als die Zunge. Dann kroch ich unter dem Protest der Begleiter mit hocherhobenem nackten Hintern und Schlauchbinden-Zipfelmütze auf dem Kopf auf die bereitstehende Trage. Wider Erwarten lieferte man mich, ohne gebrochenen Gips oder gar Knochen, wohlbehalten auf meiner Station ab. Schmerzen hatte ich beim endgültigen Aufwachen kaum. Nur der Schädel brummte etwas und entgegen aller Unkenrufe musste ich mich nach dem Verzehr von vier dünnen Schnitten, die ich am folgenden Tag zum Frühstück bekam, auch nicht übergeben. Sicherheitshalber hatte mir eine besorgte Schwester doch eine Nierenschale auf den Nachttisch gestellt. Äthernarkosen hatten damals so ihre Besonderheiten.

Während mein Innerstes dankbar den Speisebrei aufnahm und vor Freude knurrte und gluckerte, öffnete sich für einen kurzen Moment die Zimmertür, um sofort wieder geschlossen zu werden. Es reichte mir aber, um das narbige Gesicht meines Operateurs Dr. Erich zu erkennen. Vorsichtig wurde die Klinke wieder nach unten gedrückt und nun kam er sachte und schmunzelnd zu mir ans Bett. „Na, hast du dich wieder beruhigt?", meinte er fragend. Ich wusste damit nicht so richtig etwas anzufangen. Daraufhin berichtete er von einem Phänomen, welches er in seiner langjährigen Praxis noch nicht erlebt hatte. Nachdem man mich narkotisiert hatte und den ersten Schnitt tat, wurde mein vermeintlich tief schlafender Körper schlagartig rebellisch. Ich musste fürchterlich auf dem OP-Tisch getobt haben, denn er sprach von einem zerrissenen Riemen und dass sich das gesamte OP-Team auf mich gestürzt hätte, um meinen tobenden Korpus zu bändigen. Eine große Menge Äther wurde also nötig.

Danach hatte man mir die gerissenen Bänder des Sprunggelenks mit einer Primärnaht zusammengeflickt und er war angeblich froh, dass alles letztendlich doch glimpflich verlaufen sei. Allerdings, und hier machte der Doktor eine kurze Pause und sein freundliches Gesicht wurde um eine Winzigkeit ernster, müsste ich, sollte ich noch einmal irgendwann operiert werden, unbedingt ansagen, dass ich überaus schmerzempfindlich sei. Er wollte damit vermeiden, dass es seinen Kollegen eventuell genauso ergehen könnte wie ihm.

So recht begriff ich das Ganze noch nicht, was er auch bemerkte. Ich dachte, Schmerz ist Schmerz und alle Menschen empfinden ihn gleich. Daraufhin meinte er: „Du musst dir vorstellen, einer bekommt eine kräftige Ohrfeige, du aber gleich zwei im Doppelpack." Soweit zum Thema Weichei! Als er sich verabschiedet hatte und ich alles noch einmal Revue passieren ließ, wurde mir auch klar, was mein Traum zu bedeuten hatte. Die Wolke, die sich lähmend über mich ausbreitete und mir die Luft nahm, war das OP-Personal, welches krampfhaft versuchte, mich am Fliehen zu hindern.

Das wäre also geklärt, blieb nur noch das Problem Nummer zwei.

„Herr Hennig, hatten Sie schon Stuhlgang?" Diese Frage wollte ich ehrlichen Herzens und aufrichtig mit ja beantworten können. Vorbereitung hatte ich schon getroffen. Der Griff unter das Bett in die Stahlfedern war das erste, was ich machte als ich wieder einigermaßen klar denken konnte. Sie waren noch da, meine Krücken und nun galt es, nur den richtigen Moment abzupassen. Meine Operation lag in etwa 24 Stunden hinter mir. Es musste sein – koste es, was es wollte. Nichts und niemand sollte mich aufhalten können.

Langsam kehrte Ruhe ein auf dem Gang vor meinem Zimmer. Die Nacht senkte sich langsam über die Stadt und die Geräusche, die eben noch laut und deutlich zu hören waren, klangen jetzt gedämpft und wie in Watte gepackt. Mein Plan stand fest. Zuerst musste ich die Gehhilfen in meinen Händen halten und das war gar nicht so einfach. Also vorsichtig hinsetzen und die Beine baumeln lassen. Hier fing schon das erste Problem an. Der operierte Fuß, der in dem unförmigen Gipsklumpen steckte, hatte plötzlich das Gefühl, eine 25-Kilo-Kugel tragen zu müssen. Die Zehen verfärbten sich in kürzester Zeit und wurden dunkelblau vom Feinsten. Mein Kreislauf fuhr Achterbahn und es dauerte einige Zeit, ehe er sich stabilisiert hatte. Jetzt sachte auf das linke Bein stellen, ausbalancieren, Matratze anheben und die erste Krücke freilegen. In meinem rechten Fuß begann etwas zu hämmern und zu bohren. Aber es fehlte noch die zweite Stütze. Also, Zähne zusammenbeißen, rum um das Bett, welches mir jetzt doppelt so groß erschien, Matratze hoch, Krücke raus und schon lag ich auf dem Rücken. Gott sei Dank in meinem Bett! – und pumpend nach Luft schnappend wie ein abgestürzter Maikäfer. Zweifel stieg in mir auf, dass mein Vorhaben gelingen könnte. Langsam beruhigte sich das Klopfen und Bohren, die Zehen nahmen annähernd ihre normale Farbe an und ließen mich hoffen, Problem zwei auch erfolgreich zu bewältigen. Während ich beim Schein der kleinen

Nachtlampe das weitere Vorgehen durchdachte, machte ich eine Feststellung, die mich doch leicht verwirrte. Was wollte ich da eigentlich zur Toilette bringen? Ich hatte am Vorabend der OP dank des Klistiers alles rausgespült. Frühstück bekam ich davor auch keines, also was soll das Ganze?

Die kleine boshafte Stimme in meinem Hinterkopf, die mich seit Bekanntwerden dieses unangenehmen Themas in Abständen immer wieder daran erinnerte, meldete sich sofort wieder: Na, aber wenn sie dich trotzdem fragt?" Ich gab nach.

Entschlossen setzte ich mich auf, schob vorsichtig beide Beine über die Bettkante, griff mir meine Krücken und humpelte im Dreipunktgang zur Tür, um sie sachte zu öffnen. Der Korridor lag fast im Dunkeln und wurde nur durch den schwachen Schein der Schreibtischlampe aus dem Schwesternzimmer in ein gespenstisches Licht-Schattenspiel verwandelt. Immer dann, wenn die Diensthabende sich vor der Lichtquelle bewegte, geisterten die verrücktesten Schatten über die Wände. Ab und zu drang ein kurzer Schnarcher oder ein langgezogenes Stöhnen aus einem der Nachbarzimmer. Sonst war nichts zu hören. Das Ziel meiner Begierde lag weit hinter dem Behandlungsraum am Ende des langen Flurs. Ich musste wohl oder übel an der hell erleuchteten Türöffnung vorbei. Würde sie mich bemerken, so kurz nach der OP auf dem Weg zum Klo, wäre der Teufel los. Zur Strafe hätte ich sicher auf die Bettpfanne gemusst. Da könnte ich gleich ins Bett kacken. Nein, nein, mein Ziel war, unbemerkt das WC zu erreichen. Ich wusste nicht, was lauter klopfte, mein aufgeregtes Herz oder der Puls im operierten Fuß, als ich an dem erleuchteten Raum vorbeihumpelte. Der Nachtengel in Weiß saß mit dem Rücken zu mir und bemerkte nichts. Geschafft! Zitternd ließ ich mich auf die Brille gleiten. Ich brauchte mir noch nicht einmal die Hose runterzulassen, da ich immer noch mein „Sünderhemdchen" anhatte.

Mein Fuß begann, mir echt Probleme zu machen. Nun hatte ich endlich mein Ziel erreicht und konnte doch nicht so einfach aufhören, so mittendrin aufgeben. Mühsam hob ich mein rechtes Bein hoch und legte die plumpe

Gipsferse auf die Türklinke. Das brachte dem Fuß zwar die gewünschte Erleichterung, aber hat schon jemand mal in dieser Haltung versucht, sein großes Geschäft zu verrichten? Da war sie wieder, diese kleine, boshafte Stimme: „Du musst drücken, ganz dolle! Was ist, wenn Sie dich morgen früh fragen?"

Ich kann beim besten Willen nicht mehr sagen, wie lange ich dort in dieser Position verbracht habe, sicher eine kleine Ewigkeit. Es war mir jedoch schließlich gelungen, die vier Schnitten vom Frühstück, den Möhreneintopf vom Mittag sowie das trockene Stück Streuselkuchen zum Kaffee so komprimiert und in die Größe eines Schokoriegels gepresst aus meinem gequälten Körper zu drücken, dass ich mir hinterher einbildete zu wissen, wie schmerzhaft eine Steißgeburt sein konnte. Irgendwie kam ich wieder in mein Bett, ohne die Aufmerksamkeit der Schwester zu erregen. Mein gemarterter Körper zerfloss regelrecht vor Erschöpfung und Müdigkeit. Mein malträtierter Fuß beruhigte sich spürbar und kurz bevor ich mich selig in Morpheus' Arme sinken ließ, vernahm ich wieder diese Stimme im Hinterkopf: „Siehst du, hast du fein gemacht. Wenn sie dich morgen früh fragen, ob du oder ob du nicht, kannst du ganz ruhig und ehrlich sagen – *ja ich hatte!*"

Sicherlich umspielte ein glückliches und zufriedenes Lächeln meine Mundwinkel, als ich sanft entschlummerte.

Ich bin bestimmt kein Weichei!

37. Alles Vaters Schuld

In unserer Familie wurde sehr viel gelesen, das hatte ich irgendwo in einer kleinen Geschichte schon erwähnt. Es war prägend für mich und meine spätere Entwicklung. Der Stolz unseres Vaters war seine „Bibliothek", wie er zu sagen pflegte. Das hörte sich vielversprechend an, war aber letztendlich nur ein wunderschöner alter Bücherschrank, in dem allerdings seine Schätze in Zweierreihen standen. Garantiert hätte die versteckte zweite Reihe einen weiteren Schrank von gleichem Ausmaß gefüllt.

Erstaunlich, wie breitgefächert der literarische Geschmack unseres alten Herrn war. Während sich in der obersten Reihe die deutschen Klassiker drängelten, nahmen auch die französischen Romanschriftsteller wie Zola oder Guy de Maupassant sowie deren Landsleute aus dem Bereich der Philosophie einen beträchtlichen Platz ein.

Respekteinflößend standen die gesammelten Werke der Weltgeschichte von Leopold von Ranke in einer strammen Reihe mit einigen Bänden der Pflichtliteratur, die in keinem sozialistischen Haushalt fehlen durften: Marx, Engels, Lenin! Aber auch sämtliche Bücher unseres Hauspoeten Ehm Welk fanden ihren Platz.

Jaroslav Hašeks „Der brave Soldat Schwejk" blieb mir als besondere humoristische Kostbarkeit im Gedächtnis. Diesem Schelm verdankten wir manche heitere Stunde an kalten Winterabenden, wenn unser Vater daraus vorlas.

Bemerkenswert, wie sehr mir schon damals diese Romanfigur gefiel, deren versteckter Humor mich faszinierte und ein Leben lang begleitete.

Jedoch ganz oben auf meiner „Bestsellerliste" standen zwei in Kalbsleder gebundene, abgegriffene handgedruckte Exemplare des Johann Georg Leuckfeld und seines Verlegers Gottfried Freitag aus dem Jahr 1709.

Es war nicht so sehr der schwer lesbare Text dieser dicken Wälzer, der mich begeisterte, sondern eher der wer weiß durch wie viele Hände abgewetzte Einband mit dem wunderschönen Golddruck auf seinem betagten Rücken.

Erst später als pubertierendem Burschen brachte mir unser Vater den Inhalt dieser in altdeutscher Sprache gedruckten Kostbarkeiten näher.

Es war ein Riesenspaß, wenn Vater in dieser geschwollenen und für mich vorsintflutlichen Sprache fabulierte.

Ein Erlebnis ist mir noch in guter Erinnerung.

Wir saßen beide im Burggarten des Schweriner Schlosses unter einer gewaltigen Rotbuche. Vater, inspiriert durch die aristokratische Umgebung, lief zur Höchstform auf und war nicht mehr zu bremsen.

Der Burggarten wurde unser Garten und auch das Schloss gehörte zu unserem Besitz. Selbstverständlich auch der riesige, im Sonnenschein silbern glitzernde Schweriner See, auf dem sich die weißen Segel der Boote wie auf der Wasseroberfläche treibende Daunenfedern eines Schwans tummelten. Die wenigen Besucher, die zu dieser frühen Stunde ab und zu auftauchten, wurden von ihm in das amüsante Spiel einbezogen, ohne dass sie etwas davon merkten.

Sie wurden Dienstmägde und Lakaien, waren Boten des Königs oder andere Gestalten unserer ausufernden Fantasie. Mir begann es, Spaß zu machen, es meinem Vater gleichzutun. Worte und Sätze zu formulieren, die mir aus eben diesen beiden uralten Zeugnissen der Buchdruckkunst bekannt waren. Anscheinend hatten wir es letztendlich doch etwas übertrieben. Denn als wir uns von der Bank erhoben um weiterzuspazieren, krachte es, kaum dass wir einige Schritte gegangen waren, laut hinter uns.

Ein etwa oberarmdicker trockener Ast war auf die von uns soeben verlassene Bank gepoltert. Von wegen, dass sich nur die Balken biegen, wenn man lügt. Wir hatten es sogar geschafft, dass ein Ast beträchtlichen Umfanges abbrach. Nicht auszudenken, wie es uns ergangen wäre, wenn wir noch einige Lügen und Spinnereien drangehängt hätten!

Nun aber zum eigentlichen Teil dieser kleinen Geschichte:

Es ist der Herbst 1962, im Speisesaal des SC-Dynamo-Internats in der Hauptstadt der Deutschen Demokratischen Republik. Die Sommersportarten hatten alle Höhepunkte mehr oder weniger erfolgreich hinter sich gebracht. Grund genug für den 1. Vorsitzenden der Sportvereinigung Dynamo und Minister für Staatssicherheit, Genossen Erich Mielke, alle seine Schäfchen um sich zu scharen und sich in Glanz und Gloria zu sonnen.

Das war etwas für mich, das Umsiedlerkind aus Schwerin oder wie es auch auf der anderen Seite der Elbe hieß, den heimatvertriebenen Jungen.

Hatte sich doch mein großer Traum erfüllt. Ich war in beängstigend kurzer Zeit in einem der leistungsstärksten Sportclubs der DDR vom Judoanfänger zum hoffnungsvollen Nachwuchstalent herangewachsen und hatte mit meinem Kollektiv einen tollen Griff gemacht. Mit Karl N. und Otto S. hatten wir einen Europameister und einen Vizeeuropameister in unseren Reihen, wodurch auch ein klein wenig Ruhm auf meine noch verhältnismäßig schmalen Schultern fiel. Schließlich war ich Trainingspartner und damit beteiligt am Erfolg beider.

Nun war es üblich, dass der Genosse Minister und 1. Vorsitzender der Sportvereinigung Dynamo die erfolgreichsten Sportler bzw. Mannschaften zu sich nach vorn zitierte, um noch einmal ganz hautnah seine Verbundenheit mit den besten und sportlichsten Töchtern und Söhnen der Arbeiter- und Bauernmacht zu demonstrieren. Stolz schritt ich mit meinen Kameraden, nachdem wir uns mühselig durch die engen Sitzreihen gedrängt hatten, zu unserem Minister, der uns zu einem viel späteren und absolut unpassenden Zeitpunkt erklärte, dass er uns doch alle lieb habe.

Aber zunächst hielt er erst einmal eine markige Brandrede, in der er allen Anwesenden das Gefühl von großem Stolz und noch größerem Triumph vermittelte. Hatten sich doch meine Judokumpel bei den Europameisterschaften im bundesrepublikanischen Essen als Speerspitze im Kampf gegen den westdeutschen Imperialismus bewiesen und damit dem politischen Gegner, der nun hoffentlich begriffen hat, dass mit uns nicht gut Kirschen essen ist, einen empfindlichen Schlag versetzt. Also einen Schlag mitten in das feiste Antlitz der nimmersatten kapitalistischen Bestie. Wow – und ich hatte beim Wetzen und Schleifen der Speerspitze helfen dürfen! Ist es verwunderlich, dass mir in diesem Moment das Herz überlief und die Blutzufuhr zum Gehirn abrupt unterbrochen wurde?

Als der Beifall, der selbstverständlich stürmisch und langanhaltend war, nicht enden wollte, der Genosse Minister aber längst noch nicht alles gesagt hatte, klopfte er abermals energisch an sein halbgeleertes Glas. Allmählich trat Ruhe ein. Dieser Moment gehörte mir. Es war just der Zeitpunkt, wo mein Hirn den verzweifelten Versuch unternahm, sich mit Sauerstoff angereichertem Blut zu versorgen, dann aber aufgab, um neidlos den größeren Teil im Bauch- und Brustbereich kreisen zu lassen. Ich stand unmittelbar neben Mielke!

Urplötzlich saß ich in Gedanken mit unserem Vater auf der Bank im Burggarten. Zu allen sonstigen Statisten meiner Fantasie gesellte sich gerade in diesem Moment auch noch ein echter Minister. Dazu einer, der für die Sicherheit unseres Staates verantwortlich zeichnete. Wie aus weiter Ferne hörte ich mich mit höflichen, aber ach so geschwollenen Worten sagen: „Genosse Minister sind ein vorzüglicher Xylophonist."

Wie in Zeitlupe, mit in etwa 2500 Bildern in der Minute, drehte er sein rundliches, feistes Gesicht in meine Richtung, maß mich von oben bis unten mit einem verwunderten und kühlen Blick, wobei ihm das Nach-oben-Schauen fast schon körperliche Schmerzen zu bereiten schien.

Hatte ich ihm mit meiner zugegeben blöden Bemerkung so aus der Fassung gebracht oder wusste er mit dem Xylophonisten nichts anzufangen?

Es soll wirklich Menschen geben, die nicht wissen, was ein Xylophonist ist. Ein Xylophon ist ein Idiophon, kommt aus dem Griechischen und bedeutet Holz und Stimme bzw. wenn man von einem Idiophon spricht, handelt es sich um ein sogenanntes selbstklingendes Instrument. Ich nahm also an, dass ein Minister weiß, was ein Xylophon ist und wenn ich ihn auch noch lobpreise, dass er ein vorzüglicher Xylophonist ist, dann war das schon eine gewaltige Anerkennung. Anscheinend fiel es nicht auf fruchtbaren Boden.

Obwohl sich unsere Wege im Laufe vieler Jahre immer wieder kreuzten, verriet er mir nie, was er damals gedacht hatte.

Ich muss annehmen, dass er mich seit diesem kleinen, nichtigen Moment auf die Liste der zu kontrollierenden Personen setzen ließ. Einige Erlebnisse in Folge veranlassten mich, es anzunehmen. Es gelang mir nicht, ihn in all den Jahren von meiner Harmlosigkeit zu überzeugen. Immer wieder versuchte er, diesen nachgemachten „braven Soldaten Schwejk" unter Kontrolle zu bekommen und immer wieder wurde nichts daraus. Aber das sind wieder andere Geschichten.

38. Diplomat im Trainingsanzug

Es hatte sich etwas getan in meinem Leistungssportlerleben. Dem anfänglich beglückenden Höhenrausch folgte ein verhältnismäßig steiler Sinkflug. Nicht, dass mich das tägliche Trainingspensum, was wirklich hart war, besonders genervt hätte. Es waren die äußeren Umstände, die meinen Wunsch, zurück nach Schwerin in den Schoß der Familie zu kehren, immer stärker werden ließen.

Den Weg dorthin hatte ich mir allerdings selbst versperrt, indem ich mich mit einer Unterschrift verpflichtete, drei Jahre meinen Ehrendienst abzuleisten. Den brauchte ich nicht mit der Waffe in der Hand anzutreten, sondern nach bestandener Probezeit war ich Soldat des Wachregiments Felix Edmundowitsch Dzierzynski.

Aus Mangel an Planstellen bei der Polizei wurde ich der erste und für kurze Zeit einzige Feldgraue unter Grünröcken, da große Ereignisse ihre Schatten bereits vorauswarfen. So war es nur eine Frage der Zeit, bis alle meine Judokameraden ebenfalls von Grün zu Grau wechselten.

Unserem allseits geliebten 1. Vorsitzenden des SV Dynamo und Minister des MfS, Erich Mielke, war an einem grauen, regnerischen Nachmittag die grandiose Idee gekommen, seinen eigenen kleinen Club zu besitzen. Dazu brauchte er keine Sportarten wie Turmspringen, Federball oder gar künstlerische Gymnastik. Nein, es mussten Disziplinen sein, mit denen man die militärische Überlegenheit der sozialistischen Armee auch kraftvoll zum Ausdruck bringen konnte.

Das waren als erstes die Schützen. Ihnen folgten die militärischen Fünfkämpfer, die Allrounder unserer Diensteinheit, während die Reiterei sich auf das Überspringen von Hindernissen konzentrierte. Danach kamen die Fallschirmer, die man wahrscheinlich aus übertriebener Vorsicht nach Eilenburg ausgelagert hatte, die aber dennoch zu unserer Diensteinheit gehörten.

Der antifaschistische Schutzwall, der Berlin-West eisern umklammerte, machte diese Extrawurst notwendig, da bei ungünstigem Wind das Abdriften in eben diese Lufthoheit gedroht hätte.

Bis dahin alles verständlich, denn die Genossen, in diesem Fall sogar „der Genosse", mussten wissen, was richtig ist.

Allerdings frage ich mich bis zum heutigen Tag, warum ausgerechnet meine Sportart daran glauben musste?

Es gab doch noch andere, für die die Bezeichnung Kampf eher infrage kam. Zum Beispiel Boxen oder Ringen. Die prügelten und knautschten sich schon zu den Olympischen Spielen der Altzeit herum! Also was sollte das?

Da war Judo letztendlich so gut wie ohne Tradition. Erst ein deutscher Professor hat ausgerechnet in Japan um die Jahrhundertwende für die damals studierenden und verweichlichten Eliteasiaten aus den verschiedensten Kampfstilen Nippons diesen, unseren Sport entwickelt.

Judo – die sanfte Kunst der Verteidigung. Hatte man uns nicht in jeder Stunde Politunterricht versucht klarzumachen, den Klassenfeind, egal wo wir auf ihn treffen würden, mit aller Härte zu bestrafen? Wahrscheinlich lag es an meiner Jugend, dass ich es nicht so recht begreifen konnte. Dieses Nicht-begreifen-Können oder -Wollen sollte mein ständiger Lebensbegleiter werden.

Auch jetzt habe ich noch viele offene Fragen, die mir keiner beantworten kann. Zum Beispiel fehlt mir heute jegliches Vertrauen, welches ich damals zeitweise in Partei und Regierung hatte. Aber ich schweife ab.

Wir mussten also unser Ränzlein schnüren und wurden nach Berlin-Hoppegarten ausgesiedelt, nicht ohne dass uns vorher gedroht wurde, dass von nun an ein anderer Wind wehen würde. Was auch immer das heißen sollte, soweit begriff ich es: Kasernierung, Uniform und dem Ministerium für Staatssicherheit unterstellt. Das alles war nicht mein Ding!

Immer wieder musste ich an die Worte meines Vaters denken: "Die beste Uniform ist ein maßgeschneiderter Zivilanzug!" Klar musste ich auch im Elternhaus gewisse Richtlinien des Zusammenlebens einhalten. Aber ich kann mich beim besten Willen nicht daran erinnern, dass ich jemals einen Ausgangsschein beantragen musste, um unsere Wohnung zu verlassen oder Ausgangsverbot bekam für einen nicht aufgeräumten Schrank. Das war offener Strafvollzug! Was mich jedoch am meisten beschäftigte, war dieses – „dem Ministerium für Staatssicherheit unterstellt". Das war für mich eine massive Drohung!

Auch die beruhigenden Worte unseres weisen Vaters konnten nicht viel daran ändern, als er meine Frage nach einem eventuellen Machtwechsel mit den Worten wegwischte: Dieser Gedanke sei abwegig und das würde nie passieren.

Entweder hatte ich als so junger Kerl ein wahnsinnig gutes Bauchgefühl oder Vater, der ja immerhin das dritte Reich erlebte und überlebt hatte, hatte etwas verwechselt. Von wegen Tausendjähriges Reich!

Was musste ich jetzt tun, um den Schaden zu begrenzen? Schnell hatte ich mitbekommen, dass meine verheirateten Kameraden außerhalb wohnen durften, sofern sie den entsprechenden Wohnraum nachweisen konnten. Der folgerichtige und im Nachhinein etwas überhastete Schritt war die schnellstmögliche Verlobung mit meiner ersten richtigen Freundin. Das war nicht so ohne Weiteres hinzubekommen. Verlobung musste sein, um zu demonstrieren, wie ernst man das Problem anging. Also mussten Ringe her! Und zwar echte Goldringe und nicht nur Goldmantelschmuck, wie sie aus Mangel an wertvollen Rohstoffen in der DDR zum großen Teil üblich waren.

Dank der Hilfe meiner Eltern klappte es besser, als ich vermutet hatte. Sie unterstützten mich mit dem ausgedienten Ehering unseres verstorbenen Großvaters. Die Eltern meiner Braut waren spürbar froh, dass ihre er- wachsene Tochter endlich aus der gemeinsamen Zweiraumwohnung aus- ziehen wollte und spendierten ihr einen „güldenen Dukaten" mit dem Konterfei Kaiser Wilhelms. Beide zusammen, also Ring und Münze, wur- den eingeschmolzen und dank des Könnens eines Goldschmiedes in zwei stabile 585er Verlobungsringe gegossen. Problem eins war gelöst, na, nicht so ganz! Denn unser alter Herr hatte mich, nachdem ich ihm während einer

Dienstreise, die ihn nach Berlin führte, meine zukünftige Frau vorstellte, in einem stillen Moment unter vier Augen gewarnt: „Das ist keine Frau für dich, mein Junge!" Erfahrungen kann man nur begrenzt vermitteln, man muss sie machen. Außerdem hatte ich ein Ziel – raus aus dem Knast und eine kleine Wohnung so weit weg von Hoppegarten, wie nur möglich.

Auch dieses Problem sollte gelöst werden und schneller, als ich zu hoffen gewagt hatte. Der Sponsor war kein geringerer als der Widerstandskämpfer und Oberst der Volkspolizei, Genosse Helmut W., der sich immer wohl-fühlte, wenn er bei den Volleyballerinnen, denn so eine war meine Ver-lobte, zu einem wie auch immer gegebenen Anlass auftauchte. Zur richtigen Zeit am rechten Ort, große Kulleraugen gemacht und dann die fast maßlose Bitte an den greisen Oberst herangetragen.

Der Mut und die Entschlossenheit, mit welcher ihm der innigliche Wunsch ans Herz gelegt wurde, veranlassten ihn, meiner damaligen Braut den selbigen umgehend zu erfüllen.

Keine vier Wochen später waren wir „Prenzelberger".

Ein Haus vor dem Sperrgebiet, Seitenflügel, 1. Hinterhof, 1. Etage, ein Zim-mer mit Küche und Toilette.

Um in die Wohnung zu gelangen, durften wir sogar die Treppe des Vorder-hauses benutzen. Problematisch wurde nur der Gang zur Toilette. Diese lag eine halbe Etage höher auf der anderen Seite des Hausflurs und man ver-kniff es sich bis zuletzt, den Thron der Väter aufzusuchen. Der Vormieter, ein alter Herr, der in diesen vier Wänden sein Leben aushauchte, hatte das „kleinere Problem" immer auf seine Weise gelöst. Da das Waschbecken in der Küche eher einem gusseisernen Pinkelbecken ähnelte, erfüllte es für ihn eine Doppelfunktion. Deutlich zu spüren bekam man es erst, wenn im Hochsommer die Hitze groß wurde und sich ein schweres Gewitter an-kündigte. Dann stieg aus allen Abflüssen dieser alten Mietskaserne ein beißender und ätzender Uringestank.

Wahrscheinlich hatten schon Generationen davor den gleichen Gedanken wie der betagte Vormieter unserer kleinen Wohnung. Egal, mein „Ausbruch" war auf der ganzen Linie geglückt! Punkt 2 konnte als erledigt abgehakt werden. Wo ein Wille ist, ist auch ein Weg bzw. der Zweck heiligt die Mittel.

Der lange Anfahrtsweg zum täglichen Training war das kleinere Übel. Schlimmer war nur, dass wir, die in der Freiheit wohnten, ihn in unserer feldgrauen, kratzenden Uniform zurücklegen mussten. Mag es für viele ein mit Stolz getragenes Ehrenkleid gewesen sein, das will ich keinem absprechen, aber in Berlin-Ost lag das Ganze ein klein wenig anders. Für einen großen Teil der Bevölkerung waren wir nicht die Beschützer, sondern die Bewacher.

Es hätte noch nicht einmal geholfen, denen zu erklären, dass ich Leistungssportler bin und mein Kampfauftrag lediglich diplomatischen Charakter trug. War ich doch bevorteilt, weil ich manchmal reisen durfte, wenn es hoch kam, sogar ins westliche Ausland. Außerdem hätte es auch keinen interessiert, dass ich monatlich in etwa 450 Mark der DDR verdiente und das als Familienvater und Einraumwohnungsbesitzer mit Außentoilette.

Genauso wäre mein Jammern auf taube Ohren gestoßen, hätte ich versuchen wollen, unseren familiären Neuzugang und die damit verbundenen kommenden Probleme als Druckmittel zu benutzen. Der normale Wohnungsmarkt kam für mich sowieso nicht infrage, da ich Staatsdiener war und den obligatorischen Dienstweg einhalten musste. Da sieht man, alles Gute ist nie beisammen! Also, was soll es? Augen zu und durch!

Die Jungs meiner Mannschaft, die im Objekt lebten, trugen weitaus seltener ihren Ehrenrock. Das lag daran, dass sie tagsüber in den Trainingsklamotten herumturnten und hatten sie rechtzeitig einen Schein beantragt, betrug der Weg, den sie in Uniform zurücklegten, etwa 50 m. Das war die Entfernung bis zu dem Dickicht, in dem die Zivilgarderobe fein säuberlich in einer Plastiktüte versteckt lag. Die Genossen des Wachpersonals waren echte Soldaten aus dem Wachregiment und wechselten vierundzwanzigstündlich. Nach kurzer Zeit verfielen sie jedoch dem gleichen Schlendrian, der unseren Kommandeur und seinen Schatten, den Stabschef Adamski, zur Weißglut brachte. Es genügte schon der Satz „Ick jeh mir nur mal 'ne Milch aus'm Konsum holen" und man war draußen. Direkt auf der anderen Straßenseite lag besagte Verkaufsstelle. Es fiel also keinem auf, wenn man über einen kleinen Umweg zuvor an einer nicht einsehbaren Stelle den über den Stacheldrahtzaun geworfenen Beutel im Gebüsch versteckte.

Na gut, dafür waren wir „Berliner" nach Verlassen des Clubs so gut wie außer Kontrolle.

Aber, wie ich schon erwähnte, es wurde immer enger in unserer kleinen Behausung. Es war abzusehen, dass es früher oder später echte Probleme geben würde.

Da sich in meiner sportlichen Laufbahn schon etwas bewegt hatte und ich sogar schon auf eine Medaille bei den Europameisterschaften in Luxemburg verweisen konnte, lag es nahe, dass ich vorsichtig den Versuch unternahm, uns für eine etwas größere Wohnung anzumelden. Natürlich streng den sogenannten Dienstweg einhaltend. Dass das sehr steinig werden sollte, stellte sich im Nachhinein heraus. Nur über die Länge war ich mir nicht so recht im Klaren. Es musste ihn aber geben, diesen Weg, denn wie ich beobachten konnte, führten sogar mehrere dahin. Mein jetziger eingeschlagener Pfad schien eine Sackgasse zu sein. Denn immer wieder bekam ich zu hören: „Bringe du erst einmal Leistungen!" Ja, was war das dann wert, was ich bisher geleistet hatte?

Mein letzter, aber frontaler Angriff vollzog sich in unserer Clubsauna. Auch unser Kommandeur und Leiter, Genosse Major König, mischte sich ab und zu gerne unter das Fußvolk. Weniger, um seine Zugehörigkeit zu demonstrieren, sondern mehr, um sein schlechtes Gewissen zu beruhigen. Milde ausgedrückt, er war etwas übergewichtig und beanspruchte deshalb den doppelten Platz neben dem bei jedem Aufguss bullernden Karkowska-Saunaofen.

Kluge Finnen sollen wichtige Entscheidungen nur in der Sauna treffen, hatte ich irgendwo gelesen. Na gut, ich bin kein Finne, aber das mit der Sauna leuchtete mir irgendwie ein. Also fragte ich so ganz nebenbei unseren Leiter, der eingeengt und ohne Fluchtmöglichkeit in seiner Lieblingsecke saß, ob sich denn schon etwas wegen meines sich auf dem Dienstweg befindenden Wohnungsantrags getan habe. Die Antwort hätte er sich sparen können: „Bring erst einmal Leistungen und vor allem, halte den Dienstweg ein."

Über so viel Borniertheit war ich dann doch ein bisschen erbost. Na, dann muss ich wohl doch an Walter Ulbricht schreiben. Ein allgemeinüblicher Spruch unserer Zivilbevölkerung, der manchmal ganz versteckte Türen öffnen konnte. Unser Chef amüsierte sich königlich, was sicher an seinem Namen lag.

Eine Woche später flogen wir mit der Nationalmannschaft nach Georgien. Zuvor hatte ich allerdings den angekündigten Brief verfasst und ihn per Einschreiben an den Ersten Sekretär des Zentralkomitees der Sozialistischen Einheitspartei Deutschlands und Staatsratsvorsitzenden, Genossen Walter Ulbricht, abgesandt, wobei es kompliziert war, diese Adresse auf das kleine Kuvert zu bekommen.

Unterfeldwebel Hennig war außer Kontrolle geraten!

In dem Bittschreiben gab ich meiner Hoffnung Ausdruck, wenn der Genosse Ulbricht nicht persönlich diesen Brief lesen sollte, wobei ich vollstes Verständnis für seine aufopferungsvolle Tätigkeit habe, dann vielleicht doch einer seiner kompetenten Mitarbeiter.

Ich bat höflich darum, die auf mich zukommenden Probleme etwas zu entschärfen und mir bei der Beschaffung eines etwas großzügigeren Wohnraums behilflich zu sein. Der letzte Satz lautete: „Unser leider zu früh verstorbener Präsident Wilhelm Pieck sprach von Sportlern als Diplomaten im Trainingsanzug. Ich fürchte, dass ich unter den bisherigen Wohnbedingungen meine diplomatische Mission nicht mehr erfüllen kann. Hochachtungsvoll und mit sozialistischem Gruß. Ihr K. Hennig."

Zufrieden mit meiner literarischen Leistung und ganz besonders mit dem letzten Satz trat ich die Reise in den Kaukasus an, nicht ahnend, dass ich den kürzesten Weg gefunden hatte.

Fünf Tage später:

Das Leben in einem militärisch ausgerichteten Sportclub steckt voller Überraschungen. Kaum hatte ich nach meiner Rückkehr aus Stalins Heimat das Objekt betreten, erhielt ich an der Wache die Nachricht, sofort beim Kommandeur zu erscheinen. Es brauchte nicht viel Zeit zu begreifen, weshalb ich antanzen sollte. Schon auf dem langen Gang zum königlichen Hauptquartier erkannte ich, es herrschte Kriegszustand. Keine drei Sekunden später hatte ich auch begriffen, dass ich der Auslöser sein musste, denn mein Name fiel mehrmals hintereinander und im Zusammenhang mit „bodenlose Frechheit", „Walter Ulbricht" und „Bestrafung". Da die Kompetenz zur Bestrafung Walter Ulbrichts nicht zu den Machtbefugnissen unseres Kommandeurs gehörte, musste der zu Bestrafende demzufolge ich sein. Außerdem erkannte ich bei den kläglichen Versuchen, sich zu rechtfertigen, die Stimme meines Trainers. Versager bei der Erziehung sozialistischer Persönlichkeiten war noch das humanste, was er zu hören bekam.

Nichts war in diesem Moment wichtiger für mich, als mir in der verbleibenden Zeit bis zu meinem Zusammenschiss eine Verteidigungsstrategie auszudenken. Sie wurde ein voller Erfolg.

Die große Leidenschaft unseres Clubleiters bestand neben Essen und Trinken darin, nicht die Hoffnung aufzugeben, aus diesem undisziplinierten Gammelhaufen von nicht talentierten Komikern eine wirklich straffe militärische Diensteinheit zu formen. Selbst aber schlenderte er, die Hände bis zu den Ellenbogen in den Hosentaschen, in ausgebeulten und wegen seines üppigen Bauches bequemen Flanellhosen über den Hof. Während eine abgewetzte, alte, ehemals schwarze Lederjacke nur mühsam seine Problemzone kaschierte, saß ein ebenso speckiges Etwas als Kopfbedeckung auf seinem Quadratschädel. Dazu fällt mir nur ein: „Wie der Herr, so's Gescherr." Das war sein wunder Punkt. Hier musste es mir gelingen, ihn zu packen.

Die Sekretärin hatte mich bereits mitleidig gemustert, als ich vorstellig wurde, um dann zum Telefonhörer zu greifen und meine Anwesenheit zu melden.

Als ich in das Allerheiligste hineingeschrien wurde, stand der Plan fest. Ruckartig riss ich die Tür auf, machte zwei gekonnte Exerzierschritte in Richtung Schreibtisch, wobei ich fast meinen bedeppert dastehenden Trainer in seinen Allerwertesten getreten hätte und knallte die Hacken meiner Stiefel so laut zusammen, dass die Sekretärin im Nebenzimmer denken musste, ihr Chef hätte soeben von seiner Schusswaffe Gebrauch gemacht. Dem folgte eine gekonnt zackige Grußanweisung, wobei ich besonders darauf achtete, dass der Mittelfdinger der linken Hand straff an der Hosennaht lag. Im kurz und knapp gehaltenen militärischen Ton meldete ich das Erscheinen des Unterfeldwebels Hennig.

Mein Blick war starr auf das Porträt Walter Ulbrichts gerichtet, welches hinter dem massigen Körper meines Gegenübers etwa in meiner Augenhöhe hing. Im selben Moment spürte ich deutlich einen unbändigen Triumpf in mir aufsteigen. Was konnte mir denn passieren? Mit so einem Verbündetem im Rücken bzw. jetzt Auge in Auge. Mein Brief war angekommen und hatte eine Lawine ausgelöst. Auch die in der Sauna gemachte Bemerkung, dass ich gefälligst den Dienstweg einzuhalten hätte, galt nicht. Den hatte ich schon lange beschritten und nach Vorschrift!

Während der immer noch sichtlich beeindruckte Genosse Major eine etwas aufrechtere Haltung in seinem Sessel einnahm, war ich mit meiner schauspielerischen Leistung sehr zufrieden. Die Rechnung war aufgegangen. Gute Bauern erkennen ihre Schweine am Gang.

In gemäßigtem Ton erklärte er mir, dass ich auf Veranlassung des Genossen Walter Ulbricht eine Zweizimmerwohnung mit Küche und Bad in Köpenick erhalten werde, natürlich Ofenheizung versteht sich. Der Vormieter müsse nur noch die restlichen Möbel abholen lassen. Zugleich teilte er mir mit, dass aufgrund meines Schreibens zwei weitere Sportfreunde meiner Mannschaft in den Genuss einer neuen, größeren Wohnung gekommen seien. Na bitte, geht doch!

Drei Jahre später hatte ich die Möglichkeit, mich persönlich bei unserem obersten Repräsentanten zu bedanken. Na, sagen wir mal, fast die Möglichkeit, mich zu bedanken. Da standen wir uns dann Auge in Auge gegenüber – in Echtzeit. Jetzt hing sein Bild und ich stand. Doch irgendwer hatte mir aus irgendwelchem Grund irgendetwas nicht gegönnt und deshalb waren die Umstände nicht ganz so günstig.

Aber das ist eine andere Geschichte.

39. Palomo

Die Operation an meinem rechten Sprunggelenk lag nun schon eine Weile hinter mir. Inzwischen war der Frühling dem Sommer gewichen und dieser war dabei, sich von der unangenehmsten Seite zu zeigen, kühl und feucht.

In einigen Aufbaukämpfen hatte ich bewiesen, dass mit mir wieder zu rechnen war. Nach so langer Pause machte das Training richtigen Spaß oder, wie wir zu sagen pflegten, mein Fell juckte kräftig. Die Schmerzen gehörten der Vergangenheit an und jeder, der Ähnliches durchgemacht hat, wird mir bestätigen, die absolute Schmerzfreiheit ist das herrlichste und größte aller Gefühle, welches eventuell nur durch einen Orgasmus zu toppen wäre, aber auch nur kurzzeitig!

Das Leben machte wieder Spaß. Ich war bereit, mich auf jeden zu stürzen, der sich mir auf der Judomatte entgegenstellte. So war es auch nicht verwunderlich, dass in der ersten größeren Auseinandersetzung, der ich entgegengefiebert hatte, mein Opfer vom MTK Budapest, Janosch Poszner, bereits nach zwanzig Sekunden durch einen brillanten Fegewurf den Boden unter den Füßen verlor.

Besonders freute mich an dem blitzsauberen Sieg, dass der Ungar bereits Dan-Träger, also Meister war und ich immer noch mit einem Schülergrad in Grün durchs Judoleben strampelte. Das sollte dann auch einer der hauptsächlichen Gründe sein, mich von einer Gürtelprüfung zur nächsten zu jagen. Mit jeder höheren Graduierung stellten sich meine Gegner selbstverständlich immer besser auf mich ein. Das Überraschungsmoment war natürlich weitaus größer, wenn ein Meistergürtelträger erst im freien Fall feststellte, dass der pausbäckige Schülergrad maßlos unterschätzt wurde. Aber noch profitierte ich von meinem geringen Qualifikationsgrad und konnte damit super umgehen. Ein großes Erlebnis für mich sollte dieser feuchtkalte Monat August mit sich bringen.

Auf der karibischen Insel Kuba hatte eine Revolution unter der Führung des Rechtsanwaltes Fidel Castro das bisherige System gestürzt. Man bemühte sich, diplomatische Kontakte in der ganzen Welt aufzubauen. Insbesondere waren die sozialistischen Länder gefragt. Logisch, dass die ersten kubanischen Diplomaten Trainingsanzüge trugen, womit ich sagen will, dass der Sport oberste Priorität hatte. Kein Wunder, da der neue oberste Compañero selbst ein begeisterter Sportler war. Davon konnte ich mich selbst überzeugen.

Eigentlich war es ein Tag wie jeder andere. Der Wecker riss mich aus den süßesten Träumen, um mir klarzumachen, dass ich wieder in der Realität angekommen war. Obligatorische Körperpflege, Frühstück im Speisesaal, rüber in die Judohalle, rein in den noch vom Vortag feuchten und schon leicht penetrant riechenden Kampfanzug und ab auf die Matte.

Nach den ersten zwei Trainingsstunden folgte eine erste kleine Verschnaufpause, die wir meistens dazu nutzten, die Halle 4 aufzusuchen, um unseren langen Kerls, den Basketballern, zuzuschauen. Das war für uns Kampfsportler eine erholsame Abwechslung und oft mit viel Spaß verbunden. Der Grund war einer ihrer Hauptakteure, Paule S.!

Paule hätte unserer Meinung nach locker bei den zur damaligen Zeit legendären Globetrottern mitspielen können. Ein Spaßvogel ohne Konkurrenz.

Ich möchte im Nachhinein behaupten, Paule verbrachte die ersten neun Monate seines Lebens nicht im Kullerbauch seiner Mutter, sondern in einem Basketball, wo er nur auf den ersten Pfiff wartete! Er genoss es natürlich, wenn er uns seine Kunststückchen zeigte. Dekoriert mit superblöden Sprüchen und verpackt in seinen sympathischen plattdeutschen Dialekt. Seine Mimik dabei hätte einem professionellen Pantomimen alle Ehre gemacht.

Plötzlich und für uns vollkommen unerwartet unterbrach Paule sein Kurzprogramm, während er sich seinen Ball unter den linken Arm klemmte und auf die Hallentür starrte. Dort stand ein großer, stattlicher uniformierter Rauschebart, der zu uns herüberlächelte. Mein erster Gedanke war: „Den kennst du!" Aber, da fehlte etwas! Ja natürlich, die Zigarre und die typische Kopfbedeckung der kubanischen Armee. Kein Gesicht war in den vergangenen Monaten präsenter in den Medien. Dort stand Fidel Castro!

Kein Bodyguard, keine Privatgorillas, keine Armee von Journalisten und Fotografen. Nur er. Mit einer flüchtigen Handbewegung machte er Paule verständlich, ihm doch auch mal den Ball zuzuwerfen. Langsam löste sich die Erstarrung der anwesenden Spieler und Trainer und eine allgemeine Heiterkeit machte sich breit. Mit einigen kurzen Dribblings nach links und rechts, verbunden mit einer gekonnten Körpertäuschung, wie wir sie eigentlich nur von Paule kannten, war er an ihm vorbei und versenkte die Murmel aus einigen Metern Entfernung zielsicher im Korb. Im gleichen Moment wurde die Hallentür aufgerissen und da waren sie! Eine Gruppe aufgeregter junger Herren in gedeckten Anzügen mit ebenso gedeckten Krawatten, denen sofort eine gewisse Erleichterung beim Anblick von Paules bärtigem Mitspieler anzusehen war. Sie hatten ihn gefunden, den Ausreißer! Wie hatte er das nur geschafft? Mit einem verschmitzten, schelmischen Grinsen, welches aus dem Gestrüpp seines Gesichtsbartes aufblitzte, winkte er uns kurz zu und war genauso schnell verschwunden, wie er gekommen war.

Bald nach „Fidels" Besuch erfuhren wir, dass eine Judostaffel der Zuckerinsel die ultimative Europatournee unternahm und auch in der DDR einige Freundschaftskämpfe bestreiten würde. Es sollte interessant werden.

Unsere bisherigen sportlichen Gegner kamen durchweg aus Europa und nun sollten welche von der anderen Hälfte der Erdkugel anreisen. Kaum einer von uns wusste etwas Näheres über diese kleine Karibikinsel. Revolution, Fidel Castro, Rum aus Zuckerrohr, ach ja und die Hauptstadt trug den Namen einer Zigarre, also Havanna oder umgekehrt? Das war dann schon alles.

Am 24. August 1963 stand die Auswahl unseres Clubs dem kubanischen Nationalteam gegenüber. Austragungsort war Schwerin, meine Heimatstadt, und dann noch im ehrwürdigen, herzoglichen ehemaligen Marstall, da, wo ich als Schuljunge und Pionier dem ungewöhnlichen „Kampfauftrag" unseres Direktors und seines Pionierleiters Folge leisten musste, um das symbolische „Winterpalais" als Weißgardist zu verteidigen. Wo ich als Lehrling der DEWAG-Werbung, wir waren im linken Flügel des riesigen Gebäudes untergebracht, so manche Schlacht zur Erfüllung des sozialistischen Plans geliefert hatte. Dort sollte ich also wieder einmal meinen großen Auftritt haben und kämpfen. Na, das war doch nach meinem Geschmack!

Untergebracht wurden beide Mannschaften, Trainer und Offizielle in einem Hotel gegenüber dem Schweriner Hauptbahnhof. Auch an dieses Gebäude hatte ich angenehme Erinnerungen, denn hier gab es einen großen Saal, in dem ich meine erste Betriebsfeier erleben durfte.

Am Vorabend des Wettkampftages bezogen wir unsere Zimmer. Der Veranstalter, mein ehemaliger Sportverein, hatte unter der Leitung seines Cheftrainers eine echte organisatorische Meisterleistung vollbracht. Überall in der Stadt hingen Plakate. Der Schweriner Rundfunksender erwähnte dieses lokale Großereignis im Stundenrhythmus und auch meine Familie tat das Möglichste, um ihrem jüngsten Sohn auf heimatlichem Boden einen zünftigen Empfang zu bereiten. Das Kribbeln in meinem Bauch wurde bei dem Gedanken an die kommende sportliche Auseinandersetzung immer intensiver, wollte ich doch nicht als Fallobst antreten.

Langsam, aber stetig sickerten Hintergrundinformationen durch, die uns doch etwas beunruhigten. Erstens sollten die Kubaner einen koreanischen Trainer haben. Korea lag gleich um die Ecke neben Japan. Logisch, dass der fast genauso gut sein musste wie ein Japaner und Japan war der heilige Gral für alle Judokas weltweit.

Außerdem hatten die Compañeros gerade eine Revolution gewonnen und waren theoretisch auf noch schwerere Kampfeinsätze vorbereitet als den gegen uns.

Der lateinamerikanische Meister im Schwergewicht, „Sepero", dem ich zum Fraß vorgeworfen werden sollte, hatte unserem damaligen Doppeleuropameister Herbert „Jimmy" Niemann Tage zuvor bei einem Gefecht gegen den Armeesportclub die Hölle heiß gemacht! Beide waren Dan-Träger und ich ein dritter Kyu. Das hörte sich jetzt eher an wie das Fluggeräusch einer Silvesterrakete – Kyuuuu! Noch hatte ich knappe 24 Stunden Zeit.

Um mir ein bisschen die Beine zu vertreten und vor allem die aufsteigende Nervosität zu unterdrücken, wollte ich noch einen kurzen Spaziergang zum nahegelegenen Pfaffenteich machen. In der Hotelhalle änderte ich allerdings schlagartig meinen zuvor gefassten Beruhigungsplan. Denn dort saßen sie! In ihren farbenfreudigen Trainingsanzügen und mit dem Schicksal hadernd, in so ein kaltes, graues, unfreundliches Land verschlagen worden zu ein. Die Revolution verlangte eben Opfer. Der größere Teil der Anwesenden hatte von Natur aus eine kaffeebraune Hautfarbe, welche jetzt allerdings zum leichten Graubraun tendierte. Dieser mecklenburgische Sommermonat August war eben nur etwas für ganz Harte. Ein aufkeimendes Gefühl von Mitleid ergriff von mir Besitz. Wie sie da saßen, mit hochgezogenen Schultern, frierend in der spartanisch möblierten Polsterecke des Foyers. Wie die Hühner auf einer Stange, ahnend, dass das Schicksal neben Eierlegen auch noch eine andere Bestimmung für sie vorgesehen hatte: „ Hopp, hopp, ab in den Topp!"

Aus dem Mitleid entwickelte sich das Bedürfnis, diese fröstelnden karibischen Inselbewohner aufzutauen, ihnen ein klein wenig Freude zu bereiten, etwas Spaß zu machen.

Ein Grundwiderspruch meiner Persönlichkeit, welcher mir immer wieder Probleme bereiten sollte, vor allem im Kampf gegen die Vertreter der westlichen Sportnationen, im Besonderen den „Klassenfeinden" westlich der Elbe. Ich wollte kämpfen, aber meine Art zu kämpfen glich mehr dem spaßigen Treiben von jungen, herumbalgenden Katzen. Ich wollte meine Kräfte messen, aber mit Keinem wollte ich ernstlich böse sein.

Ein Wunschdenken, welches mir in den folgenden Jahren immer mehr abgewöhnt wurde und mich letztendlich nicht mehr mich selbst sein ließ. Bis dahin sollte es aber noch einige Zeit dauern.

Aber jetzt galt es erst einmal, sozialistische Nachbarschaftshilfe zu leisten. Ich wollte auf Teufel komm raus den Urururenkeln der spanischen Zuckerrohrsklaven ein Gefühl von Wärme und Geborgenheit vermitteln. Musik – das war der Zauber, der diesen Bann aus Kälte und Fremdheit brechen sollte. Ein knappes Jahr zuvor hatte ich begonnen, mir selbst auf einer geliehenen Gitarre das Spielen beizubringen. Also als Autodidakt mit musikalischem Verständnis für Melodie und Rhythmus, aber vor allem aus Spaß an der Freude. Das Repertoire meiner bis dahin erlernten Lieder war nicht allzu groß, reichte aber schon aus, um bei internen Mannschaftsfeierlichkeiten die Gesänge der angesäuselten Truppe zu begleiten. Mein damaliger Top-Hit war „La Paloma" auf Spanisch, den ich dank meines „tonnenschweren" Smaragd-Tonbandgerätes aus DDR-Produktion von irgendeinem Westsender eingefangen hatte. Wieder und immer wieder dudelte ich diese olle Seemannskamelle herunter, bis der Text saß. Es sollte die Melodie meines Lebens werden!

Für Zweifler möchte ich noch kurz hinzufügen: Ich hatte dieses Lied wirklich von einem Westsender in meinem Internatszimmer auf mein Tonbandgerät überspielt und nicht nur „La Paloma". Trotzdem saß ich nicht im Stasiknast in Hohenschönhausen. Aber zu diesem Thema habe ich schon in einer anderen Geschichte etwas geschrieben.

Nun bestand die Gelegenheit, meinen spanischen Liedtext auszuprobieren. Wusste ich doch nicht, ob der Interpret, der österreichische Sänger und Schauspieler Freddy Quinn, das Spanische wirklich richtig gut beherrschte.

Schon als die Kubaner die Gitarre sahen, die mich immer und überallhin begleitete, wich der leichte Grauton aus ihren Gesichtern, während die Augen zu leuchten anfingen, als hätte jemand einen Stecker in die Dose geschoben.

Die ersten spanischen Worte, die ich noch etwas verhalten sang, übten urplötzlich einen Zauber aus. Das Erstaunen in den dunklen Gesichtern, welches durch die weit aufgerissenen Augen verstärkt wurde, überzeugte mich davon, dass der Text anscheinend ok war.

Ok steht hier für das russische „otschen karascho" und nicht für die amerikanische Version. Schließlich war das die Sprache unseres gemeinsamen großen Bruders, der Sowjetunion! Wie verdutzt musste ich jedoch ausgesehen haben, als die Kubaner in den Liedtext einfielen und alle geschlossen mitsangen. Sogar ihre Leitung, die sich inzwischen zu uns gesellt hatte.

War das ein wahnsinniges Gefühl, unbeschreiblich schön. Ich sang mit der kubanischen Nationalmannschaft gemeinsam La Paloma und war der Einzige, der von dem Text kein Wort verstand. Logisch, dass mit Ende des Liedes Beifall aufbrauste und ich von allen Seiten umringt wurde. Wobei ein wildes Geschnatter begann und jeder mal auf meine Schultern klopfen wollte, fest davon überzeugt, dass ich perfekt ihre Sprache beherrsche. Das Gelächter war ehrlich und herzlich, als ich ihnen mit Händen und Füßen erklärte, dass ich kein Wort spanisch verstand. Der Compañero-Leiter, der mich freundschaftlich mit einem Arm um die Schultern gefasst hatte, tippte mit dem Zeigefinger der rechten Hand auf seine Brust und meinte: „George". Dann schaute er in die aufgetaute, fröhliche Runde, tippte diesmal auf meinen Brustkorb und sagte: „Palomo".

Wildes temperamentvolles Geschrei und Gelächter, verbunden mit heftigem Applaus, bestätigten mir meine Vermutung. Überall, wo ich ihnen nun begegnete, war ich „Palomo". Palomo, der Täuberich.

Diese temperamentvolle, sonnige und kindliche Art von Frohnatur war mir unendlich sympathisch und kam der meinen sehr entgegen. Jedoch sollte man sich davon nicht zu sehr täuschen lassen, sie konnten auch anders. Das zeigte sich am nächsten Tag in der großen Halle des Marstalls.

Ausverkauft bis auf den letzten Platz! Die Begrüßungsansprache hielt der stellvertretende Bürgermeister, welche wiederum vom Botschafter Kubas dankend entgegengenommen wurde. Dieser ließ es sich wiederum nicht nehmen, sich beim Veranstalter, der Schweriner Bevölkerung, dem DTSB, bei Walter Ulbricht, dem Zentralkomitee und der ruhmreichen Sowjetunion, die uns dieses völkerverbindende Turnier ermöglicht hatten, zu bedanken. Seine Rede war temperamentvoll und ausdrucksstark. Kein Blatt Papier, von dem er hätte ablesen müssen. Die Sätze sprudelten nur so aus ihm heraus, dass der Dolmetscher kaum folgen konnte. Ich selbst saugte jedes Wort regelrecht auf und verstand sogar einige: Imperialista, Kapitalista, Kommunista. Muerte kam auch einige Mal vor und musste Tod oder töten heißen. Palomo kam nicht vor. War auch nicht weiter schlimm, da ich am Vorabend schon meinen großen Auftritt hatte.

Nachdem die Wettkämpfer vorgestellt wurden, konnte es endlich losgehen. Sie waren nicht zu verachten, die Genossen von der Zuckerrohr-Insel. In den beiden leichteren Gewichtsklassen hatten wir echte Probleme, die Kämpfe so zu gestalten, dass sie auf unserem Habenkonto verbucht werden konnten.

Günter, unser Spargeltarzan, schaffte es nur mit Mühe und Not und musste vollauf zufrieden sein, durch Kampfrichterentscheid als Gewinner von der Matte zu gehen. Die gastgebende Schweriner Mannschaft, die mitmachen durfte, stand auf verlorenem Posten und war Punktelieferant bzw. Trostpflaster für die kubanischen Judokas.

Je näher mein Auftritt rückte, umso nervöser wurde ich. Hatte ich doch deutlich bemerkt, wie schwer es unser amtierender Europameister der Gewichtsklasse „Alle Kategorien", Karl N., mit dem etwas kleineren, aber sehr quirligen und breitschultrigen Sepero hatte. Kalle gewann zwar nach der Hälfte der Kampfzeit mit vollem Punkt, war aber sichtlich froh, diesem kurzhalsigen „Halbwilden" wie er sagte, entkommen zu sein. Oha, was würde der erst mit mir machen?

Um ehrlich zu sein, es war trotzdem ein schönes Gefühl, als mein Name aufgerufen wurde und mich die Zuschauer mit so vielen Vorschusslorbeeren bedachten. Andererseits machte sich ein leichter Zweifel im Hinterkopf breit, als sich der lateinamerikanische Meister mir gegenüber breitbeinig und mit überheblicher Mine aufbaute. Von dem freundlich lachenden Inselbewohner von gestern war nicht mehr viel übriggeblieben.

In Bruchteilen von Sekunden schossen mir die verrücktesten Gedanken durch den Kopf. Als die Aufforderung zum Kampf kam – „Hajime!" – wusste ich nur eines: „Du nicht, nicht so großkotzig und nicht mit mir!" Vielleicht auch noch vor meiner Familie und all den Freunden und Bekannten, die nur wegen mir den Weg in die Halle gefunden hatten. Was dann geschah, hätte nur eine moderne Zeitlupenkamera einfangen können. Kaum, dass wir uns gepackt hatten, machte Sepero den alles entscheidenden Fehler. Wenn ich es richtig interpretiert hatte, konnte man seinen Auftaktangriff folgendermaßen übersetzen: „Na dann wollen wir mal diese grüne Banane zusammenfalten!" Wobei er einen lasch geführten Fußwurfansatz auf meine linke Seite machte und damit etwa 0,5 Sekunden zur Verfügung hatte, um zu begreifen, dass das soeben ein ganz entscheidender Fehler war.

Dem Kampfrichter blieben vom „Hajime!" bis zur Verkündung seines Urteils genau vier Sekunden, die Uhr des Zeitnehmers war unbestechlich.

Was dann losbrach, könnte man mit einem Tollhaus vergleichen. Das Einzige, was die jubelnde Menge davon abhielt, auf die Stühle zu steigen, war der Umstand, dass es Klappstühle waren. Neben den vielen Glückwünschen für meinen Bilderbuchwurf, die ich entgegennahm, blieb mir einer ganz besonders in Erinnerung. Es war die Gratulation des kubanischen Botschafters. Er schloss mich so freudestrahlend in die Arme, dass ich annahm, er hatte gar nicht mitbekommen, dass der Vertreter seines Landes gerade eine Klatsche bekommen hatte. Nein, dem war nicht so. Mithilfe des Dolmetschers erklärte er mir, wie stolz er sei, mich kennengelernt zu haben. Wie eindrucksvoll ich demonstriert hätte, einen Gegner vernichtend zu schlagen. In diesem Fall natürlich einen sportlichen Gegner. Sein letzter

Satz war der beste. Hätten die Kubaner während der Revolution so gekämpft wie ich, hätte die sozialistische Revolution schon viel früher gesiegt. Abschließend heftete er mir einen kleinen Orden an den Kimono. Ich denke mal, es war eine „Nahkampfspange".

Wie würde der Mecklenburger zu dieser Situation sagen? „Wat den eenen sin Uhl, is den annern sin Nachtigall". Für den lateinamerikanischen Meister sollte es ein Drama werden. Wenn ich es so bezeichne, übertreibe ich nicht. Sepero war bei seinen Kameraden nicht beliebt und viele Kubaner verachteten ihn wegen seiner Großkotzigkeit. Mein Instinkt hatte mir zu Recht signalisiert, Hochmut kommt vor dem Fall!

Vier Jahre sollte es dauern, ehe unser Verband eine Mannschaft nach Kuba sandte. Wir hatten die Ehre und den Auftrag, das dortige Nationalteam während eines gemeinsamen Trainingslagers auf die Panamerikanischen Spiele vorzubereiten. Drei Mannschaftskämpfe im Vorfeld mit offiziellem Charakter, also Nationalhymne und was so alles dazugehört. Sepero tauchte nie mehr auf. Nicht als Kämpfer und auch nicht als Zuschauer. Seine Niederlage gegen mich musste sich für ihn zu einem wahren Höllentrip entwickelt haben. Der Misserfolg gegen einen Grüngurtträger aus Alemania verbreitete sich in seiner Heimat wie ein Buschfeuer. Im Laufe der Jahre wurde „Palomo" das Pseudonym für die Aufforderung „Hau ab!", „Mach die Mücke"!" oder „Mach einen Abflug!" – und zwar innerhalb von Sekunden.

Spätere Informationen berichteten von seinem totalen Niedergang. Suff, Schlägereien und alles, was im Kielwasser solcher Dinge mitschwimmt, warfen ihn vollends aus der Bahn. Schadenfreude soll bekanntlich des Menschen reinste Freude sein. Demnach musste sich halb Kuba über Seperos Klatsche gegen mich gefreut haben.

Es klingt unglaublich. Aber 20 Jahre später, als ich in meinem Beruf als Sportphysiotherapeut ein gemeinsames Trainingslager unserer Volleyballdamen mit den Mädels der kubanischen Nationalmannschaft betreute, tauchte der Name Palomo wieder auf.

Während eines gemütlichen Beisammenseins in der Gaststätte der Sportschule Rabenberg fragte mich der kubanische Trainer, ob ich auch Sportler
gewesen sei.

Meine Bestätigung, dass ich in jungen Jahren Judokämpfer war, ließ ihm
stutzen. „Spielst du Gitarre?", war seine nächste Frage. „Ja, etwas", lautete
meine Antwort. „Dann musst du 'Palomo' sein!" Ich war platt und mir verschlug es restlos die Sprache. Da saßen wir hier im Erzgebirge in einer
Sportlerkneipe, 20 Jahre nach meinem letzten Kubabesuch als Judoka und
ein Volleyballtrainer aus Havanna behauptet, ich sei Palomo!

Bei aller Bescheidenheit, das ging mir unter die Haut und tief ins Herz.
Nico, so der Name des Trainers, wurde ein guter Freund von mir. Von ihm
erhielt ich die Insiderinformationen über Palomo und wie es zu so einem
Bekanntheitsgrad kommen konnte.

Als ich am nächsten Tag in die Volleyball-Halle schlenderte, um meinem
Job nachzugehen, begrüßten mich die Kubanerinnen zur Verwunderung
unserer Mädels lachend und freudestrahlend mit „Hallo Palomo, como
estas?".

Das alles sollte noch einmal getoppt werden, als wir einige Wochen später
für 14 Tage einen Gegenbesuch bei unseren karibischen Freunden machten.

Aber das ist wieder eine andere Geschichte.

40. Blätterfall

Der Himmel über einem großen Teil des kleinen Landes DDR, insbesondere aber über dem Sportclub Dynamo Hoppegarten, war in den vergangenen Tagen bleigrau. Der Herbst begann, umfassend und stetig die Führung an den Winter abzugeben. Dabei half ihm ein kalter, stürmischer Westwind, den verbliebenen bunten Blättern, die sich verzweifelt an die Zweige der alten mächtigen Kastanienbäume klammerten, überzeugend klarzumachen, dass nun ihre Zeit vorbei war.

Ein hilfloser Versuch, dem zu trotzen, ließ sie letztendlich, fröhlich tanzend, um sich drehend und wirbelnd, noch einmal hoch in die Lüfte steigen, um danach müde und ermattet auf die Erde zu sinken.

Kaum war das geschehen, eilte ein Soldat der Wache herbei, um den Ausreißer mit einem Laubbesen einzufangen und dann sofort zu entsorgen. – Der immerwährende Kreislauf des Lebens.

Es war für mich die unangenehmste Jahreszeit, seit wir unser Internat in Hohenschönhausen auf höheren Befehl verlassen mussten.

Graue Uniformen, grauer Himmel und ebensolche graue Stimmung. Auch der Metallzaun, der das Objekt umgab und mehr symbolisch jede Flucht verhindern sollte, war von unserer Mannschaft auf Anweisung des Clubleiters entrostet und grau angestrichen worden.

Erstaunlich, dass dennoch in dieser alles beherrschenden Grauzone mein kindliches Gemüt sich nicht unterkriegen ließ und mein Humor manchmal seltsame Triebe entwickelte. Wahrscheinlich funktionierte mein Unterbewusstsein wie ein Notstromaggregat, um bei Ausfall des Kraftwerkes Gehirn sofort auf Überleben umzuschalten. Sicherlich lag es auch daran, dass mein Glas zeitlebens immer halbvoll war, im Gegensatz zu vielen anderen, die stets und ständig jammern, ihr Glas wäre schon halb leer.

So konnte ich letztendlich die nun folgende kleine Geschichte als spaßige Episode auf meiner Habenseite verbuchen. Die Besitzer der halbleeren

Gläser hätten dieses Erlebnis sicherlich anders interpretiert und abgerechnet.

Schon seit Tagen herrschte reges Treiben auf dem Gelände des Sportclubs. Der Genosse Minister hatte sich angekündigt! Verständlich, dass er hin und wieder sein neues Lieblingsspielzeug besuchen wollte. Die Steine der Rasenkanten wurden geweißt. Der letzte Schnitt an Hecken und Sträuchern war vollzogen. Alles war gerade, akkurat und sauber ausgerichtet. Nur ein Problem ließ den Leiter unserer Diensteinheit schier verzweifeln: Die fallenden Blätter hörten nicht auf seinen Befehl.

Sobald die Fegekolonne der Wachsoldaten den Hof vom umherwirbelnden Herbstlaub fast befreit hatte, lagen schon wieder jede Menge Blätter weit verteilt auf dem eben gründlich gefegten Gelände. War man hinten angekommen, kam der Befehl „das Ganze noch einmal von vorn". So ging das schon tagelang. Nun aber war Land in Sicht. Alle Bäume waren so gut wie kahl. Außer einem größeren Ast des ältesten Baumes, der mitten auf dem weitläufigen Hof stand.

Dort klammerte sich noch eine beträchtliche Menge flatternder gelber Fähnchen an ihren Ast-Wirt, obwohl der ihnen auch schon den lebensspendenden Saft entzogen hatte. Man stelle sich vor, sie fallen gerade in dem Moment herunter, in dem der Genosse Minister seinen Fuß auf den Boden setzt, um aus der Limousine zu steigen. Undenkbar! Dieses „Fähnlein der sieben Aufrechten" hing nur noch da oben, um unserem Clubchef das Leben schwer zu machen. Ein wahrer Alptraum für unseren „Alten".

Ausgerechnet ich musste ihm in diesem Moment über den Weg laufen. – Mit einer Tüte Milch verließ ich gerade den Speiseraum, um wieder in die Trainingshalle zu schlendern, als mich das Schicksal ereilte.

Es musste ein Akt der Verzweiflung gewesen sein. Wie sehr litt er darunter, einen so aussichtslosen Kampf gegen einen der vier schlimmsten Feinde des Sozialismus zu führen, den Herbst! Frühling und Sommer waren abgehakt, der Winter drohte zwar schon, aber Schnee war noch nicht eingeplant. Dieser Novembertag machte Major König genauso launisch und unberechenbar wie die im Wind trudelnden Blätter. Jene soeben geschilderten Umstände ließen ihn also die ganz unterste Schublade seiner sonst gar nicht so schlechten Ideen aufziehen, um mich ins Spiel zu bringen.

Fast hatte ich den Halleneingang erreicht und wäre somit aus seinem Blickfeld verschwunden, als mich seine befehlsgewohnte Stimme davon zurückhielt. „Hennig!!" brüllte er quer über den Hof. „Genosse Kommandeur!?" brüllte ich ebenso laut aber mit einem fragenden Unterton. Wenn der Major und Clubleiter rief, bekam man automatisch ein schlechtes Gewissen. Ich habe es bis heute nicht herausgefunden, woran das lag. Anderen ging es aber ebenso.

Als ich zu ihm eilte und vor ihm Aufstellung nahm, was mit meinem Tetrapack in der linken Hand nicht ganz so straff militärisch aussah, bemerkte er: „Sehen Sie dort oben die restlichen Blätter?" Ich sah sie und bestätigte es lautstark. Darauf er: „Mir ist zu Ohren gekommen, dass Sie ein sehr guter Kletterer sind." Auch das konnte ich bestätigen, dem war wirklich so. Schon in meiner frühesten Jugend war es eine meiner beliebtesten Freizeitgestaltungen, einen Teil meines Lebens in Baumkronen zu verbringen. Es ließ sich nicht leugnen, Darwin hatte zumindest in meinem Falle Recht.

„Also", er machte eine kurze Pause, „hopp, hopp hoch und so lange schütteln, bis kein Blatt mehr am Baum ist!" Was sollte ich zu so einem idiotischen Befehl sagen? Kurz entschlossen drückte ich dem verdutzt dreinschauenden Kommandeur meine Milch in die Hände und ehe er es begriff, war ich mit einem Sprung an einem der stärksten unteren Äste, zog mich hoch, um affengleich, von Ast zu Ast hangelnd, immer höher in die Krone des Baumes vorzudringen.

In der Zwischenzeit hatten sich die Kameraden von der Putzkolonne ebenfalls unter dem Baum eingefunden, um mein Treiben lachend und laut zu kommentieren. Auch zwei Offiziere gesellten sich hinzu.

So viele Zuschauer tief unter mir waren Ansporn für mich, mein Bestes zu geben. Geräuschvoll begleitete ich das Schütteln des Astes mit grunzenden Lauten, wie sie Gorillas in freier Wildbahn nicht besser hinbekommen hätten. Zwischendurch trommelte ich wild wie ein echter Silberrücken auf meinen Brustkorb, was mit Beifall und lautem Gejohle der Zuschauer belohnt wurde.

Dem Chef schien meine Einmannshow langsam peinlich zu werden. Vielleicht hatten ihm die Offiziere Vorhaltungen gemacht, dass man so keine sozialistische Persönlichkeit erzieht. Er befahl mir, vom Baum herabzusteigen, obwohl noch ein Teil der Blätter wie zum Hohn lustig im Herbstwind flatterten.

Mit meiner Tarzan Aufführung hatte ich erreicht, was ich wollte. Ich hatte ihn vor versammelter Mannschaft bis auf die Knochen blamiert – und das bei seiner Fettleibigkeit, alle Achtung. Ohne Kommentar übergab er mir meine Milchtüte und verließ den Kreis der Schmunzelnden schnellen Schrittes, ohne sich noch einmal umzudrehen.

41. Die finnische Sauna

Der besondere Stolz unseres Kommandeurs der Diensteinheit Kampf-sport war unsere Sauna. Hatte er doch Himmel und Hölle in Be-wegung gesetzt, um sich diesen Traum zu erfüllen – natürlich zum Wohle aller, versteht sich.

Am äußeren Ende des spartanischen Hallenkomplexes, da wo der medizinische Bereich begann, hatte er die Nordwestecke für dieses Projekt „finnische Sauna" auserkoren.

Nur hier und sonst nirgends sollte dieses Refugium entstehen. Woher er die gewaltigen Kiefernstämme organisiert hatte, blieb für uns ein Geheimnis, wie so manches andere auch.

Entscheidend war für ihn, dass eine finnische Saune nicht nur die nötige finnische Saunatemperatur erzeugte, sie musste auch finnisch aussehnen. So entstand nach seiner Vorstellung ein kleines, separates Blockhaus, dessen Ost- und Südseite in den medizinischen Komplex integriert wurde und vom Vorraum der Physiotherapie zu erreichen war. Optisch hatte der Chef wirklich eine ästhetische Meisterleistung geliefert, abgesehen davon, dass bei etwas kühleren Temperaturen und vor allem bei West- bzw. Nord-westwind die Hütte nicht warm wurde. Aber es waren nicht nur die beiden Schlechtwetterseiten an diesem Umstand schuld.

Schuld war der absurde Wunsch unseres Clubleiters, nachträglich ein riesiges Fenster mit den Maßen 150 x 125 cm einbauen zu lassen, weil ihm die schummrige Beleuchtung, die normalerweise in Saunen üblich ist, nicht genügte. Also wurde ein gewaltiges Rechteck aus den herrlichen Stämmen der Nordseite herausgesägt und stattdessen mit einem geriffelten Glas-fenster wieder verschlossen.

Den vorsichtig geäußerten Einwand des Bauleiters, dass es jetzt im Inneren zwar recht hell sei, aber die maximale Temperatur des Saunaofens nicht ausreichen würde, den Energieverlust auszugleichen, wischte der Genosse

Leiter mit der Bemerkung vom Tisch: „Na dann drehen wir halt den Thermostat ein bisschen höher." Er hatte nichts begriffen. Dementsprechend verlief der erste Probelauf. Nur ausgewähltes Personal durfte diesem ersten, heiligen Akt, natürlich unter der Schirmherrschaft des Architekten, beiwohnen. Während sich der größere Teil der bevorzugten Anwesenden des feierlichen Momentes der Einweihung voll bewusst war, wurden schon die ersten krummen Bemerkungen gemacht: „Mach das Brett rum, damit die warme Luft nicht reinkommt", war noch das Harmloseste.

„He Kurt" – so hieß unser Kommandeur mit Vornamen – „du hättest mal lieber einen richtigen Saunaofen reinstellen sollen oder ham'se dir die große Blechbüchse bei deinem letzten Freundschaftsbesuch in Polen für

'nen Kasten Bier überlassen?" Ganz Böse verstiegen sich sogar in solche Äußerungen, dass es zwar schön hell in der Sauna sei, aber wärmer wäre besser und außerdem würden sie jetzt erst bemerken, was „Kutte" für einen dicken Bauch hat! „Na ist auch besser so" – brüllte ein anderer aus der johlenden Menge – „da sieht man wenigstens nicht die kleine Zipfelmütze!" Auch nach etwa 30 Minuten zeigte sich noch kein Schweißtropfen auf der Haut der zahlreich geladenen Probanden. Ein kräftiger Aufguss, den der Leiter höchstpersönlich vornahm, änderte kaum etwas an der Situation.

Die dem Ofen zugewandte Körperseite wurde fast verbrüht, während sich auf dem Rücken eine Gänsehaut bildete, denn vom Fenster her zog es wie Hechtsuppe.

Wieviel Überwindung musste es gekostet haben, diesen gemachten Fehler einzugestehen?

Unser objekteigener Holzwurm, der zivil angestellte Tischler musste es nun richten. Von beiden Seiten der Balkenlaube, so wurde der ganze Stolz des Chefs inzwischen betitelt, nagelte er eine Lage gespundeter Bretter auf die Kiefernstämme, während er den dazwischenliegenden Hohlraum mit Glaswolle füllte. Zwecks Wärmedämmung versteht sich.

Das Resultat konnte sich sehen lassen. Es zog nicht mehr ganz so heftig und ein bisschen Spielraum nach oben ließ der Thermostat noch zu. Allerdings verfärbten sich die Spundbretter der Decke über der Heizquelle in beängstigend kurzer Zeit, so dass der leitende Sanitäter den Vorschlag unterbreitete, eine entsprechend große Asbestplatte über dem Ofen anzubringen.

Der Vorschlag wurde wohlwollend angenommen und über den kleinen Dienstweg schnellstmöglich bearbeitet. Was nach den Erkenntnissen unserer derzeitigen Spezialisten heißt, unsere Sauna war somit asbestverseucht.

Der Kommandeur war zufrieden und konnte nun den Temperaturregler bis zum Anschlag drehen! Einige, allerdings nur zum Teil beeinflussbare, minimale Temperatursteigerungsmöglichkeiten gab es aber noch. Stand der Wind günstig, also Süd- bzw. Südost, war es um zwei bis drei Grad wärmer.

Dieses zusätzliche Wärmeplus konnte man noch um weitere zwei Grad steigern, indem alle Schwitzer geschlossen und so schnell als möglich raus- bzw. reinrammelten. Somit war das Zeitfenster ein weiterer wichtiger Faktor, die Temperatur positiv zu beeinflussen.

Etwas weniger effektiv, aber dennoch nicht zu unterschätzen, war die personelle Auslastung der Sauna.

Natürlich bedurfte es eines gewissen logistischen Geschicks, die Vor-sich-hin-Triefenden so zu positionieren, dass jeder auf seine Kosten kam. Die Sportkameraden, die ständig Gewichtsprobleme hatten und besonders vor Wettkämpfen ein Dauerabonnement beanspruchten, bekamen die kuschligsten Plätze, also ganz oben letzte Stufe.

Problematisch wurde es nur, wenn einer von denen vorzeitig schlappzumachen drohte und sich um einen neuen Sitzplatz eine Etage tiefer bemühte. Dann wurde gedrängelt und geschubst, geschimpft und geflucht, was das Zeug hielt, bis sich alle neu zurechtgeruckelt hatten und wieder etwas Ruhe einkehrte.

Von den Finnen sagt man, dass sie wichtige Gespräche mit Geschäftspartnern in der Sauna führen. Unsere Sauna war Lichtjahre von so einem

Ort der Ruhe und Entspannung entfernt. Das begriff auch unser Clubleiter. Zunehmend verlegte er seine Besuche in die Abendstunden, wenn langsam Ruhe im Gehöft eintrat. Das Ohr an der Masse zu haben, überließ er anderen, zumal ihm so eine Aktion schon mal mächtig viel Ärger mit dem 1. Vorsitzenden des Zentralkomitees beschert hatte. Aber das war eine andere Story.

So saß er nun zu fortgeschrittener Stunde in unserer, seiner Sauna. Ganz allein in Gedanken versunken und ich denke, auch zufrieden mit sich und seiner Club Welt. Er hatte den Thermostat des Ofens, wie er es immer tat, selbständig ausgereizt: Nichts ging mehr! Einige sparsame Aufgüsse mit wenigen Tropfen Fichtennadelextrakt ließen ihn im wahrsten Sinne des Wortes zerfließen.

Endlich stimmte die Temperatur und das genoss der Genosse in vollen Zügen. Sicherlich wehte zu diesem Zeitpunkt auch ein freundlicher Süd-wind ums Haus!

In diesem Moment wurde er äußerst unsanft aus seinen Träumen gerissen. Durch das winzige Fensterchen der Saunatür sah er das aufgeregt verzerrte Gesicht des diensthabenden Offiziers, der lauthals das Unfassbare schrie: „Genosse Kommandeur, die Sauna brennt!"

Der Versuch mit der dünnen Asbestplatte über dem Ofen war fehl-geschlagen. Die aufsteigende Hitze des ständig mit voller Power laufenden Karkowska-Saunaofens hatte im Laufe der letzten Wochen das Holz hinter der Platte so ausgetrocknet und aufgeheizt, dass sich der nicht mal einen Meter hohe Dachstuhl darüber entzündete und in Flammen aufging. Wer nun denkt, dass unser Kommandeur sich laut „Hilfe!" rufend ins Kalt-wasserbecken gestürzt hätte, sieht sich getäuscht. Splitterfasernackt, nur mit seinen Saunalatschen an den Füßen, rannte er ins Freie. Dabei musste er mehrere Räume durchqueren und den Eingangsbereich hinter sich bringen, um nach draußen zu gelangen. Als die vom OvD alarmierte Hoppegartener Freiwillige Feuerwehr eintraf, sahen sie in der hilflos herumrennenden Menge von Soldaten und Sportlern einen nackten, dick-bäuchigen Mann auf einer Sprossenleiter stehen, der verzweifelt versuchte, mit einem ¾-Zoll-Wasserschlauch seine finnische Sauna zu retten.

Ist es nicht als Ironie des Schicksals zu sehen?

Das erste Mal, dass der Genosse Kommandeur mit der Saunatemperatur zufrieden war, und dann so etwas.

42. Der Klassenfeind unter der Dienstmütze

Wieder einmal hatte es mich erwischt. Einmal im Jahr war ich zuständig für den Erhalt des Weltfriedens. Im Klartext hieß das UvD, also Unteroffizier vom Dienst, für eine Nacht.

Da wir als Leistungssportler so gut wie nie etwas mit dem regulären Dienst an der Waffe zu tun hatten, wir waren schließlich „Diplomaten im Trainingsanzug", verschonte man uns weitgehend mit derartigen Unannehmlichkeiten.

Um aber den Kontakt zum wirklichen Leben nicht ganz zu verlieren, holte uns unser Kommandeur in dasselbige auf diese Weise zurück.

Klar war die Erfüllung des Leistungsauftrages enorm wichtig. Gold, Gold, Gold, dazu dreimal die Nationalhymne. Die mir übrigens von Text und Melodie wesentlich besser gefiel als die „übernommene" der BRD. Wir waren es letztendlich den Arbeitern und Bauern, nicht zu vergessen, die Intelligenzler, also allen Werktätigen unseres Staates schuldig. Sie produzierten die heißbegehrten billigen Produkte, die unsere Verwandtschaft in der BRD so gern bei Neckermann kaufte bzw. die wir manchmal als Rückläufer im Exquisit erwerben konnten. Na gut, dafür bekam dann unser Staat die dringend benötigte harte Währung, um an Weihnachten Apfelsinen neben Rot- und Weißkohl unter das Volk zu werfen. Und wenn alle ganz lieb waren, zwischendurch auch mal Bananen. Aber Spaß beiseite!

Natürlich rackerten unsere Leute auch für uns. Damit wir als Vertreter unseres Landes auch einmal ins westliche Ausland reisen durften, ohne dass man uns, was gerade Anfang der Sechzigerjahre oft vorkam, an unsere schönen blauen Trainingsanzüge pullern konnte. Das war schon ein triftiger Grund, sich wirklich anzustrengen. Außerdem gab es, wenn wir es geschafft hatten, die Qualifikationshürde für große internationale Wettkämpfe zu nehmen, sage und schreibe 45 DM Taschengeld. Egal ob als Medaillengewinner oder weniger Erfolgreicher. Wenn man dabei war, lohnte es sich, zumindest aus unserer Sicht. Bei den medienwirksamen Sportarten dürfte es sogar ein bisschen mehr gewesen sein. Wir gehörten als Judokämpfer zu den sogenannten Randsportarten und durften froh sein, dass man uns nicht wegrationalisierte.

Um unser gezwungenermaßen schlechtes Gewissen wenigstens etwas zu besänftigen, war es schon in Ordnung, dass man sich, neben dem Kampf um die Anerkennung unserer kleinen Arbeiter- und Bauernrepublik, damit abfand, auch einmal für eine Nacht auf Friedenswacht zu ziehen. Also trat ich pflichtbewusst meinen Dienst pünktlich nach der letzten Trainingseinheit an.

Vom wachhabenden Offizier nahm ich die kleine stählerne Kassette entgegen, in der sich gaaanz wichtige Dinge befanden, wie zum Beispiel die rote Armbinde, die ich mir sofort über den linken Ärmel meiner Uniformjacke streifen musste. Neben der Petschaft, also dem Siegel für alle zu versiegelnden Türen, gab es noch eine Taschenlampe und das „Märchenbuch", wie es in unserem lockeren Sprachgebrauch hieß. In dieses DIN-A3-Nachweisbuch sollte man stündlich besondere Vorkommnisse und, wenn es die nicht gab, keine besonderen Vorkommnisse eintragen. Das allerwichtigste aber war die Pistole mit acht Schuss scharfer Munition. Eine Makarow, wie sie Offiziere trugen, mit der dazugehörigen Ledertasche. Ein Unterpfand des Vertrauens, das einem auch noch das Gefühl der Unbesiegbarkeit vermittelte.

Ich wurde in diesem Moment für eine Nacht der Beschützer eines winzigen, klitzekleinen Teils unseres blauen Planeten, dem Gelände des Sportclubs (SC) Dynamo Hoppegarten. Da es nicht das erste Mal war, dass ich diesen außerordentlich wichtigen Dienst zu verrichten hatte, wusste ich auch, ab 24 Uhr wird es stinklangweilig und die Zeit verrinnt wie Zuckerrübensirup durch ein feinmaschiges Teesieb. Die stündlichen Kontrollgänge durch das weitläufige Objekt änderten auch nicht viel daran und brachten keine wesentliche Abwechslung. Ich sollte mich maßlos täuschen.

An diesem Tag bzw. für die kommende Nacht hatte ich vorgesorgt. Seit einiger Zeit war ich stolzer Besitzer eines kleinen Radiogerätes. Für die heutige Generation ein Lacher, aber für uns und speziell für mich war es der ultimative Kick, „Made in UDSSR". Es besaß in etwa die Größe einer Zigarettenschachtel. Zwei leichtgezahnte Rädlein an den Seiten hatten die Funktionen „An", „Aus", „Laut", „Leise" und natürlich gab es auch eine Senderwahl. Das Wunderwerk sowjetischer Elektrotechnik trug den stolzen Namen „Kosmos". Ich liebte meinen kleinen sowjetischen Freund für einsame Stunden abgöttisch. Verband er mich doch sogar durch den Eisernen Vorhang mit einem kleinen Teil der Außenwelt.

Die Sache hatte leider einen Haken, der sich zu einem gewaltigen Aufhänger entwickeln konnte! Es war bei Strafe verboten, auf Wache zu rauchen, geschweige denn Radio zu hören. Wenn man es trotzdem tat und auch noch den falschen Sender hörte, weil der immer die bessere Musik brachte – na holla die Waldfee! Nicht auszudenken, was passieren würde. Der Leichtsinn ist der beste Freund und ständiger Begleiter der Jugend. Warum sollte ich da eine Ausnahme sein? Ich musste nur darauf achten, dass die Lautstärke so geregelt war, dass man die Musik nicht allzu weit hörte. Kopfhörer im heutigen Größenformat gab es noch nicht. Außerdem musste ich doch zumindest etwas von meiner Umwelt mitbekommen.

Man konnte nie wissen, bei der Gefährlichkeit des Klassenfeindes. Der brauchte keinen Schlaf, der schlief nie! Wohin also mit meinem kleinen musikalischen Freudenspender? Um eventuell auftretende Komplikationen sofort auszubremsen, mussten alle gewünschten Anforderungen optimal stimmen. Die Hosentaschen lagen zu tief, um einen einigermaßen vernünftigen Hörgenuss zu garantieren. Die Gefahr, dass sich das Senderwahlrädchen verstellte, war auch vorhanden. Die Brusttaschen außen wären von der Entfernung gerade rechtens, waren aber, da die Uniform straff über dem Brustkorb saß, auch nicht so ideal. Ebenfalls ungünstig erschien mir die linke Innentasche. Sie entsprach am ehesten meinen Erwartungen, hatte aber den Nachteil, bei notwendiger schneller Reaktion müsste ich mindestens zwei Knöpfe meines Staatsrockes öffnen, um das Gerät auszuschalten oder leiser zu drehen.

Also auch nicht der richtige Platz.

Bevor ich zum ersten Kontrollgang aufbrach, saß ich noch einige Minuten untätig in meinem UvD-Zimmerchen und überlegte, wie ich es bewerkstelligen könnte. Dabei fiel mein Blick auf die Dienstmütze, die ich zuvor auf dem schmalen Tisch abgelegt hatte.

Und da war er plötzlich, der Supergedanke! Die kleine Erleuchtung, das Heureka eines normal Sterblichen. Das, was unser Leben lebenswert macht. Natürlich, das war es! Einen kürzeren Weg zu den Ohren gab es nicht. Radio auf Kopf, Mütze auf Kopf und schon war die Welt freundlich und in Ordnung. Der Gedanke war genial. Kein Verrutschen, nicht sichtbar und dichter an den Ohren ging es nicht. Was wollte ich mehr?

Niemand in unserer Sportkompanie war so groß, dass er, wenn er mir auf den Kopf hätte schauen können, den leichten viereckigen Abdruck im Stoff meiner Kopfbedeckung bemerkt hätte. Oh Mann, war ich clever! Jetzt galt es, nur noch einen Probelauf durchzuführen. Einschalten, Senderwahl, also vernünftige Musik. Lautstärke regeln entsprechend der Entfernung zu den Ohren, Positionieren auf dem Schädeldach, Mütze vorsichtig aufgesetzt und? Juhu, es funktionierte noch besser als ich erhofft hatte. Mein Kopf, Größe 58, übernahm dabei die Aufgabe eines Resonanzkörpers. Was wollte ich mehr, wer wollte es mit mir aufnehmen?

Leichten Schrittes verließ ich das Minizimmerchen, welches von nun an stolz sein durfte, einen der pfiffigsten Sportler der Diensteinheit Kampfsport für 12 Stunden zu beherbergen.

Draußen erwarteten mich eine milde Nacht und ein sternenklarer Himmel. Ein winziger Teil des zunehmenden Mondes spendete nur spärlich Licht, was mich aber nicht weiter störte. Für ganz dunkle Ecken hatte ich die Taschenlampe. Während ich mich in Richtung Wache begab, um mich entsprechend der Dienstvorschrift zu meinem Rundgang abzumelden, schlenderte ich, begleitet von flotter Tanzmusik, zum Eingangstor. Überraschung war nicht eingeplant. Der diensthabende Stabsgefreite saß sowieso in seinem Glaskasten und nahm kaum Notiz von mir. Im Gegensatz zu uns Sportlern war die Wachmannschaft aus dem Regiment und wechselte ständig. Bis heute weiß ich nicht, ob man uns bewachen oder beschützen wollte. Die Jungs waren jedenfalls in Ordnung und froh darüber, wenn sie ihre Ruhe hatten.

Der vorgeschriebene Kontrollgang dauerte etwa eine halbe Stunde. Alles Routine, Taschenlampe an, Siegelkontrolle, Lampe aus, nächstes Ziel.

Ich hatte knapp die Hälfte der Runde geschafft, begleitet und untermalt mit rhythmischen Klängen von jenseits des antifaschistischen Schutzwalls, als ich plötzlich etwas wahrnahm, was eigentlich nicht dahin gehörte.

Meine kleinen grauen Zellen unter dem lustig musizierenden sowjetischen Freund lösten sofort Großalarm aus. Alles lief wie am Schnürchen. „Halt, wer da?", brüllte ich laut in die Nacht hinaus, begleitet mit dem Griff zur Makarow. Man konnte nie wissen. Aus einer dunklen Nische eines der Gebäude trat unser Stabschef, geblendet durch den Schein der Taschenlampe. Kein Spion, kein Agent oder subversives Element des Klassenfeindes hätte mich in diesem Augenblick dermaßen aus der Fassung bringen können wie das Auftauchen unseres Majors Adamski. Mit allem hatte ich gerechnet, nur nicht mit ihm. Er war ein echter Altgedienter, wie man so sagt. Böse Zungen behaupteten, man habe ihn zu uns nach Hoppegarten abgeschoben, damit er hier sein Gnadenbrot bekäme. Etwas Besseres konnte uns mit ihm gar nicht passieren, er war Mensch durch und durch. Er war also der Richtige für uns nichtrichtige Soldaten.

Aber jetzt brannte erst einmal die Luft, und zwar gewaltig. Nicht umsonst war ich einer der besten Kampfsportler. Meine Reaktionszeiten waren überdurchschnittlich gut und verließen mich auch in diesem brisanten Moment nicht.

Ich riss den rechten Arm zum Gruß an den Mützenschirm, knallte die Hacken meiner Stiefel zusammen, dass der Stabschef denken musste, ein Schuss hätte sich aus meiner Pistole gelöst, und machte Meldung.

„Keine besonderen Vorkommnisse, Genosse Major!" Das zog immer bei Altgedienten und auch hier zeigte es die erhoffte Wirkung. Er war mit meinem tadellosen, korrekten militärischen Auftreten sichtlich zufrieden.

Das merkte ich sofort an seiner lässigen Handbewegung, mit der er meine kurze Meldung entgegennahm.

Aber da war noch etwas, was mir bei aller Loyalität unseres Stabschefs echte Sorgen bereitete. Der munter musizierende Klassenfeind unter meiner Dienstmütze!

Würde er etwas bemerken? Konnte er es hören, wenn der Moderator plötzlich, ohne es zu wissen, dass er mich jämmerlich in die Pfanne haut, die Ansage machte, hier ist RIAS I mit den Nachrichten.

Ich konnte nur auf mein Glück hoffen, welches mich im Moment jedoch ganz schön zappeln ließ.

Der Gesichtsausdruck meines Gegenübers hatte sich merklich verändert.

„Heeenig" – so wie er meinen Namen in die Länge zog, konnte nur eine Frage folgen. Mir blieb nichts weiter übrig, als alles auf mich zukommen zu lassen. "Genosse Major?" Er schaute mich an: „Hören Sie das auch?" „Was?", frage ich. „Na Musik!", antwortete er. Ich buddelte mein gesamtes schauspielerisches Talent aus der entferntesten Schublade, lauschte in die Nacht und flehte inständig in den mit Sternen übersäten Himmel: „Bitte, bitte mach alles ungeschehen! Lass den Radiomenschen, wenn er den nächsten Titel ansagen sollte, auf der Stelle tot umfallen oder wenigstens schlagartig die Stimme verlieren."

Langsam bemerkte ich, wie mein Gehirn von Alarmzustand rot in den Arbeitsmodus wechselte. Ich antwortete mit einer Gegenfrage: "Musik?" „Ja, Musik", so der Major. Ich gab vor, nichts zu hören.

Aber er beharrte: „Na klar, ich höre es doch deutlich oder täusche ich mich?" Damit hatte er den ersten Schritt auf die Verliererseite getan.

Der Major, kurz vor dem Ruhestand, zweifelte plötzlich an einem seiner Sinnesorgane. Da war sie plötzlich wieder, meine so sehnsüchtig erwartete Glücksfee. Ein rettender Gedanke schoss mir mit Lichtgeschwindigkeit in mein mit höchster Konzentration arbeitendes Hirnareal, welches dem Homo sapiens seit Tausenden von Jahren die Befähigung zum Überleben gibt und ihn angeblich zur Krone der Schöpfung machte.

Durch die Blätter der im Dunkel der Nacht getauchten Bäume sah ich ein erleuchtetes Fenster außerhalb unseres Objektes. Während sich die dünneren Äste sanft im kaum spürbaren Wind bewegten und die Blätter das Licht mal versteckten, mal freigaben, unternahm ich den alles entscheidenden Gegenstoß: „Ja, doch, jetzt höre ich auch etwas." In den Augen meines Majors blitzte etwas auf, was mir wahrscheinlich signalisieren sollte: „Na sag ich doch, ich bin doch nicht taub und blöd." „Da drüben wird bestimmt gefeiert", lenkte ich seine Gedanken in die von mir gewünschte Bahn und zeigte auf das in der Dunkelheit tanzende Licht. Er lauschte noch einmal konzentriert in die Richtung des auf und ab tanzenden Lichtscheins, um sich dann von ihm wegzudrehen.

Mit einer kurz angedeuteten Handbewegung und einem leichten Nicken seines in Ehren ergrauten Hauptes trat er den Rückzug an. Nicht, ohne noch einmal kurz lauschend innezuhalten und dann kopfschüttelnd aus meinem Blickfeld ins Dunkel der Nacht zu verschwinden.

Die Eintragung ins Märchenbuch lautete auch dementsprechend: „Kontrolle des UvD durch den Genossen Stabschef. Keine besonderen Vorkommnisse!"

43. Der Zug der fröhlichen Leute

Wieder einmal hatte ich das Trainingslager der Nationalmannschaft in Werdau, dem kleinen Städtchen zu Füßen des Erzgebirges, ohne nennenswerte Blessuren überstanden. Ein Grund mehr, gut gelaunt das letzte Vormittagstraining zu absolvieren.

Während wir das Mittagessen hinunterschlangen, waren unsere Gedanken schon längst auf der Heimreise. Die Koffer standen gepackt beim Pförtner und warteten darauf, zum Bahnhof gebracht zu werden. Otto, unser Spaß-vogel Nummer 1 und einer der besten Mittelgewichtler Europas, hatte auf Beschluss des „Ältestenrates" den Sportfreund Bayer von der DHfK für einen seiner zum Teil derben Späße auserkoren. Bayer hatte sich mit seiner überheblichen Art den Missmut der gesamten Mannschaft zugezogen. Nun sollte von „Vater Kunze", wie er liebevoll von uns genannt wurde, er war damals immerhin schon Vater zweier Söhne, ein erzieherisches Exempel statuiert werden.

Während die Ersten schon mit ihrem Gepäck unterwegs zum Bahnhof waren, warteten wir gespannt auf den Moment, wo Bayer mit „ay" seinen ziemlich großen Koffer aufnahm, um mit dem größeren Teil unserer Mann-schaft ebenfalls loszumarschieren.

In dem Augenblick, als er das Gepäckstück anhob, riss der Griff ab und stellte ihn vor vollendete Tatsachen. Ihm blieb nichts weiter übrig, als das ganze Malheur zu schultern und zum Bahnhof zu schleppen.

Unsere scheinheilig tröstenden Worte, dass er es nicht so weit hätte, wie wir Berliner, weil er nur bis Leipzig fahren müsse, ließen ihn nur noch mehr mit seinem Schicksal hadern.

Inder Zwischenzeit hatte auch der Letzte außer Bayer mitbekommen, weshalb der Griff des Koffers seinen Dienst so ruckartig verweigert hatte.

Otto hatte den Koffer in einem unbeobachteten Moment geöffnet und ein Stück Eisen, welches er aus der naheliegenden Schlosserei besorgt hatte, in der Schmutzwäsche versteckt.

Das erste Stück der Heimreise mit dem Bummelzug hatte also schon Spaß verheißend begonnen. In Zwickau brauchten wir nur auf die andere Seite des Bahnsteigs zu wechseln, um nach wenigen Minuten die Reise nach Leipzig fortzusetzen. Bayer sah man die Erleichterung an. Für einen Moment machte er sich sogar Gedanken darüber, weshalb der Koffer auf der Rückreise schwerer zu sein schien. Aber das Argument der sehr hohen Belastung der letzten 14 Tage überzeugte ihn letztendlich.

Angekommen in der sächsischen Messemetropole, hatten wir neunzig Minuten Aufenthalt, ehe es in Richtung Berlin weiterging. Begleitet von schamlos geheuchelten guten Wünschen brachten wir unseren Leipziger bis zum Ausgang des größten Sackbahnhofs Europas. Alle wollten noch einmal miterleben, wie er das schwere, unhandliche Gepäckstück zur Straßenbahn auf die andere Seite des Bahnhofsvorplatzes wuchtete, um von dort mit der Linie 4 nach Knauthain aus unseren Blicken zu verschwinden.

Der letzte Teil unserer Heimreise wurde traditionell im Saal der Mitropa-Gaststätte eingeläutet. Logisch, dass alle die für kurze Zeit wiedergewonnene Freiheit mit einem kräftigen Schluck feiern wollten. Vordergründig war dieses Mal aber der grandiose Erfolg unserer kollektiven Erziehungsmaßnahme. Die überschäumende Fantasie kannte keine Grenzen bei dem Gedanken an das dumme Gesicht Bayers mit „ay" beim Öffnen des ramponierten Koffers.

Feuchtfröhlich bestiegen wir nach einer Stunde den zur Abfahrt bereitstehenden Zug. Einige meiner älteren Sportkameraden suchten sich nicht einmal einen Sitzplatz, sondern klemmten den Koffer oder die Tasche in irgendeine Gepäckablage, um sich dann sofort vor die noch verschlossene Tür des Speisewagens zu stellen.

Erst viele Jahre später hatte der Genosse Gorbatschow, klügster Kopf der ehemals großen Sowjetunion, passend zu dieser Situation einen sehr klugen Spruch getan: „Wer zu spät kommt, den bestraft das Leben!" Wer hat Bestrafungen schon gerne?

Dieser letzte Abschnitt unserer Heimreise wurde immer interessant. Viele der Fahrgäste waren Seeleute, die zurück auf ihren Fischkutter mussten, Männer der Handelsmarine oder aber die Jungs, die ihren Ehrendienst auf irgendeinem Boot der Volksmarine leisteten. Alle verband ein unsichtbarer Seemannsknoten. Während wir Sportler in die heimatlichen Gefilde fuhren, in den Schoß der Familie, ließen sie gerade diese hinter sich. Ihre Frauen, Freundinnen oder beides! Grund genug, sich mal so richtig abzuschießen.

Ach ja, und dann gab es noch die Gruppe der Jäger und Sammler. Das waren die, die das große Problem der unkoordinierten Warenstreuung in die einzelnen Bezirke unserer Republik konkret angingen und gleich nach Berlin fuhren, in der Hoffnung, irgendetwas zu ergattern. Es ist durchaus möglich, dass es von unseren Wirtschaftsgenossen, nicht zu verwechseln mit Bossen, die haben wir jetzt, dass es also von den Führungskräften unserer Wirtschaft so gewollt war. Logisch, dass man sich dadurch die Transportkosten für die anfallenden Kilometer, etwa nach Suhl oder Rügen, Cottbus oder Eisenach, sparen konnte. So wurde es clever auf alle breiten Schultern der Arbeiter und Bauern verteilt. Unsere pfiffigen Bürger fuhren also gleich ins Zentrallager Berlin, um sich mit den nötigsten Dingen, wenn vorhanden, vor Ort zu versorgen. Ein Schelm, der Arges dabei denkt!

Na ja, für die Kameraden, die der jagenden oder besser der nachjagenden Zunft angehörten, gab es noch nichts zu feiern. Das sah auf der Heimfahrt bestimmt anders aus. Irgendetwas an Beute brachte man immer ins heimische Lager.

Wir, aber im Speziellen die Männer, denen man immer eine Handbreit Wasser unter dem Kiel wünscht, hatten auf dieser Fahrt nur ein Ziel, der nüchternen Realität etwas von ihrer Schärfe zu rauben. Trockener ausgedrückt: dem normalen grauen Alltag für ein paar Stunden seine Tristesse zu nehmen.

Ein klarer Blick war da nicht unbedingt wünschenswert, was die meisten auch problemlos schafften.

So war es nicht verwunderlich, wenn die beste Stimmung meistens im Speisewagen zu finden war. Hier in der rollenden Tanke saßen oder standen die echten Seeleute aus dem schönen Sachsenland und schmetterten Seemannslieder im heimatlichen Dialekt. Langeweile gab es keine und wurde nicht gesungen, wurde diskutiert. Selbstverständlich war es eine Grauzone, in der Wahrheit und grenzenlose Fantasie Hand in Hand gingen. Nicht umsonst spricht man von Seemannsgarn. Keiner war dem anderen böse, wenn er das Gefühl hatte, sein Gesprächspartner liegt mit dem Wahrheitsgehalt seiner Story etliche Seemeilen daneben. Im Gegenteil, es war eine Herausforderung, den anderen mit einer noch verrückteren Geschichte an die Bordwand zu drücken. Es war nicht so sehr der Alkohol, der uns das Gefühl der Verbundenheit mit den Fahrensleuten vermittelte. Auch wir waren ständig unterwegs, um Ruhm und Ehre für unser sozialistisches Vaterland zu erringen. Donnerwetter, wie das nach so vielen Jahren noch runterläuft. Ob die Kameraden am Hindukusch im Moment auch Ruhm und Ehre für ihr kapitalistisches Vaterland erringen wollen? Nur gut, dass mir so etwas erspart geblieben ist. So richtig würde ich es sowieso nicht glauben wollen.

Wir waren, also die Seefahrer und wir Sportler, auf einer Wellenlänge. Hatten alle schon etwas von der großen weiten Welt gesehen. Ausgenommen die Männer von der Volksmarine: Wobei kein geringer Teil davon träumte, nach dem abgeleisteten Ehrendienst zur Handelsflotte zu wechseln. Wir aber waren die Bevorteilten. Wir hatten schon Dinge gesehen, von denen der Normal-Ossi nur träumen durfte. Aber abgerechnet wird bekanntlich unter dem Strich. Mit näherkommendem Ziel Berlin-Ostbahnhof, Hauptstadt der Deutschen Demokratischen Republik, verschwammen die Konturen immer mehr und letztendlich waren wir alle Fahrensleute.

An so einem Rückreisetag geschah es dann auch, dass ein besonders sangesfreudiger Zecher mit schon etwas schwerer Zunge im schönsten sächsischen Dialekt meinte:"Scheen, wenn mo jädze eene Gidarre dabei häddn!" Meine Gitarre war mein ständiger Begleiter, so auch auf dieser

Tour. Sie schlummerte in ihrer Schutzhülle im Gepäcknetz unseres Abteils. Nur war es etwas problematisch, so mir nichts, dir nichts in dem Mitropa-Waggon zu musizieren. Gab es doch zu DDR-Zeiten ein Gesetz, welches das Abspielen von Musik in öffentlichen Gaststätten nur mit polizeilicher Genehmigung erlaubte. Demzufolge war der Betreiber des mobilen Restaurants, in dem wir so ausgiebig feierten, genauso verpflichtet, diese Vorschrift einzuhalten, wie jeder andere Kneipier auch.

Alles nahm seinen Lauf. Irgendeiner meiner Judokumpels tönte laut, dass es in unserer Truppe einen superguten Gitarrenspieler gäbe und auch die Klampfe sei an Bord. Das war der Auslöser für ein regelrechtes Kriegsgeheul. Mir wurde etwas mulmig, hatte man mich doch soeben über den grünen Klee gelobt. Dabei kannte und konnte ich nur ein paar Griffe, die aber bestens. Mein Talent bestand im Stimmung machen und Stimmung war im Moment reichlich vorhanden. Es konnte also nichts schiefgehen. Mein kläglicher Versuch, auf die Rechtslage aufmerksam zu machen, scheiterte ausgerechnet am Chef der Kneipe. Lauthals brüllend übertönte er die grölende Menge, er sei hier der Boss und niemand habe ihm hier etwas zu sagen. Sicherlich gab es zwei Gründe, dass er sich so vehement für einen Auftritt einsetzte. Garantiert lief ihm bei dem Gedanken an die Höhe des Umsatzes, den er machen würde, ein Schauer über den Rücken. Der andere Grund war vermutlich sein eigener Promillegehalt. Mir war nicht entgangen, dass er zwischendurch auch mal einen kräftigen Schluck nahm.

Schneller als ich denken konnte, war das Instrument in meinen Händen. Einer meiner feier- und sangesfreudigen Mitstreiter hatte es sich nicht nehmen lassen, es dem Maestro persönlich auszuhändigen.

Die Stimmung war geradezu grandios. Immer mehr Gäste kamen in den schon überfüllten Wagen. Teils aus Neugierde oder weil sie Durst hatten. Nach der ersten Flasche Flüssignahrung gehörten sie automatisch mit zum Kreis der Sangesfreunde und fühlten sich bestens aufgehoben. Man sagt nicht umsonst: „Wo man singt, da lass dich ruhig nieder …" Es ist nun mal so, lachen und miteinander singen baut Brücken und verbindet die unterschiedlichsten Ufer miteinander.

Das plötzliche Auftauchen meiner 85-Mark-Klampfe versetzte die alkoholisierte Masse in einen regelrechten Freudentaumel. Wie eine Horde ausgelassener Schulkinder, denen der Direktor soeben mitgeteilt hat, dass der Unterricht für den heutigen Tag ausfallen müsse, da die Klassenlehrerin Grippe erkrankt sei.

Die ersten gespielten Akkorde ließen die zum Teil schon beträchtlich trüben Augen aufleuchten. Für mich und meine Stimmbänder wurde sofort gesorgt, Hauptsache keine zu lange Spielpausen. Ich zog alle Register meines bescheidenen Könnens. Beherrschte ich mal nicht den Text eines gewünschten Liedes, fand sich garantiert jemand, der mir zu Hilfe kam. Hauptsache, ich begleitete ihn auf meinen 6 Saiten. Neben den altbekannten Seemannsliedern wie „Wir lagen vor Madagaskar und hatten die Pest an Bord" oder „Wir sind die Herren der Welt, die Könige im Luftrevier" kamen natürlich auch die Shantys aus der beliebten DDR-Fernsehreihe „Klock 8 achtern Strom" zur Aufführung. Allein schon aus dem Grund, das vorgeschriebene prozentuale Verhältnis zwischen Ost- und Westschlagern einzuhalten.

Bei dem Lied „Ho, unser Maat hat schief geladen" drohte der Boden der fahrenden Kombüse durchzubrechen, so sehr stampften die Beine und Füße der alkohol- und sangesfreudigen Mannschaft. Ich musste unbedingt etwas Ruhe in den tobenden Matrosenchor bringen.

„La Paloma", jenes wundervolle und wohl bekannteste Seemannslied, welches Freddy Quinn mit spanischem Text sang, schaffte es sofort. Da ich der Einzige war, der diese Strophen in spanischer Sprache beherrschte, summten und brummten meine Backgroundsänger als wohltuender, akustischer Hintergrundchor. Eine wundervolle Umrahmung meines mit Herzblut vorgetragenen Liedes. Manch einer ging in sich und tat seinen Gefühlen keinen Zwang an. Als ich jedoch von eben diesem singenden Seemann Freddy das Lied aus dem Musical „Der Junge von St. Pauli" anstimmte, brachen die Dämme. Harte Männer lagen sich schluchzend in den Armen und lauschten, ohne sich ihrer Tränen zu schämen. Sie durchlebten in diesem Moment vermutlich noch einmal die letzten vierundzwanzig

Stunden, in denen sie sich von ihren zu Hause Gebliebenen verabschiedeten. "Junge, komm bald wieder, bald wieder nach Haus, Junge, fahr nie wieder, nie wieder hinaus."

Die Berlinreisenden verpassten fast den Ausstieg Ostbahnhof. Ein Teil der nach Stralsund weiterreisenden Seeleute ließ es sich nicht nehmen und verabschiedete uns herzlich auf dem Bahnsteig.

Die Namen der Schiffe, für deren Besuch ich Einladungen erhielt, konnte ich mir beim besten Willen nicht merken.

Geblieben ist eine wunderschöne Erinnerung.

44. Versuchte Fahnenflucht?

Das Leben ist voller Überraschungen und das ist gut so, denn dadurch wird es nie langweilig.

Es war ein verdammt heißer Sommertag. Der Planet dengelte mit geballter Kraft aus dem Orbit und wir vier Berliner, also die vier, die außerhalb wohnen durften, weil wir verheiratet waren, wir schleiften uns müde und zerschlagen vom S-Bahnhof Schönhauser Allee in Richtung Korsörer Straße.

Das Training war nicht allzu hart gewesen, da wir am Tag zuvor von einem Wettkampf aus Polen zurückgekehrt waren und eigentlich nur den Kreislauf etwas puschen sollten. Zwei Stunden Mattentraining und nach dem Mittagessen und einer Stunde Ruhe ein „Schiebchen" auf dem Fußballplatz. Schiebchen steht hier für Spielchen, wir hatten so unsere eigenen Begriffe, was eigentlich typisch für Sportler oder besser noch Kampfsportler ist. Ein Fußballschiebchen gab es meistens als Belohnung für gute Leistungen oder wenn auf der Matte nichts mehr ging. In diesem Falle ging nichts mehr. Wenn nur nicht diese irrsinnige Hitze gewesen wäre. Aber für so einen Moment mobilisiert man noch einmal die letzten Reserven.

Dementsprechend schlichen wir auch nach Hause, um nicht zu sagen, wir krochen so gut wie auf dem Zahnfleisch. Für ein kühles Blondes in unserer Eckkneipe war es noch etwas zu früh, also verschwand jeder in seinem Hauseingang, froh, in den Schatten zu kommen.

Als ich die Tür hinter mir ins Schloss fallen ließ, hatte ich nur einen Gedanken: Irgendetwas Trinkbares musste doch in der Küche zu finden sein. Im Fensterschrank wurde ich fündig. Zur näheren Erläuterung: Fensterschränke gab es in jeder Küche einer Mietskaserne. Sie waren die Vorläufer des Eisschrankes bzw. des Kühlschrankes. Aber an so einen Luxus war noch nicht zu denken. Eine kleine Blechplatte in der Außenwand, mit diversen Bohrlöchern versehen, ließ etwas Frischluft, soweit vorhanden, in dieses Schränkchen unterhalb der Fensterbank.

Hier nun stieß ich auf eine halbvolle Flasche Sauerkirschmost. Kurz entschlossen füllte ich die fehlende Menge mit Leitungswasser auf und ohne einmal abzusetzen, ließ ich das Gemisch in mich hineinlaufen. Erst als ich die Flasche absetzte, bemerkte ich einen leicht vergorenen Geschmack in meinem Mund. Anscheinend hatte der Saft doch nicht so kühl gestanden und begonnen zu gären. Aber so etwas haut doch einen Seemann nicht um, dachte ich. Das anfängliche leichte Blubbern im Magen-Darmtrakt entwickelte sich zu einem unangenehmen, hörbaren Poltern, dass dem Grollen eines nahenden Gewitters glich. Es fehlte nur noch der zuckende Blitz. Doch auch dieser sollte sich einstellen, allerdings in Form eines stechenden Schmerzes im Schließmuskel meines Allerwertesten. Er signalisierte die Alarmstufe rot, was bedeutete, dass mir keine halbe Minute verbleiben würde, meine Außentoilette, die auch noch eine halbe Etage höher lag, unbeschwert zu erreichen. Kurzum, den Rest des Tages verbrachte ich in meinem kleinen Konferenzzimmerchen mit mehr oder weniger kurzen Pausen, die ich vor Schmerzen zusammengerollt auf meiner Liege verbrachte. Schlimm war nur, dass absolut nichts mehr in meinem gequälten Körper war, was den rückwärtigen Ausgang hätte verlassen können, so glaubte ich. Aber meine Nieren und die Harnblase schienen einen Teil ihrer von Natur vorgesehenen Aufgaben an den Darm abgegeben zu haben und ließen es zu, dass der letztendlich nur noch Flüssigkeit von sich gab. Ich kam mir vor wie eine wasserlassende Kuh. Wenn nur nicht die Schmerzen gewesen wären. Kurz und weniger gut, ich war nicht in der Lage, am nächsten Tag nach Hoppegarten in den Sportclub zu fahren. Eine Nachricht, die ich unserem Mittelgewichtler Otto S. zukommen ließ, der schräg gegenüber in einer dunklen Parterrewohnung mit seiner Familie lebte, er informierte unseren Trainer über mein Missgeschick. Nach zwei dramatischen Tagen konnte ich es wagen, den Weg in den Club anzutreten, ohne größere Probleme zu bekommen.

Auf dem Weg zu meiner Trainingsstätte holte ich die gute Seele unseres medizinischen Dienstes, Schwester Ella, ein. Während wir nebeneinander unserem Ziel entgegenstrebten, erzählte ich von meinem gerade über-wundenen Magen-Darm-Problem. Schließlich war Schwerster Ella sowieso die Person, die ich hätte aufsuchen müssen, um Meldung zu machen. Ver-mutlich war aber die Information, die ich unserem Trainer hatte zukommen lassen, auf dem kurzen Dienstweg verlorengegangen, denn Schwester Ella wusste von nichts. Was mich verwunderte, war der kurze erschrockene Sidestep, den sie trotz ihrer beträchtlichen Körperfülle ausführte, um mindestens einen Meter Abstand zwischen sich und meine Person zu bringen. Während sie sofort stehenblieb und mich äußerst merkwürdig über den Rand ihrer etwas zu groß geratenen Brille beäugte, formten ihre Lippen das Wort Ruhr!

Der folgende Satz war mehr ein Schrei. „Klaus, du hast die Ruhr!" Tat-sächlich hatte ich vollkommen vergessen, dass im Land Brandenburg seit geraumer Zeit verbissen gegen diese Darmerkrankung angekämpft wurde. Ich wäre nicht im Traum auf den Gedanken gekommen, dass ich mir bei irgendeiner Gelegenheit etwas eingefangen haben könnte. Alle, aber doch ich nicht.

Was danach passierte, war reine Formsache. Ein Sanitäter fuhr mich sofort mit unserem clubeigenen Rettungswagen ins Hospital des Wachregiments nach Adlershof. Innerhalb einer knappen halben Stunde lag ich auf der Quarantänestation, wo ich mir mit einem etwas verschreckt wirkendem Sol-daten das Zimmer teilte. Meinen Dienstausweis hatte man mir vor-sorglicherweise abgenommen, vermutlich rechnete man mit meinem früh-zeitigen Ableben. Die Garderobe, die wegen des hochsommerlichen Wetters nicht allzu viel ausmachte, verlor sich fast in dem etwa groß aus-gefallenen Spind.

Und da lag ich nun in meinem frisch bezogenen Bett und wollte es immer noch nicht glauben, dass ich die Ruhr haben sollte. Erst die schüchterne Frage meines Bettnachbarn, wie es sein konnte, dass ich Zivilkleidung bei meiner Ankunft trug, wo doch alle hier uniformiert waren, holte mich in die Realität zurück. Ich erklärte ihm kurz, mit wem er es zu tun hatte, dass ich nie und nimmer ruhrerkrankt sei, sondern mir infolge des Genusses von vergorenem Sauerkirschsaft nur „Montezumas Rache" eingefangen habe. Außerdem finde ich es eine echte Schweinerei, mich, ohne mich groß zu befragen, hier einzusperren, zumal sich bis auf die Krankenschwester, die mich aufs Zimmer begleitete, noch kein Arzt hatte blicken lassen. Ich steigerte mich langsam, aber sicher in einen Zustand, den man durchaus als Wut bezeichnen konnte. Und wenn nicht bald etwas passiert, bin ich weg, dann hau ich ab, egal, nach mir die Sintflut!

Mein Leidensgenosse hatte sich tief in sein Bett verkrochen und die Bettdecke bis zur Nase hochgezogen und glotzte mich mit weit aufgerissenen Augen erschrocken an. „Wie willst Du das denn anstellen?" Mein angeborenes Rechtsempfinden, welches man den im Sternzeichen Wassermann Geborenen nachsagt, wurde geradezu mit den Füßen getreten und in meinem Falle trugen sie auch noch Militärstiefel, dass ging gar nicht. „Lass das meine Sorge sein", raunzte ich zu ihm hinüber.

Als man mir beim Einzug in das Hospital den Dienstausweis abnahm, bemerkte ich zu meinem Erstaunen, dass ich noch den Personalausweis in meiner Brieftasche hatte. Durch die verzwickten Umstände der letzten Tage hatte ich ihn nicht wie üblich in der Kaderabteilung abgeben können. Ins Ausland, und wenn es ein noch so befreundetes war, durfte man nur mit Personalausweis oder, wenn es zum „Klassenkampf" in einen NATO-Staat ging, nur mit einem grünen Pass, den wir uns in West-Berlin abholen mussten. Den Polen sei Dank, dass wir vergangenes Wochenende in Koszalin einen Wettkampf hatten. Na also, das war doch eine regelrechte Aufforderung, meine Gedanken in die Tat umzusetzen, wenn sich hier nicht bald etwas bewegte. Wieder meldete sich der brave Soldat vorsichtig zu Wort: „Aber das wäre doch sicher Fahnenflucht oder zumindest unerlaubtes Entfernen von der Truppe und so etwas wird ganz doll bestraft." Ich hatte nur einen mitleidigen Blick für ihn. Was mir bei einigen vorhergehenden Besuchen im Regiment auffiel, es gab auch Zivilangestellte, die beim Verlassen des Objektes nur ihre ganz normale Pappe zückten. Warum sollte es also nicht auch bei mir so funktionieren? Frechheit siegt, sagt man doch, oder?

Den letzten Menschen aus der Draußenwelt, den ich an diesem Tag sah, war die gute Seele, die mir eine große Tasse schwarzen Tee als Abendbrot brachte, dass war es dann aber auch.

Sie vertröstete mich auf den morgigen Tag, da werde bestimmt ein Arzt nach mir schauen.

Eine schreckliche Nacht lag vor mir. Das medizinische Gebäude grenzte unmittelbar an den Betriebsbahnhof Oberschöneweide und das sagt alles. Dass die DDR ab und zu mal bessere und klügere Ideen hatte als die Führung jenseits des Eisernen Vorhanges, ist bewiesen. Ich erinnere nur an das Bildungswesen. Aber in diesem Falle spreche ich von der Idee, den Schwertransport von der Straße auf die Schiene zu bringen. Im Prinzip absolut richtig und weit vorausschauend. So richtig begreift man es aber erst, wenn man die wahnsinnig langen Konvois von LKWs auf den Bundesautobahnen dahinschleichen sieht. Wehe dem, der zwanzig Minuten hinter so einem Brummi herschleicht, weil sein Kapitän die Nase voll davon hat, ständig die gleiche Riesenrückfront seines Vordermannes zu beäugen, und überholt. Besonders abtörnend ist es, wenn dieses Elefantenrennen vor einer Steigung beginnt und der Überholvorgang mit knappen 21,2 km/h stattfindet. Da fällt mir gerade ein Spruch dazu ein: „Aus Schaden wird man klug." Na dann warten wir mal drauf. Leider gibt es zu jedem noch so klugen Spruch ein Gegenstück: „Gegen Dummheit kämpfen selbst Götter vergebens."

Für mich war jedenfalls diese beginnende logistische Meisterleistung des DDR-Verkehrsministeriums nur schwer zu ertragen, zumindest, was diese Nacht betraf. Die Aktivitäten in der unmittelbaren Nachbarschaft machten mir echt zu schaffen. Dazu kam noch, dass, wenn mal für einen kurzen Moment etwas Ruhe eintrat, mein Kamerad Soldat so laut schnarchte, dass ich nahe dran war, aus dem Bett zu springen, um ihn zu würgen. Jeder, der das schon einmal erlitten hat, weiß, wovon ich spreche. Ich beließ es dann dabei, ihm die Innenseite des Neuen Deutschlands quer über den Kopf zu packen, was zwar das Grunzen nicht abstellte, aber es sah zumindest lustig aus, wie unser Parteiorgan beim Ausatmen über dem Gesicht flatterte.

Die Nacht wollte kein Ende nehmen. Als ich gerade etwas eingeschlummert war, wurde ich wieder geweckt. Wieder eine weiß gekleidete Schwester mit einer großen Tasse schwarzen Tee. Wieder das Versprechen, dass heute ganz bestimmt ein Arzt nach mir schaut. Tatsächlich, kurz nach der „Mittagsschwarzenteetasse" kam eine männliche Person, welche sich jedoch als Pfleger entpuppte und bei mir einen Abstrich entnehmen sollte.

Na hallo, schon der Einlauf vor meiner Knöcheloperation von vor zwei Jahren war mir noch in sehr guter Erinnerung und jetzt sollte ich schon wieder vor jemand Wildfremdem mein zweitempfindlichstes Körperteil aufblättern? Ich ließ es geschehen, gegen das Versprechen, dass gleich ein Arzt käme. So nebenbei möchte ich bemerken, dass das Stückchen Watte, welches der Genosse Hilfspfleger um ein Holzstäbchen gewickelt hatte, bei dem Versuch, meinen Schließmuskel zu überlisten, um von rektal meine Zahnwurzeln zu begutachten, verrutschte. Was zurückblieb, war eine kleine blutende Wunde und eine gesteigerte maßlose Wut auf die Situation, in der ich mich befand. Nichts ging mehr, das Fass war voll und kurz vor dem Überlaufen. Mein Magen schmerzte vor Hunger und der Darm versuchte, das Grummeln nachzumachen. Ich war jetzt bestimmt um etliche Kilos leichter und durfte mich nicht mehr Schwergewichtler nennen. Aus welchem Grund auch immer, an einem Hungerstreik könnte ich mich nie beteiligen.

Während ich meinen düsteren Gedanken nachhing, öffnete sich plötzlich die Tür! Da stand er, einer der Halbgötter in Weiß! Meine ganze Hoffnung lag allein nur in seinen Händen. Flehentlich bat ich ihn, mich gehen zu lassen, alles sei wieder in Ordnung. Es sei alles nur ein Versehen und außerdem sei ich für höhere Aufgaben vorgesehen, denn ich bin der aufsteigende Stern am Judohimmel. Verständnisvoll lauschte er meinen ergreifenden Worten, um mir im nächsten Moment einen Dolch ins Herz zu stoßen. Nein, nicht nur das. Er drehte ihn auch noch einige Mal hin und her: „Es tut mir unendlich leid, aber" – hier zögerte er merklich – „wir müssen erst den Befund abwarten und da das Wochenende vor uns liegt, wird es vor Montag nichts mit der Entlassung."

Der weitere Verlauf meines erzwungenen Aufenthaltes stand für mich nun felsenfest.

Kaum, dass der Unmensch im weißen Kittel über der Uniform verschwunden war, zog ich bedächtig meine eigenen Sachen an, legte das geliehene Nachthemd säuberlich auf mein zuvor ordentlich gebautes Bett und verabschiedete mich freundlich von meinem Schlafkumpel. Der immer noch zu grübeln schien, wie die zerknitterte Parteizeitung unter seine Bettdecke gekommen war.

Zum Glück begegnete ich auf dem Weg zum Ausgang keiner Menschenseele. Hochkonzentriert und trotzdem so locker und lässig wie möglich bewegte ich mich auf das Gebäude der Wache zu. Nur die Ruhe bewahren, alles wird gut. Der Posten, ein Gefreiter, beäugte mich neugierig. Ich spürte förmlich, wie seine kleinen grauen Zellen mit erhöhter Geschwindigkeit arbeiteten. Er machte aber keinerlei Anstalten, sich mir in den Weg zu stellen, ja er schaute sich noch nicht einmal meinen Ausweis genauer an, sondern warf nur einen flüchtigen Blick darauf. Da ich aber forsch auf ihn zutrat, winkte er mich mit einer lässigen Geste an sich vorbei. Die Spannung in meiner Gesäßmuskulatur ließ erst etwa zwanzig Meter nach Passieren des Postens nach. Seinen Blick glaubte ich jedoch wesentlich länger in meinem Rücken zu spüren. Erst als ich die Stufen zur S-Bahn hochstürmte, begriff ich es richtig. Ich war frei, frei! Ein unbändiges Glücksgefühl durchflutete meinen um etliche Kilos leichter gewordenen Körper, egal was jetzt kommen mag, ich hatte es geschafft.

Dass etwas kommen musste, war vorauszusehen, logisch. Aber im Moment war ich der Sieger und nur das zählte.

Aus meiner Sicht hatte ich Recht. Wenn die Sorge um den Menschen solche Formen annimmt, kann ich sehr gern darauf verzichten. Es sollte trotzdem ein schöner Abend werden. Ab nach Hause, was Ordentliches anziehen und los ging es ins Haus Budapest. Damals eine noble Adresse in der Karl-Marx-Allee.

Wiener Schnitzel mit Bratkartoffeln, natürlich doppelte Portion, dazu einen halben Liter gut gekühltes Bier und meine Welt war restlos in Ordnung. Nachdem mein Magen alles dankbar angenommen hatte und mein Darm keine Probleme mit der Weiterverarbeitung machte, folgte noch ein Bierchen und die Lust, das Tanzbein zu schwingen. Das Leben kann so schön sein.

Zufrieden, gesättigt, aber plötzlich von einer bleiernen Müdigkeit befallen, trat ich den Rückzug an. Sicherlich lag es an der vergangenen Nacht, die ich gefühlt zwischen den Gleisen des Rangierbahnhofs verbracht hatte. Also ab Richtung Kopenhagener Straße, Querstraße und rechts in die Korsörer Straße. Letztes Haus rechts vor dem Grenzgebiet, welches man nur mit Sondergenehmigung betreten durfte. Tür aufschließen, erste Etage Seitenflügel, Toilette, Bett. So in etwa waren meine Gedanken, als ich unsanft in die Realität zurückkatapultiert wurde.

„Unterfeldwebel Hennig?" hörte ich jemanden drohend rufen. Vor mir stand ein Hauptmann des Wachregiments in Begleitung zweier Soldaten, welche auch noch zu allem Überfluss mit Maschinenpistolen bewaffnet waren.

„Wegen unerlaubtem Entfernen von der Truppe muss ich Sie verhaften! Steigen Sie ohne Probleme zu machen in den Wagen." Dreißig Minuten später befand ich mich vor dem diensthabenden Offizier des Regiments, der aber schon informiert worden war, welch seltsamen Vogel seine Häscher dingfest gemacht hatten. Ich will nicht behaupten, dass er mich freundlich und zuvorkommend behandelt hat, aber ich kann mich nicht erinnern, dass er den Versuch unternommen hätte, mich zusammenzufalten.

Lediglich einen Bericht musste ich aufsetzen, in dem ich meinen ganzen aufsteigenden Frust niederschrieb.

Diese Nacht verbrachte ich nicht mehr auf der Quarantänestation, sondern im Bau. Alles ist das erste Mal. Was sollte mir denn schon passieren? Standrechtlich erschießen war nicht, würde aber gut zu den Gruselmärchen passen, die man jetzt über das Wachregiment verbreitet. Also ließ ich alles auf mich zukommen. Dank der drei, vier Bier, ich kann es wirklich nicht mehr genau sagen, wie viele es waren, und natürlich meines lupenreinen Gewissens schlief ich wie Gott in Frankreich auf meinem spartanischen Lager. Am nächsten Morgen durfte ich zu meiner Diensteinheit nach Hoppegarten.

7. Oktober: Tag der Republik und Feierlichkeiten ohne Ende. Großer Appell vor unserer Sporthalle. Auch meine Sportgruppe stand geschniegelt und gebügelt mit allen Ehren und Ordensspangen, die man sich im Laufe der Jahre erworben hatte, in Reih und Glied. Unser Stabschef, der Genosse Major Adamski, hatte das Oberkommando. Auf seinen Befehl hin standen wir stramm und hörten uns die von „ganz oben" kommenden Glück-wünsche zum Republikgeburtstag an. Danach folgten wie jedes Jahr die Auszeichnungen. Kleinere für die Kleinen, etwas Größere für die etwas Größeren und die großen Orden für die ganz Großen. Sie hefteten sie sich gegenseitig an die Brust. So wie es üblich war bzw. immer noch ist.

Dieses Mal wurde jedoch der Ablauf etwas verändert und ich ahnte beim besten Willen nicht, dass meine Person der Grund war. Leider müsse man vor der traditionellen Auszeichnungsfeierlichkeit eine Bestrafung vor-nehmen, ließ der Genosse Major verkünden. Es handle sich um ein strenges Disziplinarverfahren, und zwar wegen unerlaubten Entfernens von der Truppe. Wer war denn nur der Bösewicht? Alle schauten neugierig in die Runde, als auch schon das Kommando „Kompanie stillgestanden!" ertönte. „Unterfeldwebel Hennig, drei Schritte nach vorn!" Überrascht war ich nicht, irgendetwas musste nachkommen, nur der Zeitpunkt war für mich nicht vorhersehbar. Nun sollte ich mich auch noch auf den Befehl des Majors hin mit dem Gesicht zu der neugierig glotzenden Truppe drehen. Ich blickte in zum Teil belustigte Gesichter. So etwas passiert nicht alle Tage und dazu noch Kläuschen, dem Spaßvogel der Sektion Judo. Andere, deren Gesichter ernster dreinschauten und in Uniformen mit höheren Dienstgraden steckten, vermieden den Blickkontakt und fixierten einen imaginären Punkt in weiter Ferne an. Ich ließ es über mich ergehen, hörte etwas von strengem Verweis, wusste aber nichts groß damit anzufangen. Danach durfte ich wieder zurück zu meinem grinsenden Haufen und der freundlichere Teil konnte beginnen.

Jetzt, lieber Leser, passe er schön auf: Das war die DDR, die ein Mensch, der nie in ihr gelebt hat, nie begreifen wird und kann!

Keine 15 Minuten nach meiner Bestrafung musste ich abermals vor die Front treten, doch dieses Mal wurde ich mit der „Artur-Becker-Medaille" ausgezeichnet. Dieser kleine silberne Orden der Freien Deutschen Jugend (FDJ) wurde nur demjenigen verliehen, der absolut vorbildwirkend in seinen Leistungen und seiner Lebensführung war. – Capito?

Logisch, dass man mich wegen des Verstoßes gegen die Dienstordnung bestrafen musste, das war der eine Teil der Geschichte. So etwas passiert in jeder Armee, in jedem Land der Welt. Der wesentliche Unterschied war, dass man sich Gedanken machte über die Ursache meines Dickkopfes, zwar nicht öffentlich, doch mit Ehrlichkeit. Mein verfasster Bericht über die Umstände meiner „Flucht", nämlich die vielgepriesene Sorge um den Menschen, die ich vermisst hatte, fand Berücksichtigung. Das war auch der Grund, mir meine Auszeichnung nicht vorzuenthalten. Was Recht ist, muss Recht bleiben! Nur so recht wusste eben keiner, wie das umzusetzen ist.

Das sollte ich in meinem bunten Leben noch öfter zu spüren bekommen, aber das ist der Stoff für noch viele weitere, mehr oder weniger lustige Geschichten.

45. Ottos kleiner Finger

Es war wie immer. Der schönste Tag eines Trainingslagers war der Ab-
reisetag. Alle freuten sich nach zwei Wochen knochenharter
Schinderei auf die Heimreise, auf Frau oder Freundin und die, die schon
eine eigene Familie hatten, ganz besonders auf die kleinen Racker, um sie
in die Arme schließen zu können. Unsere Väter überboten sich mit Storys
und haarsträubenden Berichten von Taten ihres Nachwuchses. Danach
konnten die noch nicht einmal Zweijährigen schon so viel wie andere
Kinder mit sechs Jahren. Weil sie selbstverständlich nach dem Vater
kamen.

Die Tochter unseres Schwergewichtlers Karl N., die immerhin schon drei
Jahre alt war, wurde eines Tages, so schwor Karl beim Leben seiner Groß-
mutter, von ihrer Mama unter Aufbietung aller Kräfte von der Kreuzung
Frankfurter Allee/Ecke Bahnhofstraße gezerrt, weil sie schon seit geraumer
Zeit den Verkehr regelte. Zuvor hatte sie dem diensthabenden Polizisten
den schwarz-weißen Regulierstab abgenommen und weil der ihn logischer-
weise nicht freiwillig herausrückte, trat sie ihm fürchterlich ans Schienbein.
Was nach Karls Ansicht eher nach einem Hiza-guruma aussah. An dieser
Stelle konnte nur Otto mithalten. Er war nicht nur einer der besten Mittel-
gewichtler Europas, sondern hatte auch anderweitig seine Fähigkeiten unter
Beweis gestellt. So konnte er zwei Knaben und seine kleine Prinzessin
Monika ins Rennen schicken. Bei dem, was die drei Sprösslinge zu leisten
in der Lage waren, brauchte uns um das Wohl unserer Republik nicht bange
sein. Ganz Mutige, noch Kinderlose stiegen jetzt ebenfalls in die lustige
Unterhaltungssendung ein, um mitzuteilen, welche Recken sie irgendwann
einmal an den Wettkämpfen der Giganten teilnehmen lassen würden. Das
Lachen und Gejohle wollten kein Ende nehmen. Wunderschöne Momente,
die man nicht vergisst.

Vergessen waren allerdings, und das ist das Schöne im Leben eines
Sportlers, die vielen, vielen Stunden, in denen man sich quälen und ab-
rackern musste, um vielleicht einmal auf dem obersten Treppchen zu

stehen. Niemand zählt die zum Teil heftigen Verletzungen: Zerrungen, Prellungen, Verstauchungen wurden nicht dazugerechnet, genauso wenig wie Frakturen der kleinen Zehen bzw. der kleinen Finger. In solchen Fällen band man das verstauchte Glied mit einem Stück Klebebinde an den daneben befindlichen Nachbarn und dann hieß es, Zähne zusammenbeißen. Wenn ich mich erinnere, gab es kaum einen Kämpfer, der nicht irgendwie vom Leben gezeichnet war oder etwas dergleichen nicht aufzuweisen hatte.

Otto war unser Paradebeispiel. Irgendwann passierte ihm das Missgeschick, welches ihn zum Schrecken aller Wettkampf- oder Mattenärzte werden ließ. Besonders die, die sein kleines Problem noch nicht kannten. Sein rechter kleiner Finger war nach einer nicht ordentlich behandelten und ausgeheilten Fraktur im Winkel von 125° verwachsen. Null Problemo für „Vater Kunze", wie wir ihn öfters wegen seiner drei Kinder nannten. Beim kräftigen Zufassen störte er nicht im Geringsten und auch Schmerzen verspürte er keine. War Otto alias Vater Kunze wieder einmal eine seiner legendären Spezialtechniken – der Kata-guruma – gelungen und somit der Kampf vorzeitig für ihn entschieden, eilte er mit schmerzverzerrtem Gesicht schnurstracks zum anwesenden Mattenarzt. Meistens waren die Medizinmänner im ersten Moment überfordert. Das letzte Glied von Ottos kleinem Finger stand fast waagerecht zum Rest. Versuchten sie, um ihrem Auftrag gerecht zu werden und den soeben gebrochenen Finger wieder zu richten, brüllte sein Besitzer mit schmerzverzerrtem Gesicht auf. Für uns, die wir dieses Spielchen kannten, immer wieder eine willkommene Abwechslung.

Einmal jedoch sollte dieser Finger, der in Ruhestellung immer auf dem Ringfinger lag und, wie ich schon berichtete, keine Probleme bei noch so vielen Kraftanstrengungen während eines Kampfes machte, ihm zum Verhängnis werden.

Wir saßen bunt verteilt in einem Doppelstockwagen der Deutschen Reichsbahn mit dem Ziel Heimat. Ich hatte es mir in dem nicht so vollbesetzten Oberdeck bequem gemacht und klimperte leise auf meiner Gitarre.

Jimmi, der mehrfache Schwergewichtseuropameister vom Armeesportclub, und Vater Kunze feierten inzwischen in der unteren Etage Abschied. Die Ausgangsposition war für beide äußerst günstig, da sich das Getränkeabteil mangels eines richtigen Speisewagens unmittelbar hinter ihnen befand. Zwei Wochen hartes Training auf dem „Trockendock" hatten das Verlangen nach ein paar Bierchen bei unseren beiden Kämpfern dramatisch ansteigen lassen. Für mich als junger, wahrhafter Sportler, der sein erstes Bier mit neunzehn Jahren trank, war es faszinierend, was unsere „Alten" so wegschlucken konnten.

Ich erinnere mich an eine Situation, in der mir Jimmi, mein großes Vorbild, was den Judosport betraf, bei einer ebenso feuchtfröhlichen Heimreise einen Ratschlag gab. Während er mir an dem schmalen Mitropatisch gegenübersaß, einem gutmütigen Gorilla nicht unähnlich, das ausgeprägte Kinn in die linke Hand gestützt, die rechte das fast leere Glas umklammernd, meinte er schon etwas lallend: „Kläuschen, wenn du etwas werden willst, musste, muscht du saufen." So richtig schien ich es nicht begriffen zu haben. Im Gegensatz zu ihm wurde ich nur einmal Europameister. Aber ich schweife ab. Jimmi und Otto becherten jedenfalls ganz ordentlich. Wobei ich, da ich in der oberen Etage saß, keinen Einblick hatte, wie groß die Menge wirklich war. Ich merkte es nur an den immer kürzer werdenden Abständen, in denen sie die Toilette besuchten. Bekanntlich wird der Harndrang immer quälender, gibt man ihm erst einmal nach.

Mein Blick auf die Uhr sagte mir, dass es keine zwanzig Minuten mehr dauern würde, um unser Ziel zu erreichen. Auch der Lokführer hatte es eilig, nach Hause zu kommen, denn die Geschwindigkeit, mit der er die letzten Kilometer anging, war rekordverdächtig. Felder und Wälder flogen nur so am Fenster vorbei, wahrscheinlich legte er einen Endspurt ein. Die Waggons ballerten gerade über die ausgeleierten Weichen am Flughafen Schönefeld als es Jimmi einfiel, noch einmal seine übervolle Blase zu entleeren. So genau kann ich es bis zum heutigen Tag nicht sagen. Waren die ausgeleierten altersschwachen Schienen und Weichen an dem schwankenden Gang unseres Großen schuld oder lag es an dem Bier?

Jedenfalls erreichte er das Örtchen, indem er sichernd nach links griff oder sich recht abstützte. Plötzlich war Otto hinter ihm. In letzter Sekunde war ihm eingefallen, dass es in der S-Bahn, die ihn in die Schönhauser Allee bringen sollte, keine Toilette gab. Während Jimmi schon dabei war, die Tür hinter sich zu schließen, hatte er seinen Schatten Otto nicht bemerkt.

Wieder donnerte der Wagen über eine Weiche, so dass sich Otto krampfhaft an der Klotür festhalten musste. Und dann geschah es! Sein kleiner „Krepelfinger" rutschte im selben Moment in den schmalen Spalt unterhalb des oberen Scharniers. Unser Gorillababy hatte von dem Drama nichts mitbekommen. Er hatte wie üblich, nachdem er die Tür zugezogen hatte, den Griff zum Verriegeln herumgedreht und war damit beschäftigt, trotz der heftigen Schaukelei nicht zu sehr daneben zu pinkeln.

Da ich in Fahrtrichtung saß und somit die gesamte Zeit die Toilettentür im Blick hatte, bekam ich als Erster dieses brutale Szenario mit. Das markerschütternde Geheul, welches Otto anstimmte, mischte sich mit dem Scheppern und Krachen der Waggons, die die letzte Weiche nahmen. Gerade donnerten wir am Bahnhof Ostkreuz vorbei. Der müsste doch schon lange bremsen, jetzt kommt doch schon die Warschauer Straße, waren meine Gedanken, während ich zum jodelnden Vater Kunze stürzte. Der sackte gerade zusammen und drohte, nur am kleinen Finger hängend, vor Schmerzen zu kotzen. Während ich ihn mit dem rechten Arm hochhievte und stützte, wummerte ich mit der linken Faust wie besessen gegen die schwere Klotür.

Jimmi war noch nicht fertig!

Erst als die Bremsen laut quietschend den Zug zum Stillstand brachten, öffnete er und sah sichtlich erleichtert aus. Während aus dem Lautsprecher dröhnend die Ankunft unseres Zuges bekanntgegeben wurde, stürmte alles, was nicht vorher eingeklemmt war, zum Wagenende, um den dortigen Ausgang zu benutzen. Auch Jimmi war immer noch mit sich beschäftigt, sodass er gar nicht mitbekam, dass sein vorhin noch fröhlicher Mitzecher in meinen Armen hing. Man schubste und drängelte nach draußen und ich musste feststellen, dass in jedem Menschen ein bisschen Kampfsportler steckt.

Mit allergrößter Mühe brachte ich den nun nur wimmernden Otto samt seinem Koffer auf den Bahnsteig und platzierte ihn auf eine der Bänke. Während ich ihn anflehte, nicht abzuklappen, enterte ich erneut den Wagen, um auch meinen Koffer und vor allem meine Gitarre zu holen. Von unserer gesamten Mannschaft war keiner mehr zu sehen. Mein Gefühlsleben schwankte zwischen traurig enttäuscht und stinksauer. Unser Pechvogel umklammerte die zitternde rechte Hand mit dem inzwischen blau-schwarz gewordenen Finger, dabei flüsterte er, jetzt kaum noch zu hören, in seinem Zahnaer Dialekt: „Kläuschen, mich is so schlecht, Kläuschen, mich is so schlecht." Das sollte nicht das letzte Mal gewesen sein, dass wir beide ein Leid teilten. Otto war immer für eine Überraschung gut.

Aber das ist Stoff für eine andere Geschichte.

46. Ein Schakal gibt niemals auf

Zinnowitz lässt mich nicht los. Als sich der DTSB der DDR in den Sechzigerjahren entschied, in diesem freundlichen Küstenstädtchen auf der Insel Usedom eine Sportschule zu errichten, waren wir, die Nationalmannschaft Judo, die erste Sportgruppe überhaupt, die dort einzog. Später dann als Sportphysiotherapeut durfte ich in meiner Funktion einige Male Mannschaften des Volleyballverbandes bei der Vorbereitung auf internationale Turniere dorthin begleiten. Auch jetzt, nach so vielen Jahren, zieht es mich immer noch magisch auf diese Insel, welche von den Hauptstädtern liebevoll als „größte Badewanne der Berliner" bezeichnet wird. Fünfzig Jahre konnte ich die Entwicklung verfolgen und sage nur: alle Achtung!

Das erste Mal privat in Zinnowitz werde ich nie vergessen. Überglücklich und stolz konnte ich meiner großen Liebe berichten, dass es mir gelungen sei, eine Privatunterkunft, ein winziges Zimmerchen in einem mit Schilf gedecktem Haus, zu ergattern. Das versprach, ein Romantikurlaub pur zu werden. Es war wie ein Lotteriegewinn und nur möglich über das „Vitamin B", welches eine gewaltige Triebkraft unseres sozialistischen Vaterlandes war. Unsere Quartiermutter, Küchenhilfe in eben dieser Sportschule, besserte durch die natürlich inoffizielle Vermietung ihre Haushaltskasse auf. Egal, wir schwebten geradezu mit der von einer kleinen Dampflokomotive gezogenen Schmalspurbahn in Zinnowitz ein.

Die anfängliche Euphorie bekam einen mächtigen Dämpfer. Das Haus war tatsächlich mit Schilf gedeckt, war aber in so einem desolaten Zustand, dass ich beim Öffnen der Haustür befürchten musste, die Kate umzureißen! Frau Dietelow, von ihr hatten wir uns die Schlüssel aus der Sportstätte geholt, würde erst nach Dienstschluss hier auftauchen. Zeit genug, um uns in Ruhe einzuquartieren und alles zu beschnuppern. Unser Kämmerchen, mehr war es nicht, wurde von einem alten schmalen Kleiderschrank und zwei ebenso alten Liegen, die auch noch über Eck standen, restlos ausgefüllt. Nicht einmal ein Tischchen oder wenigstens ein Stuhl hatten drin noch Platz. In dem Zustand der Verliebtheit, in dem wir uns befanden, war das weiter kein Problem. Sicherlich wären wir auch mit einer Liege ausgekommen. Nervend war allerdings der Umstand, dass es außer dem Spülbecken in der Küche keine weitere Möglichkeit gab, sich mal gründlich zu waschen. Vorteilhaft dagegen das frühe Verschwinden von Frau Dietelow, um pünktlich ihren Job in der Küche anzutreten.

Den Wassereimer, der unter dem gusseisernen Spülbecken stand und anschließend entleert werden musste, kippte ich in den Graben vor dem Grundstück. Das Häuschen stand mitten im Dorf! Problematischer hingegen waren die kleinen bzw. noch problematischer die großen Geschäfte, die man meistens vor dem ersten Waschgang des Tages macht. Nach unserem vergeblichen Versuch, auch diese Hürde zu meistern, gaben wir uns geschlagen. Besagtes Örtchen konnte man nur erreichen, indem man die Hütte verließ und einige Schritte über den Hof dem beißenden Geruch nachging. Landluft pur! Stand man endlich vor der Brettertür mit dem unvermeidlichen Herz in Augenhöhe, vernahm das geübte Ohr das Brummen von vielen dieser dicken hässlichen, stahlgrün glänzenden Fliegen. Während meine zukünftige Frau aus Verzweiflung wenigstens einen Versuch unternahm, das kleinere Geschäft, jedoch, ohne sich auf das dunkle Loch zu setzen, zu erledigen, war für mich sofort klar, das muss ich mir nicht antun. Zumal die Gefahr bestand, dass das, was man oben hineinplumpsen ließ, unten zu Füßen wieder rausgeschwommen kam. Die Grube war bis Oberkante gestrichen voll. In solchen Augenblicken trösteten wir uns gegenseitig: „Aber das Haus ist mit Schilf gedeckt." Apropos Plumpsklo, dieses Problem lösten wir, indem wir das neuerbaute Riesen-Monster-Hotel der Wismut, unmittelbar an der Strandpromenade, aufsuchten. In Zinnowitz tat sich etwas, man begann zu bauen. Es fiel also nicht auf, wenn zwei junge Menschen die Toiletten im Eingangsbereich dieser gewaltigen Bettenburg aufsuchten. Problem gelöst!

Ähnlich, aber bei Weitem nicht so krass, entwickelte sich auch die Sportschule. Schlief ich bei meinem ersten Aufenthalt noch in einem eisernen

Doppelstockbett direkt über der Turnhallte, mit allen meinen Sport-kameraden in einem Raum, waren dort aber zumindest die sanitären Be-dingungen in Ordnung. Es gab einen Waschraum mit Handwaschbecken bzw. Duschen. Auch für separate Toiletten war gesorgt worden.

Gegessen wurde im gegenüber der Halle erbauten Clubgebäude auf der anderen Seite des Rasenplatzes. Und das Essen war, wie an allen Sport-schulen des DTSB, einsame Spitze. Allerdings verdrängte ich in den folgenden Jahren meiner Aufenthalte den Gedanken, Frau Dietelow könnte immer noch in der Küche arbeiten. Sicherlich besaß aber auch sie jetzt eine Spültoilette. Wie ich schon bemerkte, in Zinnowitz tat sich etwas.

Zurück zu meinem ersten Aufenthalt an der Ostseeküste Usedoms. Das Schlimmste, was damals passieren konnte, war ein striktes Strand- und Badeverbot in der Mittagspause. Na, Hallo! Wir befanden uns an der Ostsee, es war ein irre heißer Sommer. Wann sollten wir uns denn ein bisschen Bräune auf den Pelz holen? Wir, die ständig in einer Halle trainierten, konnten nur voller Neid auf die Leichtathleten schauen, wenn sie aus einem Trainingslager an der See oder aus den Bergen zurückkehrten. Spalttabletten oder Kalkeimer waren noch die harmlosesten Ausdrücke, mit denen man uns belegte. Nein, auch wir hatten den Wunsch nach Sonne und wollten etwas Farbe ins Gesicht bekommen. Man muss nicht unbedingt wie einer von den diskuswerfenden „Kohlenmonks" aussehen, aber leicht pigmentiert wäre schon schön. Die zwei Stunden Mittagsruhe nach dem Essen verbrachten wir selbstverständlich in der prallen Sonne am Strand! Da so ein Verdauungsprozess nach der Speisung und dem harten Vor-mittagstraining ganz schön schlaucht, war es nicht verwunderlich, dass so mancher die Kontrolle über sich verlor und sanft entschlummerte.

Spätestens, als wir zum zweiten Mattentraining um 17.30 Uhr antraten, ahnten wir bereits, was auf uns zukommen würde. Alle, aber restlos alle, hatten einen fürchterlichen Sonnenbrand. Der Versuch, diese bestialischen Schmerzen etwas zu lindern, indem wir uns ein weiches Sporttrikot, natürlich den Kragen hochgeschlagen, unter die groben Leinenjacken zogen, wurde von unserem Verbandstrainer gnadenlos verhindert. Mit einem genüsslichen Grinsen befahl er uns, die Trikots sofort auszuziehen. Da halfen kein Jammern und Betteln! Nur einen seiner blöden Sprüche von wegen – „Wer nicht hören will, muss fühlen" – bekamen wir übergezogen. Na schönen Dank auch Trainer!

Die ersten zwanzig Minuten durften wir deshalb zur „Erwärmung" im leichten Bodenkampf leiden. Jeder versuchte verbissen, die Rückenlage zu vermeiden. Wir hätten uns auch auf glühenden Kohlen wälzen können. So riesengroß war der Unterschied nicht, meinten wir. Also Zähne zusammenbeißen und durch. „Was nicht tötet, macht hart." Ein Spruch, der mich mein Leben lang begleitete. Wir erahnten in etwa, wie es sich anfühlt, gegrillt zu werden. Letztendlich haben wir es überstanden.

Was ist nach so einer Foltereinheit naheliegender, als der Wunsch, den Brand zu löschen! Die erste ersehnte Abkühlung brachte das anschließende Duschen und die folgenden Löscharbeiten verlegten wir in die Kneipe neben dem winzigen Kino gegenüber dem Kurpark. Zur Wiedergutmachung hatte uns der Oberinquisitor sogar ein Schlummerbierchen genehmigt. Wobei wir einige Zeit am runden Tisch diskutieren mussten, was ein Schlummerbierchen sei. Der eine schläft schnell ein, während ein anderer sich damit schwertut und die halbe Nacht wach liegt. Den goldenen Mittelweg zu finden, war nicht so einfach, zumal für 23.00 Uhr Nachtruhe angeordnet war. Viel Zeit blieb uns also nicht, zumal wir mindestens zehn Minuten zackigen Rückweg einplanen mussten. Also: „Hopp, hopp, rin in' Kopp!"

Gut gelaunt und zufrieden darüber, dass der Tag doch noch so einen angenehmen Ausklang hatte, machten wir uns auf den Heimweg. Wir, das waren Otto, unser Mittelgewichtler und einer der Ältesten, Paule, der Leichte vom ASK, Uwe und olle Helmut, unsere beiden Halbschweren, na und ich als verhältnismäßig mickriger Schwergewichtler. Alle fünf muskulöse Athleten, die sich nicht nur am Strand sehen lassen konnten. Summa summarum geballte Kraft und Energie mit Sonnenbrand.

Die Temperatur war inzwischen soweit gesunken, dass es angenehm wurde, zumal ein leichter Wind vom Wasser herüberwehte. Das bewog uns, die Hemden auszuziehen, da sie uns das Gefühl vermittelten, eine Heizdecke mit uns herumzuschleppen. Wie die Revolverhelden aus einem Western, nur unbewaffnet, liefen wir nebeneinander, die gesamte Straßenbreite einnehmend. Um diese Zeit fuhr sowieso kein Auto mehr durch Zinnowitz. Es war unbeschreiblich schön, die wohltuende Kühle auf unseren gegrillten und geschundenen Körpern zu spüren. Unsere Welt war wieder in Ordnung, dachten wir fünf. Wir hatten in etwa die Hälfte des Weges hinter uns, als sich plötzlich eine Horde einheimischer Jugendlicher etwa zehn Meter vor uns auf der Straße aufbaute. Wer jetzt annimmt, dass sie uns nach der Uhrzeit fragen wollten, den muss ich enttäuschen. Wir näherten uns, etwas langsamer geworden, auf etwa fünf Meter und blieben stehen. Man kennt doch das sich immer wiederholende Spiel, welches diese eben entstandene Situation hervorrief. „Hey, unsere Hühner treten wir selber, comprende Amigos?" Schon zur Zeit des Neandertalers klauten sich unsere Vorfahren gegenseitig die Frauen, um sie in die eigene Höhle zu schleifen, wenn möglich, und bei Gegenwehr an den Haaren. Die Kameraden vor uns wollten dem vorbeugen. Oder gab es vielleicht einen anderen Grund? Hatte sie unser einnehmendes Wesen, mit dem wir die gesamte Breite der Straße für uns beanspruchten, so sehr provoziert? Wollten sie uns die Jacke vollhauen, die wir nicht trugen, abgesehen von den Hemden, welche wir bereits ausgezogen hatten und in den Händen hielten?

Lustig, wie sie grimmig glotzend vor uns standen. Uns war klar, die „Fischköppe" wollten Zoff: Wie sie uns breitbeinig, mit vor der Brust verschränkten Armen, Angst einzuflößen versuchten. Die klügsten Köpfe von Zinnowitz waren es bestimmt nicht, sonst hätten sie trotz beginnender Dunkelheit und spärlicher Straßenbeleuchtung sehen müssen, dass vor ihnen keine adipösen Großstadtwamper standen, sondern fünf durchtrainierte Athleten. Sicherlich war es dem Umstand geschuldet, dass wir tatsächlich die erste Sportmannschaft an der Schule waren, und die Platzhirsche von Zinnowitz, denn das schienen sie zu sein, noch keinerlei

Erfahrung mit den Bewohnern der Olympiakaderschmiede gemacht hatten. Wie sagte doch Henry, unser Verbandstrainer, vor dem letzten Training des Tages? Aus Schaden wird man klug? Ach nein, wer den Schaden hat, braucht für den Spott nicht zu sorgen oder war es, wer nicht hören will muss fühlen? Egal, wir waren nach der Hitze des Tages und der angenehmen Kühle des Bieres auch nicht mehr die Frischesten.

Jetzt mussten wir aber erst einmal feststellen, dass wir einer sich maßlos überschätzenden Gruppe Zinnowitzer „Halbstarkenorks" gegenüberstanden, die uns im wahrsten Sinne des Wortes mit aller Gewalt davon überzeugen wollten, wo bei ihnen der Hammer hängt!

Ich betone noch einmal: Das geschah vor etwa einem halben Jahrhundert! Da gab es noch ehrliche Prügeleien. Kein Messer, kein Schlagring oder gar den Gebrauch einer Schusswaffe. Wenn jemand unterlag, war Schicht im Schacht. Der Kampf war entschieden. Man trampelte nicht, wie es jetzt üblich ist, noch ein Weilchen auf dem armen Schwein herum, um anschließend großkotzig zu versprechen: „Bei näschde Mal schtesch isch disch ab." Oft gibt es dann für das Opfer kein "'näschde Mal", gelle?

Nun, wie wir bereits wissen, in einem halben Jahrhundert verändert sich so manches. Vom Plumpsklo zur Toilette mit Wasserspülung bei leiser Musik und automatischer Reinigung. Da bin ich auf die nächsten Jahre, die mir, so hoffe ich doch, verbleiben, gespannt, wie sich das Ganze weiterentwickelt. Vollzieht dann den letzten Akt, das sanfte Abwischen der Rosette ein Automat oder doch lieber vielleicht ein versteckt agierender unterbezahlter Gastarbeiter aus Rumänien? Wer weiß, wer weiß. Leider werde ich dabei nicht das flaue Gefühl im Magen los, dass mit dieser Entwicklung der letzten zwei Jahrzehnte auch vieles andere wie Ehrlichkeit, Nächstenliebe und Menschlichkeit den Bach runtergeht. Oder sollte ich lieber sagen, wie Schei… weggespült wird?

Aber zurück zu den glorreichen Sieben oder waren es gar acht? Auf alle Fälle waren sie in der Überzahl. Was nun? Die fragenden Blicke meiner Jungs sagten mir alles. Keiner war abgeneigt, noch eine kleine zusätzliche Trainingseinheit zu machen. Das allerdings musste ich verhindern. Erstens war ich der Kapitän der Nationalmannschaft und zweitens blieb uns nicht mehr viel Zeit bis zum Zapfenstreich, also bis zur vorgegebenen Nachtruhe. Auf meinen sonnenverbrannten Schultern lastete also eine gehörige Portion Verantwortung. Diese Dumpfbacken, die uns so großkotzig den Weg ins Heiabettchen versperrten, als befänden wir uns mitten in einer texanischen Kleinstadt, erahnten doch nicht im Geringsten, was für sie im „Frühbeet für herrliche Veilchen heranwuchsen"! Außerdem wäre es am darauffolgenden Tag Stadtgespräch und würde kein gutes Licht auf die Sportschule werfen.

Ich musste also versuchen, den Ball so flach wie möglich zu halten. Nachdem wir uns ein Weilchen angestarrt hatten, eröffnete ich das Friedensgespräch. Der Klügere gibt nach. Immerhin stand vor uns die Urform einer Streetgang. „Was'n los mit euch, wo liegt das Problem?", fragte ich. Der Typ in der Mitte, ich hatte richtig getippt, war das Alphatier. Während er seine Körperhaltung noch lässiger erscheinen lassen wollte, was er durch das Einhaken beider Daumen in die Schlitze der Hosentaschen eindrucksvoll demonstrierte, trafen mich seine fast tödlichen Blicke. „Ich", es entstand eine kurze Pause, in der er einen Daumen aus der Hose löste und ihn auf seine Brust zeigen ließ, „ich bin hier der Boss und wir sind die Schakale von Zinnowitz, ist das klar?" Ich war baff, hatte der gerade Boss gesagt? Das muss der Typ aus irgendeinem Westfilm geklaut haben. Haben die hier an der Küste überhaupt die Möglichkeit, Westfernsehen rein-zubekommen? „Also Herr Boss", ich versuchte, unser Friedensgespräch nicht kaputtmachen zu lassen, „räumt ihr nun die Straße oder nicht?" Ein bisschen bockig war ich jetzt. Wir besaßen schließlich auch unsere Ehre. Mit seiner Antwort hatte ich gerechnet. „Nur über unsere Leichen!" Bei dieser Last geballter Blödheit, die Herr Boss in seiner Kirsche mit sich herumtrug, hätte er eigentlich zwei Köpfe kleiner sein müssen und krumme Beine haben. Seine Bandenmitglieder hatten sich vermutlich in der Zwischenzeit ein besseres Bild von uns gemacht. Sie standen nicht mehr ganz so überzeugt und zur Gewalt bereit vor uns.

Einer plötzlichen Eingebung folgend machte ich einen Vorschlag. Wenn die schon nach einem filmreifen Drehbuch vorgehen, machen wir doch einfach mit. Es wird sich schon zeigen, wer die besseren Akteure sind.

„Also pass auf, Herr Boss", meinte ich zu dem „Coolman" hinüber. „Ihr stellt einen Kämpfer und wir ebenfalls. Euren Besten, euren Stärksten, wegen mir auch den Schönsten. Wer den Kampf gewinnt, dessen Mannschaft ist Sieger. Auf diese Weise verhindern wir, dass ein erheblicher Teil auch noch Beulen bekommt, es sei denn, ihr besteht unbedingt darauf." An den Gesichtern der „Coolmangang" war sofortige Zustimmung abzulesen und ihr Einverständnis zur friedlichen Koexistenz. Während der Oberschakal noch mit sich zu kämpfen schien, trat er plötzlich einen Schritt vor, um zu demonstrieren, dass er und nur er derjenige sei, der infrage käme, die Ehre der Zinnowitzer Schakale hochzuhalten. „Donnerwetter, das nenne ich Opferbereitschaft", meinte unser kluger Uwe und stieß dabei olle Helmut, der grinsend das Spektakel beäugte, mit dem Ellenbogen in die Rippen.

Auch Otto, unser abgebrochener Mittelgewichtler mit den zu kurzen Beinen, aber bulligem Oberkörper, war der Meinung, dass müsste er klären, und bettelte: „Kläuschen, lass mir den ufkloppen, ick mach och janz schnell." Den Sonnenbrand schienen alle vergessen zu haben. Aber Paule unser rothaariger "Terrier", machte keinen Hehl daraus, dass er sich den Spinner greifen wolle. Mit zwei schnellen Sätzen war er beim Big Boss. Rückwärtstechnik angetäuscht, Vorwärtstechnik durchgezogen und noch ehe der verdutzte Präriehund begriff, was mit ihm geschah, ging Paule in den Bodenkampf über. Wie er uns anschließend auf dem Rest des Nachhauseweges erzählte, wollte er gar nicht den alles entscheidenden Armhebel ziehen: „Aber den hab icke so jut erwischt, ick musste mit runta und da dachte ick mir, machste noch een feinen Abschluss mit'n Ude-Hishigi-Henka-Waza." Paul hatte also, ohne mit in den Wurf hineinzufallen, den gestreckten rechten Arm seines Gegners ergriffen, zwischen seine Schenkel geklemmt und mit dem linken Bein über dem Hals von olle „Coolman" dieses Bündel Mensch am Boden festgenagelt. All das geschah mit gewohnter affenartiger Geschwindigkeit, genauso wie das

Durchziehen bis zum Nullpunkt. Nullpunkt bedeutet – nichts geht mehr. Unserem Leichtgewichtler wurde diese Position langsam unangenehm, da sich vermutlich der Sonnenbrand zurückmeldete und er brüllte sein sich hilflos hin und her wälzendes Opfer an: „Gibst du auf?" Ein zwischen den Zähnen hervorgequetschtes „Nein" war die Antwort. Paul zum zweiten Mal: „Gibst du auf?" Dabei zog unser Terrier etwas mehr am Arm und hob sachte das Becken. Aussichtslos! Jeder Judoka hätte spätestens jetzt abgeklopft, weil er genau wusste, was als Nächstes passieren würde. Nicht der Schakal. Eine letzte Anfrage an ihn beantwortete er mit einem mehr gequälten Aufschrei: „Ein Schakal gibt niemals auf!" Paul zog durch, wie wir zu sagen pflegten.

Als wir unseren Heimweg fortsetzten, nachdem wir uns überzeugt hatten, dass wir mit keinem hinterhältigen Angriff rechnen mussten, ließen wir einen wimmernden Schakal zurück, der keine Gang mehr besaß. Sie hatten sich vorsichtshalber ins Dunkel der beginnenden Nacht geflüchtet.

Von den Schakalen habe ich nie wieder etwas gehört.

47. Wie ich in die SED eingetreten wurde

Dem Wassermann, also meinem Sternzeichen, sagt man nach, dass er Zwänge und Vorschriften zutiefst verabscheut. Genauso geht das Gerücht um, er würde für seine Ideen jedes Risiko eingehen, na sagen wir mal, fast jedes. Aber eines kann ich mit 100 %iger Sicherheit bestätigen, für den Wassermann ist Freiheit das höchste Gut. Schon der leiseste Versuch, ihn mit List und Tücke in gewisse Schablonen zu pressen, wird jämmerlich scheitern, es sei denn, er begibt sich aus Überzeugung und freiwillig in eine Zwangssituation. Liebe, verbunden mit heiraten, wäre so ein Umstand, aber dann muss er auch das Gefühl haben, dass es ganz allein seine Idee war.

Man versuchte es schon über Jahre. Es konnte doch nicht möglich sein, dass ein Nichtgenosse zu größeren sportlichen Leistungen fähig ist. Ziel war es also schon seit Beginn meiner sportlichen Laufbahn, mich unter Kontrolle zu bekommen. Jahrelang schlüpfte ich durch jede ausgelegte Schlinge und sprang über die breiteste und tiefste Fallgrube, ohne dass man mich erwischte. Als pfiffiger stiller Beobachter hatte ich schon als Knirps begriffen, dass etwas Drohendes von dieser Zwangsgemeinschaft Partei ausging. Obwohl meine Eltern und später auch mein großer Bruder versuchten, die weniger erfreulichen Dinge des Lebens von mir fernzuhalten, sah ich doch, wie sehr gerade unser Vater unter der Diktatur des Proletariats litt. Überzeugter Kommunist, beauftragt von der Partei, die Bodenreform in Sachsen durchzuboxen, später als Redakteur der Zeitschrift „Der freie Bauer" über Berlin nach Schwerin versetzt, war er nicht gewillt, als reitender Bote über die mecklenburgischen Lande zu ziehen, um die Reform rückgängig zu machen und die Geburtsstunde der Landwirtschaftlichen Produktionsgenossenschaften auszurufen.

Außerdem weigerte er sich, in den sogenannten Arbeiterkampfgruppen mitzuwirken, was einen wirklich triftigen Grund hatte und von seinem starken Charakter zeugte.

Vier Jahre Ostfront und Kriegsgreuel-Erlebnisse auf der falschen Seite hatte ihn wie so viele andere auch dazu veranlasst, einen Eid abzulegen: „Nie wieder Krieg – nie wieder eine Waffe in die Hand nehmen!" Verständlich, oder?

Weniger Verständnis fand er bei der Bezirksparteileitung, also strafversetzt und Neuanfang unter schwersten Bedingungen. Wo ein Genosse ist, ist die Partei!

„Nee, nee dat wi nix für mich un Vaddern sin Sohn." Diese, meine Einstellung, sollte es mir manchmal etwas schwerer im Leben machen, aber bekanntlich kann man sich eine etwas dickere Haut wachsen lassen.

Deswegen gewöhnte ich mich daran, dass in all meinen vorsozialistischen und sozialistischen Beurteilungen fast der gleiche Wortlaut zu finden war. Angefangen von den Zeugnissen der Grundschule, wo dem Klaus zwar eine gewisse Portion Intelligenz zugesprochen wurde, aber er hätte wesentlich mehr gesellschaftlich in Erscheinung treten müssen. Damit konnte ich leben und Vater Hennigs kluge Sprüche taten ihr Übriges: „Nur der Starke ist am mächtigsten allein" und ich wollte stark sein!

Es begann damit, dass man mir ein schlechtes Gewissen einzureden versuchte. „Ich solle doch bitte nicht vergessen, wem ich das alles zu verdanken hatte." Was meinten die Genossen mit „das alles"? Die unschöne und bestialisch kratzende feldgraue Uniform? Wie toll sahen dagegen unsere beiden Großväter in ihren Waffenröcken von anno dunnemals aus. Außerdem gibt es auch zu diesem Thema einen Merksatz unseres alten Herrn: „Die beste Uniform ist ein maßgeschneiderter Zivilanzug." Dankbar müsste ich auch dafür sein, von morgens bis abends Sport treiben zu dürfen! „Sport ist Mord", wer kennt nicht den flapsigen Spruch, was ist denn dann Leistungssport? Sicherlich sollte ich auch nicht vergessen, dass ich jahrelang mit Weib und Kind in einer Einraumwohnung mit Außentoilette im tiefsten Prenzlauer Berg, selbstverständlich Seitenflügel Hinterhof, wohnen durfte und erst, als ich einen persönlichen Bitte-Bitte-Brief an den Staatsrat schickte, änderte sich etwas.

Nun, ich hatte gelernt und war wie ein Stück Kernseife. Wollte man kräftig zugreifen, flutsch, war ich raus aus dem festen Griff. Anfangs war es der Genosse J. W. Stalin, der herhalten musste. Die Partei war doch nicht eine einzige Person und wenn alle zugelassen haben, dass der Eine so eine gewaltige Scheiße bauen konnte, dann war das nicht meine Partei.

Als Josef Wissarionowitschs Notdurft von Nikita Chruschtschow bis ins Letzte aufgearbeitet und durchgequirlt wurde, musste ich dieses Argument sausen lassen. Null Problemo, man war gerade dabei, unserem 1. Sekretär und Staatsratsvorsitzenden schwere Vorwürfe zu machen, da sein Führungsstil nicht dem Statut der SED entspräche und auch bei unserem großen Bruder in Moskau nicht besonders gut ankam.

Ein gewisser Erich H. war dabei, die Stuhlbeine des hochverehrten Genossen Ulbricht, also die Beine vom Sessel der Macht, anzusägen. Na also, wenn die Partei, die nicht nur aus einem einzigen Mitglied besteht, so etwas zuließ, ist das nicht meine Partei. Außerdem verdankte ich doch dem Genossen Ulbricht meine winzige Zweiraumwohnung, Ofenheizung, aber mit Bad. Ich erwähnte es bereits an anderer Stelle. Besonders beeindruckend war es für mich, als er sich mit mir eine große Platte mit ungarischer Salami teilte, anlässlich einer alljährlich stattfindenden Festveranstaltung für erfolgreiche Sportler und Funktionäre. Dieses Erlebnis ist es wert, gesondert behandelt zu werden. Auf alle Fälle war mir der Walter mit der unverkennbaren Fistelstimme, die aus einem gepflegten Gestrüpp zu kommen schien, welches sein fliehendes Kinn kaschieren musste, hundertmal lieber als der Wessi aus dem Saarland.

Das änderte nichts daran, dass es eng wurde. Meine kräftigsten Gegenargumente für einen freiwilligen Beitritt verabschiedeten sich eines nach dem anderen. Ein As hatte ich allerdings noch in meinem Ärmel: den „despotischen Führungsstil" unseres Kommandeurs und Clubleiters. Auch er war Mitglied der Sozialistischen Einheitspartei Deutschlands und das ging ja wohl nun gar nicht. Lange Zeit konnte mein Trainer dieser, meiner letzten Ausrede nichts entgegensetzen. Litt er doch selber unter dem autoritären Druck, den unser Kommandeur ausübte.

Es war einer der ersten wirklich schönen Frühlingstage des Jahres1971. Wir, also meine Sportkameraden und ich, saßen während einer Trainingspause verteilt auf den Bänken vor der Judohalle und hielten unsere winterkäsigen Gesichter in die schon kräftig wärmende Sonne, als sich unser Trainer zu mir setzte. Schon da hätte ich stutzig werden müssen!

Sicherlich war es der so lange vermissten Frühlingssonne geschuldet, dass ich die Gefahr nicht spürte. Vorsichtig begann er, mir ein Gespräch aufzudrängeln. „Ob ich immer noch eine so ablehnende Haltung gegenüber einer Mitgliedschaft in der SED hätte." Er zog die Daumenschrauben ein bisschen fester: So langsam wäre es an der Zeit, ein bisschen Dankbarkeit gegenüber der Führung des Arbeiter- und Bauernstaates zu zeigen. Schließlich hätte man mir eine Vierraum-Neubauwohnung in Aussicht gestellt. Daraufhin erklärte ich lapidar, dass ich dafür immerhin beide Schultern und beide Sprunggelenke habe operieren lassen müssen. Von den anderen Verletzungen wie Knochenbrüche, Gehirnerschütterungen ganz zu schweigen, dass wüsste er doch am besten. Ja aber, das könne man doch so nicht gegeneinander aufrechnen, erwiderte er, schließlich wäre es mein freier Wille, Leistungssport zu treiben. So zog sich unser Gespräch hin wie das Geplänkel zweier Florettfechter, Hieb – Stich – Hieb – Stich. Ich weiß nicht, zum wievielten Mal ich versuchte, ihm klarzumachen, dass ich als sportlich erfolgreiches Nichtmitglied der Sache mehr nützen würde. Um noch eins draufzusetzen, sprach ich noch einmal das Thema Clubleiter an und der wäre wirklich kein Grund, in die Partei einzutreten. „Wenn die SED nicht einmal die Kraft hat, solche Typen unter Kontrolle zu halten, ist es definitiv nicht meine Partei." Das war es dann. Auf dieses Argument hatte der scheinheilige Kerl nur gelauert. Diese „Abschussprämie" konnte er sich nicht entgehen lassen. Ruhig, um nicht zu sagen bedächtig, wählte er seine Worte. Schon fast genüsslich teilte er mir mit, dass dem Genossen Clubleiter dank der geschlossenen Kraft der Partei der Chefsessel unter dem Arsch weggezogen wurde, was mit dem Verlust aller Ämter und sonstiger Vorteile verbunden war.

Nein, nein, so hart drückte er es nicht aus, aber genauso kam es bei mir an. Meine allerletzte Verteidigungslinie, meine Bastion, war gefallen.

48. Auf einmal Arbeiterverräter

Zwischen einem einwöchigen Auslandsstart und einem dreiwöchigen Höhentrainingslager in den bulgarischen Bergen blieben mir gerade mal zwei Tage Zeit, die nötigsten Dinge, die der normale Alltag abverlangt und die einer gewissen Vorlaufzeit bedürfen, zu erledigen. Dazu gehörte unter anderem die Versorgung unseres stets leeren Haushaltsportemonnaies mit dem nötigen Kleingeld. Gehaltskonten, wie sie jetzt normal sind, gab es noch nicht. Den Lohn holte man sich am Zahltag direkt von der betriebsinternen Kasse. Dazu musste ich allerdings nach Hoppegarten in den Sportclub fahren.

Eine Besonderheit von ungewöhnlicher Art war die Auszahlung des Soldes in nagelneuen druckfrischen Fünfmarkscheinen, ummantelt mit einer Banderole, die dem Empfänger das Gefühl von Reichtum gab. So etwas kannte man nur aus Filmen, allerdings mit dem gewaltigen Unterschied, dass es da um wesentlich größere Geldbeträge ging. Bei Einkäufen kam es dadurch immer wieder zu lustigen Bemerkungen, wenn ich mit diesen „frisch gedruckten" Scheinen bezahlte: „Wohl een Banküberfall jemacht, wa eh?" Oder: „Heute Nacht 'ne Sonderschicht jefahren, kann ick mir ma die Druckmaschine borjen?" Richtig peinlich wurde es nur, wenn mich ein tiefwissender Blick traf, der mir sagte, dass mein Gegenüber zu wissen schien, dass ich vom „Konsum" (umgangssprachlich für Stasi) bezahlt wurde.

So schnell, wie die neuen Scheine aus dem Geldtäschchen verschwanden und in den normalen Kreislauf kamen, so lange musste man aber auch warten, damit sich dieses Spielchen wiederholen konnte.

Also an diesem einzigen Tag, an den man ausbezahlt bekommt, nahm ich mein damals dreijähriges Töchterchen Susanne an die Hand und fuhr mit ihr in den Club.

Von Köpenick mit der Straßenbahn bis Endstation Mahlsdorf S-Bahnhof und dann war es nur noch eine Station bis Hoppegarten. Susi war aufgedreht wie ein kleiner Derwisch. Überall gab es interessante Dinge zu sehen und außerdem hatte sie mal ihren Papa für sich ganz allein. Nichts deutete darauf hin, dass es ein rabenschwarzer Tag für mich werden sollte.

Der Empfang des Geldes mit Quittieren der Empfangsbestätigung war innerhalb von Minuten erledigt und so zogen wir beide Hand in Hand Richtung Ausgang. Alles lief planmäßig, bis mich eine aufgeregte Stimme kurz vor Verlassen des Objektes daran hinderte.

Kurzatmig und ohne Kopfbedeckung, was dafür sprach, dass es wirklich wichtig zu sein schien, was man mir zu sagen hatte, hechelte der Parteisekretär heran.

„Mensch Klaus, äh Genosse Hennig, wir müssen doch unbedingt noch das Aufnahmegespräch durchführen, bevor du nach Bulgarien fliegst." So war es mit der Partei, Ordnung musste sein! Auch bei der Anrede besagte die Dienstvorschrift, sein Gegenüber mit „Genosse" anzusprechen, obwohl der vielleicht gar kein Genosse, also Parteigenosse, war. Wahrscheinlich dachte man sich: "Du kommst auch noch dran, alles eine Frage der Zeit."

„Das müssen wir unbedingt noch über die Bühne bringen", meinte der Parteisekretär.

Ich verdrehte die Augen, um ihm zu signalisieren: Situation äußerst ungünstig. Dabei zeigte ich auf mein Töchterchen Susi, die sich schüchtern an mein Hosenbein klammerte und leicht verängstigt auf den noch immer schnaufenden Parteisekretär äugte. „Zehn Minuten mehr nicht, das geht ruck zuck", meinte er und lächelte dabei wohlwollend Susi an. Er sollte eines Besseren belehrt werden! Was ich nicht wusste, war die Tatsache, dass ausgerechnet zur selben Stunde die große Leitungssitzung tagte, Als sich vor mir die Tür des Versammlungsraumes öffnete, stand ich dieser internen Runde Auge in Auge gegenüber.

Bis auf zwei mir Unbekannte im grauen Zwirn kannte ich soweit alle Anwesenden. Der Politoffizier mit der eingedrückten Boxernase, über den wir uns bei Dienstversammlungen köstlich amüsierten, da er ständig an allen nur möglichen Stellen seiner temperamentvollen Reden die Worte verdrehte und insbesondere eine äußerst feuchte Aussprache hatte. Seine Speicheltropfen katapultierte er manchmal vom Rednerpult bis in die erste Reihe der meistenteils belustigten Zuhörer. Der neue kommissarische Clubleiter saß noch etwas verunsichert auf seinem Stuhl, machte aber auf mich einen manierlichen Eindruck und ließ mich hoffen, dass er es besser machen würde als sein geschasster Vorgänger. Auch der Genosse FDJ-Sekretär war anwesend sowie der Kulturoffizier, der Offizier für Rückwärtige Dienste und noch einige andere, nicht zu vergessen unser Pateisekretär.

Nachdem man mich gebeten hatte, an der Stirnseite Platz zu nehmen, konnte ich mich nicht des Gefühls erwehren, eine besondere Art von Inquisitionsopfer zu sein. Auch Töchterchen Susi rutschte nervös auf meinem Schoß hin und her, was aber daran lag, dass sie mir kurz vor Betreten des Raumes zuflüsterte: „Papi, ich muss pullern!" Das war mir natürlich beim Anblick der geladenen Gäste entfallen.

Die hochnotpeinliche Befragung durch das oberste Konzil wurde durch den rechts von uns sitzenden Parteisekretär eröffnet. Mit warmen Worten begrüßte er meinen Entschluss, nun doch und letztendlich den richtigen Schritt getan zu haben und um Aufnahme in die Sozialistische Einheitspartei Deutschlands gebeten zu haben. Na hallo, was war denn das für ein Blödsinn? Wer hat hier wen gebeten? Ausgetrickst hatte man mich und das wurmte mich immer noch zutiefst.

Susi rutschte mir vom Schoß, zupfte mich am Ärmel meiner Jacke und teilte mir diesmal etwas energischer mit, dass sie aber jetzt wirklich ganz dolle nötig pullern müsse.

Die Sekretärin des Leiters, die an einem kleinen Nebentisch saß und Protokoll führte, erbarmte sich und bot sich an, meine Tochter zur Toilette zu begleiten. Susi wollte aber nur mit Papa pullern gehen. Es bedurfte einiger Überredungskünste, bis sie sich überzeugen ließ, von der fremden Frau begleitet zu werden. Mein Gehirn befand sich im Alarmzustand. Einerseits musste ich hochkonzentriert auf die zum Teil äußerst blöden Fragen antworten, wie z. B. warum ich denn jetzt erst und weshalb nicht schon früher und warum überhaupt.

Andererseits waren meine Gedanken auf dem Klo und lauerten auf irgendwelche Signale, die von dort kommen konnten. Es ist nun mal wissenschaftlich bewiesen, dass wir Männer nicht über das Talent verfügen, einem Gespräch konzentriert zu folgen und gleichzeitig das Umfeld unter Kontrolle zu haben. Dieser Umstand zeichnet nun mal die Frauen aus, dass müssen wir neidlos eingestehen. Mir sollte es aber zum Verhängnis werden.

Dieses ständige gedankliche Umschalten vom Klo in diesen Sitzungsraum machte mich kirre und zwar gewaltig. Ich spürte langsam, aber sicher etwas in mir hochsteigen. Eine Mischung aus Hilflosigkeit, Trotz und Wut ergriff von mir Besitz. Alle gegen Einen, das war nicht gerecht, das war feige! Die wussten doch, warum ich hier saß, warum also diese idiotischen Fragen? Und da war es plötzlich, das, worauf ich gewartet hatte. Ich hörte Susi laut heulen, ich will zu meinem Papaaa! Zwischendurch die kläglichen Versuche der Sekretärin, das Kind zu beruhigen. Wieder eine blöde Anfrage! Oh, Susi war auf einmal nicht mehr zu hören. Der gequälte Vater sah schreckliche Szenarien. Hielt ihr die Frau womöglich die Hand auf den Mund oder hatte sie das Mädchen gar in einen Aktenschrank gesperrt, um sich nicht den Unmut des neuen Clubleiters zuzuziehen, weil sie es nicht packt, das Kind zu beruhigen.

Während ich abermals versuchte, eine nicht richtig verstandene Frage zu beantworten, kam die leicht überforderte Frau mit einem gequälten Gesichtsausdruck und meiner vor Freude strahlenden Susi zurück. Stolz zeigte sie mir ein Tempotaschentuch, welches ihr von der lieben Tante geopfert worden war. Nun aber wollte sie partout nicht mehr auf meinen Schoß und begann, das Umfeld zu erforschen. Während ich versuchte, sie wenigstens mit meinen Augen unter Kontrolle zu halten, indem ich diese weit aufriss und dabei verneinend mit dem Kopf schüttelte, hielten meine hilflosen Versuche sie nicht ab, unbekümmert ihrer plötzlich erwachenden Neugierde zu folgen. Bedenklich wurde es, als sie bei dem Versuch, aus dem Fenster zu schauen, sich in der Gardine verfing und den Fetzen fast herunterriss.

In dem Moment wollte auch noch der FDJ-Sekretär eine Frage beantwortet haben, die ich aber geflissentlich überhörte. Susi hatte das Betätigungsfeld gewechselt und stand inzwischen auf Zehenspitzen hinter dem Parteisekretär. Sie war voller Konzentration und damit beschäftigt, ihr geschenktes Papiertaschentuch vorsichtig auf dem uniformierten Rücken auszubreiten.

Nach dem von mir beobachteten Husarenstreich konnte sich Susi vor Freude kaum noch einkriegen. Sie zog den Kopf zwischen die Schultern und während sie fast lautlos kichernd mich ständig am Ärmel zog, zeigte sie mit dem Zeigefinger der anderen Hand auf das von ihr platzierte Schnupftuch. Keiner der Anwesenden Genossen hatte etwas bemerkt, nicht einmal der momentane Träger. Wie sollte ich dem Kind böse sein, dass mich mit so großen, vor Freude leuchtenden Augen anschaute.

Im Gegensatz dazu wurden die Augen meiner Inquisitoren immer enger. Aus den versprochenen zehn Minuten waren inzwischen fünfundvierzig geworden.

Meine Belastungsgrenze war so gut wie erreicht, als die alles entscheidende Frage vom Politoffizier an mich gerichtet wurde: „Klaus" – es folgte eine etwas zu lange Pause zwischen meinem Namen und der Frage, die nun kam. Unter normalen Umständen wäre ich locker um diese simple Falle geschlüpft. Jetzt allerdings war der Kessel kurz vor der Explosion. Ich hob energisch klein Susi auf meinen Schoß, so dass sie mich erschrocken anschaute. In diesem Moment war mir alles scheißegal.

„Was gefällt dir nicht an der Partei?" Endlich eine vernünftige Frage, auf die ich eigentlich gut vorbereitet war, so dass auch sofort meine Antwort herausprudelte: „Ich habe das Gefühl, dass unsere Philosophen die Art Philosophie nur für Philosophen machen und dass dabei der normale Werktätige kaum eine Rolle spielt." Mir erschien diese Antwort klar und einleuchtend. Jeder meiner Generation wird es bestätigen können, dass dieses zum Teil geschwollene Parteideutsch so gut wie kaum vom Normalo zu begreifen war. Das hat sich im Übrigen auch nach der Wende nicht verändert. Was sicherlich der eigentliche Grund ist und es einem Großteil der jetzigen Politiker, gestandene Juristen natürlich, ermöglicht, ihr politisches Geschwafel, wenn nötig, sofort ins Gegensätzliche umzukehren. Meine verbale Inkontinenz sollte mir in diesem Moment zum Verhängnis werden. Ich war Aladin, der den Geist aus der Flasche befreit hatte. Etwas ungeahnt Schlimmes begann sich auszubreiten.

„Wie sollen wir das verstehen?", fragte wiederum der Politnik, dessen Horizont unmittelbar hinter dem „Neuen Deutschland" endete, wohlgemerkt bei ausgestreckten Armen.

Mir war der gefährliche Unterton in seiner Stimme nicht entgangen. Ich wollte nur raus aus diesem Raum, aus diesem Club und weit, weit weg sein.

Wie konnte man nur so begriffsstutzig sein. Alle Dämme der Vorsicht brachen an mehreren Stellen gleichzeitig. Nun konnte ich nur noch Tacheles reden! Egal, was passieren würde. „Also" – ich atmete tief durch und drückte dabei mein Töchterchen an mich – „wenn Sie mit diesen kleinen roten Broschüren, die wir jeden Monat als Studienmaterial erhalten, auf die Großbaustelle Alexanderplatz gehen, damit winken und rufen: 'Genossen Arbeiter, das müsst ihr studieren und der Sieg des Sozialismus-Kommunismus ist nicht aufzuhalten', wird man Ihnen sicherlich eine Betonplatte auf den Kopf fallen lassen."

Die Reaktion auf die beantwortete Frage war ein parteipolitischer Vulkanausbruch. Während sich der größte Teil der Anwesenden entsetzt anschaute und es nicht glauben wollten, was sie soeben gehört hatten, sprang der Genosse Fragesteller wie von einer Tarantel gestochen von seinem Stuhl auf und brüllte hysterisch, dabei immer mit dem knöchernen Zeigefinger in meine Richtung stoßend: „Du bist ein Arbeiterverräter, du bist ein Arbeiterverräter!"

Der Tumult, der daraufhin losbrach, war gewaltig. Keiner wollte dem stoßenden Zeigefinger nachstehen.

Susi jaulte auf, ohne zu begreifen, warum alle plötzlich so böse zu ihrem Papa waren. Vielleicht dachte sie auch, dass sie der Grund sei, da das Tempotaschentuch, das eben noch auf dem Rücken des Parteisekretärs hing, nun langsam und wie es schien traurig zu Boden glitt: symbolträchtig für Kapitulation!

Irgendwann und irgendwie waren wir dann doch an der frischen Luft und auf dem Heimweg.

Oha, ich hatte eine gewaltige Lawine losgetreten. Guter Rat war jetzt nicht nur teuer, sondern überlebensnotwendig, also rief ich meinen allwissenden und durch viele Parteikämpfe gestählten Vater an und bat um Rat und Beistand. Nach meiner kurzen Schilderung des gescheiterten Aufnahmegesprächs und dem Umstand, dass er nun der Vater eines Arbeiterverräters sei, entstand eine kurze Pause. Bevor ich seine wohlklingende Bassstimme vernahm, hörte ich ihn tief durchatmen, für meine Begriffe zu tief. Das war echte Sorge, das spürte ich, dann hörte ich ihn sagen: „Junge, zieh den Kopf ein!"

Herr Richter, ein alter Genosse und ehemaliger Direktor eines Großbetriebes, der in unserem Haus wohnte und immer ein Ohr für mich hatte, war der gleichen Meinung. Mit ernstem und besorgtem Gesichtsausdruck sagte er, als ich auch ihn um seine Meinung bat: „Klaus, rudere zurück!" Mir blieben drei Wochen, um alles noch einmal zu überdenken.

Meine Aufnahme oder auch nicht stand unmittelbar bevor. Der kleine Saal war überfüllt und man trug aus Mangel an Sitzgelegenheiten zusätzlich Stühle aus dem Speisesaal heran.

Mir geisterte beim Anblick der Genossenmenge wiederum ein oft zitierter Spruch von Vater Hennig durch den Schädel: „Gebt dem Volk Brot und Spiele." Wollte man mich jetzt, wie zurzeit des Römischen Reiches wilden Tieren zum Fraß vorwerfen? Zerfleischt hatte man mich schon vor drei Wochen. Egal, da musste ich jetzt durch.

Üblicherweise verlangte das Parteistatut bei der Aufnahme eines neuen Mitgliedes einen Fürsprecher. Also einen gestandenen Genossen, den man zuvor beauftragte, den Vorschlag zu unterbreiten, den – Peter, Paul, XY – aufgrund seiner wahnsinnig guten Leistungen, seiner Vorbildwirkung und seines moralisch einwandfreien Lebenswandels in die Reihen der Partei aufzunehmen, da er der Meinung sei, es gäbe keinen Besseren.

Es sollte wieder einmal alles ganz anders kommen. Wider Erwarten meldeten sich fünf Sportfreunde aus den unterschiedlichsten Sektionen, die ohne Aufforderung und ehrlichen Herzens eine Lanze für mich brachen.

Der Cheftrainer der Fallschirmer ging sogar soweit, dass er behauptete: „Wenn nicht er, wer dann sonst? Wären alle neuen Mitglieder von diesem Format wie der Sportfreund Hennig, wären wir ein gewaltiges Stück weiter in der Entwicklung. Mit seiner Einstellung zur Partei und dieser unerschrockenen Ehrlichkeit wird er ganz sicher ein wertvolles Mitglied."

Donnerwetter, das war ein Plädoyer der besonderen Art. Die Genossen der Clubleitung waren während meiner drei Wochen Abwesenheit nicht untätig. Es musste sicherlich in allen Bereichen und in den einzelnen Parteigruppen heiße Diskussionen gegeben haben.

Meine Blicke, die zuvor doch etwas nervös und unruhig umhergeisterten, trafen sich in diesem Moment mit denen des Politoffiziers. Das Beifallsgemurmel der Anwesenden war ihm sichtlich unangenehm, was mich darauf schließen ließ, dass man ein Exempel statuieren wollte. Erstens kommt es anders und zweitens als man denkt!

Trotzdem, das kann noch nicht alles gewesen sein. Da musste garantiert noch etwas kommen. Ich spürte es, weil alle leitenden Funktionäre, die vor uns am Tisch saßen, welcher, wie üblich, mit rotem Fahnentuch bespannt und mit einem Shakehand-Emblem geschmückt war, ziemlich bedepperte Minen machten.

Den „schwarzen Peter" hatten sie unserem Mannschaftskommandeur zugeschoben. Eine ehrliche und schlichte Parteiseele mit dem Dienstgrad eines Hauptmanns.

Es war deutlich sichtbar, dass es ihm schwerfiel, den Stab über mir zu brechen. Er begann etwas unruhig, aber dennoch sachlich, meine schon vorher erwähnten Vorzüge zu loben. Nachdem die Streicheleinheit vorüber war, tastete er sich vorsichtig an den unangenehmeren Teil heran. Er wollte von mir wissen, wie ich mir meine zukünftige Mitgliedschaft vorstelle und mit welchen tollen Ideen ich die Reihen der Partei stärken und bereichern würde. Diesem Teil folgte eine winzige Pause, in der er die wahrscheinlich vermeintliche Anklage im Kopf noch einmal formulierte oder überlegte er vielleicht, wie er jetzt am besten die Kurve bekäme? „Da gibt es noch eine Ungereimtheit, eine Bemerkung deinerseits während des Aufnahme-gesprächs, vielleicht könntest du dazu einige klärende Worte sagen." Sichtlich erleichtert ließ er sich auf seinen Stuhl fallen. Es ist den wenigsten Menschen vergönnt, nur zu siegen, auch das Verlieren muss man erlernen! In Kurzfassung schilderte ich die damalige Situation: Schwerer Wettkampf, nur zwei Tage bei der Familie, die kommenden drei Wochen Höhen-trainingslager, was immer eine besondere Herausforderung war, na und dann noch die quirlige Susi. Nicht zu vergessen, dass aus den ver-sprochenen zehn Minuten fast eine Stunde wurde. Da lag es doch nahe, etwas unkontrollierte Äußerungen von sich zu geben, zumal die nervliche Belastung bei so einem wichtigen Gespräch enorm hoch ist.

Ich wurde Minuten später unter anhaltendem Beifall und ehrlichen Glück-wünschen einstimmig als neues Mitglied der Parteiorganisation auf-genommen. Das muss mir erstmal einer nachmachen. Innerhalb von nicht einmal vier Wochen vom Arbeiterverräter zum wertvollen Mitglied der SED.

Wendehälse gab es einige Jahre später genug, ich jedoch habe mein Gesicht gewahrt.

49. Mein georgischer Bruder

Spartakiade der sozialistischen Länder! Das hört sich mächtig gewaltig an. In jenem Jahr, man schrieb den 29.09.1967, sollte dieser Wettkampf im polnischen Koschalin stattfinden, also, wie es bis weit in die fünfziger Jahre in den Westmedien hieß. Wir machten uns mit dem klapprigen Robur-Bus auf den Weg, um in die polnisch verwalteten Ostgebiete einzudringen und unsere unverbrüchliche Freundschaft mit dem gesamten sozialistischen Lager zu demonstrieren und zu vertiefen. Es war eine strapaziöse, mehrstündige Fahrt über Land und auch zum Teil auf ziemlich maroder Autobahn, der Unterschied war nicht allzu groß, denn auch hier fuhren Pferdegespanne und liefen Menschen wie auf einer Dorfstraße, sie war nur etwas breiter.

Unser Hotel lag mitten in der Koschaliner Altstadt. Nicht das modernste, aber für die damaligen Verhältnisse akzeptabel. Die Mannschaft wurde auf Zweibettzimmer in der ersten Etage verteilt. Der sanitäre Bereich bestand aus einem Handwaschbecken, welches schon mal bessere Zeiten gesehen hatte. Dusche und Toilette gab es keine, dafür ein Klo am Anfang des langen Korridors, das auch ein Blinder hätte finden können, denn es roch penetrant. Wir teilten uns die Etage mit der sowjetischen Mannschaft. Fünf Zimmer linke Seite und genauso viel befanden sich rechts. Kurze Rechnung: Zehn Zimmer à zwei Personen, macht zwanzig Judokas, die, wenn es darauf ankam, um die drei Sitzplätze im „chambre séparée" kämpfen mussten. Ich nehme es vorweg, es verlief alles äußerst friedlich, denn die meisten gingen in der Wettkampfhalle auf Toilette, dort gab es sogar welche mit Holzbrille!

Die Freundlichkeit, mit der wir Kämpfer aus der DDR am Wettkampfort begrüßt wurden, hielt sich in Grenzen! Noch deutlicher wurde es, als wir im Laufe des Wettkampftages gegen die Mannschaft aus der UdSSR antraten. Schon bei der Vorstellung der einzelnen Kämpfer gab es unschöne Äußerungen, Pfiffe und vereinzelte Buh-Rufe. Leider ließen sich meine

Mannschaftskameraden davon sehr beeindrucken, was sich deutlich auf die Kampfmoral auswirkte. Mit jedem verlorenen Kampf und dem unverhohlen schadenfrohen Gelächter der Zuschauer stieg die Anspannung in mir fast bis zur Unerträglichkeit. Die Situation erinnerte mich zutiefst an meinen „400-m-Marathonlauf" als Berufsschüler. Nie wieder so etwas erleben müssen, hatte ich mir damals geschworen. Dieses gehässige, schadenfrohe Gelächter der Massen. Mein Gegner war mir sehr bekannt, hatte ich doch schon einmal das zweifelhafte Vergnügen als Punktelieferant für ihn von der Matte zu gehen. Ich spreche von den Europameisterschaften in Rom, Halbfinale in der Gewichtsklasse „Alle Kategorien". Nun standen wir uns wieder gegenüber, der scheinbar unbesiegbare Ansor Kiknadse und Klaus Hennig aus Berlin, der nie erwachsen werden sollte. Doch jetzt war es anders. Mich ärgerten nicht nur die zum Teil gehässigen Zuschauer, sondern wie und auf welche Weise meine Jungens sich verhauen ließen.

Das alles, der dumm verlaufene Kampf in Rom und der sang- und klanglose Untergang meiner Vorkämpfer, vermischten sich zu einem hochexplosiven Gemenge. Die Zuschauer waren der Funken, der die Explosion auslöst. Kaum war das Kommando „Hajime" verklungen, standen nicht mehr Ansor und Klaus auf der Matte, sondern ein tapsiger Bär und ein krötig-bissiger Terrier. Ich hatte gelernt und meine Hausaufgaben gemacht. Schon als ich den ersten Angriff startete, pfiff es von den Rängen ohrenbetäubend. Genau das war es, was ich brauchte! Mein Gegenüber bekam mich nicht unter Kontrolle. Der beliebte Sambogriff über die Schulter in den Gürtel, aus dem es so gut wie kein Entrinnen gab, gelang Kiknadse nicht. Ich ließ ihn keinen Augenblick in Ruhe. Dafür wurde es bei den Zuschauern immer leiser. Nur noch unser Geschnaufe oder das Geschrei der Trainer waren zu vernehmen. Die anfängliche Antipathie der Massen mir gegenüber schlug plötzlich in Sympathie um. Auf einmal begann man sogar, meine Angriffe mit Beifall zu belohnen, welcher sich in der letzten Minute zu einem wahren Stimmungsorkan entwickelte. Mein Trainer, die kalte Hand, dem ich so viel Empathie nie zugetraut hätte, rastete förmlich aus, um mir seine Ratschläge und Tipps durch das Gebrüll der tosenden Masse zukommen zu lassen, die jetzt plötzlich spürten, dass sie Zeugen einer Sensation wurden. Nur ganz zum Schluss gab es noch einen brenzligen Moment. Ich war bei einem Frontalangriff auf dem Bauch gelandet und Kiknadse stieg auf meinen Rücken wie auf einen alten Gaul, der vor Schwäche auf dem Acker zusammengebrochen ist. Etwa fünfzehn Sekunden Kampfzeit waren noch zu überstehen. Also machte ich dicht! Das bedeutete, beide Hände ins Revers, Kopf zwischen die Schultern, so dass mein Reiter nicht scharf nachwaschen konnte, was heißt, nicht zuzulassen, dass ich abgewürgt wurde. Es bedeutete aber auch, dass jetzt „Ansor Atze" mit brutaler Gewalt versuchte, seine Finger von hinten unter mein Kinn zu bekommen, um mir die Sauerstoffzufuhr abzudrehen.

Der Trainer lag förmlich auf der Matte, um sich für die letzten Sekunden Gehör zu verschaffen, was er eigentlich gar nicht brauchte, denn mein Publikum zählte auf Polnisch die letzten Sekunden rückwärts und so viel verstand ich auch ohne Kenntnis der Landesssprache. Einen Moment war ich allerdings irritiert, als mein kühner Reiter während des Kopf-an-Kopf-Gerangels winselte wie ein junger Hund, was sich schon wie weinen anhörte.

Egal, keine Gnade, das war mein Kampf!

Sicherlich hatte „Ansor Atze" schon die Moralpredigt seines Trainers, ein Russe, im Hinterkopf.

Letztendlich habe ich mit diesem Sieg unsere Ehre wenigstens etwas gerettet. Da tat es auch nicht weiter weh, als wir beim Einsteigen in unseren Bus an der Seite in der haftenden Dreckschicht lesen mussten: „Faschisten".

Wie es üblich ist bei solchen großen, und manchmal auch bei kleineren Wettkämpfen, wird anschließend gefeiert. Gutes Essen gehört dazu und wo es gutes Essen gibt, gehört auch gutes Trinken dazu. In diesem Falle war beides reichlich vorhanden. Kurioserweise wurde, je weiter man ins Östliche kam, dem Trinken mehr Beachtung geschenkt als dem Essen.

Hier in Koschalin war ein gutes Gleichgewicht vorhanden. Manchmal macht man allerdings auch die Rechnung ohne den Wirt!

Plötzlich stand Ansor vor mir, in beiden Händen ein bis zum Rand gefülltes Weinglas – mit georgischem Cognac! Sein Wunsch war es, nachdem die Tränen der Verzweiflung getrocknet waren, mit mir Brüderschaft zu trinken. Wer sich einigermaßen mit den Sitten und Gebräuchen der Georgier auskennt, weiß, entweder bekommt man einen wirklichen Freund fürs ganze Leben oder, sollte man jemals die freundschaftliche Geste missachten und dankend ablehnen, einen Feind bis ans Ende aller Zeiten. Also tranken wir auf ex, umarmten uns, gaben uns den Bruderkuss, um uns noch einmal zu umarmen. Nun hatte ich also neben meinem leiblichen Bruder auch noch einen georgischen oder, wie die Russen sagen, einen Grusinski.

Keine fünf Minuten später verspürte ich die Wirkung des georgischen Zaubertrankes. Im selben Moment schaltete sich in meinem Kopf ein rotes Lämpchen an, welches Vorsicht signalisierte.

In einem günstigen Moment zog ich mich zurück und verließ unbemerkt den Festsaal.

Bis zu unserem Hotel war es nicht allzu weit und so bummelte ich leicht angesäuselt durch die Altstadt Koschalins. Immerhin hatte ich vor dem Doppelstock-Cognac auch schon zwei oder drei Gläser Wein getrunken, nach denen sich mein vom Wettkampf ausgedörrter Körper regelrecht gesehnt hatte. Flüssigkeit, egal in welchem Glas und erst recht welcher Art.

Fast wieder nüchtern, betrat ich unser Hotel. Meine Sportkameraden waren sicherlich noch beim Kummer Ertränken, zumindest sah ich keinen von ihnen im Eingangsbereich. Nur ein sehr breiter Rücken, der auf zwei kurzen Säulen und einem kräftigen Männergesäß zu ruhen schien, stand an der Rezeption. Der Besitzer dieses Körpers drehte ihn zu mir und vor meinem doch noch nicht so ganz klarem Blick entwickelte er sich zu meinem Zweitbruder Ansor Atze!

Damit hatte ich nicht gerechnet und so war das Überraschungsmoment auf Seiten meines neuen Bruders, der mich zum Fortsetzen der Feier auf sein Zimmer einlud, deklariert als kleine Familienfeier.

Vorab muss man jedoch wissen, dass die sowjetische Judomannschaft, in anderen Sportarten war es ebenso, sich aus Sportlern der unterschiedlichsten Unionsrepubliken zusammensetzte. Eben nicht nur aus Russen, wie man fälschlicherweise zu sagen pflegte. Russen waren oft am Wenigsten vertreten und sie verband eigentlich nur die aufgezwungene Sprache miteinander.

In unserer Sportart dominierten die Georgier. Es gab aber auch Litauer, Armenier und Moldawier. Ihre Gemeinsamkeit bestand vor allem darin, die Russen zu verachten, vielleicht sogar zu hassen. Waren sie in der Nationalität unter sich, redeten sie nur in ihrer Heimatsprache miteinander. An diesem Abend wurde es mir ganz besonders deutlich gemacht.

Als Ansor die Zimmertür öffnete, saßen schon drei Personen da und schienen nur auf uns gewartet zu haben. Zwei Kämpfer und ein Schiedsrichter, alles Grusinskis. Auffällig war, dass sie bis auf Ansor diese typischen gebogenen Nasen besaßen, die irgendwie deplatziert zwischen stechend dunklen Augen hervorragten. Dazu fiel mir nur ein, „Wie die Nase eines Mannes, so sein Johannes"! Auch pechschwarze Haare zeichnete sie aus, die allerdings bei Ansor schon auffallend graumeliert waren. Das lag sicherlich nicht an seinem letzten Kampf. Oder?

Alle drei begrüßten mich aufrichtig herzlich. Das war er also, der engste Familienkreis. Obwohl ich kein einziges Wort verstand, Georgisch hört sich wie ein arabischer Dialekt an, so bekam ich doch mit, dass die drei Landsleute ihren Schwergewichtler immer wieder auf die Schippe nahmen, dass er gegen so ein schmales Hemd aus Germanski so schmählich verloren hat – Kampfsportler eben! Höflicherweise wurden dann aber alle weiteren Gespräche in Russisch fortgeführt, damit ich auch etwas mitbekam.

Als dann alle soweit ihren Platz gefunden hatten, kniete sich mein Bruder vor sein Bett und zog von ganz hinten einen Pappkoffer hervor, wie ihn sich die Offiziere der Roten Armee von ihren „Muschiks" hinterhertragen ließen.

Nachdem er ihn auf den kleinen Tisch gewuchtet hatte und öffnete, verschlug es mir restlos die Sprache. Drinnen stapelten sich wohlgeordnet Cognacflaschen neben und übereinander. Echter georgischer Zaubertrank, für den ich jetzt noch jeden französischen stehen lassen würde. Es überstieg meine Vorstellungskraft. Ich habe so manche Feier im Laufe der Zeit erlebt oder sollte ich sagen überlebt, aber was da auf mich zukam, machte Angst. So als wäre es das Normalste der Welt, stellte er jedem von uns eine geöffnete Flasche an die Seite. Danach ließ er erneut den Korken einer weiteren Flasche fluppen und füllte die fünf gläsernen Zahnputzbecher, bis aus der Flasche nichts mehr raustropfte! Daraufhin sprach er einen sehr langen Toast auf die Freundschaft aus, ganz speziell auf unsere. Nach dem Klingen der Gläser nahmen wir alle einen kräftigen Schluck, was heißt, dass mein Becher halb leer war oder war er noch halb voll?

Eines begriff ich sehr schnell, getrunken wurde nur nach einem Spruch und der musste möglichst lang sein. Beendet wurde er mit der immer wiederkehrenden Formulierung „Grusinski, Germanski karascho, Russki njet karascho". Dabei legte derjenige besonders viel Wert auf ein langes rollendes R, um die Gemeinsamkeit unserer Nationen zu demonstrieren.

Aus dem kleinen, vorsichtig rot leuchtenden Lämpchen, welches zwischenzeitlich erloschen schien, wurde auf einmal eine knallrot aufblinkende Rundumleuchte mit Sirene! Wie sollte ich nur, ohne noch größeren Schaden zu nehmen, aus dieser grusinisch-alkoholischen Freundschaftsumklammerung entkommen? „Raus hier!", ertönte die Sprachsimulation von meinem Notstromaggregat, ohne aber zu verraten, wie. Irgendwo tief, da wo noch einige Synapsen zu funktionieren schienen, machte jemand eine Rechnung auf: „Dlei Gläser W…Wein, aaain Dlas Sch…naps." Mein trüber Blick fiel auf die grusinische Trinkflasche zu meinen Füßen und erahnte noch einen kläglichen Rest. „O…Oha", lallte ich mehr in mich als nach außen. Unter Aufbietung aller Reserven überzeugte ich meinen Gastgeber, dass ich unbedingt „na Toiletta" musste und das ohne Wenn und Aber. Wobei mich meine Sangesbrüder davon überzeugen wollten, den kürzeren Weg zu nehmen, was hieß, aus dem Fenster zu urinieren. Ein Beweis dafür, dass sie auch nicht mehr so sehr Herr ihrer Sinne waren.

Nun stand ich vor besagter Tür, aus der es so bestialisch stank, und hoffte inbrünstig, dass wenigstens eine der drei versifften Keramikschüsseln nicht besetzt ist. Ich hatte freie Auswahl. Der größte Sieg ist der über sich selbst! Ich brauchte noch nicht einmal den Finger in den Mund zu stecken, der Anblick des Beckens war Treibstoff genug für meinen Mageninhalt. Ein Gefühl der Erleichterung und Zufriedenheit ergriff von mir Besitz,

Wieder auf dem Gang, wusste ich noch, mein ersehntes Ziel lag an dessen Ende, ganz hinten rechts letztes Zimmer. Der gelbe Streifen in der Mitte des roten Läufers machte es mir leicht. Gelber Strich alle, letzte Tür rechts, meine! Es sollte anders kommen.

Ich hatte das Ende der gelben Leitmarkierung noch nicht erreicht, als ich auf der Schwelle des davor liegenden Zimmers zwei überdimensionale, abgelatschte Schuhe stehen sah. In den Schuhen steckten auch noch Füße! Während mein Blick etwas leicht ruckhaft und kaum noch kontrollierbar weiter nach oben stolperte, stellte ich fest, dass es noch lange Beine gab, auf denen ein besonders langer Oberkörper ruhte, der ganz, ganz oben ein mir doch recht bekanntes Gesicht besaß. Es gehörte Gudsu, einem wahren Riesen aus Moldawien, der mich freundlich angrinste und mir dabei auch noch auf die Schulter schlug, so dass ich förmlich in sein Zimmer flog und auf einem der beiden Stühle landete. Dabei vernahm ich von ganz weit her auf Russisch: "Idi sjuda Chenig, Wodka!" Willenlos sah ich, wie er die mir bekannten Zahnputzbecher mit einer klaren Flüssigkeit füllte und dazu noch eine Tafel elender Ersatzschokolade rüberschob. Auch hier bekam ich zu hören, dass die Moldawier karascho wären, nur die Russen seien nicht karascho!

Beim Film würde man sagen, Cut oder Schnitt. Nichts ging mehr, ich bezeichne es mal als Filmriss. Auch bei aller Anstrengung und Aufarbeitung des verbliebenen Materials, es fehlte ein beachtliches Stück. Was dann ablief, hatte starke Ähnlichkeit mit dem Silvesterknaller „Dinner for One".

Mein Zimmerkollege Wolfgang Z., auch Schwergewichtler, schlief fest. Ein Beispiel dafür, dass Medizin, in richtiger Menge eingenommen, durchaus hilfreich sein kann.

Trotz beachtlicher Schlagseite zog ich mich aus und legte, wie ich es immer tat, meine Sachen ordentlich über die Stuhllehne. Ich konnte mich also ins Bett fallen lassen. Allerdings machte ich zum wiederholten Mal die Rechnung ohne den Wirt. Das Karussell, in das ich mich soeben gelegt hatte, drehte sich mit Höchstgeschwindigkeit. Auch ein Bein raushängen zum Abbremsen half nicht. Wie oft ich das wiederholte, unterbrochen mit Aufsitzen, beide Beine raushängen lassen, aufstehen, um mich vorsichtig zum Waschbecken durchzutasten, hinlegen usw. Eine menschliche Filmschleife, die mit totaler Übermüdung kollidierte. Überflüssigerweise wollte auch noch die stark verdünnte Ersatzschokolade raus. Also wieder hoch und Richtung Waschbecken. Damit ich nichts „verschüttete" kniete ich mich davor hin und legte den Kopf seitlich auf den Rand. In dieser Position wachte ich am Morgen auf, aber auch nur, weil Wolfgang laut fragte: „Was machst du denn da?" Das Aufstehen bereitete mir erhebliche Schwierigkeiten, irgendwie konnten meine Knie nicht so, wie ich es wollte. Zu allem Überfluss bemerkte ich, dass alles im Zimmer doppelt vorhanden war, auch neben Wolfgang saß noch einer. Da bekam ich es doch mit der Angst zu tun. So fühlt sich also eine Alkoholvergiftung an. Man lernt nicht aus.

Nach dem Frühstück, welches mein Magen verständlicherweise ablehnte und nur über das sich langsam erholende Gehirn Signale gab, trank ich zwei große Flaschen Mineralwasser leer, so dass der verbliebene Alkohol langsam, aber sicher auf natürlichem Weg ausgeschieden wurde. Mein Unterbewusstsein übernahm allmählich wieder die Kontrolle. Die Doppelbilder verschwanden slow-motion-mäßig, so dass ich dem Freundschaftsbesuch zu einer Betriebsbesichtigung etwas gelassener entgegensah. Auf Wunsch meines Trainers nahm ich sogar meine Gitarre mit, die mich eigentlich immer begleitete, denn am Ende der Besichtigung gab es ein Zusammentreffen mit den zehn besten Arbeiterinnen. Es dauerte dann auch nicht mehr lange und ich lief zur alten Form auf. 350 Angestellte hatte der Betrieb, alles Frauen! Nur der Chef war ein Mann, also ein Genosse Direktor.

Das darauffolgende gemütliche Zusammensein war meine Wiedergeburt. Dank der polnischen Frauen, die bekanntlich nicht nur äußere Reize haben, wie es in der Operette Polenblut heißt, nein, sie sangen auch begeistert ihre Volksweisen und stimmten, soweit ihnen bekannt, auch in unseren Gesang ein. Für mich lebenswichtig war die kleine Küche in einem winzigen Nebenraum. Hier gab es einen Wasserhahn, der mir dieses lebensspendende Elixier in unendlichen Mengen zur Verfügung stellte. Mit jedem Schluck fühlte ich die Rückkehr ins Leben.

An diesem Tag sollte sich auch das Geheimnis um Ansor Atzes Getränkekoffer lüften.

Nachmittags trafen wir uns zufällig in der Hotelhalle und logisch, dass wir aus dem Lachen nicht mehr herauskamen, als wir das Kampftrinken noch einmal im Detail durchgingen. Dabei erfuhr ich auch, dass Ansor im zivilen Leben, also in seinem ausgeübten Beruf, Direktor der größten Schnapsbrennerei Georgiens war.

Logisch, dass sein Abschiedsgeschenk für mich drei Flaschen des besten grusinischen Cognacs waren. Wir hatten später noch öfter Grund, gemeinsam anzustoßen, Trinksprüche zu zelebrieren und so manche Flasche zu leeren, aber, dem Himmel sei Dank, nie wieder in dem koschaliner Ausmaß. Während die sowjetische Judomannschaft schon am Abend abreiste, blieben wir noch einen Tag länger. Grund genug, uns ein Lokal mit Tanzmusik zu suchen. Die Location, wie es so hässlich auf Neudeutsch heißt, fanden wir nicht allzu weit entfernt von unserer Unterkunft. Schon beim Betreten des Saales spürten wir, hier steppt der Bär! Musik wurde noch handgemacht und die Jungens hatten echt was drauf! Wenn nicht ich als Gitarrenspieler, wer sonst hätte es beurteilen können?

Während die Massen auf dem Parkett tobten, erspähte uns ein Kellner und lotste uns über eine Art Freitreppe auf eine rund um den Saal verlaufende Balustrade. Wir kamen uns vor wie in einem Western, nur die Cowboyhüte der Männer und die weiten Kleider mit dem tiefen Ausschnitt bei den Frauen fehlten. Dafür stand plötzlich eine hübsche kleine Brünette vor mir, nahm mich an die Hand und zog mich hinunter auf das Tanzparkett. Ich hatte noch nicht einmal Zeit, meine Jacke über den Stuhl zu hängen oder war es Vorsicht? Na, das war doch etwas für Vaters Sohn. Tanzen und Musik waren schon immer eine Leidenschaft von mir, sicherlich streichelte es auch mein Selbstwertgefühl, so mir nichts dir nichts von so einer schnuckeligen Püppi aufgefordert zu werden,

Nach den anfangs temporeichen Tänzchen kam etwas Langsameres, die Musiker schalteten um auf Schmuseeinheit. Das Richtige, um sich näherzukommen, zumal meine „Raulederjacke" etwas zu warm wurde. Auch meine Partnerin signalisierte Entgegenkommen und kuschelte sich eng an mich, fast schon ein bisschen zu eng für den Anfang. Urplötzlich verspürte ich in meiner linken Schulter einen bestialischen Schmerz, der mich vom Polenmädchen förmlich wegriss, ohne, dass ich begriff, was passiert war. Ich sah in zwei große, erstaunt aufgerissene braune Augen, die mich unschuldig anschauten.

Ihr rot geschminkter Mund verriet das eben erfolgte Attentat. Ihr Lippenstift war verschmiert und der abgewischte Rest hing an meiner Jacke. Das kleine Luder hatte mich so heftig gebissen, dass ich zwischen Hinlangen und Stehenlassen und neugierig Warten, was noch kommen könnte, hin und her schwankte. Ich entschied mich für Letzteres. Bevor es aber weitergehen sollte, zog es mich zurück auf den Westernbalkon. Ein toller Blick von hier oben auf das wogende Getümmel da unten. Otto S., unser kurzbeiniger Mittelgewichtler, hatte inzwischen die Stellung gehalten und interessiert die Tänzerinnen und Tänzer beobachtet. Erschrocken über seinen lauten und zugleich lachenden Zuruf schreckte ich aus meinen Gedanken auf, war ich doch gerade dabei, meine Bisswunde zu inspizieren. Es war wirklich eine Wunde. Deutlich sichtbar die zwei Schneidezähne, die ich ihr im ersten

Moment am liebsten ausschlagen wollte, und drumherum ein herrlich blauroter Bluterguss.

Aber jetzt war Otto dran und der hatte etwas entdeckt. Zwischen den tanzenden Paaren gab es einen auffällig großen schlaksigen Kerl, dem das Tanzen dann doch nicht so in die Wiege gelegt worden war. Auffällig sein schütterer Haarwuchs, dessen Reste er akkurat von links nach rechts angeklebt zu haben schien. Er hüpfte unorthodox und schwitzend ohne jegliches Taktgefühl auf der Tanzfläche umher. Anfangs war es nur das, was mir auffiel, aber Otto sah mehr. „Schau doch mal genauer hin, Kläuschen!", brüllte er, die Musik übertönend, zu mir herüber. „Die Haare, die Haare!" Nun sah ich es auch. Eitelkeit kennt keine Grenzen, unser Tänzer hatte überhaupt kein Deckhaar mehr und die dünnen Strähnen hatte er von links nach rechts gekämmt, so glaubte ich. Bei noch genauerem Hinschauen sah ich dann den eigentlichen Grund von Ottos überbordender Freude. Der lange Kerl hatte sich die Haare, bevor er zum Schwoof ging, mit Bleistift auf seine Platte gemalt. Ich konnte nicht glauben, was ich da sah. Die absolute Krönung aber war, dass der Trottel einen Kopierstift benutzt hatte und die haben die Eigenschaft, bei Kontakt mit Flüssigkeit lilafarben zu verlaufen. Ich erinnere mich an unseren „Tante-Emma-Laden". Wenn Vater Lehmann zusammenrechnete, was unsere Mutter bezahlen sollte, leckte er immer an seinem Bleistift und schrieb danach klar und deutlich die Rechnung, immer mit etwas lila Farbe an den Lippen.

50. Nur Gold zählt

Die Qualifikation für die Europameisterschaft in Rom war „null problemo", es gab keinen Besseren, der sie mir hätte streitig machen können. Außerdem durften wir zwei Schwergewichtler melden und einer davon war eben ich. Unterstützend und mir zur Seite stand Erich B., eigentlich auch nur ein übergewichtiger Halbschwerer. Aber, wie anfangs schon erwähnt, es gab keinen richtigen und guten Schwergewichtler zu dieser Zeit. Die Formulierung war also nicht überheblich gemeint.

Rom bzw. Italien sollte mein ganzes Leben bestimmen. Obwohl ich die ewige Stadt nie wiedergesehen habe. Mein Schicksal machte es möglich, dass ich viel später beruflich von Bormio im Norden bis Catania am südlichsten Zipfel dieses wunderbare Land kennenlernen sollte und nicht nur das, ich verliebte mich regelrecht in die freundliche Art dieser Menschen. Irgendwie hatte jeder etwas von einem Schauspieler in sich. Mit den theatralischen Gesten, mit denen sie Gespräche führten, das tolle, wohlschmeckende mediterrane Essen und natürlich der Zauber der unterschiedlichsten traumhaften Landschaften.

Später, nach dem Abriss des „antiimperialistischen Schutzwalls" sollte es fast jedes Jahr unser Urlaubsziel werden. Mit meiner Liebe zu diesem Land steckten wir sogar die Nichte meiner Frau an. Nach einer Italienrundreise mit einem Bus stand für sie felsenfest: Sie wandert dorthin aus!

Gesagt, getan und schon zwei Jahre später verkauften sie ihr Häuschen, um sich in Piemont ein altes, heruntergekommenes Bauerngehöft umzubauen. Mit viel Fleiß und der Unterstützung von ihrem freundlichen Nachbarn entstand im einsamsten Tal der EU, wie ich es scherzhaft nannte, ein Traumgrundstück.

Wie sehr Italien mein Leben bestimmte, sieht man auch daran, dass meine große Liebe und Ehefrau auf den wunderschönen Namen Felicitas hörte. Spätestens nach dem Ohrwurm von Al Bano und Romina Power „Felicità" weiß auch der Dümmste, dass dieser Name „Glück" heißt. Und so war es auch, ich hatte unendliches Glück.

Zurück zur Europameisterschaft. Unser kleines Hotel lag direkt im Zentrum nahe der Engelsburg. Ein ziemlich heruntergekommener alter Kasten. Diese Unterkunft sagte unserem Leiter, einem vierschrötigen, äußerst korpulenten, von der Partei beauftragten Funktionär, der zu allem Überfluss auch noch den finstersten sächsischen Dialekt hatte, nicht zu. Dieser Mensch sorgte also dafür, dass unser Generalsekretär Hajo K. in die Spur ging und schon am darauffolgenden Tag zogen wir in einen moderneren schicken Bau, der in einem Villenviertel stand.

Wir bezogen unsere Zimmer und waren zufrieden, so gut untergekommen zu sein. Das erste Frühstück in diesem Haus war sehr spartanisch, entsprach aber, wie wir später erfuhren, dem Landesüblichen. Unser Verbandstrainer klärte den Hotelchef auf, dass wir hier keinen Urlaub machen, sondern knallharte Leistungen zu erbringen haben und dass dementsprechend das Frühstück doch wesentlich reichhaltiger ausfallen muss. Es gab nie wieder Probleme dieser Art, im Gegenteil, das Personal überschlug sich regelrecht, uns jeden Wunsch von den Augen abzulesen.

Am 11.05.1967 begann die Europameisterschaft mit einem großen Eröffnungszeremoniell. Also Einmarsch der Nationen mit typisch italienischer Marschmusik und vor den Mannschaften zwei Kinder in Judokleidung, die die jeweilige Flagge und ein Schild mit dem Namen des Landes trugen. Ich muss ehrlich eingestehen, dass ich etwas neidisch auf einige Mannschaften blickte, die akkurat und im Gleichschritt, besonders die sowjetischen Sportler, in die Halle marschierten. Da deutete es sich schon an, dass wir nicht den besten Eindruck hinterlassen würden. Auch unsere Trainer kritisierten uns und ich musste ihnen Recht geben. Jeder latschte, so wie ihm gerade war, ohne auf den Takt der Musik zu achten. So stellte ich mir eine verprügelte Truppe der Fremdenlegion vor. Tröstlich für mich in diesem Moment war, dass es aussah, als sollte die EM unter Ausschluss der Öffentlichkeit stattfinden. Nur einige hundert Zuschauer saßen auf den Rängen. Vielleicht lag es auch daran, dass mit den Mannschafts-kämpfen begonnen wurde und Italien sowieso nicht infrage kam, auf einen der Medaillenplätze zu landen.

Auch für uns begann dieses Turnier nicht sehr erfreulich. Bei der Auslosung hatten unsere Trainer kein besonders gutes Händchen und zogen für uns den absoluten Klassenfeind und Gegner Nr. 1, die Bundesrepublik Deutsch-land. Schwärzer konnte es nicht beginnen und so war es nicht verwunderlich, dass unser verhältnismäßig junges Team sang- und klanglos die Arbeiter- und Bauernfahne einrollen musste. Uns gegenüber stand eine geschlossene Truppe kampferfahrener Bundesbürger, von denen, so viel wir wussten, sich der größte Teil öfter als einmal wochenlang in Japan, dem heiligen Gral der Judoelite, auf größere Turniere vorbereitete.

Auch ich wurde Opfer und lag wie ein auf den Rücken gefallener Maikäfer dreißig Sekunden in einem stählernen Schraubstock, der sich erst löste, als der Kampfrichter den Arm hob und laut „I-Pon" brüllte. Mein Trost war, dass dieser Schraubstock sogar in Japan einen Kampfnamen erhalten hatte. Der blonde Samurai – Klaus G. Wir sollten noch öfter miteinander zu tun bekommen. Unsere Stimmung war auf dem Tiefpunkt, dachten wir, aber es sollte noch tiefer gehen.

Während ich mich von der halbminütigen Totenstarre des Vortages erholt hatte, stießen meine Kameraden bis auf unseren Leichtgewichtler Joachim S. an ihre Grenzen. Am zweiten Tag war die Halle etwas voller, was zumindest mein Stimmungsbarometer ansteigen ließ. Den Irländer Toner fertigte ich kurz und schmerzlos ab, was die wenigen Zuschauer auch begeistert honorierten. Etwas weniger schnell verfuhr ich mit dem Holländer Dolman, auch ein junger Bursche wie ich und Lieferant für mindestens einen halben Punkt. Also auch souverän nach Hause gefahren, wie wir zu sagen pflegten. Schwieriger wurde es mit dem Russen Ousik, der mir das Leben ganz schön schwer machte, aber trotzdem durch Kampf-richterentscheid gegen mich verlor. Hurra, die Bronzemedaille im Schwer-gewicht war mir sicher und auch Joachim S. durfte hoffen, bei den Leichten weiterzukommen. Wir hatten also das Halbfinale erreicht!

Trotz allen Ernstes machten wir unsere kleinen Späße. Da waren zum Beispiel die für uns kuriosen Namen der Kämpfer der sowjetischen Mannschaft, die aus Georgien kamen. Um die zum Teil unaussprechlichen Namen zu verkürzen, benutzten wir nur die letzte Silbe und die lautete meistens wie auch bei meinem folgenden Gegner „Willi", also in echt Kibrotsaschwilli. Dann gab es noch die Gruppe aus dem „Adse-Clan", also deren Namen mit „adse" endeten, wie Kiknadse, Ballerwadse oder auch Tschikwiladse. Wie heißt es doch in einem Schlagertext von Roberto Blanco? „Ein bisschen Spaß muss sein." Wenn es auch wenig davon bei dieser EM gab, wir verschafften ihn uns und wenn er auch nur winzig war.

Mein Gegner im Kampf um die Silbermedaille war kein Geringerer als der Vizeweltmeister Kibrozaschwilli aus der sowjetischen Republik Georgien. Ein wahrer Modellathlet und Frauenschwarm. Schwarze lockige Haare, um die ich ihn echt beneidete. Das Gesicht zierte eine kühn gebogene, aber nicht übertriebene Hakennase mit einem schmalen, kecken Menjou-Bärtchen darunter. Na ja, und Judo konnte er anscheinend auch oder war es doch mehr Sambo?

Der Kampf hätte ganz schnell beendet sein können, wären die zwei Seitenrichter und natürlich erst recht der amtierende Chef auf der Tatami nicht so plötzlich und ohne Vorwarnung von mir erschreckt worden. Der erste Angriff von „Willi" zielte in Richtung meiner rechten Schulter und von da Übergriff in den Gürtel. Normalerweise wäre es das Ende für mich gewesen, aber ich ließ es nicht zu, während sein greifender linker Arm meinem damaligen Spezialwurf mehr als entgegenkam. So dauerte es auch nicht länger als eine halbe Minute und ich hatte ihn da, wo ich ihn brauchte. Die Granate, die daraufhin folgte, war so schnell und so gewaltig, dass wir uns beide regelrecht überschlugen. Mein Trainer, der die Arme schon jubelnd hochgerissen hatte, musste plötzlich feststellen, dass er sich zu früh gefreut hatte. Nichts geschah von Seiten des Kampfgerichtes, nicht mal einen halben Punkt für diesen wahrhaften Bilderbuchwurf. Es ging alles zu schnell für die Herren. Außerdem war es schlicht unmöglich, dass der amtierende Vizeweltmeister von so einem blonden Milchgesicht und Nobody mir nix, dir nix weggeputzt wird.

Nachdem der erste Schock sich gelegt hatte, deutete mir mein Trainer aufgeregt an, ab jetzt nur ins ruhige Fahrwasser, um wenigstens diese starke Wertung nach Hause zu bringen. Mir klingt es noch heute in den Ohren: „Klaus nichts riskieren, halte die Arme rein, pass auf, nur abblocken." Ein kolossaler Fehler! Ich war Aktivkämpfer, ein Terrier unter den Schwergewichtlern. Die einzige Möglichkeit, mich zu bekämpfen, war die Schnelligkeit und nicht das Gewicht. Logisch also, dass die Tragödie auf dem Fuße folgte. Den Kampf verlor ich und damit auch die Silbermedaille wegen Passivität! Das Schlimmste, was mir angetan werden konnte.

Aber ich hatte noch eine Möglichkeit erhalten. Dadurch, dass ich nicht nur im Schwergewicht startete, sondern auch in der Königsklasse „Alle Kategorien" gemeldet war, tröstete es mich etwas und ließ mich hoffen.

Während die Stimmung in der Mannschaft als normal bis gut bezeichnet werden konnte, wurden die Gesichter unserer Trainer und Funktionäre immer länger. Waren sie doch darauf vorbereitet, den vorgegebenen Plan zu erfüllen und wussten natürlich, was sie zu Hause zu erwarten hatten. Dass der Genosse Alfredo B. keinen Hehl daraus machte und uns spüren ließ, was wir für Luschen und Versager waren, kümmerte uns kaum, unseren Trainern bereitete es allerdings schlaflose italienische Nächte.

Die zweite Möglichkeit, einen Platz auf dem Treppchen zu ergattern, ließ ich nicht ungenutzt. Das pulsierende Leben in dieser Stadt erfüllte mich mit einem unwahrscheinlichen inneren Wohlgefühl. Logisch, dass ich mich nach „getaner Arbeit" abseilte und versuchte, wenigstens eine Kleinigkeit dieses unbeschreiblichen Lebensgefühls, das einem diese Stadt vermittelte, zu erspüren. Mit meinem Zimmerkumpel Erich, genannt „Ecke", der ein begeisterter Fotoamateur war, zog ich spät abends noch los, um Nachtaufnahmen zu machen. Ich erinnere mich noch an eine Szene, als Ecke das Fotostativ mitten auf der Brücke, die zur Engelsburg führte, aufstellte und den Apparat installierte. Links und rechts flutete der Verkehr, und wenn mal gehupt wurde, sah man nur lachende Gesichter.

Da kann ich jetzt nur sagen, armes Deutschland! Rom, die ewige Stadt, meine Stadt, sie vermittelte mir so ein esoterisches Gefühl, in einem früheren Leben schon mal hier geweilt zu haben, unbeschreiblich. Das bekamen dann auch meine sportlichen Gegner zu spüren, logisch mit diesem Heimvorteil! Alamada aus Portugal verließ nach einer knappen Minute als Verlierer die Matte. Stasbrok, der knochige Halbschwergewichtler aus England, flog nach der Hälfte der Kampfzeit aus dem Rennen. Der dicke Grubler aus der Schweiz machte es mir nicht ganz so leicht, aber mein Sieg war nie gefährdet. Schließlich ging es wieder einmal um eine Bronzemedaille. Hey, ich der winzige Flüchtling aus Schlesien, der kleine Junge vom Dorf in Sachsen-Großböhla und der Teenager aus Meckpomm, hat eine zweite EM-Medaille sicher! Unsere beiden Trainer hoben mich aufs goldene Tablett. Ich war grenzenlos glücklich.

Es folgte eine lange Pause, ehe es mit dem Halbfinale weiterging. Dass es wieder ein Georgier werden würde, stand schon fest. Dieses Mal kein „Willi", sondern ein „Adse", also Ansor Kiknadse. Auch er ein mehrfacher Sambo-Meister der UdSSR und mit EM-Titeln und sogar Weltmeisterschaftsmedaillen dekoriert.

Hajo K., unser Generalsekretär, kümmerte sich in der Pause um mich, da beide Trainer anderweitig beschäftigt waren. Uns zog es hinaus an die Frühlingsluft, denn es war immerhin schon Mitte Mai. Frühling in Italien, wer träumt nicht davon? Der Duft der Blüten in den Parkanlagen, in Pflanzenkübeln und auf Fensterbrettern der ganzen Stadt, dazu das Sirren und Brummen von fliegenden Kleinstlebewesen, die die süßlich geschwängerte Luft in Schwingungen zu versetzen schienen. Wem fällt da nicht der alte Goethe ein mit seinem „Verweile doch, es ist so schön!". Noch mehr eingeprägt hat sich aber an diesem Abend etwas ganz anderes. Während wir zwei uns einige Schritte von der Halle entfernt hatten und uns vorstellten, was es für ein Getümmel damals zur Olympiade hier gewesen sein muss, während es jetzt so gut wie still war. Ab und zu hörte man anfeuernde Rufe oder Applaus aus der Halle, aber von der Lautstärke sehr reduziert, da die Isolation dieses Gebäudes bestens funktionierte. Gab es doch im Sommer wesentlich höhere Temperaturen. In einer stillen Minute, in der wir unseren Gedanken nachhingen, fragte Hajo mich: „Sag mal, hörst du das auch?" Aus meinen Gedanken aufgeschreckt, spitzte ich die Ohren und vernahm tatsächlich ein klitzekleines rhythmisches Quietschen. Was war das? Nichts, was uns hätte erklären können, wer oder was dieses Geräusch verursachte – bis auf einen Kleinstwagen, der knapp zehn Meter entfernt an der Bordsteinkante stand. Neugierig zog es uns zu dieser italienischen Gehilfe und tatsächlich, das Quietschen ging einher mit leichten Bewegungen der Karosserie. Logisch, dass wir einen Blick in den Innenraum werfen mussten. Na hallo aber auch, es war Mitte Mai, dem Wonnemonat, was lag da näher, als sich dem Sirren und Schwirren zu ergeben.

Ein Pärchen hatte sich entschlossen, seinen Gefühlen freien Lauf zu lassen, um in akrobatischer Präzisionsarbeit in dieser Blechbüchse den Fortpflanzungsakt zu vollziehen. Bis auf das helle, in verzückter Ekstase leuchtende Gesicht einer Frau sahen wir weiter nichts. Es war die übliche Missionarsstellung und der männliche Part hatte sich noch nicht einmal die Mühe gemacht, die Hosen runterzustreifen, wie auch? Für einen kurzen Moment öffnete die junge Frau leicht ihre Augen und wenn jetzt jemand denkt, sie wäre erschrocken und hätte den Liebesakt abgebrochen, der sah sich getäuscht. Mit einer lockeren lässigen Bewegung legte sie einen Teil ihres üppigen schwarzen Haares über ihr Gesicht, ohne dass das leise Quietschen unterbrochen wurde. Der Typ auf ihr hatte nichts mitbekommen. Fazit dieses äußerst menschlichen Geschehens. Das Leben kann so schön sein!

Logisch, dass wir uns leicht beschämt, aber zugleich belustigt, zurückzogen, für weitere Gefühle war keine Zeit mehr. Adse, der Kumpel von Willi, machte sich sicherlich schon kräftig warm. Es war das zweite Mal, dass ich auf Ansor Kiknadse traf. Ein Jahr vorher hatte er mich mit eben diesem Sambogriff in den Gürtel bei der EM in Luxemburg vernichtend geschlagen. Nun standen wir uns erneut gegenüber. Stiernackig und breites

Kreuz, also eine georgische Normalerscheinung, nur noch ein klein wenig mehr als normal. Was ihn mir sympathisch machte, und das war gar nicht so gut für mich, er hatte freundliche Augen mit einem kleinen Kick Schelm darin.

Unser Kampf musste für die Zuschauer wie das Herumbalgen zweier junger Hunde gewirkt haben. Wir mochten uns, es war totale Sympathie und wie Liebe auf den zweiten Blick. Umso mehr waren wir erschrocken, als ich bei einem seiner tapsigen Angriffe den Mattenboden berührte und dabei wie ein Anfänger mit der flachen Hand auf die Tatami schlug, vollkommen vergessend, dass es eigentlich eine verdammt ernste Angelegenheit war. Ich wachte auf! Doch da kämpfte der Mattenleiter schon mit sich, um dann doch zögerlich die Hand zur Seite zu führen und mehr fragend als befehlend Waza-ari, also einen halben Punkt Vorteil an Adse vergab. Von den Seitenrichtern kam kein Veto, die drückten sich. Also Aufbruch zu neuen Ufern und ab ging die Post. Nun aber kamen die Erfahrung und das Alter meines Gegners ins Spiel. Inwieweit er schon wieviel Kämpfe, ob Sambo oder Judo, gemacht hatte, wusste ich nicht, aber er verteidigte sich clever und es war ihm bewusst, dass er dieses Schiedsrichtegeschenk sicher mit nach Georgien nehmen würde. Es blieb also bei diesem halben Punkt für ihn. Zweiter Versuch, an eine Silbermedaille zu gelangen, gescheitert. Kleiner Trost für mich: Von den drei Bronzemedaillen, die unsere Truppe erkämpft hatte, kamen zwei auf mein Konto. Weniger schön war dagegen, dass ich mir durch diese Niederlage den Finalkampf gegen den großen und gewaltigen Anton Geesink vermasselt hatte. Das tat mir mehr weh als die verlorene Silbermedaille. Es ließ sich also nicht vermeiden, die Stimmung war unter dem Gefrierpunkt in unserer jungen Mannschaft. Die konzentrierte sich nun auf andere Dinge, während die Leitung sich Ausreden für zu Hause einfallen lassen musste.

Zwei freie Tage bis zum Abflug in die Heimat lagen vor uns. 45 DM Taschengeld für diesen Auslandseinsatz, die wir natürlich in Lira umtauschen mussten. Das übernahm unser Generalsekretär, der für solche wichtigen organisatorischen Dinge da war. Das plötzliche Gefühl von

„Reichtum" währte nur kurz, bis wir den Stapel italienischen Geldes sahen. Es war, wie der DDR-Bürger bissig zu sagen pflegte, wenn es um den Umtausch von Mark der DDR in polnische Zloty ging – einen Wassereimer davon voll gegen einhundert Ost-Mark. Genauso sah es mit der Lira aus. Aber schaut man einem geschenkten Gaul ins Maul?

Das Abendbrot, welches wir nach Beendigung der Wettkämpfe im Hotel einnahmen, hatte etwas Beklemmendes. Das wurde noch deutlicher, als die Leitung uns anschließend auf unsere Zimmer schickte. Grund zum Feiern gab es nicht, was sind denn drei Bronzemedaillen? Als ich mich ebenfalls verdünnisieren wollte, hielt mich unser Verbandstrainer auf und meinte nur, dass ich noch ein Glas Wein im Kreis der Leitung mittrinken dürfe. Eine blöde Situation für mich. Einerseits fühlte ich mich geschmeichelt, andererseits hatte ich null Bock und wollte weg aus dieser miesen Stimmung, letztendlich blieb ich. Was ich dann erlebte, sollte ich nie wieder vergessen, wie hoch der eigentliche Wert eines DDR-Diplomaten im Trainingsanzug wirklich war. Wilhelm Pieck, unser 1. Präsident, hatte es einmal so ausgesprochen und ich muss ehrlichen Herzens eingestehen, dass ich wirklich stolz darauf war, ein Diplomat im Dienste des Sports zu sein.

Bis dahin hatte sich der Genosse Alfred H. erstaunlich mit kritischen Äußerungen sehr zurückgehalten bis zu dem Moment, wo meine Jungs wie Kindergartenkinder ins Bett geschickt wurden. Bei meinen Beobachtungen, und ich beobachte Menschen sehr gerne, fiel mir auf, dass sich Alfreds rundes Gesicht immer mehr ins Rötliche verfärbte, was aber anscheinend nicht nur am Rotwein lag. Er wirkte auf mich wie ein Luftballon, der kurz vor dem Zerplatzen war. Lange konnte es nicht mehr dauern, bis es soweit war. Ich sollte Recht behalten. In der Zwischenzeit hatte man doch das eine oder andere Glas geleert und vollkommen vergessen, dass noch ein Sportler mit am Tisch saß. Es wurde hin und her analysiert, Für und Wider, Wenn und Aber durften auch nicht fehlen. Das ließ dann Genosse Alfreds Topf letztendlich überkochen oder sollte ich doch eher sagen, der knallrote Ballon platzte?

Auslöser war unser Generalsekretär Hajo K, der nicht unbedingt der gleichen Meinung wie Ballon-Alfredo war. Der behauptete allen Ernstes, dass die gesamte Mannschaft nur aus Nichtskönnern und Versagern besteht und dass diese „Sängertruppe" nicht nur ihn, sondern die gesamte Deutsche Demokratische Republik mit ihren so fleißig arbeitenden Menschen, nicht zu vergessen das Zentralkomitee der SED, maßlos enttäuscht hätte. Ich bin versucht zu bezweifeln, ob Letzteres überhaupt wusste, dass so eine Randsportart wie die unsrige überhaupt existiert bzw. die DDR in Italien vertrat.

Die Köpfe unserer beiden Trainer saßen bis zu den Ohren zwischen den Schultern. Sie bemühten sich, dieses schwere Gewitter – oder war es doch schon eher eine Naturkatastrophe, welche über uns hereinbrach? – so gut wie möglich zu überstehen. Der Einzige, der dem zum Taifun gewordenen Alfredo B. etwas Paroli bot, war Hajo. Sicherlich auch aus dem Grund, dass er noch nicht vergessen hatte, wer alles am Tisch saß und dass einer von den Sportlern immerhin zwei Medaillen erkämpft hatte. Was doch letztendlich Anlass zu Hoffnung gäbe, dass wenigstens einer aus diesem Versagerhaufen ein gewisses Talent aufzuweisen hätte. Der Taifun entwickelte sich schlagartig zu einem Tsunami!

Brüllend stemmte sich Alfredo B. hoch. Was sind denn zwei Bronzemedaillen? Das ist Blech, Schrott! Unsere Republik braucht Gold, Gold, Gold! Und nicht nur das, wir müssen auf dem Siegerpodest oben stehen, unsere Fahne muss gesehen werden, genauso wie unsere Nationalhymne zu hören sein muss! Und das alles in feinstem Karl-Marx-Städter Dialekt.

Wortlos stand ich auf und verließ den Raum, ohne noch einmal zurückzublicken.

Am folgenden Tag war Stadtbesichtigung angesagt. Mein Groll und die Entrüstung über die Einstufung meiner gezeigten Leistungen waren noch nicht verflogen, als es an der Zimmertür klopfte und Hajo eintrat. Ich spürte sofort, dass ihn etwas bedrückte und war auf alles vorbereitet. „Du, Klaus", druckste er herum, „der Genosse Barsch hat mich gebeten" (oder hätte er besser sagen sollen beauftragt?), „wegen gestern und so …", ihm fehlten die passenden Worte. Ich kam ihm entgegen und meinte, der Genosse Leiter musste urplötzlich wegen Darmbeschwerden aufs Klo und kann deshalb nicht kommen und sich bei mir persönlich entschuldigen, stimmt's? Er verstand sofort. Meine darauffolgende Frage lautete: „Macht er trotzdem die Stadtrundfahrt mit?" Als er bejahte, war für mich klar, dass eine Person weniger in den Bus steigen würde und das war ich.

Wir einigten uns auf total fix und fertig nach den Strapazen der letzten zwei Tage und ich würde im Hotel bleiben. Glaubhaft, denn wenn es auch nur zwei Bronzemedaillen waren, kann es ganz schön schlauchen.

Herrlich, mein Plan ging auf, denn ich hatte nun den ganzen Tag für mich. Sofort nach der Abfahrt des Mannschaftsbusses fuhr ich im Lift hinunter ins Foyer, wo Angelo schon auf mich wartete. Er war im Hotel, wie man so sagt, das Mädchen für alles, hatte aber auch die Möglichkeit, sich ohne Probleme ein paar Stunden auszuklinken, also frei zu nehmen. Er war Mitglied der Kommunistischen Partei Italiens und als ich ihm das Kampflied „Avanti Popolo" vorsang, welches ich mal in der Grundschule gelernt hatte, war ich um einen Freund reicher. Zu zweit zogen wir los und er zeigte mir SEIN Rom.

Kein „Schauen Sie nach links, da sehen Sie … und da rechts sehen Sie auch …". Nein, das, was wir machten, war Eintauchen in die Geschichte der ewigen Stadt, ohne touristischen Schnickschnack. Da Angelo perfetto Alemania sprach, wurde es ein unvergessliches Erlebnis. Höhepunkt war der Besuch des Vatikans mit dem Petersdom. Für mich als kirchlich Angehauchtem, wie man inzwischen weiß, mein Großvater war Küster in dem kleinen sächsischen Dörfchen, wohin uns der Krieg verschlagen hatte und ich sang im Kirchenchor, war das der ultimative Kick. Zu welch gewaltigen epochalen Leistungen die Menschen schon zur damaligen Zeit fähig waren. Michelangelo – schon der Name ließ mir einen Schauer der Ehrfurcht über den Rücken laufen. Aber der größte Moment war das Betreten der Balustrade auf der obersten Spitze des Doms. Dieser Nippel, ganz oben, auch den Moment werde ich nie vergessen. Tief beeindruckt schweiften meine Blicke über die Stadt der sieben Hügel, schaute ich in den Garten des Vatikans, bewunderte das prachtvolle Mosaik des Petersplatzes und zwischendurch machte mich Angelo auf Sehenswürdigkeiten aufmerksam, die ich sonst nie zu sehen bekommen hätte. Immer noch, auch nach so vielen Jahren, erfüllt mich ein Gefühl des Stolzes, wenn ich auf einem Foto oder in einem Film dieses gewaltige, von Menschen erschaffene Bauwerk sehe und ich kann behaupten: „Da, ganz oben auf der 'Brustwarze' habe ich schon gestanden." Den wenigsten Menschen ist es vergönnt, so etwas zu erleben.

Was ich dazu noch sagen möchte und das kann ich schreiben, ohne rot zu werden, ich vergaß nie, mich in meinem Herzen bei den Menschen zu bedanken, die mir das ermöglicht hatten. Die in täglich harter Arbeit Exportgüter für das westliche Ausland produzierten, im Speziellen für die BRD, um unserem Staat die nötigen Valuta einzubringen, die letztendlich für solche Aktionen wie die unsrige wieder ausgegeben wurden. Mit dem „Spielgeld", welches sich Währung der DDR nannte, hatte man schon in den sozialistischen Ländern Probleme. Ich wusste genau, dass wir privilegiert waren und ich wusste auch, dass wir neben den vielen, vielen Sportbegeisterten, die sehr stolz darauf waren, dass unser kleines Land in der Nationenwertung, zumindest nach Olympia in München, an dritter Stelle hinter der UdSSR und der allmächtigen Supermacht USA rangierte. Es gab natürlich auch Neider, aber da tröstete ich mich mit dem weisen Spruch vom alten Schopenhauer: „Die höchste Anerkennung des Deutschen ist der Neid!"

Zurück zu Angelo. Eine halbe Stunde später kamen meine Sportkameraden erschöpft zurück ins Quartier. Allerdings waren die dreißig Minuten dazwischen, die wir eher da waren, von äußerster Brisanz. Ich war kaum auf meinem Zimmer, hatte mich gerade etwas frischgemacht, als das Telefon klingelte. Es war Angelo und er war sehr aufgeregt! „Du Claudio", so nannte er mich, „hier steht ein Kollege von mir aus dem Astoria-Hotel und er sagt, vier Deutsche aus unserem Haus hätten dort Geld umgetauscht." Das Problem bestand darin, dass er nicht wusste, dass es auch ostdeutsches Geld gibt und für 3 x 100 Mark der DDR die entsprechende Lira rübergeschoben wurde. Erst sein Chef hatte ihn darauf aufmerksam gemacht als er die Kasse kontrollierte, dass zwischen den normal bekannten Scheinen vier auftauchten, die wie Spielgeld aussahen. Auf die Frage, was er sich da hat andrehen lassen, meinte er natürlich im guten Glauben, „na deutsches Geld". Daraufhin zeigte ihm sein Boss, wie es wirklich auszusehen hat. Dumm nur, dass einer von den vier Deutschen bei der freundlich neugierigen Frage, wo sie denn wohnen würden, den Namen unseres Quartieres genannt hatte. Nun stand der arme Schlucker des Astoria-Hotels unten bei Angelo und der flehte mich um Hilfe an. Das waren bestimmt deine Kameraden, Claudio meinte er, denn ein „Barbarossa" wäre auch dabei gewesen! Ein rothaariger Deutscher fällt in Rom mehr auf als etwa ein Schwarzafrikaner in einem Dorf in Mecklenburg-Vorpommern. Es gab nur einen in unserer Truppe mit roten Haaren, PAULE!

Das war der Moment, wo meine Jungs zurückkehrten. Erschöpft vom Herumlatschen und der Hitze hatten sie nur einen Wunsch, ab unter die Dusche. Erstens kommt es anders und zweitens als man denkt. Angelos Kollege aus dem Astoria-Hotel zeigte sofort auf Paule, als er auftauchte und jubelte laut: "Si, si, das ist er." Dabei zeigte er aufgeregt auf ihn und jetzt erkannte er auch die anderen drei: Fritz, unseren Jüngsten, Stummel, der Leichtgewichtler und kaum zu glauben, meinen Zimmerkumpel Ede. Was nun, sprach Zeus? Die Götter sind besoffen! Der Kamerad ließ nicht locker und forderte sein Geld zurück. Aufmerksam geworden, mischte sich jetzt auch unsere Leitung ein. In der Zwischenzeit hatte Ede mir, natürlich etwas abseits stehend, schon einiges berichtet. Er war derjenige, der als erster auf die Idee kam, es zu versuchen. Sein Fehler war es, vor den beiden Jüngsten anzugeben, wie clever er doch das Ding gedreht hatte, und die hatten nichts Besseres zu tun, als auch dort hinzurennen.

Logisch, dass alle vier auf Teufel komm raus die Beschuldigung abstritten, natürlich alles im Beisein der Leitung. Es funktionierte, der arme Kerl aus dem Astoria musste unverrichteter Dinge von dannen ziehen und verfluchte die Alemannen sicherlich bis ans Lebensende. Denn es war Fakt, dass er seinen Job verlieren würde. Zumindest erzählte es mir Angelo. Ich schämte mich fremd!

Während des Abendessens und auch noch bestimmt bis in die Nacht hinein beriet unsere Leitung, was zu tun sei. Immerhin war es eine Anschuldigung, die es in sich hatte. Da war der Vorwurf von Devisenschmuggel noch harmlos. Jetzt aber lief unser aller Leiter „Alfredo B." zur Höchstform auf. Wir erfuhren es am nächsten Morgen am Frühstückstisch. Das Ganze war ein abgekartetes Spiel unseres Klassenfeindes! Nicht nur, dass seine Speerspitze im Kleid der westdeutschen Judomannschaft daherkam und uns so schmählich hat untergehen lassen, nein, jetzt setzten sie noch eins drauf!

Ich wusste es besser und ich konnte es sehr gut einschätzen, was hier ablief, man nennt so etwas „Vogel-Strauß-Taktik".

Ob unsere Trainer daran glaubten, weiß ich nicht. Ich denke mal eher nein.

So wurde diese Europameisterschaft eine Katastrophe für uns. Außer für mich, denn ich war, wenn auch nicht Goldmedaillengewinner, immerhin zweifacher Medaillen-nach-Hause-Bringer.

51. Lieber spät als zu spät
(Vereidigung)

Es war irgendwann im Herbst 1967. Da musste einem pfiffigen Büromenschen unserer Diensteinheit – Sportclub Dynamo Hoppegarten – beim Anknipsen der Schreibtischlampe ein Licht aufgegangen sein. Die Folge war eine Riesenaufregung, wobei das Epizentrum wohl doch mehr in der Schreibstube des Kommandeurs des Wachregimentes lag. Nirgendwo waren Unterlagen zu finden, die in irgendeiner Form hätten bestätigen können, dass ein großer Teil der Genossen Sportler des Clubs je vereidigt worden wäre. Man stelle sich einmal vor, ein großer Teil der Diensteinheit hatte keinen Eid auf die Fahne der Republik geleistet und von denen liefen einige schon seit Jahren im Ehrenkleid durch Brandenburgs schöne Lande. Da half auch kein Wühlen in verstaubten Akten, es war nichts zu finden. Also stand wieder einmal die große Frage im Raum, was nun?

Immerhin gab es schon ältere Sportler, die es bereits zum Dienstgrad Oberfeldwebel gebracht hatten, da lag ich mit meinem Unterfeldwebel im mittleren Bereich.

So kam es also, dass die Nichtvereidigten eines Tages in einem Riesenbus in das Wachregiment „Feliks Edmundowitsch Dzierzynski" gekarrt wurden. Nun waren es wiederum auch nicht so viele, dass man eine Sonderveranstaltung anberaumt hätte. Ist es solange gut gegangen, da wird es auch nicht weiter schlimm sein, ein paar Tage zu überziehen. Die Party sollte also zu dem Termin stattfinden, an dem die große offizielle Vereidigungszeremonie angesetzt war. Die jungen Rekruten hatten die Grundausbildung mehr oder weniger gut überstanden und vor allem marschieren gelernt, nun sollten sie für drei Jahre vergattert werden.

Als unser maroder Haufen aus dem Bus stieg, anders kann man den Anblick, der sich den beiden Offizieren der „Elitetruppe", die dem Ministerium für Staatssicherheit unterstellt war, bot, nicht beschreiben. Da standen wir nun wie ein versprengter Haufen Fremdenlegionäre auf dem riesigen Exerzierplatz, während weiter hinten die richtigen Soldaten immer wieder im Gleichschritt an einer mit rotem Fahnentuch bespannten Tribüne vorbeiparadieren mussten. Hilflos, und wie mir schien auch leicht angewidert, beäugten sie uns. Der Hauptmann, der uns begleitet hatte, stiefelte auf die zwei Artgenossen zu und machte Meldung, während wir mehr oder weniger als ungeordnete „Spezialeinheit Hoppegarten" abwartend und etwas verloren auf der betonierten Riesenpiste standen. Unser Hauptmann hatte nun den Kampfauftrag erhalten, uns irgendwie zu einer militärischen Formation antreten zu lassen. Normalerweise hätten wir uns so aufstellen müssen, dass sich die Großen rechts positionieren und die Kleineren bis zu den ganz Abgebrochenen nach links orientieren. Doch da gab es ein Problem! Einige der zu kurz Geratenen, z. B. aus der „Trainingsgruppe Reiterei", hatten höhere Dienstgrade und die standen jetzt im Mittelfeld, waren also kaum zu sehen. Den beiden Offizieren, die uns in Empfang genommen hatten, blieb nichts erspart. Unser Anblick musste bei ihnen Gruseln verursacht haben, sah das Ganze doch eher wie ein ungepflegtes Gebiss mit abgebrochenen Zähnen aus. Nun wurde umdisponiert, und wie konnte es auch anders sein, neben mir rechts stand jetzt ein zu kurz geratener Springreiter, der aber schon Feldwebel war.

Die eigentliche Tragödie begann aber so richtig, als man unseren Hauptmann aufforderte, von uns zu verlangen, auf die Kommandos „Stillgestanden! – Rechts um! – Im Gleichschritt marsch!" zu reagieren. Als erstes trat ich meinem Vordermann kräftig in die Hacken, da er anscheinend nicht wusste, dass man mit dem linken Fuß begann. Mit größter Mühe erlangte er hoppelnd und hüpfend wieder die Kontrolle über sich. Der unfreiwillige Stepptanz setzte sich folgerichtig bis ins letzte Glied fort und ließ Hauptmann Hess rot anlaufen und die anderen zwei Amtsinhaber die Augen verdrehen.

Außer Hörweite berieten nun alle drei, wie man diese Karre aus dem Dreck ziehen könnte. Eines stand für sie felsenfest, in diesem desolaten Zustand konnten sie es niemals erlauben, uns nach der Vereidigung an der Ehrentribüne vorbeimarschieren zu lassen. Zumal wir erst später mitbekommen sollten, dass auf dieser Tribüne nicht nur Ehrengäste und der

Regimentskommandeur standen, sondern der Minister für Staatssicherheit persönlich.

Die beiden überforderten Offiziere tuschelten immer noch, dann nickte einer von ihnen bejahend kräftig mit dem Kopf. Sie hatten anscheinend das Ei des Kolumbus gefunden. Es wurde in Form eines riesigen Militärkraftwagens mit Sitzbänken direkt zu uns gerollt. Auf diese Art und Weise würde zumindest das Problem Vorbeimarsch gelöst. Ich konnte mir ein leichtes Grinsen nicht verkneifen, als man uns jetzt förmlich bat, auf den LWK zu klettern und der Größte nach auf den Holzpritschen Platz zu nehmen. Sie hatten anscheinend begriffen, dass sie es mit Außerirdischen zu tun hatten. Sicherlich ergab es jetzt ein besseres Bild als vorher, na und die unterschiedlichen Rangabzeichen waren jetzt Nebensache. Die Stimmung konnte man als gelöst betrachten. Bis, ja bis zu dem Moment, wo ich in meiner rechten Manteltasche das Uhrenglas meiner schon längst nicht mehr existierenden Taschenuhr fand. Unbemerkt klemmte ich es mir ins rechte Auge, drehte den Kopf zu der Truppe und schnarrte sie im altpreußischen Befehlston an. „Kameraden", worauf eine kurze Kunstpause folgte, „dass mir keine Beschwerde vom Minister kommt, also reißen Sie sich zusammen!"

Unser Fahrzeug setzte sich in Bewegung, während die Besatzung auf ihren Bänken außer Kontrolle geriet. Als wir ins Blickfeld rollten, hatten sich alle soweit beruhigt. Auf mein Kommando als Flügelmann rissen alle die stahlbehelmten Köpfe nach links, was erstaunlicherweise sehr gut klappte. Mein Monokel saß fest im rechten Auge.

Interessiert hätte mich nur, was Minister Mielke und die Ehrengäste dachten, als hinter der stramm vorbeimarschierenden Truppe ein einsamer LKW das Schlusslicht bildete. Dass mich eine geraume Zeit der Spitzname „General Itzenplitz" begleitete, störte mich nicht.

52. Grusinski – Germanski

Das Jahr 1967 neigte sich langsam dem Ende entgegen. Alle wichtigen Wettkämpfe lagen hinter uns als wir plötzlich vom Judoverband die Information erhielten, dass es da doch noch einen Wettkampf gäbe, den wir unbedingt wahrnehmen müssten.

Zielort war die Hauptstadt Georgiens oder wie es im Allgemeinen und auf Russisch heißt, Tblissi. Ich informierte mich sofort anhand meines Weltatlasses, wo genau dieser Veranstaltungsort liegen sollte. Hatten wir Grusinien doch nur als eine der vielen Unionsrepubliken der UdSSR im Hinterkopf abgespeichert, so in Richtung Kaukasus. Um die Mitte der sechziger Jahre tauchten sie bei größeren internationalen Turnieren plötzlich regelrecht aus dem Nichts auf, die breitschultrigen und schwarzhaarigen Judokämpfer aus dem fernen Georgien. Allerdings mussten wir bald feststellen, dass sie bis auf das Tragen der Judokampfanzüge vermutlich noch nie etwas mit dieser asiatischen Sportart zu tun hatten. Ja, es kam sogar vor, dass den kaukasischen Recken noch nicht einmal die Fachbegriffe und Kommandos bekannt waren und – Recken waren sie allemal. Stand uns eine Mannschaft von ihnen gegenüber, wurden sie von Gewichtsklasse zu Gewichtsklasse zwar immer ein Stückchen größer, aber vom breiten Kreuz her eine Familie. Judo hatten die Georgier anscheinend nur in einem vierzehntägigen Grundkurs kennengelernt und ob die Gürtelfarben wirklich auf die wahre Qualifikation schließen ließen, möchte ich fast bezweifeln. Die Ursache des überraschenden Erscheinens der Grusinischen Kampfsterne hatte einen sportpolitischen Hintergrund.

Die Weltmächte USA und UdSSR, plus ein paar größenwahnsinniger kleinerer Staaten wie die DDR, sahen die Nationenwertung bei sportlichen Großereignissen als die Gelegenheit, allen Menschen auf unserem

blauen Planeten kundzutun: Wer im Sport die Nase vorn hat, der ist auch in allen anderen Bereichen unschlagbar. So war es also naheliegend, dass in diesen gesellschaftlichen Bereich Unmengen von Geld gepumpt wurde. Was allerdings immer noch besser war, als utopische Summen in die militärische Aufrüstung zu stecken. Aber aufgerüstet wurde hier und da, also im militärischen Bereich und im Leistungssport. Es wurden auch die kleinste Möglichkeit ausgenutzt und die winzigsten Reserven mobilisiert, um ja die Nase vorn zu haben, und sei es nur 1 cm in einer sogenannten Randsportart. Aber Kleinvieh macht bekanntlich auch Mist.

Im ehemals großen Russischen Reich hatte fast jedes Land seine spezifischen Kampfsportarten. Das gilt jetzt genauso wie anno dunnemals. Die Kampfregeln unterschieden sich zum Teil erheblich. War es doch in grauen Vorzeiten so, dass der, welcher auf dem Kampfplatz liegen blieb, zu Tode kam, also der eindeutige Verlierer war. Nicht gewonnen hatte auch derjenige, der von seinen Kameraden weggetragen werden musste. So geschah es dann auch vermutlich, dass es einige kaukasische Berge zu viel vor Tblissi gab, die so manchen Informationsstau verursachten. Nur so lässt es sich erklären, dass keiner so recht mit dem plötzlichen Auftauchen des kaukasischen Bergvolkes umgehen konnte. Es begann damit, dass grusinische Kämpfer total irritiert waren, als sie einen knallharten Bein-hebel ansetzten und sie dafür vom Schiri zur Strafe von der Matte geschickt wurden. Beinhebel sind grundsätzlich verboten. Wurde der Kampf aus einem anderen Grund, wie z. B. Kleider ordnen, unterbrochen, reagierten sie gar nicht darauf und man hatte das Gefühl, wenn sie sich trotzdem auf ihren Gegner stürzten und der Schiedsrichter erneut unterbrach, dass in ihrem Innersten ein rotes Lämpchen aufleuchtete: Alarmstufe Rot – der Gegner lebt noch!

Langsam, sicher und kontinuierlich hatten unsere Trainer Informationen und Material zusammengetragen. Es ließ sich nicht umgehen, wir mussten uns mit diesem Gegner intensiver beschäftigen. Bei allem Unorthodoxen waren sie doch erheblich gute Techniker. Vor allem im Bodenkampf war es sehr schwer, Paroli zu bieten, Beinhebel hatten sie sich ganz schnell ab-gewöhnt. Trotzdem besaßen sie ein großes Repertoire von Armhebeln und Festhaltetechniken, um uns das Leben schwer zu machen. Im Standkampf war ihr Griff in den Gürtel so gut wie das sichere Aus, auch ich habe es über mich ergehen lassen müssen. Diese Art zu kämpfen kannten wir nicht, es war ein Mix aus Freistilringen und Sambo, wobei wir von Letzterem noch nie etwas gehört hatten, dafür aber kräftig zu spüren bekamen. Unter dem Strich hat das Auftauchen dieser Techniken das eigentliche Judo sehr verändert. Dominierte doch auf einmal der Kampf um die Fassart. Aufrechtes Stehen wurde zum Problem, ja sogar Garantie dafür, als Verlierer von der Matte zu gehen. Bei einer Anfrage des sowjetischen Journalistenverbandes an mich – sie wollten ein Buch herausgeben über die weltbesten Judokas und inwieweit der in der SU betriebene Judosport den Weltjudosport beeinflusst hätte – teilte ich ihnen ehrlich und aufrichtig meine Meinung mit. Bis heute warte ich allerdings noch auf ein kleines Dankeschön in Form der Erstausgabe des Buches. Schließlich hatte ich in etwa 40 Fragen beantworten müssen.

Das war es also, was würde uns das Abenteuer Grusinien wohl zu bieten haben? Es sollte eine meiner interessantesten und zugleich die lustigste Wettkampfreise werden, die ich jemals erlebt habe.

Die letzte Information, die wir vor dem Abflug erhielten, ließ uns aufhorchen. Wir bekamen keinen konkreten Kampfauftrag, was normalerweise üblich war. Also z. B. das Finale erreichen oder etwas nebulöser einen Medaillenplatz. Teilnehmermedaillen, die es manchmal auch gab, zählten nicht dazu. Unserem Trainer entging nicht, dass wir ihn ziemlich dämlich anschauten. Daraufhin erläuterte er es uns etwas aus-führlicher.

In Georgien oder auch Grusinien gab es eine Woche der Freundschaft zwischen unseren beiden Länder. Dazu wurde unsere Nationalmannschaft zusammen mit einer Ringerstaffel eingeladen. Also ein Freundschafts-besuch mit Wettkampfcharakter! Dabei sollten wir an den Techniken arbeiten, die wir noch nicht so richtig beherrschten. Alles lief in Richtung Friede, Freude, Eierkuchen und zur Festigung der unverbrüchlichen Freundschaft zur Sowjetunion.

Na, das war doch mal etwas ganz anderes und deutete nicht darauf hin, dass es dort zu einem Tabula-rasa-Anfall kommen könnte, wie wir ihn sechs Monate vorher wegen des miserablen Abschneidens zu den Europameisterschaften in Rom erleben mussten. Dieser Auftritt saß mir immerhin noch im Nacken, obwohl es mich nicht ganz so hart traf wie den Rest der Truppe. Also, auf los geht's los, ins große unbekannte Sambo-Land.

Die Maschine startete von Berlin-Schönefeld mit Ziel Moskau-Scheremetjewo. Hier hatten wir zwei Stunden Aufenthalt, um danach mit einer etwas klapprigen Propellermaschine weiterzufliegen. Das war nicht der einzige Qualitätsverlust, den wir feststellten. Die flotten Mädels, die wir von anderen Flügen kannten, hatte man gnadenlos gegen ältere Matkas mit Überbreite ausgetauscht. Dass ihnen ihr Job nicht allzu viel Spaß bereitete, war eindeutig, wie sollte er es denn auch? Bei der Leibesfülle und der Enge der Inlandmaschine kein Wunder.

Trotz immerhin zweistündigen Fluges bestand der Bordservice aus nur einmal angebotenem und bestialisch nach Schwefel schmeckendem Mineralwasser. Nicht einmal mein erheblicher Durst ließ mich mehr davon trinken als diesen einen Probeschluck. Dem Soldaten, der neben mir saß, ein junger Bursche auf Heimaturlaub, war es unverständlich, dass ich leicht angewidert den Becher nicht leerte. Mit Händen und Füßen versuchte er, mir zu erklären, wie gesund dieses Lebenselixier wäre und dass in ganz Georgien kein besseres zu finden sei. Daraufhin trank er den Rest aus meinem Becher. Er war halt ein echter Sportkumpel, der mir während des Fluges auch noch die Produkte seiner soldatischen Freizeitbeschäftigung zeigte. Hochinteressant, was er so aus den Griffen von Zahnbürsten fertigte. Das Armband mit Gummizug, das er mir schenkte, liegt immer noch irgendwo in einer Schublade und wartet darauf, von einer Prinzessin getragen zu werden. Die Fantasie des Menschen ist grenzenlos. Armschmuck aus dem Plastestiel einer Zahnbürste, da darauf muss man erst einmal kommen! Der Landeanflug auf Tblissi war spektakulär. Zumindest fällt er in die Rubrik „Bitte nicht gleich wieder!". Auch das war ein Beispiel dafür, dass Georgier Kämpfer durch und durch sind. Entweder hatte sich der Pilot beim Landeanflug maßlos verschätzt oder er liebte das Besondere. Die Möglichkeit, dass er als Jagdflieger im Großen Vaterländischen Krieg zum Einsatz kam, schließe ich mal aus. Jedenfalls ging es im Sturzflug nach unten, dass mir Hören und Sehen verging. Ein flüchtiger Blick zu meinem Soldaten nebenan zeigte aber, alles gut, alles „otschen karascho". Ich beruhigte mich etwas, obwohl ich das Gefühl nicht loswurde, dass es eventuell mein letzter Flug gewesen sein könnte. Die Landung passte in dieses Schema, aber wir waren erst einmal unten. Entweder hatte der Pilot den Hubschrauberlandeplatz erwischt – denn anders konnte ich mir das folgende Bremsmanöver nicht erklären – oder das Kaukasusgebirge ließ keine längere Start- und Landebahn zu. Wieder einmal wurde mir bewusst, wie wichtig und nützlich Sicherheitsgurte sind. Das Ausrollen der Maschine war kurz, umso mehr staunte ich über die Disziplin unserer Mitreisenden, die nicht, wie wir es von anderen Flügen her kannten, sofort nach der Landung mit Sack und Pack zu den Ausgängen drängelten, aber das lag wahrscheinlich an dem weiblichen Bordpersonal, welches, ziemlich grimmig dreinblickend, die Ausgänge bewachte. Wehe, wenn und dann nur über meine Leiche. Wir, die aus dem November-Deutschland kamen, wurden beim Hinaustreten aus der Maschine von einem wundervollen, warmen Spätsommerwind begrüßt. Schöner kann man es sich nach so einer Landung nicht vorstellen. Da war der Anblick des Feldflughafens, der mich verdächtig an Schönefeld Variante I erinnert, nicht ganz so ernüchternd. Auch unsere Interflug hatte mal so angefangen. An die Prozedur der Einreisekontrolle kann ich mich nicht mehr erinnern, wahrscheinlich verlief alles unter dem Codewort „Druschba".

Aber eine Sache ist mir haftengeblieben. Ehe wir unser Gepäck ausgehändigt bekamen, hatte ich noch Zeit, einem Spatzenpärchen beim Nestbau in einer der Lampenschalen eines riesigen mehrarmigen Leuchters, der im Einreisebereich an der Decke hing, zuzuschauen. Keiner störte sich daran.

Die Fahrt ins Hotel, welches in der City lag und einen recht modernen Eindruck machte, dauerte nicht lange. In der Zwischenzeit war es dunkel geworden. Die Straßenlaternen, die wie eine unendliche Kette leuchtender Sterne vor meinem Hotelfenster aussahen, tauchten die Straße weit unter mir in ein faszinierendes Licht, welches sich auf eine unüberschaubare wuselnde Menschenmenge ergoss. Ganz Tblissi war auf den Beinen. Ein Normalzustand bei so schönem Wetter, wie ich später erfuhr. Das musste ich mir aus der Nähe anschauen. Männlein und Weiblein spazierten unter riesigen alten Platanen und es war eine Stimmung und Atmosphäre, wie ich sie eigentlich nur aus Italien oder Spanien kannte. Etwas irritierte mich allerdings an der flanierenden Menge: Sah ich doch zum ersten Mal Männerpaare, freundschaftlich untergehakt und plaudernd, den herrlichen Abend genießen. Genauso war es bei der Weiblichkeit. Alle streng getrennt, doch brüderlich und schwesterlich vereint. Zu Hause wäre der Verdacht aufgekommen, dass der überwiegende Teil der Grusinier schwul und lesbisch sei. Na gut, das ist nun auch schon einige Jährchen her und manches wurde zur Normalität, genauso wie ich jetzt im Jahr 2019 auf meiner Kurkarte in Zinnowitz hinter meinem Namen in Klammern ein „Er" fand. Jetzt habe ich es schwarz auf weiß gedruckt, dass ich männlichen Geschlechts bin. Beruhigend zu wissen.

Der neue Tag begann mit einer Überraschung. Das Frühstück gab es im Erdgeschoss unseres Hotels. Ein riesiger Saal und schon zu dieser Zeit waren so gut wie alle Tische besetzt. Auch hier stellte ich fest, dass es strenge Geschlechtertrennung gab. Die Männer gingen frühstücken und die Frauen? Bis auf die wenigen Kellnerinnen gab es so gut wie keine.

Um unseren Tisch, den man mit einer DDR-Flagge gekennzeichnet hatte, zu erreichen, mussten wir einen regelrechten Spießrutenlauf der Freundschaft quer durch den ganzen Saal absolvieren.

Die Gastfreundschaft der Georgier ist Gesetz. Auch unsere Trainer hatten uns noch einmal daran erinnert, jeglichen Freundschaftsbeweis ernst zu nehmen, was bedeutete, dass wir unseren Tisch erst erreichen konnten, nachdem wir mindestens zwei bis drei Gläser besten grusinischen Cognac intus hatten und das am frühen Morgen! Ich hatte es bereits angekündigt, dass es eine Reise der Superlative werden sollte.

Auch unsere beiden Trainer sahen es locker. Ohne den üblichen Druck und einen Rechenschaftsbericht an die Führung des DTSB. Das Leben kann so schön sein! Außerdem mussten sie denselben Weg zu unserem Tisch gehen wie wir.

Zwischen Frühstück und Mittagessen sollten wir die Wettkampfhalle kennenlernen. Ein monumentaler riesiger Sportpalast von gewaltigem Ausmaß. Wir kamen uns winzig und verloren vor. Wieviel tausend Zuschauer würden hier Platz finden? Die letzten Sitzreihen ganz oben unter dem Hallendach konnte man nur erahnen. Hätte unser kleiner hakennasiger Dolmetscher Aljoscha mit uns gewettet, dass die Halle bis auf den letzten Platz ausverkauft sein würde, wir hätten tatsächlich Haus und Hof verloren. So langsam wurden wird dann doch etwas unruhig. Auch unsere Ringerkollegen zeigten sich beeindruckt, hatten sie doch schon öfter das Vergnügen, gegen georgische Ringer zu kämpfen, wobei die Betonung auf Ringen lag. Während wir nur erahnen konnten, was uns erwartete, wussten sie es bereits.

Das Bild, welches sich uns an dem Abend bot, werde ich mein Lebtag nicht vergessen. Wie Aljoscha es vorausgesagt hatte, war die Hütte bis auf den allerletzten Platz ausverkauft. Aber nicht nur das war so beeindruckend. Auf allen Köpfen der Zuschauer saß die typische Kopfbedeckung des grusinischen Mannes. Eine riesige schwarze, wagenradgroße Schiebermütze mit Schirm. Unter demselben lugte eine kühn gebogene Nase hervor, unterstrichen von einem schmalen schwarzen Bärtchen. Das wurde noch komplettiert durch einen dunklen Mantel, dessen Kragen hochgeschlagen wurde, sicherlich aus modischem Grund. Mein erster Eindruck war Hitchcocks Film „Die Vögel". Allerdings mehr in Richtung schwarze Geier mit Mütze, die auf ihre Opfer lauerten. Bei unserem Erscheinen brach Tumult aus. Die schwarze Meute tobte euphorisch in Vorfreude auf das kommende Schlachtfest! Noch nie war mir der zu DDR-Zeiten geläufige Spruch „Und willst du nicht mein Bruder sein, so hau ich dir in die Fresse" so eindrucksvoll vermittelt worden. Ich will nicht weiter auf die Kämpfe meiner Leidensgenossen eingehen, aber alle schlugen sich tapfer und wenn sie untergingen, dann mit wehenden Fahnen. Es war deutlich zu spüren, dass unsere sportlichen Gegner Probleme mit den weiten Judojacken hatten. Ihnen hätte eigentlich nur der Gürtel gereicht, um Tacheles zu reden. Jede gute Aktion unserer Kämpfer wurde ohne große Teilnahme hingenommen. Manchmal, wenn etwas spektakulär aussah, gab es sogar Applaus für uns.

An meinen Kampf kann ich mich noch sehr gut erinnern. Außerdem bekam ich von einem Pressefotografen im Nachhinein ein tolles Foto von einem meiner Würfe, das brillanter nicht hätte demonstrieren können, was ich dort geleistet habe. Mein Gegenüber, natürlich ein Ringer im Kimono, mit Namen Odise Kaladse hatte absoluten Heimvorteil, Tausende feuerten ihn an. Eigentlich stand ich genauso wie mein Vorkämpfer auf verlorenem Posten, eigentlich. Doch es war eine meiner Stärken, in fast aussichtslosen Situationen Kraft zu entwickeln. Kaladses Angriffe konnte ich im Großen und Ganzen gut parieren. Ich spürte seine Schwachstellen verhältnismäßig schnell auf, dadurch konnte ich mich gedanklich gut auf meine Techniken vorbereiten. Nur den Bodenkampf vermied ich unter Aufbietung aller Kräfte. Meine Angriffe wurden immer präziser, so dass Kaladse sich vermehrt Blößen gab, die ich dann auch schamlos auszunutzen wusste. Aber ich konnte machen, was ich wollte, der Kerl ging immer in die Kopfbrücke, egal wie hart ich ihn runterknallte. Sogar für den dramatischen Konterwurf, den der Fotograf so brillant festgehalten hatte, bekam ich keine Wertung. Ich denke mal, die Schiedsrichter waren genauso unwissend, was die japanischen Kommandos betraf, wie die Aktiven. Außerdem war es doch ein Freundschaftskampf, der dann auch klug und weise mit einem Unentschieden endete. Nach uns war die Ringerstaffel dran und noch im Nachhinein denke ich mit Gruseln daran zurück. Waren die temperamentvollen Zuschauer im „Geier-Look" bei unseren Kämpfen noch verhältnismäßig zurückhaltend, kannten sie jetzt keine Gnade mehr. Hier konnten sie mitreden oder sollte ich besser sagen mitbrüllen. Jede gelungene Aktion wurde mit stehenden Ovationen gefeiert. Der Kampf im

Halbschwergewicht bestätigte dann letztendlich meine gefasste Meinung über georgischen Kampfsport. Ein guter Gegner ist ein besiegter Gegner, und sei es auch ein Kampf unter Freunden.

Bei einer stürmischen Aktion hatte sich der Ringer aus Luckenwalde dass rechte Knie schon heftig verdreht, so dass er nicht in der Lage war aufzustehen. Hämisches, schadenfrohes Gelächter erscholl von überall aus der schwarz geformten Masse. Etwas mitleidig über das, was Grusinski gerade angerichtet hatte, ging er vor unserem Ringer Manni auf die Knie. Dann schob er den linken Arm unter dessen Nacken und mit dem rechten rutschte er unter den Knien hindurch, um ihn wie ein Bündel aus der Altkleidersammlung hochzuheben und unter ohrenbetäubendem Gelächter von der Matte zu tragen. Am Mattenrand nahm ihn dann ein Hilfssanitäter in Empfang. Er hätte das Häufchen Unglück auch fallenlassen können!

Ziemlich deprimiert saß unsere Delegation spät am Abend in dem Hotelrestaurant. Jeder hing seinen Gedanken nach und meinte für sich, es hätte noch schlimmer kommen können.

Der folgende Tag gehörte uns, kein Wettkampf und auch kein Training. Jeder konnte tun und lassen, was er wollte. Mich zog es in die Stadt, wollte ich doch etwas zu erzählen haben, wenn ich wieder zu Hause war. Mein Weg führte mich zuerst hinunter zu dem Fluss Kura, der Tblissi in zwei Hälften teilt. Mir bot sich ein herrlicher Anblick.

Während das Ufer auf meiner Seite mehr oder weniger sanft dem Fluss entgegenglitt, stieg auf der anderen Seite eine etwa 50 Meter hohe Steilwand felsig gegen den Himmel. Kleine bunte Holzhäuschen, ineinander verschachtelt, klammerten sich am Rand der Klippe in den felsigen Grund. Schon beim Betrachten dieser von Menschen erbauten Schwalbennester verspürte ich ein flaues Gefühl im Magen. Wie musste es erst den Menschen ergehen, die darin wohnten. Ach ja, ich hatte es verdrängt, in den Häusern lebten Georgier! Wie man munkelt, gab es einen Zusammenhang zwischen dem nicht weit entfernten Berg Ararat im Grenzgebiet Georgien-Türkei und den Grusiniern. Denn dort soll die Arche von Noah nach der Sintflut gestrandet sein. Selbstbewusst, wie die Bewohner dieses herrlichen

Fleckens Erde sind, betrachten sie sich selbst als Noahs Erben. Also Gott hält immer noch schützend die Hände über sie. Das erklärt manches! Verwundert war ich wiederum über die braunen Streifen, die an die Felswand gemalt worden sind. Sie verliefen senkrecht vom Fuße der Häuser bis zur Wasseroberfläche des sich träge dahinwälzenden Flusses. Aljoscha klärte mich während des Mittagessens über diese skurrile Felswandmalerei auf. Die Schwalbennester besaßen keine Kanalisation, also lief alles, was einen halbwegs flüssigen Zustand hatte, seit Hunderten von Jahren in die Kura.

Den Nachmittag verbrachte ich wieder bummelnd durch Straßen, Gassen und Gässchen. Auf dem Rückweg ins Hotel betrat ich neugierig eine Fleischerei. Der ziemlich geräumige Verkaufsraum war voll von schnatternden Frauen und einigen Männern. Dabei beobachtete ich, wie eine Kundin mit dem Stück Fleisch, welches die Verkäuferin für sie ausgesucht hatte, nicht einverstanden war. Nörgelnd ergriff sie den Batzen roten Fleisches und warf ihn locker hinter die Glasscheibe auf den Haufen, woher er gerade zuvor auf der Waage gelandet war. Worauf die Verkaufskraft schimpfend dasselbe Stück wieder ergriff und es zurück auf die Waagschale knallte. Das wiederholte sich drei-, viermal, ohne dass sie sich einigen konnten, bis die Klügere letztendlich nachgab, es war die Verkäuferin. Ein anderes, ebenso großes Fleischstück wurde von ihr in braunes Packpapier gewickelt und nachdem sie sich an ihrer Schürze die Hände abgewischt hatte, kassierte sie die Kundin ab. Wo die sich die Hände abgewischt hat, ist mir entfallen.

Genug gefaulenzt, am darauffolgenden Tag ging es zu unserem zweiten Wettkampf. Dazu mussten wir eine ziemlich lange Busfahrt überstehen, die uns durch grandiose Bergwelten führte, die so etwas von einsam waren, dass es schon einer Sensation gleichkam, wenn sich uns ein Fahrzeug näherte. Überholt hatte uns keines, was aber nicht daran lag, dass unser Fahrer zu schnell fuhr. Unser Ziel war die Stadt Gori, wie uns Aljoscha immer wieder bestätigte, eine ganz berühmte dazu, denn hier erblickte kein Geringerer als Josef Wissarionowitsch Dschugaschwilli – der Stählerne oder Stalin, wie sein „Künstlername" später lautete – das Licht der Welt.

Während sein Vater, ein Schuster, bei seinen Leisten blieb, zog der junge Dschugaschwilli in die große, weite russische Welt, um sie mit aller ihm zur Verfügung stehenden Kraft zu beherrschen. Kein anderer Georgier hatte es je zu so zweifelhaftem Ruhm gebracht. Viel wussten wir nicht über Väterchen Stalin, das Aufarbeiten seiner Schandtaten begann erst Jahre später. Nur mein Vater hatte mir mal beiläufig erzählt, dass Stalin und Hitler 1939 miteinander gekungelt hätten, aber davon wollte man in der DDR nichts wissen. Ich trat also meine Reise in den Kaukasus mit Hintergrundinformationen an und sollte die volle Bestätigung erhalten!

Kurz vor Beginn der Veranstaltung trafen wir vor der Halle ein. Zu unserem Erstaunen und unserer Belustigung war es der Zirkus von Gori! Drinnen erwartete uns nicht nur ein vollbesetzter Innenraum, nein, es gab sogar eine richtige Manege. Zur Abpolsterung hatten die besorgten Sportfunktionäre eine Sonderladung Sägespäne ausstreuen lassen und damit es nicht zu sehr staubte, eine große Zeltplane darüber ausgebreitet, die an den Rändern notdürftig mit Seilen Spannung erhielt. Wir waren auf alles vorbereitet, dachten wir. Der Einmarsch der Gladiatoren konnte beginnen. Zuerst wir als Gäste dieser Stadt, danach folgte die Auswahl von Gori. Aber was war das? Uns standen zehn Kämpfer gegenüber, also fünf Ringer im typischen Trikot und nein, das konnte nicht wahr sein, noch einmal vier Ringer und ein einsamer Judoka. Des Rätsels Lösung folgte auf dem Fuße! Die Judomannschaft besaß nur eine Jacke und diese trug der Kleinste, also der Leichtgewichtler. Nach Beendigung des ersten Kampfes wechselte das Bekleidungsstück seinen Besitzer. So ging es bis zum Schwergewicht. Während dem Leichtgewichtler der Kimono auf den Leib geschneidert schien, wurde er von Kampf zu Kampf immer kleiner. Zumindest kam es uns so vor. Als mein Gegner sich das inzwischen klitschnasse Etwas überstreifen wollte, hatte er arge Probleme damit. Nachdem es ihm doch gelungen war, entstand bei uns der Eindruck, er habe ein kurzärmeliges Hemd an, welches auch noch über dem prallen Bauch spannte. Na, das konnte ja was werden! Bemerkenswert war auch noch, dass zu diesem Spektakel kein Schiedsrichter anwesend war, so dass unser Trainer und sein georgischer

Kollege abwechselnd diese Funktion übernahmen. Logisch, dass alle Kämpfe mit Unentschieden endeten. Das war bis zum Halbschwergewicht kein größeres Problem, denn es stand danach vier Mal Null zu Null, also musste der „Kampf der Giganten" die Entscheidung bringen. Ein sehr schweres Los, was mich traf. Zu allem Überfluss schiedste diesen, meinen Kampf der georgische Trainer.

Das Publikum war ein wenig anders als in Tblissi. Hier im Zirkus hatten wir das Gefühl, dass jeder Einzelne dankbar war, dabei sein zu dürfen. Na, eben so richtiges Zirkuspublikum. Während ich noch damit beschäftigt war, mir Gedanken zu machen, wie ich mit dem zu kurzen, engen und vor allem klitschnassen Jäckchen klarkommen würde, scharrte Ansor Meisordse schon nervös mit seiner Schuhgröße 48 auf der Plane.

Unser Kampf war etwas für das dortige Publikum. Es sollte eine echte Zirkusvorstellung werden. Ich erinnerte mich an die Worte des Trainers, probiert eure Techniken aus, was unter dem Strich bedeutete, klar ist gewinnen schöner, aber in diesem Falle nicht sooo wichtig.

Ich probierte wirklich alles aus! Schon bei dem ersten Angriff meines Gegenübers hatte ich die Zuschauer auf meiner Seite. Meisordse schoss nach dem Startkommando „Hajime!" wie ein von der Leine gelassener Pitbull auf mich zu. Blitzschnell wich ich zur Seite und er jagte dermaßen beschleunigt an mir vorbei, dass er über die zirkustypische Umrandung krachte und etwas hilflos zappelnd zwischen den Zuschauern der ersten Reihe lag. Die Menge jubelte begeistert auf und in diesem Moment wusste ich, wie ich vorzugehen hatte. Es war Zirkus und ich erfüllte mir damit einen Kindheitstraum, einmal als Clown in einer Manege zu stehen und das vor ausverkauftem Haus. Es war überwältigend! Unser Trainer war ständig damit beschäftigt, den Kampf zu unterbrechen und dem momentanen Chef der Matte klarzumachen, dass er mit seiner Beurteilung des Kampfgeschehens nicht einverstanden war. Zwecklos! In so einer aufgezwungenen Kampfpause, in der die beiden Schiris temperamentvoll diskutierten und das Publikum seinen Unmut über die ständigen Unterbrechungen zu äußern begann, bemerkte ich eine große Fliege, die vermutlich kältestarr auf der Ersatzmatte saß. Wir zwei Aktiven knieten in der Zwischenzeit auf höheren Befehl, während die zwei Hilfsschiedsrichter diskutierten, auf der grusinischen Tatami. Dieser fette Brummer vor mir sollte eine weitere Möglichkeit sein, die Masse zu bespaßen. Auf allen vieren, mit leichtgebeugten Armen, näherte ich mich kriechend dem unter-kühlten Flugtier und versuchte, es zu fangen. Nicht wirklich, denn damit wäre die Vorstellung beendet gewesen. Also tat ich so, als sei ich zu unge-schickt. Während Meisordse grimmig mein Haschespiel verfolgte, wechselte ich die Position und schlich mich jetzt seitlich kriechend wie ein spielender Welpe an.

Zumindest beim Publikum hatte ich nach Ablauf der Wettkampfzeit haushoch gewonnen. Das änderte nichts daran, dass der grusinische Trainer trotz Protest der Gegenseite den Kampf mit Unentschieden bewertete.

Nach diesem außerordentlich spaßigen Kulturbeitrag, zumindest für die Zuschauer und mich, wurden wir zum großen Essen gefahren. Hunger hatten wir allemal, denn seit dem Frühstück war auch im Kaukasus die Zeit vergangen. Aber noch mehr hatten wir Durst. In einer Geschichte hatte ich schon einmal erwähnt, dass es in Grusinien sehr interessante Sitten und Bräuche gibt. Eine davon ist der Job des Tamada oder Zeremonienmeisters. Ohne einen kilometerlangen Trinkspruch auf alles, was kreucht und fleucht, geht gar nichts, auch wenn die geladenen Gäste kurz vor dem Verdursten sind. Eine wichtige Position, zu der sehr viel Fingerspitzengefühl gehört. Unser Tamada hatte überhaupt keins. Aber erst einmal war das Festessen dran. Die Kellner brachten riesige Schaschlik-Spieße und legten sie uns auf die Teller. Tja, was nun? Wie bekommt man die lecker riechenden Fleisch-brocken von der Klinge? Die grusinische Sportleitung an der Stirnseite der Tafel machte uns damit vertraut. Zunächst legt man den etwas kleineren Teller, der neben dem eigentlichen Essensteller stand, umgestürzt auf den Fleischspieß, drückt mit einer Hand darauf, während die andere das Kurz-schwert aus den Fleischbatzen zog. Übrig blieb ein wahrer Berg, kräftig gewürzt und herrlich duftend. Dazu wurde frisches Fladenbrot gereicht, welches eigenhändig herausgerissen und zerkleinert den Weg in den Mund fand. Dazu kamen Unmengen von Schüsseln mit allerlei Gemüse. Es folgte wieder ein ellenlanger Toast, dieses Mal auf die Freundschaft im Allgemeinen. Irgendwie war ich immer noch im Zirkusmodus, sonst wäre ich kaum auf solch eine Idee gekommen. Meine Sportkameraden Judo und auch die Ringer gingen sofort auf den von mir ausbaldowerten Vorschlag ein. Der sah folgendermaßen aus: Jeder von uns geht in einem bestimmten Zeitabschnitt mit seinem vollen Weinglas nach vorn zum Tamada und bietet ihm die Brüderschaft an. Damit ist nicht nur Umarmung und Küsschen links-rechts verbunden, sondern man muss das Glas auf ex leeren. Die Rechnung ging auf und mehr als das! Die Pausen zwischen den Trinksprüchen wurden immer wieder durch das Auftauchen eines neuen Bruders bzw. einem, der es unbedingt werden wollte, unterbrochen. Was dann geschah, könnte man mit einem mittleren politischen Tsunami vergleichen. Die Zunge unseres Zeremonienmeisters wurde immer schwerer und geriet ihm immer mehr außer Kontrolle. Während er verbissen versuchte, in der verhassten russischen Sprache uns die innige Freundschaft unserer beiden Länder zu vermitteln, also Grusinien und Germanien, rollte er demonstrativ das alles verbindende R besonders langanhaltend. Dann passierte es! Nach einem zum zigsten Male wiederholten „Grrrrrusinski i Gerrrrrmanski! rutschte ihm doch ein kurzes „Russki njet karascho" raus. Unsere Leitung zog die Köpfe zwischen die Schultern und wartete ab, während die unmittelbaren Nachbarn unseres Vortrinkers ihn zur Mäßigung ermahnten. Der Teufel Alkohol hatte aber schon so gut wie gewonnen. Mühsam stemmte sich der Kamerad gegen die kollegiale Übermacht zurück in den Stand und ließ den nächsten Trinkspruch vom Stapel. „Grrrrrusinski i Gerrrrranski karascho" und wieder versuchte man, ihn seines Amtes zu entheben, indem er von verzweifelten Sitznachbarn mit Gewalt auf den Stuhl gedrückt wurde. Er war jedoch ein echter Grusinier, der um nichts in der Welt nachgab, also ließ man ihm letztendlich seinen Willen. Trunken lächelnd hob er wieder sein Glas, um seines Amtes zu walten. In der Zwischenzeit hatte der Tsunami das georgische Ufer erreicht. Jegliche Vorsicht hinwegreißend und zertrümmernd, brüllte er mit aller Kraft seiner politischen Überzeugung und als Sprachrohr des gesamten kaukasischen

Dunstkreises in die kleine Welt des etwa 20 x 10 Meter großen Raumes „Grrrrrusinski i Gerrrrrmanski karascho, Russki njet karascho, Hitler und Stalin Brüder". Irgendwie hatte er recht, aber eben nur auf die Vergangenheit bezogen.

Wie ich mir von Bekannten habe berichten lassen, die unlängst Gori einen Besuch abstatteten, befindet sich das Denkmal von Schusters Sohn immer noch im Zentrum seiner Geburtsstadt. Das sind sie, die Georgier oder Grusinskis, Nationalstolz ohne Ende. Abgesehen von der letzten verbalen Aktion oder sollte ich lieber sagen, Entgleisung, könnte man fast ein bisschen neidisch werden.

Unsere Delegationsleitung konnte dieses politische Drama nicht mehr verantworten und blies zum Aufbruch. Schließlich lag noch eine stundenlange Busfahrt zurück nach Tblissi vor uns.

Unsere Gastgeber schenkten uns zum Abschied einen typischen georgischen Weinkrug, ein bauchiges Gefäß mit langem schmalem Hals, das auch noch sofort vom Küchenpersonal mit Wein gefüllt wurde, was von unseren Trainern keiner bemerkte. Erst als man die Krüge der Leitung auch befüllen wollte, stutzten sie, aber da waren wir alle schon bestens versorgt. Bei dieser Menge von Krügen und einem Fassungsvermögen von mindestens anderthalb Litern kam bei denen entweder Wein aus der Wasserleitung oder, was ich eher annehme, dort stand ein riesengroßes Fass. Bevor wir in den Bus einstiegen, forderte Henner H., unser Cheftrainer, uns auf, hinter einem großen Busch, der gleich am Parkplatz wuchs, unsere Krüge zu entleeren. Schließlich waren wir keine Reisegruppe, die eine Moselrundfahrt machte, sondern Sportler.

Ich hatte so etwas schon geahnt und – der kluge Mann baut vor – mir deshalb eine kleine List ausgedacht. Unter seinem kritischen aber leicht getrübtem Blick drehten wir die Krüge um. Bei denen, die nichts von dem Schelmenstreich mitbekommen hatten, plätscherte der Rebensaft ungebremst ins Gras, während aus den restlichen Weinkrughälsen kein Tropfen das Trinkgefäß verließ. Nun erst durften wir an einem sichtlich zufriedenen Trainer vorbei in den Bus steigen. Was er nicht wusste, war, dass wir zuvor aus den Papierservietten straff sitzende Pfropfen gefertigt hatten, die die Hälse der Tonkaraffen dicht verschlossen. Für Flüssignahrung war also gesorgt. Allerdings musste unser Fahrer unterwegs dann doch einige Male anhalten. Der folgende Tag begann für einige von uns mit Schädelbrummen. Blieb nur die Frage offen, ob dieser Umstand den harten Kämpfen geschuldet war oder dem äußerst trockenen grusinischen Weißwein.

Mir ging es soweit gut, so dass ich mit unserem halbschweren Ringer, dem es erstaunlicherweise wieder besser ging, zu der Burgruine, die hoch über der Stadt thronte, wandern konnte. Oben angekommen, hatten wir einen märchenhaften Blick über Tblissi. Von der uralten Perserfestung, die von unten betrachtet vielversprechender aussah, waren wir ein wenig enttäuscht. Also kehrten wir nach kurzer Zeit wieder um.

Kaum, dass wir die ersten Häuser der Vorstadt erreicht hatten, kam uns eine Hochzeitsgesellschaft entgegen. Ein Anblick, der mein Herz höherschlagen ließ. Braut und Bräutigam in klassischer grusinischer Tracht, während die etwa 30 Personen, die ihnen folgten, ähnlich gekleidet gingen, jedoch so, dass man sofort wusste, welches die Hauptakteure waren. Mit stolz erhobenem Kopf, gekrönt mit einem goldenen Reif, an dem der Schleier befestigt war, schwebte die schwarzhaarige Schönheit in einem fast bis zum Boden reichenden weißen, hauchdünnen Kleid neben dem Bräutigam. Dieser trug, nicht weniger stolz, seine Tschocha. Einen schwarzen, taillierten Mantel mit den typischen aufgesetzten Brusttaschen. Ein reich mit Silber verzierter Gürtel unterstrich seine schmale Taille und der lange traditionelle Dolch durfte natürlich auch nicht fehlen. Weißes Hemd, schwarze Pelzmütze und Stiefel rundeten das textile Kleinod ab. Ein beeindruckendes, wunderschönes Bild, welches das Brautpaar bei mir hinterließ. Und wieder einmal sollte es anders kommen! Der Brautvater erkannte uns, die wir neugierig am Rande der schmalen Gasse standen, als Germanskis und sofort wurden wir Teil der Hochzeitsgesellschaft, ohne Wenn und Aber. Der Festschmaus, zu dem wir regelrecht entführt wurden, fand in einem großen Haus unterhalb der von den Persern erbauten Festung statt. Uns gegenüber an der langen Tafel saß, wie konnte es auch anders sein, der Brautvater und strahlte uns mit leuchtenden Augen an. An der Stirnseite erhob sich ein Gast, der Tamada, und vollzog den ersten Trinkspruch auf die Freundschaft. Es folgte die Heimat und erst dann der Toast auf das Brautpaar. Jedes Mal, wie wir in unserem Sportlerkreis zu sagen pflegten: „Hopp, hopp und rin in Kopp!" Auch auf uns Germanskis wurden nach einem superlangen Spruch, bei dem die Namen Stalin und Hitler keine Erwähnung fanden, die Gläser geleert.

Trinken, essen, Toast und wieder trinken, das war der Rhythmus, der nicht enden wollenden Reihenfolge. So war es dann wohl von einer gewissen Logik, dass die Stimmung immer lockerer wurde und auch mal ohne Zutun des Tamada ein Schluck durch die Kehle rollte.

Mit leichter Sorge beobachtete ich meinen Ringerkollegen, der nicht nur beachtliche Mengen fester Nahrung in sich hineinstopfte, sondern sie auch noch zusätzlich zu den angeordneten offiziellen Toasts hinunterspülte. Lange konnte das nicht gutgehen. In der Zwischenzeit hatten wir erfahren, dass unser Gegenüber nicht nur der Brautvater war, sondern auch Kampfsportler. Kein Ringer oder Sambo-Kämpfer, sondern er betrieb das uns völlig unbekannte traditionelle Chidaoba. Dabei trugen die Akteure kurze Hosen und ein kurzärmeliges derbes Hemd, welches mit einem Gürtel zusammengehalten wurde. Das gab natürlich bei mir einen Aha-Effekt. Dann war Meisordse, mein Gegner im Zirkus von Gori, also ein Chidaoba-Kämpfer! Man lernt nicht aus. Der Zeremonienmeister oder Tamada war anscheinend leicht überfordert, es kamen immer seltener Trinksprüche, so dass jetzt jeder trank, wann es ihm beliebte. Auch unser Chidaoba-Vater prostete uns wiederholt zu und das war dann der Moment, vor dem ich etwas Angst hatte, Ringer-Manni machte schlapp und Brautvater? Innerhalb von Sekunden verschwand die Freundlichkeit aus seinen Augen und schlug um in puren Hass. So etwas hatte ich noch nie erlebt. Er ergriff den riesigen langen Schaschlikspieß, der noch immer neben seinem Teller lag, und erhob ihn drohend gegen meinen zu nichts mehr fähigen Kameraden. Auch die russische Sprache gab es jetzt nicht mehr in seinem

Wortschatz. Dass er aber nun in der Landessprache fürchterlich fluchte, war offensichtlich. Mit großer Mühe gelang es mir, ihn davon zu überzeugen, dass ich den Schlappschwanz hinausbegleiten müsse, damit der sich dann erleichtern könne. Das Wort für auskotzen kannte ich nicht.

Ringer-Manni ließ sich ohne Widerspruch aus dem Raum transportieren, dabei hatte ich aber das Gefühl, dass mir der Kampfderwisch mit seinem Blick zwei Löcher in den Hemdrücken brannte. An der frischen Luft spürte auch ich die Wirkung der feucht-fröhlichen Hochzeitsfeier, aber ich hatte einen Auftrag: uns lebend zurück ins Hotel zu bringen. Kurzentschlossen zerrte ich mein Opfer im Kata-guruma-Griff über die Schultern und versuchte, schnellen Schrittes aus der Gefahrenzone zu entkommen, immer darauf gefasst, verfolgt zu werden.

Was mir blieb, ist die Erinnerung an eine Traumreise voller unvergesslicher Erlebnisse, in die Welt meines grusinischen Bruders Ansor Kiknadse, den ich seit der Spartakiade im polnischen Koschalin plötzlich hatte. Leider, oder sollte ich lieber sagen, Gott sei Dank, war er bei diesem Grusinienbesuch dienstlich außer Landes. Zwei Jahre später entschuldigte er sich bei mir dafür, ich war bestens vorbereitet!

53. Einmal Paradies hin und zurück

Es war das Jahr 1968. Unser Judo-Verband hatte auf Bitten des Kubanischen Verbandes einen Trainer auf die Zuckerinsel geschickt, um den dortigen Judokas behilflich zu sein, den Weg in die internationale Spitze zu finden. Logisch, dass dafür nur ein Fachmann von der DHfK Leipzig in Frage kam. Er war nicht nur der dortige Cheftrainer Judo, sondern er besaß auch noch den Namen, den man sich für diese Aufgabe nur wünschen konnte. Siegmund mit Vornamen und dann auch noch Haunschild! Also Kämpfer von der ersten bis zur letzten Silbe.

Die Revolution unter der Führung von Fidel Castro hatte den ehemaligen Inselkönig des größten Freudenhauses der USA, so wurde Kuba von den amerikanischen Touristen bezeichnet, in die Flucht geschlagen und ihm blieb nur das Exil. Genau am 8. Januar 1959 marschierte Fidel mit seinen bärtigen Guerillas unter dem Jubel von abertausenden begeisterten Kubanern in Havanna ein und nur zwei Jahre später, zum 1. Mai 1961, erklärte der Commandante Kuba zum sozialistischen Staat! Zwischendurch oder gleich danach versuchten einige Exilkubaner, sich die Zuckerinsel zurückzuholen, was aber misslang. Das ganze Drama fand in der Schweinebucht statt, wobei ich mir nicht sicher bin, ob dieser Name schon vor der Aktion bestand oder danach kreiert wurde. Es kann der Beste nicht in Frieden leben, wenn es dem bösen Nachbarn nicht gefällt. Also suchte sich der Commandante einen ganz starken Freund, der ihm helfen sollte. Da Kuba schon einmal den sozialistischen Weg eingeschlagen hatte, kam eigentlich nur die UdSSR in Betracht und die sagten natürlich sofort brüderliche Hilfe zu. Wie diese aussah, erspähten die Amis aus einigen tausend Metern Höhe beim „zufälligen" Überfliegen der Insel. Der große Bruder hatte still und heimlich einige Raketen versteckt, aber auch wieder nicht so gut, dass es den engsten Mitarbeitern von John F. Kennedy entgangen wäre. Ruck, zuck stand die Welt vor einem Atomkrieg. Wie die vertrackte Sache ausging, ist allgemein bekannt. John F. und Nikita behielten die Nerven und einigten sich. Lenins Zitat „drei Schritte vorwärts, zwei Schritte zurück" sei immer noch vorwärts, hatte seine Gültigkeit noch nicht verloren. Mit der Blockade ging es dann weiter und in diese Zeit fiel dann auch mein erster Kuba-Besuch.

Unsere Vorhut – Sigi, der auf den Schild haut – hatte gute Arbeit geleistet. Mehrere Wochen hatte er sozialistische Trainingshilfe performt und nun sollte unsere Nationalmannschaft das Häubchen Sahne sein und die Compañeros vier Wochen in einem gemeinsamen Trainingslager auf die Panamerikanischen Spiele vorbereiten. In der ersten Woche waren drei Freundschaftskämpfe an unterschiedlichen Orten geplant. Mehr wussten wir bis dahin nicht, aber wie wichtig dieses Trainingslager eingestuft wurde, sah man daran, dass es genau in die Zeit fiel, in der unsere Landes-meisterschaft stattfand. Sepp Schoenbacher, mein ewiger Finalgegner und meistens auch Verlierer, bedankte sich viele Jahre später lachend bei mir und meinte, dass er durch unsere Reise auch mal in den Genuss gekommen sei, DDR-Meister zu werden.

Also los ging es! Zuerst nach Prag, denn nur über Prag durften wir DDR-Menschen ins KA (kapitalistische Ausland) ausreisen. Der Flug mit der IL-18 dauerte nicht lange und kaum, dass wir es uns gemütlich gemacht hatten, setzte die Maschine auch schon zur Landung an. Der Prager Flughafen war immer eine Reise wert, vor allem, wenn die Wartezeit auf den Weiterflug etwas länger war. Alles stürmte an die Bar, denn hier gab es für fünf Mark der DDR einen halben Liter Budweiser und ein Paar der wohl-schmeckenden langen, zarten Würstchen. Ich denke mal, der Export-schlager aus Halberstadt, den wir erst nach der Wende in unseren Regalen fanden. So ließ sich also eine etwas länger dauernde Wartezeit angenehm überbrücken. Als unser Flug aufgerufen wurde, waren wir doch schon ein wenig aufgeregt. Ging es doch für uns Aktive das erste Mal in einer Turbo-Propellermaschine auf die andere Seite unseres Planeten. Das zweite Ziel, das wir nun ansteuerten, war Gander in Kanada. Viel zu sehen gab es nicht, da wir fast immer hoch über den Wolken schwebten. An zwei Dinge, die mich besonders belastet haben, kann ich mich noch sehr genau erinnern. Zum Beispiel war Rauchen während des Fluges noch erlaubt. Da wir mit einer kubanischen Maschine unterwegs waren und die hübschen Stewardessen nichts Besseres zu tun hatten, als kistenweise Zigarren unters Volk zu bringen, kann sich jeder vorstellen, wie es trotz Lüftungsdüsen dampfte. Logisch, dass ich auch in den Karton griff und mir zwei dieser handgedrehten Raketen angelte, aber nur um sie meinem Vater als kleines Souvenir mitzubringen.

Störender empfand ich den Druck, der sich allmählich in meiner mit Budweiser gefüllten Blase breitmachte. Nun gehöre ich zu dieser Sorte Menschen, die sehr sensibel reagieren, wenn es um das Urogenitalsystem geht. Öffentliche Toiletten mit den üblichen Pinkelbecken nebeneinander gehen gar nicht. Es kostet mich jedes Mal immense Kraft, auf fremde Örtchen zu gehen. Also wartete ich bis kurz vor Alarmstufe Rot. Dann musste ich! Mühselig schälte ich meinen Körper aus dem Sessel, in dem ich fast anzuwachsen drohte und schleppte mich Richtung Toilette. Das allererste Mal in meinem Leben pullern Tausende Meter über der Erde, zumindest unternahm ich verzweifelt den Versuch. Also rein in das enge Kabuff und Tür verschließen. Deckel hoch, auspacken und da war auch schon Schluss. Der Schließmuskel der Blase verweigerte jegliche Befehle, von „Wasser marsch!" bis hin zum „Komm schon, mach pulle, pulle!" ging nichts. Nebenbei machte ich mir natürlich auch Gedanken darüber, wohin die enorme Menge Flüssigkeit verschwinden wird, sollte doch noch der Schließmuskel aufhören zu streiken. Auch das Gebrüll der Motoren sorgte dafür, dass ich mich letztendlich unverrichteter Dinge wieder zu meinem Sitzplatz begab.

Wie sehr ich der kommenden Zwischenlandung in Gander entgegen-fieberte, brauche ich nicht weiter auszuführen. Doch erstens kommt es anders und zweitens als man denkt. Ich hatte nicht mit der kapitalistischen Marktwirtschaft und dem daraus folgenden Hinterhalt gerechnet, der mich so eiskalt erwischen sollte.

Endlich festen Boden unter meinen Füßen, mit Aussicht auf eine richtige Toilette. Schnell hatte ich das Piktogramm WC gefunden und mich bei Hajo, unserem Delegationsleiter, abgemeldet. Hört sich komisch an, aber

Gander war bekannt als Fluchtpunkt in den Westen. Man stelle sich vor, plötzlich fehlt einer, dabei sitzt der nur auf der Schüssel und kann es nicht genug genießen, sein Geschäft in Ruhe zu erledigen. Also Ordnung musste schon sein. Nun stand ich davor, zehn kleine separate Kämmerlein, alles picobello sauber und nahezu steril, da musste sich doch ein Türchen öffnen. Als ich begriffen hatte, was diese eigenartigen metallischen Teile bedeuteten, wo ich annahm, dass die hier aber komische Türklinken besitzen, brach eine Welt für mich zusammen. Nur zu benutzen, indem man eine 50-Cent-Münze einwarf. Am liebsten hätte ich meinen Frust laut hinausgebrüllt, dabei hätte ich nur einige Meter weiter gehen müssen, da gab es genug Stehbecken, aber da standen schon welche, die nicht ganz so verklemmt waren wie ich.

In diesem Moment stürmte Hajo herein und informierte mich, dass unser Flug nach Havanna bereits angekündigt wurde. Weitere Stunden Flug lagen vor uns. Ich musste mich entscheiden, entweder platzt mir die Blase oder ich besiege mich selber. Ich entschied mich für Letzteres und das ist bekanntlich der größte Sieg. Die letzte Stunde vor Erreichen unseres sehnlichst erwarteten Ziels verbrachte ich tiefenentspannt. Umso merkwürdiger empfand ich die aufsteigende Unruhe um mich herum. Jacken und Pullover wurden gegen leichte kurzärmelige Hemden ausgetauscht, Frauen verschwanden in Hosen auf der Toilette und kamen im farbigen Kleid zurück. Bei einem Blick aus dem Bordfenster fiel mir etwas Merkwürdiges auf. An den Enden der Tragflächen bildete sich so etwas wie ein Kondensstreifen, milchig weiß und deutlich sichtbar. Eine Ansage über den Bordfunk löste dann das Rätsel, es war die hohe Luftfeuchtigkeit, die beim Eintritt der Maschine in den Landeanflug sichtbar wurde. Spätestens als ich den ersten Schritt auf die Gangway machte, hatte ich es begriffen. Ein Gefühl, plötzlich mit einem nassen, heißen Lappen ins Gesicht geschlagen zu werden. Im Nu kroch die Feuchtigkeit, gepaart mit +40° Außentemperatur, in meinen schicken hellen maßgeschneiderten Anzug. Es war das letzte Mal bis zur Abreise, dass ich ihn trug.

Der Empfang durch die kubanischen Sportfreunde war überaus herzlich, aber am meisten freute ich mich über die Begrüßung durch deren Trainer.

Er umarmte mich kräftig und sagte „Buenos dias Palomo", den Namen, den ich in Schwerin von der Karibikmannschaft verliehen bekam, als ich ihnen im Hotel mit meiner Gitarre und dem Lied „La Paloma" die Trübsal eines kalten mecklenburgischen Regentages aus den klammen Knochen spielte.

Es war der Beginn von vier unvergesslichen Wochen mit vielen Hochs und einem einzigen Tief.

Das Hotel International, in dem wir untergebracht waren, stand etwas erhöht auf einem Hügel direkt am Malecón, der Prachtstraße von Havanna.

Vor dem Hotel, links in einem Garten, befand sich nicht nur der tolle Swimmingpool, sondern etwas weiter und im ersten Augenblick nicht einsehbar, zwei Geschütze, die drohend ihre langen Rohre auf das Meer hinausreckten, dorthin, wo am Horizont die amerikanische Kriegsflotte schon seit einigen Jahren die Seeblockade des ersten sozialistischen Landes Lateinamerikas in die Praxis umsetzten. Aber das nur mal so nebenbei.

Die Eingangshalle war beeindruckend groß, hatte aber schon mal bessere Zeiten gesehen. Die Zimmer, die wir sofort beziehen konnten, entsprachen unserem Geschmack, vor allem die stets mit eisgekühltem Wasser gefüllte Karaffe erfreute uns besonders.

Ganz wichtig war natürlich die Klimaanlage, welche wir aber erst einmal beherrschen lernen mussten. Riesige Freude bereitete uns immer eine Fahrstuhlfahrt und manches Mal bedauerten wir, nur in der fünften Etage unser Zimmer zu haben und nicht unter dem Dach. Der Lift wurde nämlich von einem Boy bedient, also einem Liftboy. Ohne sein Zutun ging nichts. Sein Betätigungsfeld war eine tellergroße Scheibe, die wie ein Steuerrad von ihm betätigt wurde. Wenn keiner vorher aussteigen wollte, das musste man anzeigen, ließ er den Kasten im freien Fall nach unten sausen, wo ihn dann eine Automatik abbremste. Nach einigen Tagen hatten wir uns daran gewöhnt.

Gegessen wurde im unteren Bereich des Hotels, wo es mehrere Räume gab, aber grundsätzlich nur ein Getränk zum Gedeck. Auch das war der Amiblockade zu verdanken. Wo es möglich war und sein musste, wurde gespart. Null Problemo, solange wir eisgekühltes Wasser zum Nulltarif bekamen. Schwieriger wurde es dann doch, was das Essen selbst betraf. Manches war für unseren Gaumen nicht nur unbekannt, sondern zum Teil ungenießbar. Im Speziellen denke ich da an eine „Vorspeise". So brachte man uns, ob wir wollten oder nicht, vor dem Hauptgang ein Glas mit einer äußerst unansehnlichen, grauschwarzen, glibberigen Masse. Unser Dolmetscher, der in Magdeburg Maschinenbau studiert hatte, versuchte uns zu überzeugen, dass der Inhalt besagter Gläser eine absolute Delikatesse sei, nämlich Austern! Austern kannten wir nur mit Schale und schon der Gedanke, dieses wabbelige Zeug, das man uns freundlicherweise bereits entkernt hatte, in den Mund zu schippen und auch noch hinunterzuschlucken, stieß auf heftigen Widerstand unsererseits. Bei mir sowieso, da ich seit frühester Kindheit fischallergisch bin und alles, was im Meer kreucht und fleucht, für mich nicht in Frage kommt. Unser Halbschwerer Helmut, genannt Hele, brachte es auf den Punkt. Von Beruf Schmied und immer für einen deftigen Witz zu haben, meinte er dann auch trocken in seinem Bördedialekt: „Dis sieht aus wie Bergmannsaule im Glas!" Treffender ging es nicht. Weshalb uns die Kellner trotz Boykott immer wieder diese unansehnliche Masse auf den Tisch stellte, hatte seinen Grund. Ich sollte es erfahren, als ich zufällig hinter den Vorhang, der den Gastraum vom Küchenbereich trennte, sah. Die beiden Kellner standen vor den zurückgegebenen vollen Gläsern und schaufelten den Inhalt mit Rundschlag in sich hinein. Etwas peinlich berührt, dass ich sie dabei erwischt hatte, versuchten sie, mir mit eindeutigen Gesten klarzumachen, dass diese für mich übelst riechende Masse potenzfördernd sei. Ach ja, was tut man nicht alles für seinen besten Freund. So günstig kam man doch sonst nicht an so ein Dopingmittel für die Manneskraft. Verhungert sind wir deshalb auch nicht.

Am zweiten Tag nach unserer Ankunft ging es wieder zum Flughafen. Dieses Mal ein Inlandflug nach Camagüey, wo unser erster von insgesamt drei Wettkämpfen stattfinden sollte. Es lohnte sich kaum, sich anzuschnallen, da landeten wir schon wieder. Untergebracht wurden wir in einem kleinen Hotel im spanischen Stil mit dem typischen, wunderschön begrünten Innenhof. Bis zum Beginn der Kämpfe hatten wir noch reichlich Zeit, um uns das Städtchen anzusehen. Bei den tropischen Temperaturen, dazu noch die hohe Luftfeuchtigkeit, war es angebracht, den Mannschaftskampf in die späten Abendstunden zu verlegen, in der Hoffnung auf eine leicht kühle Brise. Überall begegneten uns aufgeschlossene, freundliche Menschen, die das Gespräch mit uns suchten. Sobald sie mitbekamen, dass wir aus Aleman Oriente kamen, die drei Buchstaben DDR sagten ihnen gar nichts, kannte ihre Freude kaum noch Grenzen. Natürlich fielen uns auch hier in der Provinz die Auswirkungen der Blockade auf. Menschenschlangen vor den Geschäften, wo man noch nicht einmal ahnen konnte, nach was angestanden wurde, da in den Schaufenstern keine Auslagen zu finden waren und wenn, hatte es auch nichts zu bedeuten. Es erinnerte mich an die Zeit der Fünfzigerjahre in der DDR, wo man auch nicht wusste, ist das ein Fleischerladen oder werden hier Grünpflanzen verkauft. Trotzdem verspürten wir eine ansteckende Leichtigkeit, die uns überall begegnete.

Eine Stunde vor Beginn der Veranstaltung holte uns ein klappriger Robur-Bus Made in GDR ab. Drinnen saßen schon unsere Konkurrenten und putschten sich mit Gesang und rhythmischem Trommeln auf die Rückenlehnen der Vordersitze auf. Während wir massiv mit dem Jetlag zu tun hatten, erfreuten sich die kakaofarbenen Jungens bester Laune. Der kubanische Halbschwere fragte unseren Dolmetscher Christov, warum wir nicht singen würden. Dabei hatte er aber einen kleinen Schalk in seinen Augen, der mir nicht entgangen war. Ich bat Christov, ihm zu erklären, dass wir uns das immer für nach dem Kampf aufheben würden. So war es dann letztendlich auch. Ratzfatz hatten wir die Kämpfe hinter uns gebracht und kaum, dass sich der Bus in Bewegung setzte, stimmte Otto schon unser Judolied an, in das wir sofort einfielen. Ich konnte es mir nicht verkneifen, den bedeppert dasitzenden kubanischen Halbschweren zu fragen, warum sie denn nicht singen oder wenigstens trommeln würden. Christov übersetzte grinsend meine Frage, die dann doch nicht so gut ankam.

Der darauffolgende Tag übertraf schon am frühen Morgen alles, was wir bisher an Hitze zu spüren bekommen hatten. Die Fahrt mit unserem Oldtimer, dem das feucht-heiße Klima auch nicht so gut bekam, denn er rostete an den unterschiedlichsten Stellen still vor sich hin, wollte kein Ende nehmen. Es war wie eine fahrende Sauna kurz nach dem Aufguss. Unser zweites Ziel war Santa Clara, wobei wir diese Stadt kaum kennenlernen sollten. Unsere Gastgeber hatten sich etwas ganz Besonderes einfallen lassen. Kurz vor Santa Clara bog unser Fahrer plötzlich von der Hauptstraße ab und von nun an ging es ins Nirgendwo. An Landschaften mit Kokospalmen, Ananasfeldern oder Bananenpflanzungen im Wechsel hatten wir uns schon gewöhnt. Auch an die zweirädrigen Karren, die von klapperdürren Pferdchen gezogen wurden, wo wir uns nur wundern konnten, wie die es schafften, den riesigen Berg von Zuckerrohr, mit dem das Gefährt beladen war, überhaupt in Bewegung zu setzen und nicht zu vergessen die Compañeros mit der unvermeidlichen Zigarre und dem Strohhut, die sie auch noch hinter sich herzerren mussten. Alles das war schon fast Normalität für uns. Abwechslung brachte dann eher ein plattgefahrener Geier am Straßenrand, über den schon seine Kollegen kreisten, ohne kaum einen Flügelschlag zu tun. Wenn nur nicht diese elende feuchte Hitze gewesen wäre, die unsere Kleidung regelrecht am Körper kleben ließ.

Doch, was dann auf einmal vor uns auftauchte, übertraf alles bisher Gesehene. Ein Indianerdorf aus der Vorzeit der Kolonisation, originalgetreu nachgebaut, sollte unser Quartier werden, unglaublich, aber wahr!

Für jede Mannschaft stand ein mit Stroh oder ähnlichem Material gedeckter Rundbau zur Verfügung. Man stelle sich eine Napfkuchenform auf den Kopf gestellt vor. In der Mitte der Innenhof mit Blick in den Himmel und bepflanzt mit herrlich blühenden tropischen Gewächsen, während der überdachte Außenring einzelne separate kleine Räume beherbergte, die nach oben offen waren und den unteren Teil des Daches sichtbar ließen. Also eine Bio-Klimaanlage, wie sie die Inselbewohner in Urzeiten zu bauen pflegten.

Die Einrichtung unserer nach oben hin offenen Kammer war eher spartanisch. Eine Liege mit Moskitonetz, ein Stuhl und ein winziger Tisch, mehr passte sowieso nicht hinein. Der Kühlschrank in einer Ecke nahm nur Platz weg und war Attrappe.

Gegessen wurde in einem separaten, modernen Gebäude, welches etwas abseits stand. Nachdem ich mich mit meiner Unterkunft vertraut gemacht und noch einmal einen kontrollierenden Blick um mich geworfen hatte, trat ich aus meinem etwa 4 x 4 Meter großen Zimmer und wollte die Tür schließen. Im selben Moment sträubten sich bei mir alle Haare. Unmittelbar an meiner Tür an der Scheuerleiste saß etwas, was ich nur aus Film- und Zoobesuchen kannte, und das war schon gruselig genug: Eine riesige Vogelspinne, so groß wie mein Handteller, mit entsetzlich langen behaarten Beinen glotzte mich an, zumindest erschien es mir so. Wahrscheinlich war in diesem Moment auf beiden Seiten der Schreck gleich groß.

Nachdem ich mich wieder unter Kontrolle hatte, siegte schließlich der mutigere Teil von mir. Ich stellte mir vor, was das bei meiner Truppe aus-lösen würde, wenn ich mit der erschlagenen Tarantel zum Essen erschiene und diese Bestie stolz präsentierte, echt verlockend der Gedanke. Also zog ich meinen Badelatschen vom rechten Fuß und beugte mich langsam nach unten, um den tödlichen Schlag zu vollziehen. Ganz so cool war ich dann doch nicht, der alles vernichtende Hieb verfehlte die Spinne, traf dafür die nur angelehnte Tür, die aufsprang und dem Insekt die Möglichkeit zur Flucht gab. Mein Schreck war riesig, zumal mir bewusst wurde, wie schnell meine beinbehaarte Gegnerin war. Alle Versuche, sie zu finden, verliefen ergebnislos. Na, das konnte was werden!

Ich war der Letzte am Tisch und wahrscheinlich sah man mir auch an, dass etwas Außerordentliches passiert sein musste. Ich ging zu Moja, unserem kubanischen Begleiter, berichtete ihm von meinem Erlebnis und wollte wissen, ob diese Tiere wirklich giftig sind. Meine Jungens, allen voran der Trainer, glaubten in diesem Moment an einen meiner üblichen Scherze und konnten sich vor Lachen kaum halten. Erst als Moja mit ernster Miene bestätigte, dass es tatsächlich hier giftige Spinnen in der Größenordnung gab, wurde es mucksmäuschenstill. Alle dachten in diesen Moment das Gleiche, dieses Monster konnte heute Nacht überall sein.

Plötzlich löste sich Mojas ernste Miene in ein schelmisches Lächeln auf, er fasste unter sein Hemd, welches er locker über der Hose trug und holte tatsächlich einen Revolver hervor, reichte mir die scharf geladene Waffe und meinte grinsend, ich sollte sie erschießen gehen. Was sagte uns das? Moja war von der kubanischen Sicherheit und abgestellt, uns zu beschützen. Langsam beruhigten wir uns und nach dem Essen begannen wir, das Objekt Indianerdorf zu erkunden. Dabei entdeckten wir auch einen tollen Swimmingpool, von dem unsere kubanischen Freunde bereits ausgiebig Gebrauch machten. Sie waren es auch, die uns auf winzige Eidechsen aufmerksam machten. Was hatten wir für Freude, als sie uns zeigten, was man mit den flinken kleinen Flitzern anstellen konnte, sofern man das Glück hatte, einen zu fangen. Auf den Blättern von Bananenstauden waren sie grün, nahmen wir sie vorsichtig herunter und setzten sie auf unsere leuchtend blauen Trainingsjacken, verfärbten sie sich sofort in ebensolches leuchtendes Blau. Wir wurden wieder zu Kindern. Das beste Kunststück vollbrachte mein Schwergewichtspartner. Nachdem es ihm gelungen war, wieder ein Tierchen zu greifen, hielt er es sich ans Ohrläppchen, wo es sich wirklich mit seinem winzigen Maul anzwickte. Da hing es dann zu unser aller Belustigung ohne jede Bewegung wie ein verrückter karibischer Ohrschmuck. Ich genoss es zutiefst, diese Ausgelassenheit und Freude, die tropische Natur und da wir nur in Badehosen unterwegs waren und jederzeit in den Pool springen konnten, störte mich auch die feuchte Hitze nicht mehr. Sogar die Begegnung mit der „dritten Art", mein missglückter Kampf gegen die Riesenspinne rutschte für Stunden ins Vergessen. Noch lange, nachdem ich zu Bett gegangen war, ohne nicht noch einmal alles gründlich abgesucht zu haben, lag ich in meiner verbarrikadierten Koje und lauschte den Geräuschen der Nacht. Es erschien mir, als erwache eine Welt, die den ganzen Tag damit verbracht hatte, die angesammelte Kraft plötzlich ins

Universum abzustoßen. Meine Augen, die sich langsam an das eigenartige Zwielicht, was unsere Hütte ausfüllte, gewöhnt hatten, bemerkten auf einmal Dinge, die vorher nicht existent erschienen. Käfer, die auf dem Dach des quadratischen Moskitonetzes um die Wette liefen, begleitet von dem bösartigen, hohen Summton der Stechmücken, die vergeblich versuchten, an das zu gelangen, was hinter dem Netz lag, ein Menschenkörper voll mit ihrem Grundnahrungsmittel – Blut!

Während im Nirgendwo einige wilde Hunde um die Wette jaulten, zirpten irgendwelche Insekten ohne Unterlass in einer Tonlage, die mich stark an das singende, hohe Geräusch einer metallischen Feinsäge erinnerte. Dazwischen tirilierten und gackerten irgendwelche Flugtiere. Sanft wechselte ich von der Wirklichkeit ins Traumland und ließ mich willenlos ins Nirwana gleiten.

Zum Frühstück gab es natürlich viel zu erzählen und ich sah, dass so gut wie alle meine Mitstreiter in einer ähnlichen Gedankenwelt unterwegs waren. Thema „Numero uno" hieß „Sonne meiden!", denn abends war der zweite Wettkampf angesagt. Die Halle, in der das Spektakel starten sollte, war nicht sehr groß und deshalb bis unter das Dach mit begeisterten Menschen gefüllt. Auch hier hatte man sich redlich Mühe gegeben, uns so freundlich wie möglich zu empfangen. An der Bande war ein riesenlanges Transparent befestigt, auf dem in deutscher Sprache herzliche Willkommensgrüße standen. Während der Erwärmung bemerkte ich einen besonders temperamentvollen Compañero, der unmittelbar hinter der Sicht-werbung stand und wie wild mit den Armen fuchtelte, um auf sich aufmerksam zu machen. Als sich unsere Blicke trafen, machte er eine eindeutige Ansage mit der Hand in Richtung Kehle, um mir zu demonstrieren, was auf mich zukommen würde, nämlich Kopf ab!

Daraufhin ging ich zu ihm, deutete auf das Transparent und bedankte mich freundlich lächelnd mit „Gracia Compañero". Danach geschah etwas, was ich als kubanische Seele bezeichnen würde. Compañero Temperamente suchte sofort unseren Dolmetscher auf und ließ sich den Inhalt des Banners übersetzen. Nun stand er wieder an seinem Platz, fuchtelte abermals wie besessen mit seinen Armen. Als ich ihn ansah, legte er sofort seine Handflächen aneinander und verneigte sich mehrmals entschuldigend in meine Richtung. Ich tat es ihm gleich und signalisierte, dass ich ihm verzeihe. Demonstrativ gewann ich meinen Kampf noch schneller als den vorherigen.

Weiter ging es am nächsten Tag Richtung Hauptstadt. Die Stimmung der kubanischen Jungs war inzwischen auf dem Nullpunkt angekommen, hatten sie doch begreifen müssen, dass Gewinnen wesentlich angenehmer ist als Verlieren.

Die Ankunft in unserem Hotel war wie nach Hause kommen. Schon das Betreten der klimatisierten Eingangshalle ließ uns tief durchatmen. Unsere Zimmer waren angenehm temperiert und auch die Karaffe war mit kühlem Wasser gefüllt. Jedoch nicht lange, schließlich mussten wir das wieder nachfüllen, was während der langen Busfahrt durch die Poren entwichen war.

Nur noch ein Wettkampf und danach sollte es in den normalen Trainingsbetrieb übergehen, weshalb wir eigentlich hier waren. Doch erstens kommt es anders und zweitens als man denkt.

Die Halle, in der das letzte Gefecht stattfand, war beeindruckend groß, so wie es sich für eine Hauptstadt gebietet. Trotzdem bis auf den letzten Platz besetzt und sogar in den Gängen standen die sportbegeisterten Menschen. Sie erhofften und erwarteten etwas von ihren Gladiatoren, denn schließlich befanden wir uns mitten im Kontrollzentrum der kubanischen Revolution.

Als sich beide Mannschaften gegenüberstanden, bemerkte ich verblüfft, dass man für mich einen neuen Gegner ausgesucht hatte und nur für mich. Ein gelungener Schachzug des Trainers, hatte er doch begriffen, dass ich mit meinen Wurftechniken, speziell bei Größeren, kaum ernste Probleme hatte. Nun stand im Vergleich zu meinem Vorherigen ein kleinerer, gedrungener Pitbull mit einem aggressiv-verächtlichen Blick vor mir. Vorsicht war angesagt.

Schon bei der Erwärmung versuchte er, mich mit einem gewissen Imponiergehabe zu beeindrucken. Mein Gefühl hatte mich nicht getäuscht, es musste gehandelt werden. Sein Trainer hatte ihn ausgezeichnet auf mich eingestellt und er blockierte meine Angriffe schon beim geringsten Versuch, meine Spezialtechniken einzusetzen. Also ein sogenannter „Abstauber", der nur darauf lauerte, dass ich mir eine Blöße gab. Etwa in der vierten Minute landete ich einen blitzsauberen Wurf, der allerdings durch die drei Mattenrichter, natürlich alles Kubaner, mit nur einem ½ Punkt bewertet wurde. Na gut, also noch so eine Granate, denn eins plus eins ergibt nach Adam Riese zwei, hier rechnete das Schiedsgericht wahrscheinlich ein bisschen anderes und dann geschah es! Ich musste also sehr tief abtauchen, um unter den Schwerpunkt zu kommen. Wahrscheinlich war mein sonst kraftvoller Zug nach vorn doch nicht so kräftig, denn ich kam ins Hohlkreuz und wurde über mein linkes zur Seite gegrätschtes Bein, einem Seoi-otoshi, vom Pitbull regelrecht nach hinten gebrochen. Ich versuche erst gar nicht zu beschreiben, welcher Schmerz explosionsartig durch meinen Körper raste. Zwei Minuten mussten noch überstanden werden, ich schaffte es, ohne eine Wertung abgeben zu müssen. Nach der Verabschiedung brach ich zusammen und musste von der Matte getragen werden, aber auch diesen Kampf konnte ich für mich verbuchen.

Die folgenden drei Tage waren ein einziger Alptraum. Medizinische Betreuung gleich Null. Ging es zum Essen, hüpfte ich auf dem rechten Bein bis zum Fahrstuhl, unten angelangt, das Gleiche nochmal bis ins Restaurant, wo ich mich dann total erschöpft auf den Stuhl fallen ließ. Schon unmittelbar nach dem Unfall, beim Entkleiden im Hotelzimmer, wies die linke Hüfte eine dramatische Schwellung auf, die in den darauffolgenden Tagen auch noch die unterschiedlichsten Farbtöne von schwarzblau über dunkelgrün, lilarot bis später zu einem satten Braungelbton annahm.

Nun war unsere Leitung doch etwas besorgt und organisierte einen Besuch in der Sportmedizin. In der Hoffnung, wenigstens eine Unterarmstütze zu bekommen, sah ich mich getäuscht, ich musste weiter auf dem rechten Bein umherhüpfen. In der dortigen Physiotherapie wurde mir die linke Gesäßhälfte, so groß war inzwischen der Bluterguss geworden, mit einer

Salbe eingerieben und anschließend mit Rotlicht bestrahlt. Meine anfängliche Skepsis wich einem Aha-Effekt und wurde von einem hocherfreuten „Donnerwetter!" abgelöst. Es hätte nur noch ein trommelnder Medizinmann gefehlt und ich hätte an Wunder geglaubt. Schon nach der zweiten Behandlung brauchte ich nicht mehr zum Essen zu hopsen und nach der vierten konnte ich fast wieder normal laufen. An Training war natürlich trotz der Wunderheilung nicht zu denken. Damit begann mein dreiwöchiger Karibikurlaub!

Während meine Jungs nach dem Frühstück ihr Ränzlein schnürten, bewegte ich mich vorsichtig in Richtung Swimmingpool, bezog meine Liege direkt neben einem Wasserspender und war damit ein vollauf zufriedener Erdenbürger, der von Tag zu Tag immer brauner und knuspriger wurde. Nun konnte ich bereits die nähere Umgebung erkunden, was ich schamlos ausnutzte. Während ich also die Nebenstraßen auskundschaftete, wollte es das Schicksal, dass mir ein flüchtiger Bekannter, den ich bei einer Boxveranstaltung in Berlin traf, hier mitten in der Altstadt von Havanna über den Weg lief. Auch er war vom Verband als Gasttrainer auf die Insel delegiert worden, um genau wie unser Siegmund Haunschild die kubanische Boxstaffel in die Weltspitze zu führen. Genauso wie ich mich freute, plötzlich in einer völlig fremden Stadt und noch dazu auf der anderen Seite des Globus ein bekanntes Gesicht zu treffen, erging es Sportfreund Rosentritt. Die Sympathie war auf beiden Seiten vorhanden, genauso wie Zeit und so lernte ich Ecken dieser wundervollen Stadt kennen, die ich sonst nie zu Gesicht bekommen hätte. Auch viele Hintergrundinformationen erhielt ich durch ihn, der perfekt die spanische Sprache beherrschte, z. B. warum öffentlich nicht musiziert wurde oder weshalb die Autofahrer in den alten abgewrackten Cabrios lässig in den Sitzen hingen, den linken Arm auf den Türrahmen gestützt und beim Abbiegen oder Spurwechsel so eigenartige Handbewegungen vollführten. Sehr günstig für mich als Hüftgeschädigten war es, dass Compañero Rosentritt seinen Trabi nach Kuba geholt hatte und wir dadurch sehr beweglich waren. Wo wir auftauchten, wurde lachend auf die Hupe gedrückt und parkten wir, standen sofort einige Habaneros an der Pappe und verwickelten uns in lustige Gespräche.

Eine Geschichte, die mir im Gedächtnis haftengeblieben ist, amüsierte mich besonders. Während Rosentritt, aus welchem Grund auch immer, seinen Trabi einmal vor dem Ministerium für kubanische Sicherheit parkte, wurden ihm die Scheibenwischer gestohlen und das fiel auch noch genau in die Regenzeit!

So vergingen für mich die Tage wie im Flug. Mit dem Laufen wurde es immer besser und oft machte ich Spaziergänge hinunter zum Malecón, um mich auf die steinerne Mole zu setzen. Entweder schaute ich auf das Meer hinaus und beobachtete die riesigen Tanker der Schwarzmeerflotte, die das Land mit dem so wichtigen Erdöl versorgten oder, wenn es da nichts zu sehen gab, drehte ich mich um und beobachtete den vorbeiflutenden Verkehr. Interessant wurde es bei Sturm, dann musste ich mir eine Stelle suchen, wo die Wogen sich schon etwas weiter draußen an den Felsen brachen und dann erst mit stark verminderter Kraft anrollten. Manchmal reichte es trotzdem, um klitschnass zu werden, während an anderen Stellen die Brecher über die Mauer und sogar bis weit über die Straße brandeten. Ein Erlebnis ganz besonderer Art für mich, der in seinen Kindheitsträumen unbedingt zur See fahren wollte. Nach so einem Spaziergang landete ich wieder in der Hotelhalle, in der es sogar einen Verkaufsstand für Zigarren gab. Einmal Kuba und keine Zigarre geraucht, das ging gar nicht. Obwohl Nichtraucher, musste ich es doch einmal versuchen. Um mein kleines schlechtes Gewissen zu beruhigen, suchte ich mir eine etwas hellere Zigarre aus, die auch noch den stolzen Namen Havanna-Sport trug. Wie man so eine handgefertigte Rakete rauchte, hatte ich oft genug bei meinem Vater gesehen. Bis aufs Kleinste wollte ich es ihm nachmachen – und dann hatte ich keine Streichhölzer. Eine gutaussehende Brünette, die mir gegenübersaß, half mir aus der Verlegenheit. Es konnte also losgehen. Beine übereinandergeschlagen, den rechten Ellenbogen lässig auf die Seitenlehne gestützt und einen ersten Zug gewagt. Hey, das funktionierte! Nach dem vierten Mal hatte ich das Gefühl, ein großes Glas Cognac geleert zu haben.

Aber bitte keine Blöße geben, weiter so. Gut achtgeben, damit die weiße Asche nicht vorzeitig abfällt, denn das wäre blamabel, also immer ruhig und senkrecht halten. Als ich etwa die Hälfte der Zigarre geschafft hatte, gab es nur noch einen Wunsch für mich, ab ins Bett und diesen Vollrausch ausschlafen. Als mein Mitbewohner Otto vom Training kam, lag ich immer noch tief schlummernd unter meinem Laken. Es waren drei Stunden vergangen.

An diesem Abend gab es noch eine freudige Nachricht: Aus Dankbarkeit über unsere Hilfe zur Vorbereitung auf die Lateinamerikanische Meisterschaft lud man uns für drei Tage nach Varadero, einem der exklusivsten Badeorte Kubas, ein – zur vorrevolutionären Zeit das Top-Reiseziel für amerikanische Touris! Lagen doch nur hundertfünfzig Kilometer Luftlinie zwischen Florida und Varadero, wahrlich ein Katzensprung für die US-Bürger.

Einige Jahre später, also nach besagtem Schweinebuchtdesaster, war es verhältnismäßig ruhig an den Stränden, die Sextouristen blieben aus.

Mit blumigen Landschaftsbeschreibungen möchte ich nicht langweilen. Die Busfahrt war durch die Vorfreude auf drei faule Tage, besonders für meine Jungs, die durchgehalten hatten, trotz der Affenhitze erträglich. Es wurde gelacht und gesungen und meine Gitarre war natürlich dabei. Mit dem Busfahrer verband mich eine besondere Freundschaft und wir neckten uns ständig. Während ich gute 105 Kilogramm geballte Muskelmasse auf die Waage brachte, war er so spillerich, dass ich ihn ohne Probleme mit ausgestreckten Armen hochheben konnte. Sahen wir uns fragte er gleich lachend: „Elefante, cómo estás?" (Elefant, wie geht es dir?). Dabei hob ich ihn hoch und fragte zurück: „Wie geht es denn dem kleinen Moskito?"

Unerwartet wechselte die flache Landschaft ihr Gesicht und eine hügelige Zone, die erahnen ließ, dass es mal ein riesiger Golfplatz war, tat sich vor uns auf. Jetzt wurde es richtig interessant. Anstelle der Golfer krochen da plötzlich urzeitliche Echsen von enormer Größe durch das Gras oder lagen faul in der Sonne. Christov meinte dann ohne jegliche Empathie, das sind Leguane. Abgelenkt durch das Auftauchen der kleinen Monster bemerkten wir gar nicht, dass wir direkt vor dem Hoteleingang angekommen waren. Eine riesige Fensterfront ließ uns in das Innere des Gebäudes schauen, auf dessen gegenüberliegender Seite ein gewaltiges angeleuchtetes Bild einer traumhaften Karibiklandschaft mit Palmen, weißem Sand und türkisblauem Wasser abgebildet war. Ein Foto wie aus einem westlichen Reisekatalog, nur eben in Über-Übergröße. Ein faszinierender Anblick. Dort einmal Urlaub machen!

Wie groß war aber unser Erstaunen, als wir das Hotel betraten und feststellten, dass es kein Bild war, sondern der Blick in die Realität. Es war der Ausgang zur Seeseite!

Willkommen im Paradies, was sollte man sonst dazu sagen? Keiner konnte es so richtig begreifen, was sich dort vor uns auftat. Allesamt wurden wir schlagartig wieder zu Kindern, die sich noch freuen konnten und es auch kräftig taten.

Wiederum musste ich feststellen, keine leise Musik, nirgendwo, nicht in der Lobby und genauso wenig in der Bar oder dem Restaurant, aber Dank Compañero Rosentritt wusste ich es inzwischen, es war offiziell nicht erlaubt, um konterrevolutionäre Zusammenrottungen sofort im Keim zu ersticken. Nur bei öffentlichen Veranstaltungen wie Konzerten, Theater oder Oper machte man Ausnahmen. Nicht zu glauben, aber Tatsache. Ich sollte allerdings davon profitieren. An diesem Tag, dem Tag unserer Ankunft, hatte Dietmar, unser Halbmittelgewichtler, Geburtstag. Trainer und General Hajo hatten Spendierhosen an und nach dem Abendessen saßen wir bei Cuba Libre und Mojito auf der Terrasse und konnten es noch immer nicht so richtig begreifen. Während sich auch an den anderen Tischen Gäste niederließen, stieg unsere Stimmung mit Unterstützung dieser kubanischen Nationalgetränke erheblich an. Etwas fehlte jedoch – Musik! Unser Trainer war es dann, der meinte: „Sag mal Kläuschen, wozu hast du die Gitarre mitgeschleppt?" Das war eine Aufforderung, die ich sofort bereit war umzusetzen. Bereits als ich mit der Klampfe aus dem Zimmer kam, lief mir ein Pärchen über den Weg, sofort stutzend und fragtend: Musika? Ich nickte bestätigend, was sofort innerhalb kürzester Zeit wie ein Lauffeuer durch das

Hotel zog. Meinen anfänglichen Einwand und die Bedenken, die ich dem Trainer gegenüber äußerte, wischte er weg und meinte nur, uns kann man das als Gästen sowieso nicht abschlagen. Ich begann vorsichtig mit einigen Liedern, die wir alle beherrschten und jeder von uns mitsingen konnte – als die ersten Hotelgäste mit strahlenden Augen ihre Stühle in die Nähe unseres Tisches schoben. Es wurden immer mehr Zuhörer, der Kreis ständig größer, ohne uns aber zu sehr auf die Pelle zu rücken. Was mir auffiel, ich mir aber nicht erklären konnte: An bestimmten Textstellen, die etwa zweideutig oder schlüpfrig waren, lachten die Kubaner genauso herzlich wie wir, nur zeitlich etwas versetzt. Das Geheimnis sollte sich erst am letzten Tag unseres Kuba-Aufenthaltes auf einer belebten Straße in Havanna lüften.

In der Zwischenzeit saßen und standen in etwa fünfzig bis sechzig begeisterte Personen um uns herum. Da erst fiel sie mir auf! In die erste Reihe hatte sich eine zuckersüße, vollbusige Schönheit geschoben, der man bereitwillig einen Stuhl angeboten hatte. Die Größe ihrer Kulleraugen konkurrierte mit ihrer Oberweite, dabei strahlte sie mich unentwegt an. Das wurde der Auslöser, der alles ins Rollen brachte. Warum nannte mich hier alle Welt Palomo? Hatte ich mir doch mit dem Abgesang des alten Seemannsliedes auf Spanisch in Schwerin diesen herrlichen Namen erworben. Alles um mich herum vergessend, erhob ich mich, aber nur, um vor dieser karibischen Perle auf die Knie zu sinken. Erwartungsvoll schauten alle auf mich, besonders Ibis, so hieß die Schöne. Es wurde mucksmäuschenstill und nur im Hintergrund hörten wir das müde Plätschern der auslaufenden Wellen am Strand. Zärtlich streichelte ich über die Seiten der Gitarre und begann, sanft und noch etwas verhalten, dieses wunderschöne Lied zu singen.

Waren die davor geschmetterten Melodien mehr oder weniger Gassenhauer, verspürte ich jetzt Gänsehaut. Im ersten Moment beherrschte totales Erstaunen die Szene, dass ein blonder, knusprig gebräunter Alemanne vor einer ihrer Frauen auf die Knie ging und sie auch noch ansang. Noch größer war die Überraschung, dass es auf Spanisch geschah! Meine Zuhörer waren überwältigt. Da kniete ich also, Palomo, der Täuberich, vor Ibis, der kleinen

Störchin, und vergaß fast die Welt um mich. Doch dann war ich der Junge, der staunte. Plötzlich summten alle meine Zuhörer diese uralte Seemannsballade mit. In dem Moment war ich Freddy Quinn, dem singenden Seemann unendlich dankbar, hatte ich mir doch den spanischen Text bei ihm ausgeliehen. Noch heute läuft mir bei dem Gedanken an Kuba, Varadero, Ibis und meinem Background-Chor ein wonniglicher Schauer über den Rücken. Der anschließend aufbrausende Applaus ließ mich nur erahnen, welchen Spaß ich diesen wunderbaren, freundlichen Menschen gebracht hatte. Ich denke, es beruhte auf Gegenseitigkeit.

Früh am Morgen des anderen Tages lagen wir schon faul im weißen Sand von Varadero, als ich spürte, dass sich jemand vorsichtig neben mir niederließ. Neugierig schaute ich auf und blickte direkt in zwei große dunkelbraune Kulleraugen, die dicht über meinem Gesicht mit einem leichten schelmischen Lächeln verharrten. Musik macht's möglich!

Es sollte ein wunderschöner Tag werden, mit langem Spaziergang und Händchenhalten fernab vom bewachten Strand. Kein Mensch, soweit das Auge reichte. Wir tollten wie kleine Kinder umher und zwischendurch badeten wir auch. Aber ganz vorsichtig, dabei immer die Wasseroberfläche kontrollierend, ob sich irgendwo die Rückenflosse eines Hais näherte, denn Haie musste es hier definitiv geben. Ibis hatte echt Angst und als ich sie spaßeshalber in etwas tieferes Wasser tragen wollte, zerkratzte sie mir mit ihren langen Fingernägeln vor Entsetzen den Rücken. Ich war überzeugt.

Der Abend wurde erneut sehr schön. Alles traf sich auf der Terrasse und wartete auf den Beginn des Konzerts. Außerdem gab es wieder ein großes Glas Cola-Rum mit der traditionellen Limonenscheibe.

Allerdings schlug die Stimmung der kleinen süßen Kubanerin in blanke Wut um, als ich ihr erklärte, dass wir am nächsten Morgen wieder zurück nach Havanna müssten. Es war dem Umstand geschuldet und hatte nichts mit mir zu tun. So schnell wie sie verschwunden war, konnte ich gar nicht gucken! Sie wurde nicht mehr gesehen, sie hatte sich in Luft aufgelöst.

Als wir am folgenden Morgen wieder in Moskitos Rostlaube kletterten, hoffte ich immer noch auf einen vernünftigen Abschied – vergeblich. Also abgehakt und den Blick nach vorn gerichtet. Wir waren in etwa dreißig Minuten unterwegs, vorbei an den Hügeln mit den Miniaturmonstern, warfen noch einmal einen sehnsüchtigen Blick zurück und dann sah ich es: Eines dieser Uralt-Cabrios näherte sich mit unglaublicher Geschwindigkeit, die ich dem alten Kasten nie zugetraut hätte. Während des Überhol-vorganges sah ich sie dann, Kulleraugen-Ibis, lachend winkte sie mir zu, schoss vorbei, aber nur, um sich vor unseren Bus zu setzen und Moskito auszubremsen, bis wir zum Halten kamen. Meine Jungs standen schon, um dieses Spektakel genauer sehen zu können, was sich da vor unserem Robur abspielte. Kaum hielt das Cabrio, sprang Ibis heraus und schwebte regel-recht zu uns, riss die Tür auf, sah mich hinten auf der Langbank sitzen und flog auf mich zu, beiseite schubsend, was ihr im Weg stand. Alles ging so schnell wie ein gut geplanter Banküberfall. Um den Hals fallen, einen herzlichen Schmatzer auf meine linke Wange und genauso blitzschnell, wie sie gekommen war, verschwand sie auch aus unserem Blick. Da erst be-merkte ich den kleinen Zettel mit einer Telefonnummer in meiner Hand. Schock pur oder Romeo und Julia, new life!? Für den Rest der Fahrt hatte diese Aktion jedenfalls für Gesprächsstoff gesorgt.

Zurück im Hotel International machte ich mich erst einmal frisch, danach setzte ich mich auf die Bettkante und griff zum Telefon. Handys waren noch Zukunftsmusik, ohne Melodie. Als ich die Nummer gewählt hatte und das Klingelzeichen hörte, war ich schon ein bisschen aufgeregt. Eine freundliche Frauenstimme meldete sich, die aber nicht zu Ibis gehörte. Vorsichtig erklärte ich, wer hier am anderen Ende der Leitung sei und hörte nur einen freudigen Aufschrei und die Worte „Palomo un momento!". Es hatte sich also schon herumgesprochen. Einen Augenblick später war Ibis in der Leitung, lachte und meinte, dass sie mich in einer halben Stunde ab-holen würde und die Stimme, die ich vernommen hatte, gehörte ihrer Mama.

Kurze Zeit später, noch bevor wir uns trafen, sprach mich ein älterer Herr auf der belebten Straße, die zum Malecón hinunterführte, an. In perfektem Deutsch fragte er: „Sie sind das doch, Palomo?" Damit sollte sich meine unbeantwortete Frage von Varadero klären, weshalb die Kubaner an unserem Musikabend auch an den gleichen Textstellen lachten wie wir, nur immer etwas später. Der Herr Professor, der mich angesprochen hatte, war an dem Abend auch Gast und übersetzte fleißig die gesungenen Texte. Bevor wir uns trennten, bedankte er sich mehrmals für den wunderschönen Abend und die tollen Lieder. Ein wunderbares Gefühl durchströmte meinen Körper, alles richtig gemacht Palomo!

Zurück zum Hotel und da wartete sie schon in ihrem Amischlitten auf mich. Schick angezogen und geschminkt, mit einem feinen zarten Kopftuch, welches sie im Stil der fünfziger Jahre um ihren Wuschelkopf geschlungen hatte, wie ich es aus den wenigen amerikanischen Filmen kannte. Die Fahrt konnte losgehen und es wurde lustig, denn den Wagen steuerte nicht meine kleine Freundin, sondern die Sekretärin des Polizeipräsidenten von Havanna, das war nämlich ihr ausgeübter Beruf.

Nachdem wir einige Zeit im Zentrum die Straßen unsicher gemacht hatten, damit spiele ich auf die temperamentvolle Fahrweise von Ibis an, steuerte sie ihr Cabrio Richtung Stadtrand. Hier standen schmucke Villen auf größeren Grundstücken und auch die Palmen durften nicht fehlen. Fast alle Gebäude besaßen eine hölzerne Veranda, auf der sich in den Abendstunden, wenn eine leichte kühle Brise vom Meer herüberwehte, das Leben der Familien abspielte. Ibis war immer für eine Überraschung gut, dass hatte ich in der kurzen Zeit unseres Kennenlernens bereits begriffen und mehrfach zu spüren bekommen. Langsam lenkte sie das Auto auf eines dieser tollen Grundstücke und hielt direkt vor so einer weiß gestrichenen hölzernen Veranda, deren Stufen zu einem freundlich lächelnden Herrn führten, der uns zu erwarten schien. Neugierig musterte er mich, um sich dann an seine Tochter zu wenden. Oha, das war also der Papa, damit sollte ich Recht behalten. Er fragte sie, woher ich käme, und da ich in den vergangenen vier Wochen ziemlich viele Vokabeln gelernt hatte und mir diese

Sprache schon immer gefiel, beantwortete ich seine Frage, bevor es seine Tochter tun konnte. Sichtlich überrascht bot er mir daraufhin einen Platz in den vier Schaukelstühlen an, die hier standen und bat Ibis, uns Männern etwas zu trinken zu holen. Zugleich klappte er den Deckel einer kleinen Kiste auf, um mir eine seiner Zigarren anzubieten. Die sofortige Antwort, dass ich aus „Alemania oriente" käme, ließ ihn vermuten, dass ich ihre Sprache bestens beherrsche. Fehler von mir, schwerer Fehler, denn er sprach mit dem gleichen Temperament wie sein Töchterchen und dabei fielen mir die Worte von Compañero Rosentritt wieder ein, der da sagte, die Kubaner würden die spanische Sprache vergewaltigen. Ich musste mich also höllisch konzentrieren, um den guten Eindruck auch weiterhin zu erhalten. Dazu kam noch der Genuss der Zigarre, den ich bereits kennengelernt hatte, aber noch nicht in Verbindung mit Cola-Rum. Also äußerste Vorsicht war geboten! Hatte ich doch bemerkt, dass Papa sich sachte herantastete, um herauszubekommen, ob da ein bisschen mehr als eine innige Freundschaft im Spiel wäre. Ich machte mir doch schon einen Vorwurf, dass ich mit dem Kniefall und dem La-Paloma-Lied etwas wie einen musikalischen Heiratsantrag ausgelöst haben könnte. Sachlich und trotzdem mit einer Prise Humor führten wir unser Gespräch, so dass es für Papa und auch für Ibis klar war, ohne verletzend zu sein, dass zwischen uns nicht nur der riesige Ozean lag, sondern auch Probleme politischer Natur, die nicht vorhersehbar aber zu erahnen waren.

Der Abend war trotzdem ein wunderbares Erlebnis und manches Mal denke ich immer noch ein wenig wehmütig an diesen Moment auf der Veranda, im Schaukelstuhl mit Cola-Rum, der Zigarre, dem süßen Kulleraugenmädchen an meiner Seite und diesem prachtvollen Vater mir gegenüber, der leitender Arzt im Krankenhaus der Regierung war und Fidel seinen besten Freund nannte.

Als mich Ibis vor dem Hotel absetzte und sie sich ein letztes Mal eng an mich schmiegte, wurde mir doch etwas schwer ums Herz. Der erste und einzige Kuss auf den Mund mit zartem Zungenspiel sollte das Ende dieser eigentlich ungewollten Romanze sein.

Am darauffolgenden Tag, drei Stunden vor meinem Abflug in Richtung Heimat, bekam ich von der Rezeptionistin des Hotels einen Brief ausgehändigt, darauf in zierlicher Schreibschrift mein Name „Palomo".

Der Inhalt belief sich auf dreimal

"I love you, I love you, I love you!"

54. Uwe

Uwe war ein Junge vonne See. Sein Vadder war mal Kapitän vonne ganzen Handelsmarine vonne DDR.

Nun schon zum Mann gereift, gehörte er als junger Sportler unserem Judokollektiv an, startete als Halbschwerer und war eigentlich ein ganz patenter Kerl. Wenn, ja wenn er nicht so ein kleines bisschen exzentrisch gewesen wäre. Sicherlich lag es auch größtenteils am Eingesperrtsein. Als Mecklenburger und Küstenbewohner atmete er von frühester Kindheit die herrliche saubere Ostseeluft ein, trieb sich jeden Tag an den Stränden herum und fühlte sich unendlich frei. Für ihn musste der plötzliche Zwangsaufenthalt hinter mit Stacheldraht bewehrten hohen Zäunen und richtigen Wachsoldaten am Eingangstor besonders schlimm gewesen sein. Er war ein Freigeist und das verschlimmerte es noch mehr.

Ihm stand eine große Karriere bevor. Athletisch sehr gut entwickelt, hätte er es bei seiner Intelligenz und dem Talent für die Sportart Judo weiter bringen können als bis zum Vizeeuropameister. Im Laufe der Jahre entwickelte er eine Antipathie gegen alles, was ihm seiner Meinung nach die Luft zum Atmen nahm. Es war das militärische Gehabe, das gezwungenermaßen eine Rolle spielen musste. Dazu gehörte auch das Tragen der Uniform zum und vom Dienst. Tagsüber null Problemo, da liefen wir mehr oder weniger in Trainingskleidung herum. Nur zum Essenfassen oder der monatlichen Rotlichtbestrahlung, wie wir den Politunterricht nannten, mussten wir auch das Ehrenkleid überwerfen. Besonders hatte Uwe aber das Verhalten unseres Trainers auf die Palme gebracht. Der war nicht nur Trainer dieses immer wieder aufmüpfigen Haufens, nein, in erster Linie hatte er Offizier zu sein und mit aller ihm zur Verfügung stehenden Kraft diese Truppe zu sozialistischen Persönlichkeiten zu erziehen. Je mehr er beschäftigt war, uns zu formen, desto größer wurde die Distanz zu ihm. Das erklärt dann auch seinen von uns verliehenen Spitznamen „die kalte Hand". Uwe litt besonders darunter, war er es doch von Haus aus nicht gewöhnt, ständig gegängelt zu werden. Ich erinnere daran: Sein Vadder war Kapitän, also nie da und immer unterwegs.

Sein Aufbäumen gegen diese ganze Art von Drangsalieren äußerte sich manchmal in sehr kuriosen, manchmal aber auch in äußerst grenzwertigen Aktionen.

Dass er beim Volleyball des Öfteren nicht den richtigen Pass zugespielt bekam und die Kugel ins Netz schlug, löste bei ihm ungeahnte kurzzeitige Wutanfälle aus. Dann drosch er brüllend, mit den Füßen den Ball tretend, das Projektil seines Frustes in die Botanik, um ihm schreiend und schimpfend hinterherzujagen. Logisch, dass die Mimik des Trainers, die sowieso immer dauergefrostet und erstarrt wirkte, noch griesgrämiger rüberkam. Na gut, solche Aktionen kannten wir Kampfsportler zur Genüge, aber Uwe war der Beste! Merkwürdiger war allerdings eine Begebenheit, die uns dann doch etwas sehr seltsam erschien.

Ein Kuriosum bei der Auszahlung unseres Soldes war, dass wir manchmal das gesamte Geld in Fünfmarkscheinen erhielten. Girokonten gab es damals noch nicht, zumindest nicht für uns.

Nach dem Empfang unserer „Cash-Knete" verteilten wir uns alle wieder auf die Zimmer.

Bis zur nächsten Trainingseinheit war noch genug Zeit um abzuhängen, was bedeutete, man spielte Karten, las in einem Buch oder döste einfach nur auf dem Bett vor sich hin. Aus irgendeinem Grund musste ich unserem Uwe etwas mitteilen. Ich klopfte kurz an seine Zimmertür und trat ein. Der Junge von der Küste saß gelangweilt auf dem Fensterbrett, ein Bein hing locker nach außen, während er sich mit dem anderen auf einem Stuhl abstützte. Alles noch im grünen Bereich, was mich jedoch mächtig irritierte, war, dass er dabei mit einer Schere einige gerade erworbene Scheine zerkleinerte! Als er meinen dümmlich-verwunderten Blick sah, meinte er nur emotionslos: „Ist doch alles Scheiße hier."

Wir waren der Einladung zu einem Freundschaftswettkampf gefolgt. Vilnius, die Hauptstadt Litauens, war unser Ziel. Es sollte ein Turnier der ganz besonderen Art werden. Ich hatte in den vergangenen Jahren als Judokämpfer schon auf vielen unterschiedlichen Matten mein Können unter Beweis stellen müssen. Da waren welche, auf denen sich sonst nur Ringer tummelten, also recht fluffige, dicke Teile. Auch echte japanische Reisstrohtatamis hatte ich schon betreten. Das Verrückteste erlebte ich im Georgischen Gori, der Geburtsstadt von J. W. Stalin. Hier fand der Wettkampf in einem Zirkus statt. Das erste und einzige Mal, dass ich in einer richtigen Manege starten durfte! Wie üblich, und was den Reiz eines solchen Rondells ausmacht, war der Innenraum dick mit Sägespänen gefüllt! Damit es aber bei garantiert vorkommenden Bodenkämpfen keinen tödlichen Ausgang gibt, wegen eventuell unfreiwillig eingeatmeter Sägespäne, hatte man eine Plane darübergelegt und mit Seilen festgezurrt. Mein Kindheitstraum, einmal in einer Zirkusmanege zu stehen, hatte sich damit erfüllt.

Es gab aber noch Steigerungsmöglichkeiten, wie ich in Vilnius feststellen konnte. Der Austragungsort war ein großer Tanzsaal in einem uralten Gebäude. Der Fußboden bestand aus solidem Eichenparkett, auf dem sich Tanzpaare garantiert schon gedreht haben als Litauen noch zu Großdeutschland gehörte. Der Gastgeber versuchte mit viel Eifer, alles so gut wie möglich zu machen, stieß aber, als es um die Wettkampfmatte ging, an seine Grenzen. Die Ringermatten, auf denen in Vilnius sonst trainiert wurde, waren so etwas von einer Buckelpiste und mit Löchern versehen, dass sie uns das wegen der Verletzungsgefahr nicht zumuten konnten. Nun hatten unsere litauischen Sportfreunde gehört, dass eine echte japanische Tatami aus Reisstroh gefertigt sei und in etwa vier Zentimeter stark wäre, also verdammt hart. Das Grübeln darüber hatte sich gelohnt, denn sie fanden eine Alternative.

Als wir die Wettkampfhalle, also den Tanzsaal, betraten, konnten wir es nicht fassen. Inmitten dieses riesigen Raumes, umstellt von zig Reihen

Klappstühlen, lag ein Ungetüm von einem bunten Teppich, der uns erstarren ließ. Die Ausgangspositionen der Kämpfer waren durch weiße Stoffstreifen markiert, die aus Mangel an Klebestreifen herhalten mussten und vom Haushandwerker mit je zwei großen Nägeln im Parkett verankert wurden. Da einer davon nicht so richtig in das eichene Holz eindringen wollte, schlug er ihn einfach krumm.

Unsere Leitung protestierte nicht, es war schließlich ein Freundschaftswettkampf. Für mich gab es nur eine Devise, so schnell wie möglich alle anfallenden Kämpfe gewinnen, ohne selber geworfen zu werden. Ich schaffte es in Rekordzeit! Trotzdem war ich klitschnass geschwitzt, denn uns hatte in Litauen ein sommerliches Hoch vom Allerfeinsten überrascht. Kein Grund aber, dass danach folgende große Essen abzusagen.

Mir gegenüber saß Uwe, der sich vom Buffet unter anderem ein hartgekochtes Ei geangelt hatte und zu meiner Verblüffung eine mir vollkommen unbekannte Art, das Ei abzupellen, zelebrierte. Ich hatte anfangs schon erwähnt, dass Uwe eigentlich ein ganz kluges Köpfchen war, von dem man so manches lernen konnte, also beobachtete ich genau, was er mit dem Ei veranstaltete und es leuchtete mir ein.

Vorsichtig pellte er zuerst an einem Ende eine kleine Öffnung, drehte es dann um und begann das gleiche Procedere am anderen. Als er das zu seiner Zufriedenheit abgeschlossen hatte, führte er das Objekt seiner Begierde an den Mund und pustete kräftig. Danach pellte er die Schale locker vom Inhalt. Oha, das beeindruckte mich zutiefst und was liegt näher, als es sofort selber zu probieren. Also Ei geholt, Loch oben und unten freigelegt, tief Luft geholt und dann mit ganzer Kraft hineingepustet. Je kräftiger desto leichter ließe es sich abpellen, dachte ich! Anscheinend war meine Vitalkapazität zu hoch berechnet, denn das Ei flutschte mir aus den Fingern und während ich verwundert die Flugbahn verfolgte, klatschte es auch schon gegen Uwes hohe Stirn mit dem bereits etwas schütteren Deckhaar! Von wegen hartgekochtes Ei! Als es auf Uwes Kopf auftraf und sich die Teile verselbständigt hatten, tropfte das Eigelb zähflüssig über sein linkes Auge, während Teile der Schale in den Haaren haften blieben. Ein Bild wie aus einem amerikanischen Dick-und-Doof-Film. Mein geschocktes Gegenüber saß wie zu einer Säule erstarrt auf seinem Stuhl, ehe er begriffen hatte, was soeben passiert war. Alles ging so schnell, dass der Rest unserer Truppe anfangs gar nicht mitbekommen hatte, aus welchem Grund ich in so lautes Gelächter ausgebrochen bin. Meine Selbstbeherrschung gab es nicht mehr, ich hätte mich auf dem Fußboden wälzen können. Als man dann die Ursache für meinen Lachanfall mitbekam, fielen alle in mein Gelächter ein. Der Spaß kannte kein Ende. Uwe ertrug es wie ein Mecklenburger, stur!

Wahrscheinlich dachte er in diesem Moment schon viel weiter und berechnete die Geschwindigkeit, mit der das von mir gepustete Ei die Distanz von einem knappen Meter zu seiner Stirn überwunden hatte.

Ein anderer, weniger dramatischer Vorfall ereignete sich auf der Rückreise von Vilnius über Warschau nach Berlin. Die Spurbreite der russischen Gleise unterschied sich erheblich von denen anderer europäischer Länder, so dass die Waggons an der litauisch-russischen Grenze auf schmalere Untergestelle montiert werden mussten. Das nahm natürlich einige Zeit in Anspruch und so stiegen wir, bevor die Aktion startete, aus den stickigen Waggons, verteilten uns auf die reichlich vorhandenen Bänke auf dem Bahnsteig und warteten. Die Sonne brannte gnadenlos aus einem azurblauen, blankgeputzten Himmel auf uns herab.

Ich ließ noch einmal meine Kämpfe im Kopfkino vorbeiziehen, zwischenzeitlich mit mir hadernd, dass ich keine kurze Hose auf die Reise mitgenommen hatte, als Uwe plötzlich vor mir stand und mich in die Realität zurückholte. „Du Klaus" – kurze Pause – „kann ich mal dein Messer haben?"

Kein Problem, ich habe es immer dabei. Also gab ich es ihm, ohne zu fragen, was er damit bezweckte. Langsam trottete er zurück zu seinem Platz, zog sich seelenruhig die Hose aus und begann, fast nackt, die Beine seiner „Wisent-Jeans" abzutrennen. Keine fünf Minuten später stand er in kurzen Hosen vor mir und gab das Messer zurück.

Ein bisschen neidisch war ich schon, wie konsequent er sich gegen die unerwartete Hitze zur Wehr setzte. Wiederum ein Beweis dafür, dass ihm doch nicht alles „schietegal" war. Na, eben Uwe!

55. Humor ist, wenn man …

Die Judo-Europameisterschaft 1969 in Ostende (Belgien) endete für mich mit einer mittelschweren Katastrophe! Bei einem Angriff mit meiner Spezialtechnik gelang es mir nicht, den Kontrahenten kontrolliert zu werfen und so krachte ich mit voller Wucht und dem etwa 110 kg schweren Burschen auf meinem Rücken mit der rechten Schulter in die Tatami. Für Nichteingeweihte: Tatami ist die Judo-Wettkampfmatte, die, wenn es ein Original ist, in Japan hergestellt wurde und eine maximale Stärke von etwa 4 cm besitzt. Damit nicht genug, muss dieses Teil auch noch aus gepresstem Reisstroh bestehen, welches den Härtegrad eines gebohnerten Holzfußbodens besitzt. Was sagt uns das? Auf gar keinen Fall geworfen werden! Manchmal funktioniert es nicht und dann geschehen halt solche Dinge, wie sie mir passierten.

Schlimm, wenn man nach einem Jahr harten Trainings und der Aussicht auf einen Medaillenplatz feststellen muss, dass man die Rechnung ohne den Wirt gemacht hat.

Wochenlang quälte ich mich mit erheblichen Schmerzen über die Runden. Während der Trainer meinte, ich solle nicht so ein Gewese machen, der Mannschaftsarzt hilflos aber Trost spendend sagte, alles braucht seine Zeit, musste ich mich als Rechtshänder total umstellen und sogar die etwas delikateren Dinge mit links durchführen. Da bekam der Spruch „Das habe ich mit links gemacht" eine ganz andere Bedeutung.

Trotz vieler Behandlungen in der Physiotherapie änderte sich so gut wie nichts und ich quälte mich über die letzten Wettkämpfe der Saison. Bis unsere Leitung auf die Idee kam, mich zu einem Experten in die Charité zu überweisen. Oberarzt Dr. Erich untersuchte meine Schulter sehr gründlich, wusste sich aber auch keinen Rat und zog Prof. Kaiser hinzu. Nach langem Hin und Her lautete die Diagnose „Bajonettverschlusssyndrom". Ich musste ihnen Glauben schenken. Um der Sache aber so richtig auf den Grund zu gehen, schlugen die beiden gestandenen Weißkittel eine

Operation vor. Die Clubleitung sorgte mit der entsprechenden Rücken-deckung dafür, dass ich sofort einen Termin bekam. Schließlich hatte man über Jahre investiert.

Dr. Erich war ein Arzt alter Schule, der sich, wie es damals üblich war, nicht nur seine Erfahrungen im Operationssaal geholt hatte, sondern auch an der Ostfront unter den unmenschlichsten Bedingungen seine Tätigkeit als Chirurg unter Beweis stellte. Die Narben in seinem Gesicht stammten allerdings aus seiner Studentenzeit, wo es zum guten Ton gehörte, sich beim Fechten das Gesicht mit Schmissen verunstalten zu lassen. Nun war er auf dem besten Weg, mein persönlicher Leibchirurg zu werden. Hatte er doch schon Jahre vorher mein rechtes Sprunggelenk wieder zusammengeflickt und auch später, nach dieser Schulteroperation, sein Können an meinem malträtierten Corpus noch zweimal unter Beweis gestellt. Er besaß mein vollstes Vertrauen.

Also los ging es, in die Orthopädische Klinik in die Scharnhorststraße, auf deren gegenüberliegender Seite sich ein gut gepflegter Friedhof befindet. In früheren Zeiten war die Kombination Krankenhaus – Friedhof anscheinend üblich.

Es war ein Sechsmannzimmer. Drei Betten links, drei rechts und am Fenster ein kleiner Tisch mit zwei Stühlen. Außerdem stand neben jedem Bett ein Nachtschränkchen. Vervollständigt wurde das Ganze durch zwei Einbau-schränke, in welchen wir unsere Siebensachen unterbrachten, und einem Waschbecken mit einem kleinen Spiegel darüber.

Die Schwester, die mich ins Zimmer begleitete, informierte mich kurz vorher, mit wem ich mir das Territorium teilen müsse und dass ich Patient Nummer 5 sei. Schon beim Betreten des Raumes spürte ich, dass ich hier richtig war. Gleich links im Bett saß Gerald, ein Maschinenschlosser aus Bernau. Daneben Herr Ebert, ein ehemaliger Lehrer aus Sömmerda, und am Fenster der alles bestimmende Rudi, der im normalen Leben Jäger war und für das Gleichgewicht der Population in Wald und Flur Sorge trug. Bleibt nur noch Rudolf, den alle Adolf nannten, um so die beiden Rudis auseinanderzuhalten. Wobei ich sagen muss, dass er mit seiner Frisur, und wenn er sich mal zwei Tage nicht rasiert hatte, doch dem schwärzesten Schaf der deutschen Geschichte etwas ähnlich sah. Adolf lag im mittelsten Bett rechts, so dass ich die Wahl hatte, Fensterplatz oder Kuschelecke. Ich entschied mich für Kuschelecke. Adolf lag also rechts von mir und brachte uns immer wieder mit seinen Bemerkungen und Sprüchen im Karl-Marx-Städter-Dialekt zum Johlen.

Nachdem wir uns, wie man im Sportlerjargon sagt, beschnarcht hatten und ich nun wusste, wo lang der Hase läuft, wurde ich als Neuzugang beauftragt, dem kleinen Gemüseladen, der zwischen unserem Krankenhaus und der VP-Klinik lag, einen Besuch abzustatten. Grund waren nicht die Mohrrüben oder Kartoffeln, auch nicht die klobigen großen Futterrüben, sondern dort gab es Bier! Rudi war aufgefallen, dass ich neben meiner Sporttasche auch noch einen sogenannten Diplomatenkoffer mitbrachte, sperrig, viereckig, aber zu der Zeit hochmodern. Außerdem könne man damit Alkohol ins Krankenhaus schleusen, meinte er, was natürlich nicht gestattet war. Rudi überzeugte uns, dass in den sperrigen Kasten genau zehn kleine Biere passten, die man so total unauffällig transportieren könne und auch klappern würde es nicht, sollte ich stolpern. Ich ließ es darauf ankommen und zur Freude aller funktionierte es tatsächlich. Hätte mir jemand irgendwann erzählt, dass in die Tasche bzw. in den kleinen Koffer zehn Bier passen, die Wette hätte ich verloren. Fünf Flaschen hineingelegt und fünf weitere kopfüber, Deckel zu und passt. Damit hatte ich mir einen sicheren Platz in der Mannschaft erkämpft.

Zwei Tage verblieben wir noch in dieser Konstellation, dann wurde unser Schlosser nach Hause entlassen. Es ist schon merkwürdig, welch eine verschworene Truppe so eine Krankenzimmergemeinschaft sein kann. Trifft man sich zufällig Jahre später, wird kaum einer von den durchgestandenen Schmerzen nach der Operation oder den seelischen Qualen davor und danach reden, aber das Ding mit dem Diplomatenkoffer und den zehn Flaschen Bier darinnen wird hundertprozentig Thema sein.

Eines Morgens, nachdem wir um einen Leidensgefährten dezimiert worden waren, betrat unser Oberarzt Dr. Erich mit einer ernsten Miene das Zimmer.

Kurzgefasst militärisch formulierte er einen Wunsch: „Männer", – es folgte eine winzige Pause – „es gibt ein kleines Problem auf der Station." Sofort dachten wir an unseren kleinen Gemüseladen und den illegalen Biertransport, aber es sollte anders kommen. „Wir haben einen arabischen Privatpatienten, natürlich im Einzelzimmer. Die Schwestern weigern sich, dieses Zimmer zu betreten, denn besagter Patient versuchte schon mehrfach, den Frauen unter den Rock zu fassen. Ich sehe mich also gezwungen, ihn in einem Zimmer zwangsunterzubringen und ich hoffe, dass ich somit das Problem gelöst habe." Wobei er sich bei den letzten Worten ein leichtes Lächeln nicht verkneifen konnte. Er durfte sich auf uns verlassen.

Kurz darauf wurde das Bett hinten rechts am Fenster entfernt und gegen ein anderes ausgetauscht, in dem bereits der angekündigte Problempatient lag. Über dem Bettgestell befand sich ein Metallgerüst, an welchem sein rechtes Bein, leicht gebeugt, befestigt war, sicherlich Opfer eines Motorradunfalls! Der Neue ignorierte uns total, logisch, dass er stinksauer war, sein Privatgemach gegen so eine Massenunterkunft eintauschen zu müssen. So lag er dann auf dem Rücken und blickte stur an die Zimmerdecke. Alle Versuche von uns, mit ihm in ein Gespräch zu kommen, verliefen im Sand. In Anlehnung an seine Herkunftsregion wahrscheinlich Saharasand! Schickte er gnädiger Weise doch mal einen Blick herüber, war dieser meistens überheblich, mit einem Funken Arroganz. So vergingen die ersten Tage. Auch ich war in der Zwischenzeit operiert worden und fand nur langsam ins Leben zurück. Anscheinend war das mit dem Bajonettverschlusssyndrom doch etwas komplizierter und wie mir Dr. Erich später bestätigte, dementsprechend groß das Operationsfeld, ehe sie den verkalkten Bluterguss gefunden hatten, der angeblich die Größe und Form einer Paranuss besaß. Von den gefühlten Schmerzen hätte es mindestens eine kleine Kokosnuss sein müssen. In der Zeit, wo ich mich im Nirwana befand, hatten es meine Zimmerkollegen geschafft, mit Mustafa-Mustafa, so hieß er wirklich, ins Gespräch zu kommen. Allerdings bekamen sie meistens sehr unangemessene und patzige Antworten. Eines Morgens brachten die

Schwestern eine Schüssel Wasser, um Mustafa bei der Reinigung seines Revuekörpers behilflich zu sein. Nichts ging, er zog sich die Bettdecke bis unter die Hakennase und weigerte sich, sein operiertes Bein ausgenommen, sich helfen zu lassen. Die Mädels ließen die Schüssel stehen und verließen unser Zimmer. Nun war unser Sachse voll auf Aggression und schimpfte in seinem Kulturdialekt: „Du elende Drecksau. Du stinkst wie ein Wiedehopp und isch muss das och noch näben dir erdrachen!" Mustafas Kopf verschwand jetzt ganz unter seiner Decke. Er hatte sich zum Denken zurückgezogen. Nach einigen Minuten erschien seine Nase wieder. Während die linke Hand den Rand der Schüssel ertastete und den Seiflappen ergriff, fixierte er uns flüchtig, tauchte ihn kurz ins Wasser, drückte ihn genauso schnell wieder aus, um danach seine Hand unter der Bettdecke verschwinden zu lassen. Nun begann das arabische Reinigungsritual, welches aber, aus welchem Grund auch immer, äußerst kurz war.

Einen Tag später befreite man Mustafa-Mustafa von seiner Beinschlinge und nun konnte er auch diese Extremität zudecken.

Eines Vormittags wurde die Zimmertür plötzlich aufgerissen und eine Plastikurinflasche flog in Richtung Rudis Bett. Unser ehemaliger Mitbewohner, der Schlosser aus Bernau, stand wie der Terminator im Türrahmen und feixte über das ganze Gesicht. Nach dem ersten Schreck, dem aber sofort eine herzliche Begrüßung folgte, erzählte er sein dramatisches Erlebnis unmittelbar nach der Entlassung aus dem Krankenhaus. Zum besseren Verständnis muss ich aber kurz die Vorgeschichte davon erzählen. Während unser Bernauer im Schwesternzimmer alle Formalitäten erledigte und seine bis zum Bersten gefüllte Reisetasche auf seinem Bett abgestellt hatte, kam Rudi auf die Idee, ihm ein kleines Abschiedsgeschenk, eben diese Urinflasche, in die Tasche zu stecken. Die Problematik bestand nicht nur darin, die Ente in die prallgefüllte Tasche zu bugsieren, sondern, da sie noch halbgefüllt war, so hineinzuwürgen, dass der Verschluss sich nicht öffnete! Rudi schaffte es irgendwie. Als unser Schlosser an der Haltestelle stand und auf den Doppelstockbus wartete, fiel ihm ein, dass er sein

Portemonnaie in seiner Reisetasche hatte und während er krampfhaft versuchte, den Verschluss aufzuziehen, hielt der Bus unmittelbar vor ihm. Am Verschluss immer noch herumzerrend, stieg er ein und in diesem Moment platzte die Tasche auseinander und die halbgefüllte Urinflasche wurde regelrecht rauskatapultiert. Sie fiel auf die oberste Stufe, hüpfte weiter auf die unterste und von da nach draußen auf den Bürgersteig! So schnell wie nur möglich sprang der arme Kerl hinterher, hob die Urinente blitzschnell auf, wahrscheinlich in der Hoffnung, alles ungeschehen zu machen, und in diesem Moment schloss sich die Tür mit einem lauten „Pschsch"!

So stand er nun hilflos da, in der rechten Hand die noch halbgefüllte Flasche, links die aufgeplatzte Tragödie, und sah dem Doppelstocker hinterher.

Bis zu diesem Ereignis hatte der Fahrer immer angenommen, dass es eine Orthopädische Klinik wäre, aber nun machte er sich Gedanken, ob hier eben einer versucht hat, aus der Geschlossenen zu flüchten! Soll er doch, so wird er gedacht haben, aber ohne mich und deshalb schloss sich die Tür.

Wir lagen auf unseren Betten und krümmten uns vor Lachen und stellten uns immer wieder diese eine Szene vor: Gerald mit der Urinflasche in der Hand und seinem bedepperten Gesicht, als sich die Bustür schloss. Klar, dass jeder von uns noch zusätzlich seinen Senf dazu beitrug. Aber Lachen soll gesund sein.

In der Zwischenzeit hatte Mustafa-Mustafa sich aufgesetzt und begann, sich mit dem Rücken zu uns anzuziehen. Geübt hatte er schon einige Male. Was dann geschah, überraschte uns alle. Als er mit dem Ankleiden fertig war, holte er seine Schuhe aus dem Nachtschrank, dazu eine Bürste und setzte sich mit baumelnden Beinen, das Gesicht zu uns, wieder auf sein Bett. Seelenruhig begann er, seine dreckverkrusteten Treter abzuputzen und verletzte natürlich damit den Grenzbereich zu unserem Sachsen, der schon so nicht gut auf ihn zu sprechen war. Wie schnell eine Stimmung umkippen kann, wurde uns in diesem Moment demonstriert. Während wir alle ziemlich verdutzt waren, explodierte unser Kollege aus Karl-Marx-Stadt wie eine Splitterbombe und hieb ihm sein Kopfkissen über den Schädel.

Dabei brüllte er: „Du alte Mistsau, ganste niche deine Drecklatschen uff der andorn Seite butzen!?" Ihn schauten zwei geschliffene arabische Dolche an. Mustafa ergriff das Sachsenkissen und holte zu einer gewaltigen Gegenoffensive aus, vollkommen vergessend, dass es noch die Stange über seinem Kopf gab, an der einige Tage vorher sein Bein hing. Seitlich Schwung holend, kam er ohne Probleme an dem Rohr vorbei, aber als er den alles vernichtenden Schlag durchzog, blieb er an besagter Stange hängen und entschärfte sich ohne Feindberührung. Der fürchterliche Schmerzensschrei rief sofort eine besorgte Schwester auf den Plan, die aber verdutzt in der Tür haltmachte, als sie bemerkte, wie sich Mustafa-Mustafa, angekleidet wie er war, unter seinem Deckbett verkroch. Mit einer lapidaren Handbewegung, die ausdrücken sollte, „Ach der!", schloss sie die Tür von außen. Nach diesem Vorfall begann bei unserem orientalischen Kamikaze eine Metamorphose. Hatte er unter seiner Zudecke einen Tipp von Allah erhalten? Er sollte den Koran nicht allzu wörtlich nehmen, der wurde in den vergangenen Jahrhunderten seiner Existenz genauso oft umgeschrieben und verfälscht wie die Bibel der Ungläubigen. Kann doch sein, oder? Mustafa-Mustafa öffnete sich mir als Erstem. Während ich mit meiner sperrigen Abduktionsschiene, die mir der Stationsarzt angelegt hatte, einen ersten Spaziergang auf dem Flur machte, gesellte sich Mustafa zu mir. Ohne Aufforderung begann er, etwas holprig, aber verständlich, zu erzählen, wie es zu seinem Unfall gekommen war, dass er vorher schon in Moskau operiert worden sei, aber ohne größeren Erfolg, und die deutschen Ärzte seien sowieso die Besten. Er berichtete mir sogar, dass er Gedichte schreiben würde, was mich wiederum veranlasste, ihn auf Khalil Gibran, den libanesischen Dichter und Philosophen anzusprechen, dessen Werke ich verehrte.

Damit war der Bann gebrochen, und wenn es wieder einmal Spaß gab in unserem Zimmer, und den gab es täglich, hatten wir jetzt einen Lacher mehr in unserer Mitte.

56. Fehlurteil

Es war Anfang Februar 1970. Wir befanden uns in der Vorbereitungs-phase zur Europameisterschaft, die, wie ich bereits erwähnte, Ende Mai in Berlin stattfand. Grusinien rief und alle kamen. Alle, das war unsere Delegation und in Moskau, wo wir wieder in den Inlandflug umsteigen mussten, gesellte sich zu unserer Überraschung auch Willem Ruska, der mehrfache Europameister und Weltchampion aus Holland, zu uns. Die Begrüßung war ein Stück weit weg von sehr herzlich, denn Willem hatte nicht vergessen, dass ich ihn drei Jahre zuvor bei den Europa-meisterschaften in Rom im Kampf um die Bronzemedaille im Schwer-gewicht ausgeschaltet hatte. Informationen darüber, wohin für ihn die Reise ging, hatte er anscheinend nicht. Der Präsident des grusinischen Schwer-athletikverbandes, mein georgischer Bruder Ansor Kiknadse, hatte ihn persönlich und nur ihn und keinen anderen Holländer eingeladen.

Willem erschien wie ein Tulpenmillionär aus den Niederlanden. Maß-geschneiderter grauer Anzug mit passender Weste und natürlich blendend weißem Hemd und dezenter Krawatte und Einstecktüchlein. Das Auffälligste aber war eine schwere Goldkette, an der auch noch eine ebenfalls goldene Taschenuhr mit Sprungdeckel hing und so seine Weste erst richtig zur Geltung brachte.

Spätestens als er die übrigen Mitreisenden, uns natürlich ausgenommen, studiert hatte, musste er gemerkt haben, dass er leicht overdressed war. Als dann auch noch unsere georgischen Mitreisenden anfingen, ihre Fress-pakete auszupacken und selbstverständlich ihm auch davon etwas anboten, fühlte ich ganz deutlich, was in ihm vorging. Oh, Herr im Himmel, worauf habe ich mich nur eingelassen. Tja, Willem, es gibt immer ein erstes Mal und manches Mal tut es sogar weh!

Die Landung auf dem Airport von Tblissi war im Vergleich zu unserer letzten Reise weich und sanft. Nach dem Ausstieg schloss sich Willem uns etwas hilflos an und hatte damit für sich das Problem Einreise gelöst. Die Kontrolleure schauten kaum auf unsere Pässe, außerdem war er groß und blond und konnte auch nur ein Germanski sein. Ruck, zuck waren wir durch! Dort stand schon freudestrahlend unser beider Freund Ansor und winkte. Nach der herzlichen Begrüßung mit Küsschen links-rechts-links erklärte er unserem Trainer, dass er Willem und mich mitnähme und er möge sich doch um das Gepäck kümmern. Direkt vor dem Ausgang parkte Ansors Wagen. Hatte er eine Sondergenehmigung? Die Unterhaltung zwischen uns war etwas ganz Besonderes. Eine Mischung aus Russisch, Englisch, Deutsch und Holländisch. Ab und an mixte Ansor zur Überbrückung auch ein paar Worte Georgisch dazwischen. Wir verstanden uns jedenfalls prächtig. Was mir zwischenzeitlich auffiel, Willems protzige Goldkette war nicht mehr an ihrem Platz. Erschrocken machte ich ihn darauf aufmerksam, aber er beruhigte mich, indem er auf seine Hostentasche klopfte. Er hatte schnell begriffen. Besser zu früh als zu spät!

Am Hotel angekommen, übergab Ansor seinen Schiguli einer Fachkraft am Eingang und forderte uns auf, ihm zu folgen. Sein Ziel war geradewegs das große Restaurant, welches zu dieser Zeit fast leer war. Kaum hatten wir Platz genommen, spurtete eine junge Kellnerin heran und fragte nach unseren Wünschen. Unser Gastgeber erklärte es ihr kurz und bündig, ohne dass wir ein Wort verstanden hätten. Kaum, dass das Mädchen weg war, stand sie schon wieder schwerbeladen an unserem Tisch. Auf dem Tablett balancierte sie sechs Flaschen grusinischen Cognac. Ein Blick von Ansor auf die Etiketten ließ ihn regelrecht explodieren und mir tat die Kleine echt leid. Ihr Fehler war, dass sie Ansor Kiknadse, den Direktor der größten und besten Cognacfabrik Grusiniens und dazu noch ein Nationalheld, nicht kannte. Die Qualität des Fusels hatte anscheinend die Schmerzgrenze Ansors ganz hart gestreift. Bedeppert schleppte sie alles zurück, um ängstlich, aber mit einem kleinen Hoffnungsschimmer in ihren schönen rehbraunen Augen, eine neue Batterie Flaschen zu bringen.

In der Zwischenzeit hatte uns Ansor erklärt, dass die erste Lieferung wirklich das Mieseste war, was man einem Gast anbieten konnte.

Kurzerhand ergriff er drei Flaschen und stellte jedem eine an den Platz, die anderen drei wurden auf seine Anordnung hin an das rechts von uns befindliche Tischbein deponiert. Diese Tradition kannte ich auch noch nicht. Ruska saß wie ein kleiner artiger Junge auf seinem Stuhl und konnte sich nur wundern.

Nun wurde das Essen aufgetragen und damit war unser Holländer restlos überfordert. Die Art und Weise, das Fleisch vorzubereiten, also von diesem riesigen Spieß zu schieben, das Brechen des frischen Fladenbrotes und natürlich die Unmengen an vegetarischen Beilagen, die ihm absolut nicht vertraut waren. Doch zuerst kam natürlich ein Toast. Ansor hatte uns die Gläser vollgeschenkt, wahrscheinlich hatte er jegliches Vertrauen zur Kellnerin verloren, um dann zu Willems Schreck „Ex und hopp und rin in' Kopp!" das Glas zu leeren. Danach drehte er es um, als Beweis dafür, dass kein Tropfen mehr drin war. Mit jedem Glas, was wir leerten, wurde Holländer-Wims Appetit größer. Mal steckte er sich einen Fleischbrocken in den Mund, brach sich ein großes Stück von dem leckeren Fladenbrot ab und traute sich jetzt auch schon an das Gemüse. Es ging dann sogar soweit, dass ich ihn davon abhalten musste, nicht das Grünzeug der zu Dekorationszwecken drapierten Radieschen zu verspeisen. Sein Blick wurde traurig und die Augen rollten schon mal etwas unkontrolliert in ihren Höhlen. Zu unserer Ehrenrettung muss ich aber sagen, dass die Ersatzflaschen am Tischbein als Geschenk für zu Hause gedacht waren.

Als meine Mannschaft im Hotel eintraf, waren wir schon gut in Stimmung. Während sie sich nach dem Empfang des Gepäcks mühselig durch den dicksten Berufsverkehr quälten und fast zwei Stunden brauchten, umfuhr Ansor, als er uns abgeholt hatte, den Stau, indem er einen großen Teil der Strecke auf dem Schotterbett der Straßenbahn zurücklegte. Einem Milizionär, der ihn stoppen wollte, zeigte er durch das offene Fenster nur sein Gesicht und wurde lachend weitergewunken. Man kannte ihn, den Nationalhelden oder doch eher den Produzenten und Direktor eines der wichtigsten georgischen Grundnahrungsmittel. Mit meiner Mannschaft und unserem Gepäck kam auch noch eine kleine Gruppe Franzosen mit ihrem Trainer und einem Schiedsrichter an.

Am zweiten Tag war Training angesetzt. Willem nutzte die Gelegenheit und schloss sich uns an. Er konnte zwar kaum die Augen aufbekommen, so geschwollen waren sie nach dem gestrigen kleinen Umtrunk, aber er zeigte eiserne Disziplin und wollte trainieren.

Wie groß war unser Erstaunen, als wir nicht in die Wettkampfhalle durften und dafür zu einer anderen Trainingsstätte in unmittelbarer Nähe des Wettkampfortes geschickt wurden. Grusinien ist immer für eine Überraschung gut! Anfangs dachten wir, man habe sich einen bösen Scherz mit uns erlaubt, aber dem war nicht so. Wir standen vor einer Kirche! Als wir das heilige Gebäude betraten, sahen wir, dass wir hier richtig waren. Man hatte die Sitzbänke entfernt und dafür an der freigewordenen Stelle eine dicke Ringermatte ausgebreitet. Sogar eine Möglichkeit zum Duschen gab es. Dazu musste die ehemalige Sakristei herhalten. Sogar eine winzige Sauna existierte. Wobei der Umbau des Gotteshauses nicht etwa für uns veranstaltet worden war. Nach den dicken Staubschichten in der Sakristei und auf den Lattenrosten der Sauna zu urteilen, musste doch schon einige Zeit vergangen sein. Aber die Sauna funktionierte und wurde von Willem und mir nach der Stunde Training für eine kurze Sitzung benutzt. Mehr wollte sich mein holländischer Kumpel nicht antun. Immer wieder in den etwa fünfzehn Minuten wiederholte er den gleichen Satz und schüttelte mit dem Kopf: „Oh Klaus, wie schön ist Holland, wie schön ist Holland!"

Vorsichtig versuchte ich, ihn auf den kommenden Wettkampf vorzubereiten. Ich wusste, was uns erwartete, aber ich kannte auch Willem inzwischen ganz gut. Raue Schale und weicher Kern, ich sollte mich nicht täuschen.

Am späten Nachmittag erschien unsere Dolmetscherin. Ich hatte erwartet, Aljoscha wiederzutreffen, der uns beim ersten Besuch betreut hatte, aber diese attraktive blonde Russin war eine recht gute Entschädigung. Hatten wir bis jetzt kaum mitbekommen, welche Mannschaften an diesem Turnier teilnehmen sollten, konnte uns Alina schon Einiges mehr berichten. Aus der

westlichen Hemisphäre waren nur die drei Franzosen mit ihrem Schiedsrichter, W. Ruska aus Holland und natürlich wir aus der DDR angereist.
Alle anderen Teilnehmer kamen aus den unterschiedlichsten Unionsrepubliken der Sowjetunion.

Das Betreten der mir schon bekannten gewaltigen Sporthalle war für mich
wie ein Déjà-vu. Wieder war sie bis unters Dach voll schwarzer Schiebermützen und ich hätte wetten können, die meisten der Besucher saßen auf
den gleichen Plätzen. Dazu die hochgeschlagenen Mantelkragen und die
vielen dunklen Bärtchen unter den Nasen. Einziger Lichtblick war Alina im
revolutionsroten schicken Kleid und mit ihren wunderschönen langen,
hellen blonden Haaren. Ein Bild wie von einem futuristischen Maler ge-
zaubert. Größere Gegensätze konnte es kaum geben. Bei ihrem Erscheinen
johlten und pfiffen die schwarzen Massen, die, wie auch schon beim letzten
Mal, zu 99,9 % aus Männern bestanden.

Die Auslosung der Kämpfer war schon am Vorabend über die Bühne gegangen, es konnte also gleich losgehen. Meinen ersten Gegner wischte ich
in einem glücklichen Moment so souverän mit meinem schnellen linken
Fuß weg, dass es nur so krachte und keine Diskussion aufkommen konnte,
dass es vielleicht doch nur ein halber Punkt gewesen wäre. Außerdem, wer
war denn Odischiliedse?! Da sah es mit dem zweiten Gegner schon etwas
anders aus. Onaschwili hatte bereits international einen Namen, war einen
Kopf größer und etwa zwanzig Pfund schwerer als ich. Ich gönnte ihm den
Sieg mit vollem Punkt über mich. Wir waren doch zum Probieren hier,
genau wie bei unserem ersten Grusinien-Abenteuer. Was danach im dritten
Kampf geschah, übertraf alles an miserablen Schiedsrichterleistungen, die
es jemals gegeben hat. Es sollte uns deutlich machen, wie zerbrechlich doch
die immer wieder von Partei und Regierung propagierte Phrase der unverbrüchlichen Freundschaft der Unionsstaaten zueinander und im
Besonderen zu den sozialistischen Bruderländern war. Das wirkliche Ausmaß dieser Fehleinschätzung sollte mir aber erst so richtig bewusst werden,
als wir uns abends zum abschließenden Festessen im großen Saal des
Hotelrestaurants einfanden.

Doch zurück zum dritten Kampf. Osirischwili kam garantiert aus dem Lager der Chidaoba-Kämpfer, also dem traditionellen georgischen Kampfsport. Mein Glück war, dass der Hauptkampfrichter der Franzose war. Seitenrichter war Herr Maslow aus Moskau und ihm gegenüber saß ein polnischer Kollege. Wie nicht anders zu erwarten, war ich nur damit beschäftigt, nicht zuzulassen, dass mich „olle Willi" mit dem Griff über den Rücken in den Gürtel zu fassen bekam, was garantiert ein Flugticket für mich bedeutet hätte. So punktete ich unentwegt mit vielen kleinen Wertungen, die, wie mir mein Trainer am Mattenrand signalisierte, allemal ausreichen würden, das Ding locker nach Hause zu bringen. Genauso dachte auch der französische Mattenleiter. Wir gingen nach Beendigung unseres Kampfes zurück zur Ausgangsposition und warteten auf die Verkündung des Schiedsrichterurteils. Als er den rechten Arm hob, vergewisserte er sich noch einmal nach links und rechts, was die Kollegen mit ihren Fähnchen anzeigen würden und war baff erstaunt, dass sie nicht auch seiner Meinung waren. Das heißt, der Pole schon, zumindest für einen Moment, bis er mitbekam, dass der Russe ihm gegenüber, den Blick nach unten gesenkt, gegen mich entschied. Jetzt hatte er ein echtes Problem und wechselte die Front, indem er auch gegen mich signalisierte. Monsieur Pelitje winkte beide zu sich, um etwas klarzustellen und schickte sie zurück an ihre Plätze. Das Ganze also noch einmal. Arm hoch – und? Dieses Mal reagierte der Panje aus Polen sofort und hob gleich rot gegen mich. Wieder erfolgte dasselbe Procedere. Trio Disharmonie stand zusammen, während die Masse der schwarzen Schiebermützen anfing, ungemütlich zu werden. Zurück zu ihren Plätzen und dasselbe wie bereits schon zweimal zuvor! Nun erschien Willem Ruska, der zig-fache Europameister und Weltchampion, direkt an der Matte und drohte, bei diesem makabren Fehlurteil keinen Kampf mehr durchzuführen. Das machte aber am Hauptkampfrichtertisch absolut keinen Eindruck und auch der Franzose musste passen. Ich verlor 2:1 gegen Osirischwili und das Publikum jubelte. Tja, das ist Georgien, wie es lacht und weint. Willem hatte dieses Urteil im wahrsten Sinne des Wortes die Beine weggehauen. In seinem darauffolgenden Kampf gegen einen „sibirischen Ureinwohner", der mit

schweren Bunkertöppen an den Füßen anstelle der traditionellen Gummi-
schlappen zur Matte gestampft kam, verlor er nach knappen zwei Minuten
durch einen gekonnten Tai-otoshi rechts und war damit genauso wie ich aus
dem Rennen.

Wie es der Zufall so wollte, kam ich beim Abschlussessen genau gegenüber
von Herrn Maslow aus Moskau zu sitzen. Nach dem traditionellen Toast
auf alles und natürlich auf die unverbrüchliche Freundschaft zu allen guten
Menschen auf dieser Erde wurde endlich angestoßen. Demonstrativ stellte
ich mein Glas aber zurück auf den Tisch und sagte zu dem Schiedsrichter,
dass ich mit allen hier anstoßen würde, nur nicht mit zwei Personen. Was
mich verwunderte, ich hatte es auf Deutsch gesagt und er bekam einen
hochroten Kopf. Vor mir saß plötzlich ein am Boden zerstörter Mensch und
begann, mir in meiner Sprache und sehr weinerlich zu berichten, dass ich
ihn doch verstehen müsse. Er ist Russe und zu Hause in Moskau warten
seine Frau und die beiden kleinen Kinder auf ihn und er möchte sie doch
alle wiedersehen. Er musste also wirklich befürchten, die Rückreise nicht
lebend anzutreten. Immer wieder entschuldigte er sich und bat mich um
Verzeihung. Ich muss ehrlich sagen, dass mir damals in Gori bei der
Wutrede des total betrunkenen grusinischen Funktionärs gar nicht so tief
bewusst wurde, wieviel Feindseligkeit und vor allem Hass auf die Russen
dahintersteckte. Ich war mehr als baff und der letzte Trinkspruch damals,
nach dem wir mehr oder weniger fluchtartig aufgebrochen waren, bekam
eine vollkommen andere Dimension.

„Hitler i Stalin karascho, Russki njet karascho!"

Ich habe ihm fest versprochen, dass ich ihm verzeihe, wobei sein polnischer
Kollege davon nicht betroffen war. Den sollte ich Jahre später in einer
ähnlichen Situation wiedertreffen, allerdings als Schiedsrichter bei einem
Volleyball-Länderspiel in Krakau. Er hatte sich in keinster Weise geändert
und ich ließ es mir dann auch nicht nehmen, es ihm unter die Nase zu reiben.
Wobei er bestritt, jemals in Tblissi gewesen zu sein.

Naja, wie das eben so ist mit den Freundschaften: „Polski i Russki dobsche,
Niemiecki njet dobsche"

57. Dünne Luft

Im Jahr 1969 eröffneten sich für den DDR-Leistungssport ungeahnte Möglichkeiten. Die oberste Führungsriege unserer Politiker hatte begriffen, dass die bis dahin in den Sport investierten Gelder nicht ausreichten, um dem Klassenfeind entschieden entgegenzutreten. Klar hatte Vater Staat viel in den Massensport gesteckt, wohl wissend, dass man der Jugend eine sinnvolle Freizeitbeschäftigung ermöglichte, aber dieses breite Spektrum war natürlich die Reserve, von der die Spitze des Leistungssports profitierte. Wo sollte so ein kleines mickriges Ländle, wie wir es waren, so viele Talente hernehmen, um im Weltsport mitmischen zu können? Und nicht nur mitmischen, man wollte auch mitbestimmen. Dass es funktionieren kann, bewiesen die Olympischen Spiele in München. Klar wurden die von dem idiotischen, makabren Zwischenfall der seit biblischen Zeiten verfeindeten Brüder und Schwestern aus Arabien überschattet, aber dennoch, wir – und ich betone noch einmal wir – belegten hinter der ruhmreichen Sowjetunion und der imperialistischen USA den 3. Platz in der Nationenwertung!

Halleluja, waren wir stolz und unsere werktätige Bevölkerung erst recht. Worauf hätten sie auch sonst stolz sein sollen! Jetzt haben wir denen es aber gezeigt, war das Credo. Die Vertreter unserer winzig kleinen Republik, dem Arbeiter- und Bauernstaat, zusammen mit den beiden mächtigsten Sportnationen der Welt auf einem Treppchen, das lief besser runter als unser bestes Rapsöl. Dass es auch andere Bereiche gab, wo wir hätten stolz sein können, zählte dann nicht mehr so sehr. 19 Mal Nationalhymne war das hehre Ziel, das man uns stellte, 21 Mal wurde sie dann gespielt und sogar von den Besuchern mitgesummt. Steter Tropfen höhlt den Stein!

Zwei sozialistische Länder auf dem Podest, wenn das kein Beweis war, dass der Sozialismus siegen wird. Da musste man doch einfach stolz sein. Ein Land, dessen Volk keinen Stolz besitzt, ist ein verlorenes Land!

Aber zurück zum Anfang. Bevor das Spektakel Doping beginnen sollte, hatte die Sportmedizin herausgefunden, dass ein Trainingslager in großen

Höhen, also Hochgebirge und wenn möglich noch höher, dem Sportler einen gewaltigen Schub verpasst und, wenn richtig getimt wurde, Titel und reichlich Medaillen das Resultat waren. Was nun? Höher als der Brocken oder Fichtelgebirge ging nicht, da war das DDR-Problem „keine Bananen" leichter zu lösen. Aber hallo, wir hatten doch das sozialistische Lager hinter uns, wir waren doch wie eine große Familie und da hilft man sich aber. Natürlich musste man aufpassen, schwarze Schafe gibt es in jeder Sippe! Fündig wurden unsere DTSB-Scouts in Bulgarien. Die hatten so ein schönes hohes Rila-Gebirge und für uns fast um die Ecke. Mexiko war zwar im Vergleich ebenso billig oder teuer, aber der weite Weg und die elend lange Flugzeit. Da brauchte der Sportler erst ein paar Tage, um überhaupt den Jetlag aus den Knochen zu bekommen. Zurück dann das Gleiche. Ne, ne, die Rechnung war zu teuer, denn schließlich musste alles in harter Währung bezahlt werden. Da bot sich Bulgarien mit fast um die Ecke schon eher an. Also kamen die klugen Köpfe auf die Idee, mit beidseitiger Beteiligung im wunderschönen Rila-Gebirge auf dem Berg Belmeken eine Sportschule zu errichten. Wie der damalige Buschfunk signalisierte, spendierte Bulgarien den Berg und die DDR alles, was darauf zu stehen kam, natürlich vertraglich festgehalten, um gegebenenfalls zu verlängern oder zu kündigen.

Wir Judokas waren eine der ersten Sportmannschaften, die in den Genuss kamen, vier Wochen mit stark verdünnter Luft leben zu müssen.

Hasenjagd

Als die Interflugmaschine in Sofia landete, begann es schon zu dämmern. Ehe wir alle Formalitäten erledigt hatten und uns zu einem alten, etwas betagten Bus begaben, der uns auf 2050 Meter über dem Meeresspiegel bringen sollte, war es stockdunkel. Logisch, dass wir kaum etwas von der Landschaft mitbekamen, bis auf Dinge, die vom Scheinwerfer erfasst wurden. Da wir auch links und rechts kaum Ortschaften wahrnahmen und es ständig bergauf ging, war mir klar, dass das bulgarische Wort Belmeken nichts anderes bedeuten kann als „Einsamkeit". Eine Kurve nach der anderen ächzte der Bus die immer steiler werdenden Serpentinen hinauf. Nie hätte ich gedacht, dass wir für 140 km so viel Zeit benötigen würden.

Ich hatte es mir gleich beim Einsteigen hinter dem Fahrer gemütlich gemacht und versuchte, an das Geheimnis des Umschaltens mit dem riesigen Schaltknüppel zu kommen: Ich lernte erst mit 47 Jahren Autofahren. Plötzlich begann der Bus, nach rechts und links auszubrechen! Als mein erschrockener Blick in den Lichttunnel vor uns sah, bemerkte ich sofort den Grund für das ruckartige Steuermanöver unseres Fahrers. Ein Wildkaninchen lief, gefangen im Strahl der Scheinwerfer, um sein Leben. Während wir nun alle gebannt die Aktionen beobachteten, bekamen wir langsam mit, dass unser Chauffeur gar nicht gewillt war, dem Hasen auszuweichen. Nein, im Gegenteil, er versuchte, das Tier irgendwie mit einem der Vorderräder zu touchieren! Es dauerte auch nicht mehr lange und ein kurzes, dumpfes Geräusch an der rechten Frontseite signalisierte – Treffer!

Kurz entschlossen hielt unser Fahrer an und stieg aus. Irgendetwas wie Schockstarre ließ uns auf unseren Plätzen sitzenbleiben und warten, was da noch kommen würde. Das geschah dann auch. Nach einer kurzen Wartezeit, in der der Serpentinenjäger im Dunkel der Nacht verschwunden war, tauchte er wieder auf mit einem noch lebenden, aber nur schwach strampelnden Meister Lampe, stieg zu uns in den Bus und fragte: „Messer?" Zögerlich suchte ich nach meinem und reichte es ihm schon aufgeklappt. Ich habe immer ein Messer dabei, wenn es in die Natur geht, man weiß ja nie und das hatte sich wieder einmal bestätigt. Nachdem er meine Hippe mit leuchtenden Augen begutachtet und sich überzeugt hatte, dass er sich notfalls damit sogar hätte rasieren können, stieg er wieder aus und beendete mit einem gekonnten, kurzen Stich die Qualen des Tieres. Daraufhin warf er sein getötetes Opfer neben seinen Sitz und mir vor die Füße, wischte die Klinge mit einem alten Lappen ab und reichte es mir zurück. Irgendwie war ich in diesem Moment ein wenig stolz, dass meine Klinge auf diese Art „defloriert" wurde. Wahrscheinlich war es das Animalische, der Urinstinkt des Jägers, der mich so hat fühlen lassen. Irgendwann erreichten wir unser

Ziel doch noch, bezogen unsere Zweibettzimmer und freuten uns auf das erste Frühstück in Bulgarien.

Erwachen mitten im Naturpark Rila-Gebirge, in einem, na sagen wir mal, 3-Sterne-Hotel. Wer kann da mithalten? Aber, ach ja, alles hat so seinen Preis.

Der erste Tag verlief sehr ruhig und war ausgefüllt mit dem Kennenlernen des Objektes: Speisesaal, Sport- und Schwimmhalle sowie medizinische Einrichtung und Sauna. Gewöhnungsbedürftig waren die kleineren Dinge wie z. B. Bestätigen oder Verneinen im Kontakt mit dem einheimischen Personal. Es dauerte einige Zeit, bis wir es begriffen hatten, dass sie mit Nicken des Kopfes ein Nein meinten und das energische Schütteln Ja bedeutete. Das führte mitunter zu lustigen Einlagen. Schnell hatte ich auch einige Sätze in Bulgarisch gelernt und war mir sofort der Sympathie von Männlein und Weiblein sicher. Hatte diese Sprache doch viel Ähnlichkeit mit der Russischen und davon bekam ich in meiner Kindheit genug zu hören.

Auf die Frage nach meinem Namen konnten sie mit Klaus nicht viel anfangen, erst als ich ihnen erklärte, dass der Stammvater Nikolaus, der Schutzpatron aller Seefahrer sei, ging ein Leuchten über die Gesichter. Damit konnten sie etwas anfangen! Nikolaus, der bulgarische Nikolai. Es dauerte nicht lange, dann nannte man mich Colu. Auf meine Frage, was das denn nun wieder heiße, meinte man lächelnd, es sei eine Verniedlichung meines Namens Nikolai, also war ich auch auf Bulgarisch ein „Kläuschen"!

Woran ich mich sehr gerne erinnere, war das Essen. Nicht nur, um des Essens willen, sondern wegen der bulgarischen Küche im Allgemeinen. Schon alleine der Schopska-Salat war für mich ein kleiner Traum. Etwas gewöhnungsbedürftig für unsere Gaumen war die öfters servierte Nachspeise in Form eines in Zuckerwasser schwimmenden Stücks Kuchen.

Einen Monat auf dem „Bello", wie wir unseren Berg liebevoll nannten, ohne Alkohol ging gar nicht! Aber eine interessante Sache, die mir im Laufe der folgenden Wochen auffiel, war, dass es kaum jemanden gab, ob Leitungsmitglied oder Sportler, der nicht mindestens eine Flasche mit im Gepäck gehabt hätte und das betraf alle Sportarten! Am Tresen, der sich im Speisesaal befand, gab es jedenfalls keinen Alkohol. Trotzdem saß ich gerne dort, hörte den Arbeitern zu, die immer noch genug an diesem Objekt Sportschule zu tun hatten, und trank meinen löslichen Nescafé „Made in Bulgaria". Dabei entging mir nicht, dass ziemlich häufig von den Einheimischen „Navda" verlangt wurde, obwohl der Kneipier immer aus einer Cola-Flasche einschenkte. Was mich stutzig machte war, dass er, nachdem er die Cola eingeschenkt hatte, jedes Mal mit dem Glas unter den Tresen tauchte, um nach einem kurzen Moment wieder hochzukommen und abzukassieren. Ich musste herausbekommen, was es mit dem Navda und der damit verbundenen Kniebeuge für Zusammenhänge gab. Kurzentschlossen bestellte ich mir eines Tages ebenfalls ein Glas Navda.

Zuerst stutzte der Wirt und sah sich vorsichtig um. Aber außer ein paar Arbeitern, die zuvor auch Navda mit Kniebeuge bestellt hatten und sich am Fenster angeregt unterhielten, war keiner weiter da. Langsam befüllte er ein Glas, etwa 2/3 mit Cola, um mich wieder vorsichtig zu fixieren. Sicherheitshalber wiederholte ich noch einmal meinen Wunsch und jetzt endlich kam die geheimnisvolle Kniebeuge. Während ich nicht sehen konnte, was er am Boden machte, schaute er mich noch einmal von unten her vorsichtig an, worauf ich sachte mit dem Kopf schüttelte, also ihm auf Bulgarisch signalisierte, ja ich will. Als ich auf meinem Stammplatz saß und vorsichtig diese geheimnisvolle Cola probierte, wurde mir sofort bewusst, welches Mysterium es mit Navda auf sich hatte. Ich genoss meine erste Cola mit bulgarischem Cognac. Navda, das liebevolle Kürzel für Navdalien oder auch Oel. Colu wusste nun, was es mit Navda auf sich hatte.

Neben dem obligatorischen Mattentraining wurde vor allem auf die athletische Ausbildung großer Wert gelegt. Während meine Mitstreiter ziemlich heftig von den Trainern rangenommen wurden, durfte ich aufgrund meiner zurückliegenden Schulteroperation etwas kürzertreten. Diesen Sonderbonus gewährten sie mir aber nicht, wenn es um das Lauftraining ging. Trotzdem fand ich immer eine Möglichkeit, um ein bisschen zu schummeln. Meine Devise war immer noch: Alles, was über hundert Meter geht, ist Marathon und Marathon kann tödlich sein, das ist historisch bewiesen. Die Fantasie, uns zu triezen, war bei unseren Trainern unerschöpflich und der Sportwissenschaftler von der DHfK, den wir auch mit auf den Berg nehmen mussten, tat sein Übriges dazu. Immer wieder ließen sie sich etwas Neues einfallen, um uns auf den Olymp zu hieven. Die böseste Erinnerung ist die an den 3-mal-3-Minuten-Lauf. Es hört sich nicht weiter schlimm an, 3 x 3 Minuten. Die Sache hatte allerdings einen gewaltigen Haken: Man muss 3 x 3 Minuten auf der 400-m-Aschenbahn so weit wie möglich sprinten. Den ersten Lauf verkraftete man einigermaßen, während die zweiten 3 Minuten bereits grenzwertig waren. Umsonst hatten wir nicht ständig den Sportarzt dabei! Für mich persönlich war der zweite 3-Minuten-Sprint der Auslöser, um – wie wir bei solch brutaler Belastung zu sagen pflegten – „Knochen zu kotzen". Die Erholungsphase zwischen jedem Lauf war äußerst minimal bzw. kaum vorhanden, so dass man auf das Kommando des Trainers, sich erneut in die Spur zu begeben, kaum noch reagierte und regelrecht hineingeschubst wurde. Über meine Runde drei kann ich nicht viel berichten, die lief ich bereits mit ausgeschalteter Wahrnehmung. Allerdings fiel es mir später auf, dass unser Arzt, als ich mich zum dritten Lauf fertig machte, seinen Platz verlassen hatte und sich woanders positionierte, und zwar dort, wo ich kurze Zeit später, auf dem grünen Rasen liegend, aufwachte und verwundert in den blauen Himmel schaute. Trotzdem, der Belastungsrhythmus dieser vier Wochen auf dem „Bello" lag mir absolut.

Während man den ersten Trainingstag locker hinter sich brachte, gab es am zweiten schon eine spürbare Steigerung. Nun merkte ich doch schon deutlich, dass die Luft auf dem Berg wesentlich dünner war und anscheinend der Sauerstoff rationiert wurde. Der dritte Tag war echt belastend, aber er versprach uns einen vierten, der vollkommen frei und ohne jegliche Verpflichtung für uns war. Na, das war doch etwas für Vaters Sohn, jeder vierte Tag war somit ein Sonntag! Also beim Trainer abgemeldet und da mein Verhältnis zu den Küchenfrauen als sehr gut bezeichnet werden konnte, war es kein Problem, mir ein Paket mit Kaltverpflegung packen zu lassen. So abgesichert und mit geschärftem Messer, zog ich mutterseelenallein ins Gebirge. Dem Schicksal sei Dank, dass ich so etwas erleben durfte. Keiner kann ermessen, welch ein wahnsinniges Glücksgefühl den Körper und Geist durchströmten, wenn man nach schwerem Aufstieg den Gipfel oder das Plateau erreichte, es sei denn, man hat es selbst erlebt. Stundenlang konnte ich so diese herrliche Natur genießen und die leeren Akkus wieder aufladen. Unvergesslich die Momente, wo man erschöpft, aber rundherum glücklich im Gras lag und den Flug eines einsamen Adlers verfolgte, der wiederum bei seinem Erscheinen sämtliche Murmeltiere, aufgeregt pfeifend, in ihre Erdlöcher flüchten ließ. Eine Lerche tief unter mir, die ihre tirilierenden Gesänge zu mir hochschickte und manches Mal eine Stille, die fast zu greifen war. Am meisten beeindruckte mich aber bei besonders klarem Wetter der Blick in die Unendlichkeit, wenn kleine fluffige Wolken dem Auge plötzlich die Sicht auf einen bestimmten, gerade erst erfassten Punkt versperrten und keine Minute später wiederum gerade diesen Punkt in einem vollkommen anderem Licht erscheinen ließen. Das war für mich aktive Erholung pur. Die 3 x 3 Minuten waren Vergangenheit. Bei manchen meiner Sportkameraden stieß ich auf Unverständnis, dass ich nach dem Tag drei noch einmal einen mit Hochbelastung dranhing. Andere spielten Skat bis zum Abwinken, lasen in einem Buch oder verschliefen den Tag einfach. Mich zog es in die Natur.

Ein besonderes Ereignis war das Bergfest, also wenn man die Hälfte der drei Wochen hinter sich gelassen hatte. Zu solchen Momenten lief ich meistens zur Hochform auf. War ich doch nicht nur Mannschaftskapitän, sondern in erster Linie Kulturverantwortlicher. Die Idee zu unserem Beitrag kam mir in der mit Schaumstoffabfällen befüllten Sprunggrube der Leichtathleten. Dort lagen wir zu gerne herum, bevor unser Mattentraining begann. Während ein Teil nur döste bzw. die lädierten Knochen bandagierte, spielten andere mit den unterschiedlichsten Schaumgummiresten. In längliche Streifen wurden Knoten geknüpft und damit auch schon mal dem Nachbarn über den Schädel gehauen. Mancher formte aus anderen Stücken Masken, indem Löcher für Augen und Mund gerissen wurden. Alles in allem eine äußerst schöpferische Angelegenheit. Toni hatte einen Streifen mittig aufgerissen und sich das Teil über den Kopf gezogen. Die beiden Enden standen links und rechts vom Kopf ab und ich sah in meiner Fantasie einen spanischen Torero mit seiner typischen Kopfbedeckung. Das war der Moment für die Idee unseres Beitrages. Ein Stierkampf! Meine Jungs waren sofort Feuer und Flamme, zumal wir inoffiziell im Wettstreit mit dem Lehrgang Leichtathletik standen. Für die musikalische Einstimmung und Umrahmung war gesorgt, nicht umsonst nahm ich meine Gitarre überall mit hin. Der Torero stand auch schon fest, Toni. Also war nur noch die Rolle des Stiers zu besetzen. Für den Körper sorgte Zucki als Vorderteil und Banne, einer der Mittelgewichtler, war sozusagen das Gesäß. Alle Beteiligten ließen ihrer Fantasie freien Lauf, so dass ich manches Mal bremsen musste. Torero Toni fertigte sich aus dem Sprunggrubenmaterial einen Degen an und erntete damit tosenden Applaus. Die Hosenbeine bis zum Knie hochgekrempelt und ein rotes Tuch aus der Wäschekammer locker über die Schulter gelegt, rundete alles ab. Auch das schwarze Bärtchen, was er sich dank der Unterstützung einer Leichtathletin und ihres Augenbrauenstifts angemalt hatte, kam gut rüber. Ein wenig kritisch wurde es mit dem Stierkostüm, aber auch das meisterten wir vortrefflich. Der Stier musste doch bei seinen Attacken gegen den Torero sehen können, zumal die Aufführung im Speisesaal stattfand. Körper und Schwanz sollten nicht das Problem sein. Zwei Decken und ein langes Stück Gummi aus besagter Grube und fertig war der Korpus. Aber der Kopf machte doch erst den Stier, die Lösung brachte ein Papierkorb aus geflochtenem Plastikband. Über den Kopf gestülpt, konnte Zucki genug sehen, ohne größeres Unheil

anzurichten. Mir wurde es überlassen, diesen Korb in einen Stierkopf um-
zuwandeln. Auch hier half wiederum die Requisite Sprunggrube. Hörner
und Ohren schnitt ich mit Hilfe meines Messers fein säuberlich zurecht und
die grobe Flechtung des Korbes ließ es zu, dass ich Ohren und Hörner hin-
durchziehen konnte und sie auch fest saßen. Die tückischen,
blutunterlaufenen Augen malte ich drauf und aus dem Maul hing ein roter
Seiflappen als Zunge, perfekt!

Unsere Aufführung startete mit einer folkloristischen Musikeinlage. Sanft
begann ich, einige spanische Akkorde zu zupfen, um dann in einen
zündenden andalusischen Rhythmus zu wechseln. In diesem Moment
erschien Toni, aufgebrezelt mit Gummihut und Degen im Gürtel. Das war
kaum zu überbieten, wie er mit stolzgeschwellter Brust in den Raum
marschiert kam. Der Übergang vom „Kulturbeitrag" zum oberblöden
Klamauk war gelungen. Der Saal bebte! Auf ein musikalisches Zeichen von
mir tobte jetzt unser Papierkorbstier wie eine Furie in den Raum. Wieder
ein Volltreffer! Beide, Zucki und Banne, in harmonischer Zweisamkeit
unter den Decken, gingen voll in ihrer Rolle auf und waren nicht zu
bremsen. Der nächste Brüller, der losbrach, ging auf Tonis Konto, als er
seinen Degen aus dem Gürtel zog und – während er ihn auf den Stier
richtete – die Klinge schlaff nach unten klappte. Währenddessen scharrten
die Hufe des Stiers mal vorn, mal hinten, mal drehte er sich wie wild, dass
sein Hinterteil kaum folgen konnte. Und plötzlich löste sich auch das
Rätsel, warum Banne als Hinterteil unbedingt eine Öffnung unter dem
Schwanz haben wollte. Aus eben dieser kam nun eine Hand mit einem
kugelförmig gezupften Schaumstoffball, der zu Boden plumpste, es folgten
drei weitere, die aber nach links und rechts verteilt wurden. Die Stimmung
erreichte ihren Höhepunkt als Toni versuchte, mit dem Degen wild auf den
Stier eindreschend, ihn aus dem Saal zu treiben. Die letzte Ovation bekam
Banne für seine abschließende Aktion! Auf der Flucht nach draußen sprang
er seinem Vorderteil auf den Rücken, so dass der Eindruck entstand, die
Show endete mit einer artistischen Sondereinlage.

Mit diesem Beitrag hatten wir uns ein kleines Denkmal gesetzt und auch dem letzten Zweifler klargemacht, dass wir nicht nur Jodo beherrschen. Unsere beiden Trainer waren sichtlich stolz auf ihre Truppe, das zeigte sich dann auch an unserem so geliebten vierten Tag. Wir sollten uns mal ein gemütliches Fleckchen suchen, nicht zu weit, aber auch nicht zu direkt an der Sportschule und so, dass wir über offenem Feuer ein Lamm braten können. Außerdem wäre doch auch noch der Transport der zwei Kästen Bier und was sonst noch zu einem zünftigen Lagerfeuer gehört. Wie hatten es die Trainer nur geschafft, für uns alle Bier zu organisieren? Also der Stolz aufeinander war auf beiden Seiten groß.

In Vorfreude schwärmten wir gleich nach dem Frühstück aus, um den Platz der Plätze zu suchen und wir fanden ihn. In einer kleinen, windgeschützten Senke, zwischen riesigen Felsblöcken, plätscherte ein glasklares Bächlein hindurch und es war auch Fläche genug da, um unser Feldlager aufzuschlagen. Eine Gruppe schickte sich an, das nötige Brennholz zu sammeln, eine andere war verantwortlich für den Bau des Gerüstes, an welchem unser Schaf brutzeln sollte. Alles lief nach Plan und wurde mit großer Begeisterung durchgeführt. Auch ein Probefeuer wurde entzündet und das mit Erfolg, der Abend konnte kommen, aber bis dahin war noch Zeit.

Beim Herumstreifen und Beobachten unserer Umgebung fiel mir ein besonders geformter großer Gesteinsbrocken auf. Er hatte für mich Ähnlichkeit mit einem gewaltigen Schädel, zumal ein schmaler langer Spalt von links nach leicht unten rechts verlief, der einem das Gefühl vermittelte, er grinst uns an. Ein Stück Holzkohle aus unserem inzwischen erloschenen Probefeuer sollte mir behilflich sein, dass, was mir meine Fantasie vorgaukelte, zu verwirklichen. Mühselig kletterte ich auf den großen Brocken und begann zur Verwunderung meiner Leute, mit dem Stück Holz darauf herumzukratzen. Lange dauerte es nicht, bis sie begriffen hatten, was ich da aus dem Felsen zauberte. Von nun an hatten wir einen Beschützer unseres Lagers, ähnlich den gewaltigen Steinköpfen der Osterinseln, aber nur ein klein wenig.

Der Abend wurde natürlich sehr schön. Alles gelang uns bestens. Das Feuer entwickelte die richtige Hitze zum Brutzeln, das Bier schmeckte unendlich gut und ich trug mit unterstützendem Gesang und meiner Gitarre auch zum Gelingen bei. Ach ja, das Leben kann schön sein.

Nachdem die Glut gelöscht war und wir unseren Ting-Platz ordentlich und aufgeräumt verlassen hatten, konnte jeder von uns behaupten, einen wundervollen Tag erlebt zu haben. Lange lag ich noch wach auf meinem Bett und ging noch einmal das Erlebte durch. Was hinter uns lag, wusste ich bereits, was kommen würde, stand noch in den Sternen. Eines war Fakt und 100 % sicher: Lange würden meine morschen Knochen diese ständige körperliche Höchstbelastung nicht mehr durchhalten, da täuschten solche Tage und schönen Erlebnisse auch nicht darüber hinweg. Obwohl, ich fühlte mich super und der kommenden Europameisterschaft, die auch noch in Berlin stattfinden sollte, sah ich hoffnungsvoll entgegen. Wenn es da nicht endlich nach so vielen Anläufen klappen sollte, wann dann? Das war für mich die letzte Chance und die wollte ich auch auf „Teufel komm raus" nutzen. Mein Körper hatte die schwere Schulteroperation gut verkraftet und ließ mich hoffen, noch eins drauflegen zu können. Ausgeheilt, mit dünner Luft vollgepumpt und auch noch Heimvorteil, na wenn das nicht klappen sollte.

Ein Trainingslager auf dem Belmeken stand uns noch bevor, im April-Mai des kommenden Jahres unmittelbar vor der Europameisterschaft in Berlin, der Hauptstadt der Deutschen Demokratischen Republik!

Ich konnte also diesem großen Ereignis etwas gelassener entgegensehen und vertraute nun voll und ganz auf die Wirkung der dünnen Luft vom Belmeken!

58. Europameister mit Hindernissen

Die unmittelbare Wettkampfvorbereitung war in vollem Gange. Die beiden Landesmeistertitel im Schwergewicht und alle Kategorien waren souverän und sicher auf meinem Habenkonto gelandet. Damit keine falschen Vorstellungen aufkommen, mit Habenkonto meine ich, wieder zwei Goldmedaillen für meine stetig wachsende „Buntmetallsammlung"! Gab es früher noch als kleines Präsent einen Wecker oder eine Aktentasche, so hatte man es sich abgewöhnt, Geschenke zu verteilen, und war der Meinung, Urkunde und Medaille reichen. Irgendwie mussten wir uns doch von den Profisportlern der westlichen Hemisphäre unterscheiden, wenn wir doch schon die gleichen, hohen Trainingsumfänge absolvierten. Wir waren halt anders! Klar, gab es bei Welt- und Europameisterschaften und erst recht bei Olympiaden mit Medaillenplätzen gewisse finanzielle Abfindungen, aber im Vergleich mit anderen Sportarten und Sportlern aus dem „nichtsozialistischen Lager" war es ein Tropfen auf dem heißen Stein und manchmal vergaß man sogar dieses Tröpfchen. Unser hehres Ziel war es, dafür zu sorgen, dass die Fahne unserer Republik gehisst wurde und logo, natürlich auch das Abspielen der volkseigenen Hymne gesichert war. Ein Schelm, der Arges dabei denkt, aber nicht einmal das funktionierte so richtig in meinem Arbeiter- und Bauernstaat. Doch dazu komme ich etwas später.

Meine Leistungskurve verlief in den letzten Wochen steil nach oben, den inneren Schweinehund hatte ich voll unter Kontrolle und meldete er sich doch ab und zu einmal, gab es sofort einen Warnschuss vor den Bug. Diese letzte große Möglichkeit wollte ich mir nicht kaputtmachen. Nach so vielen Anläufen und Bronzemedaillen war die EM in Berlin für mich die allerletzte Möglichkeit, endlich ganz oben zu stehen. Ich wusste es genau, dass es nicht nur eine Frage der Physis war, aber wie mein Clubtrainer viele Jahre später in einer stillen Stunde zu mir sagte: „Ach Klaus, du warst schon immer ein Sensibelchen." Da hatte er ausnahmsweise mal Recht.

Und so bereitete ich mich mit unendlicher Geduld und mentalem Selbsttraining auf den größten meiner Erfolge vor. Schon nach der letzten Schulteroperation begann ich damit, zusätzliche Trainingseinheiten zu absolvieren. Das waren Ausdauerläufe im Köpenicker Forst und spätabends, wenn der Kinderspielplatz neben unserem Wohnhaus still und leer dalag, war meine Zeit für das Kraftzusatztraining gekommen. Bis zur Erschöpfung musste das Klettergerüst für Klimmzüge und Bauchmuskeltraining herhalten. Mein innerer Schweinehund muckte nicht mehr auf.

Am 23.05.1970 begannen die Judowettkämpfe der gesamten europäischen Elite in der damaligen Werner-Seelenbinder-Halle. Einen Tag zuvor hatten wir zusammen mit der sowjetischen Mannschaft im Sporthotel neben der großen Dynamo-Sporthalle unser Quartier bezogen. Da, wo ich als Neuling beim Sportclub in den beginnenden Sechzigerjahren in der Hotelküche Semmelmehl aus vertrockneten Schrippen herstellen durfte, wo ich mein Erlebnis als Beifahrer des hoteleigenen Wäschetransporters im Frauengefängnis hatte oder zum Kartoffelentkeimen in den danebenliegenden Schuppen geschickt wurde. Was kein Außenstehender so richtig glauben wollte, wir mussten neben dem Training tatsächlich arbeiten. Pech für mich, dass mir in meinem erlernten Beruf als Siebdrucker keine Möglichkeit geboten werden konnte. So war es dann wie eine Erlösung, als ich in die clubeigene Fotoabteilung wechseln durfte, kurz gesagt, noch ein Heimvorteil für mich! Am Vorabend waren die Trainer zur offiziellen Auslosung und teilten uns das Ergebnis beim Frühstück mit. Klar war jeder von uns gespannt, in welcher Gruppe er gelandet war und wie stark die Gegner sein werden. Als meine Person an der Reihe war und Henner mich anschaute, wusste ich wieder einmal sofort Bescheid. Ich hatte alles abgefangen, was im Judo Rang und Namen hatte. Also kein sachtes Hineingleiten gegen weniger bekannte Gegner, sondern alles, was die Palette bieten konnte, war in meiner Gruppe: Weltmeister, Vizeweltmeister, Studentenweltmeister und, als wenn es nicht schon gereicht hätte, drückte man mir auch noch meinen ärgsten Angstgegner Gorilla-Kusnezow aus der ruhmreichen Sowjetunion aufs Auge. „Danke, Henner für dein goldenes Händchen!"

Wie ich so beschäftigt war, mit meinem Schicksal zu hadern, sah ich doch diesen kleinen verfluchten inneren Schweinehund direkt vor mir unter dem Tisch sitzen und mir zuflüstern: „Habe ich dir doch gleich gesagt, das wird nix!" In Gedanken flüsterte ich zurück: „Dreh dich bitte mal um." Er gehorchte erstaunlicherweise. Das war der Moment, wo ich ihm einen fürchterlichen Tritt in den imaginären Hintern verpasste und von diesem Augenblick an sah ich ihn lange nicht mehr!

Kolossalen Auftrieb bekam ich, als ich nach zwei souverän gewonnenen Kämpfen meinen Angstgegner Kusnezow mit E:0, also durch Kampfrichterentscheidung besiegt hatte. Nicht etwa durch einen glücklichen Umstand, nein, es war ein schwer erkämpfter Arbeitssieg. Doch danach war Schluss mit lustig, Klaus G., der Vizeweltmeister aus der BRD, gewann mit E:0 gegen mich und auch Willem Ruska der amtierende Weltmeister den ich anschließend vorgesetzt bekam, gewann ebenfalls durch Kampfrichterentscheid. Aber hallo, das waren alles knappe Verlierer und mit einem bisschen Glück hätte es auch andersherum laufen können. Was bedeutete, dass ich, der nie an einer Weltmeisterschaft teilnehmen konnte, da ich jedes Mal vorher meinen unfreiwilligen Anspruch auf eine Operation wahrnahm, eigentlich zur Weltspitze zählen durfte. Na, und der Kampf gegen Gorilla-Kusnezow zählte eigentlich doppelt. Na wartet, morgen sehen wir uns in meiner Lieblingsgewichtsklasse – „Open" oder auch „Alle Kategorien" – wieder.

Erstaunlicherweise hatte ich tief und fest geschlafen. Lag es daran, dass uns Henner zum Abendbrot ein großes Schlummerbier genehmigte oder dass mein imaginärer Fußtritt gegen das Gesäß meines inneren Schweinehundes Wirkung zeigte? Ich glaube, beides zusammen hat es ausgemacht. Außerdem wusste ich, was auf mich zukam und eine erkannte Gefahr ist eine halbe Gefahr.

Etwas seitlich der drei großen Wettkampfmatten hatte man einige Tatamiteile separat zusammengefügt, um den Aktiven unmittelbar vor Kampfbeginn noch einmal die Möglichkeit zu geben, spezielle Erwärmungsübungen mit Partner durchzuführen. Für mich als von Geburt an leicht Abzulenkender, jetzt würde man sagen, der hat ADHS, war das nicht so gut. Die Autogrammjäger, und das waren nicht wenige, standen unmittelbar an der Matte und bettelten. An einen kann ich mich besonders gut erinnern, denn er nutzte es schamlos aus, den gleichen Familiennahmen zu tragen wie ich. Während ich versuchte, mich mit allen Sinnen auf den kommenden Kampf vorzubereiten, forderte er mich ununterbrochen auf, ihm als gleichen Namensträger endlich ein Autogramm zu geben. Mein Trainer und der Aufruf, mich an der Wettkampfmatte blicken zu lassen, befreiten mich von ihm. Galimberti, ein Italiener, stand schon an seinem Platz und scharrte nervös mit den Füßen. Kurzer Blickkontakt und das Kommando an das Großhirn gesendet: Schnell gewinnen, Kraft sparen, weil danach Willem, der Holländer, zum zweiten Mal innerhalb von vierundzwanzig Stunden auf mich lauerte! Wenn ich mich recht erinnere, kann ich sagen – Auftrag ausgeführt. Der Kampf endete nach eineinhalb Minuten mit einem vollen Punkt für mich. Der Kampf gegen den amtierenden Weltmeister war fast synchron zu dem vom vergangenen Abend. Also knapp unterlegen und damit nur noch eine geringe Möglichkeit. Ruska musste gegen Klaus G., BRD, gewinnen, damit ich über die Trostrunde wieder ins Rennen kam. Willem tat mir dann auch den Gefallen, um den ich ihn kurz vor dem für mich alles entscheidenden Gefecht gebeten hatte. Der West-Klaus bekam Haue und verlor, damit war der Ost-Klaus rehabilitiert und konnte erneut hoffen. Um es abzukürzen, der Ost-Klaus wurde durch Kampfrichterentscheid zum Sieger über den West-Klaus erklärt. Dem Schicksal sei Dank, der „blonde Samurai", wie die Japaner meinen Namensvetter nannten, hatte sich zuvor etwas übernommen und an dem Holländischen Felsen einen seiner Knöchel leicht demoliert.

Danach konnte ich wieder Kraft gegen Novak aus der CSSR sparen, indem ich nach kurzer Zeit den Kampf mit vollem Punkt beendete. An dieser Stelle war ich nun schon zum vierten Mal! Würde heute endlich der Knoten platzen? Weder einmal ging es für mich um den Einzug in das Halbfinale, also um Silber! Aber auch Dr. J. B., ein hochgewachsener Franzose aus Paris, der immerhin Studentenweltmeister war, liebäugelte damit. Wir kannten uns schon aus verschiedenen Begegnungen, in denen ich ihn stets besiegt hatte, aber gerade darin bestand die Gefahr. Also höllisch aufpassen, denn auch für „Monsieur le Docteur" galt die Devise – heute bin ich dran mit gewinnen! Fast hätte mir meine ehrliche Art zu kämpfen zum wiederholten Mal den Einzug in das Finale vermasselt. Es war ein taktischer Kampf und für die Zuschauer nicht sonderlich reizvoll. Bis zu jenem Moment, wo Dr. J. B. schon außerhalb der Matte und trotz des Kommandos „Break" seinen missglückten Innenschenkelwurf voll durchzog. Zur damaligen Zeit eine absolut verbotene Handlung. Den Sturz fing ich mit meiner rechten Schulter ab, um nicht ganz auf dem Rücken zu landen. Das war es dann, war mein erster Gedanke zwischen Schmerzen, Wut und Fassungslosigkeit. Der zweite war: so ein falscher Hund! Mattenarzt, Trainer und alle drei Kampfrichter bemühten sich um mich und tatsächlich, ich hatte großes Glück. Das von Prof. Dr. Erich aus der Charité operierte „Bajonettverschlusssyndrom" hatte diese brutale Prüfung überstanden. Jetzt hieß es nur noch, das Ding sicher nach Hause zu fahren – und das schaffte ich dann auch! Ich hatte die Schallmauer durchbrochen. „Willem, ich komme, mache dich auf etwas gefasst!"

Mit allem hatten die Zuschauer gerechnet, aber nicht damit, dass ich nach der fiesen Attacke doch noch einmal gegen den amtierenden Weltmeister Ruska antreten würde. Was ging jetzt wohl in Willems Kopf vor? Die Situation erinnerte mich an meine Judomeisterschaft als Siebzehnjähriger, als ich im ersten Kampf gegen Schneehuhn aus Weimar drankam, der mich zuvor bei anderen Gelegenheiten schon zweimal mit vollem Punkt besiegt hatte. Damals sagte ich zu mir, heute bin ich dran und nach zwei Minuten kam die Bestätigung in Form eines brillanten Fußfegewurfes. Ich war nicht mehr aufzuhalten und wurde nach nicht mal einem dreiviertel Jahr Judosport Deutscher Jugendmeister der DDR. Also, auf geht es!

Die Trainer, insbesondere unser Nationalcoach Henner, hatten mich super auf den Finalkampf eingestellt, welche Seite ich von meinem Gegner besonders hart blockieren muss und auf was ich mich auf gar keinen Fall einlassen darf. Abgemacht war, dass ich auf ein Zeichen hin pausenlos und ohne Unterbrechung angreifen muss, um Ruska keine Auszeit zu gönnen. Davor war mir nicht bange, aber die acht Minuten vorher, die nur aus taktischem Geplänkel bestehen sollten, waren nicht so nach meinem Geschmack, ich war mehr für Angriff.

Viertausend Zuschauer kämpften mit mir zusammen. Ich, um den Auftrag der Trainer umzusetzen, und das Publikum mit der Müdigkeit.

Unser beider Nerven lagen blank. Ruska, weil er plötzlich einen vollkommen anderen Gegner vor sich hatte, der ihm keine Möglichkeit bot, wie sonst immer mit einer Abstaubeaktion die Schlacht zu beenden und bei mir lag das Problem genau andersherum. Das Schlimmste für mich war, nichts tun zu dürfen. In der Zwischenzeit hatten sich die Tausenden in der Werner-Seelenbinder-Halle damit abgefunden, dass der neue Europameister in der Klasse Alle Kategorien Willem Ruska heißen wird. Doch dann passierte etwas, was die Massen schlagartig aus dem Halbschlaf riss und die Sporthalle erbeben ließ. Für uns beide, die wir den letzten Finalkampf des Abends und der Europameisterschaft absolvierten, war zwischenzeitlich Kleider ordnen angesagt. Das war der Moment, wo mein Trainer, auf allen Vieren kniend, hinter mir flüsterte: „Klaus jetzt!"

Auf das Kommando Hajime, also Kampf, explodierte der Vulkan und alle angestaute Kraft und Anspannung verwandelte sich in grenzenlose Energie, die ich mit einem Urschrei aus mir herausbrüllte, so dass Willem Ruska fürchterlich erschrocken einen Meter nach hinten sprang. Im gleichen Moment tobte auch das Publikum los, Klaus war zurück und das war nach ihrem Geschmack. Ich wusste in diesem Augenblick hundertprozentig, den Titel hol ich mir. Der Holländische Riese hatte nichts entgegenzusetzen, so dass nach der alles entscheidenden Schlacht ein nicht anfechtbares Kampfrichterurteil gefällt werden konnte. Der Jubel von den Rängen wollte kein

Ende nehmen, meine Sportkameraden fingen mich, der vor über-schäumendem Glücksgefühl eine Nackenkippe nach der anderen über die Tatami machte, regelrecht ein, zerrten mich hoch und warfen mich immer wieder in Richtung Hallendecke. Endlich geschafft! Als sich die Wogen langsam glätteten und man dazu überging, das protokollarische Programm umzusetzen, also Siegerehrung, Fahne hissen und Abspielen der Hymne, machte sich eine spürbare Nervosität im Organisationsteam breit. Während wir Medaillengewinner mehr oder weniger genüsslich das berühmte Trepp-chen bestiegen, zog sich alles Folgende seltsam in die Länge. Während uns gegenüber das Musikkorps des Wachregimentes Aufstellung nahm, das Personal an den Fahnenmasten schon bereitstand, die Flaggen zu hissen, genauso wie die Ehrenjungfrauen, mit den zu vergebenden Medaillen sich positioniert hatten, geschah trotzdem weiter nichts.

Bis, ja bis zu dem Moment, wo man uns kleinlaut mitteilte, dass der Verantwortliche für die Noten der Nationalhymne verschwunden sei, man ihn aber schon suche. Zur damaligen Zeit ein ernsthaftes Problem, es gab noch keine Handys, um mal so ganz schnell jemanden zu erreichen. Also hieß es, erst einmal warten. Hätte ich den Finalkampf verloren, wäre das alles kein Problem gewesen. Die Noten der Holländischen Hymne waren vorhanden. Also ist man davon ausgegangen, der Hennig verliert sowieso. Nun stell sich einer mal vor, da steht ein Profiorchester der bewaffneten Organe und ist nicht in der Lage, unsere Hymne frei Schnauze zu spielen, weil die Noten fehlen! So tröstete ich mich damit, dass ich tatsächlich über eine Viertelstunde auf Nummer eins stand, wer konnte das schon auf-weisen. Und dann waren sie da, die Noten! Die Medaillen wurden um-gehängt, die Urkunden überreicht und mir wurde zudem noch ein großer schwerer Kasten in die Arme gelegt. Er sollte sich als Besteckkasten outen. Na, das war doch mal was anderes, kein Wecker, keine Aktentasche, im wahrsten Sinne des Wortes etwas zum Anfassen und handfest. Das ganze Spektakel endete mit einem Abschlussessen in der Kongresshalle am Alex, die ich dank der EM nun auch einmal von innen kennenlernte. Die größte Überraschung wurde uns aber zuteil, als wir in unser Hotel zurückkamen.

Hier wartete bereits ein Abgesandter der Sektion Judo aus Rodewisch. Von dort, wo nicht nur Rudolf H., der am Vortag in einem reinen DDR-Finale Europameister im Halbmittelgewicht wurde, herkam, sondern auch ein 100 l Fass bestes Wernesgrüner Bier, das man uns als Geschenk ins Quartier rollte. Na, das war doch etwas für unsere ausgelaugten Körper und so dauerte es nicht lange, bis das Fass angezapft wurde. Gemeinsam mit der sowjetischen Mannschaft, die, wie ich bereits erwähnte, auf dem gleichen Gang wohnte und die wir eingeladen hatten, praktizierten wir die deutsch-sowjetische Freundschaft wie man sie sich nicht besser denken konnte.

Welche hoffentlich angenehmen Überraschungen würde die kommende Zeit uns bereithalten? Die mussten auf alle Fälle kommen. Auszeichnungen in jeglicher Form und vor allen Dingen der Besuch des anonymen Sandmännchens! Sandmann, deswegen, weil er ganz diskret den schnöden Mammon brachte, also den Kies! Wir schwelgten im Hoffnungsrausch, waren wir doch die erfolgreichste Mannschaft dieser EM, da musste schon etwas passieren! Der Einzige der gesamten Truppe, der ohne Medaille ausging, war unser Halbschwerer Helmut H. Gleich im ersten Vorrundenkampf schied er wegen einer Rippenfraktur aus dem Rennen. Eigentlich war er die sicherste Bank für einen Titelgewinn.

Die folgenden Tage verflogen wie im Rausch. Verwandte, Freunde, mir vollkommen Fremde gratulierten mir – ein wunderschönes und erhebendes Gefühl. Einen besseren Abschluss meiner Judolaufbahn konnte ich mir nicht vorstellen. Waren es doch acht Jahre, in denen ich im In- und Ausland Erfolge verbuchen konnte, von denen andere nur träumen konnten. Klar nahm ich aus bekannten Gründen an keiner Weltmeisterschaft teil, aber ich habe sie alle irgendwann besiegt, die mit Rang und Namen. Was wollte ich mehr?

Doch wie es im Leben so ist, plötzlich wacht man auf und stellt fest, dass man wie so oft die Rechnung ohne den Wirt gemacht hat. So bleibt einem nur der schwache Trost, dass man doch mal ein bisschen träumen darf. Es sollten noch zwei Jahre aktiver Leistungssport folgen, in denen ich wiederum alle Höhen und Tiefen mitnahm, die man nur mitnehmen konnte.

59. Mir doch egal

Wie jedes Jahr im Herbst gab der 1. Sekretär des Zentralkomitees der SED, der allseits geliebte und geachtete Verantwortliche für den Bau des antifaschistischen Schutzwalls, Genosse Walter Ulbricht, dem ich übrigens nach einer Eingabe an den Staatsrat meine kleine Zweiraumwohnung zu verdanken hatte, einen riesigen Empfang für erfolgreiche Funktionäre und Sportler oder auch andersherum.

Es war schon ein erhebendes Gefühl, als wir das Staatsratsgebäude betraten und die breite Treppe zum Festsaal emporstiegen. Die weit aufstehenden Flügeltüren gaben den Blick frei auf ein Festbankett ohnegleichen. Immer mehr Sportlerinnen und Sportler füllten den Raum. Es wurde gescherzt und gelacht. Ich winkte guten Bekannten zu, die ich lange nicht gesehen hatte und spürte mit jeder Faser des Körpers die freudige Erwartung, die alle erfasst hatte.

Als sich an der Stirnseite des riesigen Bankettsaales eine große Tür öffnete, erschienen Mitglieder des Politbüros mit Walter Ulbricht an der Spitze, gefolgt von den obersten Funktionären des DTSB, angeführt von Manfred Ewald. Applaus brandete auf, der nicht enden wollte. Erst als W. Ulbricht die Hand hob, um zu signalisieren, dass er etwas sagen möchte, ebbte die Sympathiebekundung langsam ab. Als erwartungsvolle Stille eintrat, begann unser 1. Sekretär mit seiner Dankesrede.

Dank an die Partei, Dank an die Werktätigen, die das alles mit ihrem Fleiß ermöglicht hatten und ganz besonders großen Dank an die so erfolgreichen Sportlerinnen und Sportler, die es wiederum möglich machten, das wahre Gesicht des ersten Arbeiter- und Bauernstaates auf deutschem Boden in die Welt hinauszutragen. Nach wiederholt langanhaltendem Beifall begann dann endlich die Auszeichnungszeremonie. Die Besten der Besten durften nun nach vorn schreiten und die für sie gedachten Orden und Ehrenzeichen mit den dazugehörigen Urkunden in Empfang nehmen. Das dauerte schon, bei solch einer Menge erfolgreicher Spitzensportler. Alle hörten hoch-konzentriert zu, wenn die jeweiligen Namen aufgerufen wurden. Wer wollte denn ernstlich den Moment der Verleihung der Kronjuwelen verpassen? Auch ich stand voll unter Spannung, in Erwartung auf das Kommende. Welche Auszeichnung werde ich erhalten? Meister des Sports war ich schon nach meiner ersten EM-Medaille, die ich 1966 in Luxemburg erkämpfte, geworden. Logisch, dass nun der „Verdiente Meister" folgen musste, zumal inzwischen noch weitere drei Medaillen bei Europameisterschaften – zwei in Rom und eine in Lausanne – dazugekommen waren. Außerdem hatte der DTSB meinen Titelgewinn gleichgesetzt mit Weltmeister! Schließlich hatte ich im Kampf um die Krone des Judosports den Titel in der Gewichtsklasse „Alle Kategorien" gewonnen. Um den zu bekommen, musste ich wirklich alles besiegen, was Rang und Namen in dieser Preisklasse hatte. Die beiden Landesmeistertitel im Schwergewicht und "Alle Kategorien" will ich gar nicht erwähnen, die fielen hier sowieso nicht ins Gewicht. Da war mein zweiter Platz bei der Wahl zum Sportler des Jahres höher zu bewerten, zumal als Vertreter einer absoluten Randsportart.

Während sich ein großer Teil meines Gehirns mit diesen Spekulationen beschäftigte, bemerkte ich plötzlich irritiert, dass die ersten Mitstreiter dieses Abends sich an der Tafel zu schaffen machten und kräftig zulangten.

Das Bankett war eröffnet worden!

He, he, halt. Was soll das denn, schrie etwas in mir, ich, ich habe doch noch nichts bekommen! Es blieb auch dabei, was ich aus den merkwürdigen Blicken meiner Mannschaftskameraden entnehmen konnte, die übrigens alle bedacht wurden. Als dann auch noch unser Nationaltrainer und Hajo K, der Judo-Generalsekretär, sich zu mir durchgekämpft hatten und genauso aus der Wäsche schauten wie ich, also äußerst blöd, begriff ich, es war Wirklichkeit.

Man hatte mich schlichtweg vergessen! Genauso wie man nicht glauben wollte, dass unsere Hymne noch einmal am besagten 24. Mai 1970, meinem Titelgewinn, aus der Versenkung geholt werden musste. Zufall oder Absicht?

In der darauffolgenden Zeit versuchte ich natürlich, an Hintergrundinformationen zu gelangen. Allen meinen vorsichtigen Nachforschungen wich man mehr oder weniger geschickt aus bis ganz langsam das berühmtberüchtigte Gras darüber wuchs. Tief in meinem Innersten jedoch gab es immer noch einen kleinen wunden Punkt, der mich die folgenden Jahre nicht zur Ruhe kommen ließ. Erst nach der Wende und dem Fall der Mauer, also dem Untergang der DDR, hatte ich eine lauwarme Spur. Bei einem großen internationalen Judoturnier, zu dem ich als Ehrengast geladen war, traf ich unseren ehemaligen zweiten Trainer nach langer Zeit zum ersten Mal wieder. Kurzentschlossen stellte ich ihm die noch immer tief in mir schlummernde Frage: „Warum und wenn, wer?"

Zögerlich, etwas verlegen und kleinlaut meinte er dann: „Ach Kläuschen, du weißt doch, wie du warst! Immer musstest du deine Meinung sagen und manchem hat sie auch nicht gepasst."

Seitdem ist der kleine wunde Punkt verheilt und ich stellte fest, wenn ich mir beim Rasieren mein immer mehr zerknitterndes Gesicht betrachte, schauen mich die gleichen ehrlichen Augen an wie eh und je!

Nicht mit mir!

Eigentlich ist es eine zusammenhängende Geschichte oder sagen wir mal der zweite Teil der Tragikomödie. Wie ich bereits erwähnte, hatte man mich beim Tanz um das goldene Kalb übersehen bzw. vergessen, wie auch immer. Vielleicht hatte die Sportführung mich wegen meiner großen kräftigen Hände eingeladen, so etwas ist beim Applaudieren von Bedeutung.

Noch immer zwischen mittelschwerer und schwerer Irritation hin- und hergerissen, begab ich mich an die kunstvoll dekorierten Tische, um mich an der Schlacht am kalten Buffet zu beteiligen. Einen winzigen Vorteil hatte ich nun doch gegenüber den Ausgezeichneten. Während alle Beschenkten, und das war doch der größte Teil, damit beschäftigt waren, sich gegenseitig zu gratulieren, besaß ich nun eine günstigere Startposition. Von dem meisten, was es so im Angebot gab, nahm ich kaum Notiz. Für mich zählte bei solchen Anlässen nur eines, wo befinden sich die Platten mit der ungarischen Salami? Aber wie so oft hatte ich die Rechnung wieder einmal ohne den Wirt gemacht. Viele meiner Mitstreiter dachten nämlich ähnlich und so war es kein Wunder, dass innerhalb kürzester Zeit von der ungarischen Salami kein Scheibchen mehr übrig war. Ehe ich es überhaupt begreifen konnte, hatte der Appetit der Feiernden ein großes Leck in die kunstvoll dekorierten großen Salamiteller geschlagen. Während die Dekoration unberührt liegen blieb, konnte man sich in den leeren, silbern glänzenden Platten spiegeln.

Manchmal sind solch einschneidende Momente, wie sie mir gerade widerfahren waren, Auslöser für höhere philosophische Gedankenspielereien. Warum käme ich sonst auf die Idee, mich als Jäger und nicht als Sammler zu betrachten? Die Erklärung ist ganz einfach, da ich in einem Moment merkte, dass die Beute, also die Salami, aufgeteilt und restlos verputzt war, glitt mein suchender Blick umher und wurde fündig. Ich erspähte auf dem Tisch unseres Arbeiter- und Bauern-Oberhauptes eine vollkommen unberührte, direkt vor ihm liegende herrlich große Salamiplatte.

Während W. Ulbricht sich angeregt mit M. Ewald unterhielt und auch die anderen dazugehörigen Genossen keine Anstalten machten, kräftig zuzulangen, war mein Entschluss gefasst. Kein Orden, dann wenigstens Salami. Mich trennten in etwa 15 bis 20 Meter von der erspähten Beute, was bedeutete, Fixieren und im Alleingang direkt bis zum Ziel meiner Wünsche. 15 bis 20 Meter Leerraum waren zu überwinden, also eine kräftig große Freifläche. Da sich alle an den Tischen drängelten bzw. im hinteren Teil des Saales gegenüber dem Präsidium im respektvollen Abstand plauderten, fiel es kaum auf, dass ein einsamer Wanderer mit leerem Teller und aufgepflanzter Gabel sich in Richtung Walter Ulbricht bewegte. In respektvollem Abstand blieb ich stehen und wartete. Ich konnte doch nicht einfach das Gespräch zwischen Genossen Ulbricht und Genossen Ewald unterbrechen. Ewald bemerkte mich als Erster, dachte aber wahrscheinlich, dass es zum Programm gehört. Bis zu dem Moment, wo ich mich räuspern musste. Immer, wenn ich in bestimmten Situationen an Essen denke, muss ich mich räuspern und das seit meiner frühesten Kindheit.

Nun bemerkte mich auch W. Ulbricht, dachte aber sicherlich ebenfalls, dass mein plötzliches Erscheinen zum Kulturprogramm gehört und ich eine temperamentvolle Dankesrede loswerden wollte. Er senkte sein Rotweinglas, an dem er gerade genippt hatte, und fragte in seinem unverkennbaren sächsischen Dialekt: „Nu Sportfreund?"

Ich schnurrte eine kurze Erklärung meines plötzlichen Auftauchens herunter, verbunden mit dem Wunsch und der Hoffnung, dass ich mir etwas von seiner Salamiplatte nehmen darf, da er und die anderen Genossen an seiner Seite sicherlich appetitlos seien, also mit anderen Worten, bat ich ihn, brüderlich zu teilen.

Während mich M. Ewald total verblüfft musterte und krampfhaft versuchte, mich einzuordnen, sagte mein neuer Kumpel Walter: "Nu greif zu, Sportfreund!"

Nichts leichter als das und im Handumdrehen stapelte ich eine mächtige Portion dieser so leckeren Wurstscheiben auf meinen Teller. Als Krönung und Abschluss legte ich, mehr als Dekorationszweck, ein Stück Paprikaschote obenauf.

Höflich bedankte ich mich, um dann zu meiner Mannschaft zurückzukehren. Doch wie verblüfft war ich, als ich mich umdrehte und einer Kohorte gegenüberstand, die plötzlich vergessen hatte, weiterzuessen. Ich sah in total erstaunte Gesichter, die anscheinend immer noch nicht fassen konnten, von welchem Vorgang sie soeben Zeuge sein durften. Man hätte eine Nadel fallen hören können. Als ich mir dann aber seelenruhig und genüsslich eine Scheibe in den Mund schob, war der Bann gebrochen. Die verblüffte Starre verschwand ruckartig und machte einer herzlichen Heiterkeit Platz, die zum Sturm auf das Führungsbuffet aufrief.

Für mich, der so dreist jegliche Etikette über den Haufen geworfen hatte, war es eine Genugtuung für die erlittene Schmach. Davon abgesehen, wenn ich tanzen ging, war ich auch immer der Erste auf dem Parkett und dann erst rammelte der Rest hinterher.

Was mich aber nicht mehr losließ und mir noch große Probleme bereiten sollte, war mein Entschluss, endlich mit dem Leistungssport aufzuhören. Doch wie schon so oft, kam es anders, wieder einmal hatte ich eine Rechnung ohne den Wirt gemacht. Nun ja, Rechnen war noch nie meine Stärke!

60. Kalte Hand und gebrochener Fuß

Das Verhältnis zwischen unserem Trainer und der Mannschaft wurde immer schlechter. Schon beim ersten Mattentraining war unsere Stimmung meistens auf dem Nullpunkt. Jeden Tag, jede Woche und jeden Monat, und das über Jahre, immer dasselbe Ritual. Vor dem Training versorgten wir erst einmal die lädierten Knochen mit Einreibungen und wo es nötig war, wurde bandagiert, und das nicht wenig. Nebenbei blödelte man herum oder balgte sich, wie junge Hunde raufen, um spielerisch auf das Kommende vorbereitet zu sein. Dass es kommen würde, war so sicher wie das Amen in der Kirche. Pünktlich öffnete sich die Hallentür und unser Cheftrainer, die „kalte Hand" erschien, gefolgt von „Macky", dem zweiten Coach. Genauso, wie Numero Eins mit gefrosteter Miene das Dojo betrat, grinste Macky umso freundlicher, in der Hoffnung, damit die Stimmung etwas aufzuhellen. Manchmal gelang es ihm auch.

„Antreten!", forderte die mufflige Stimme der „kalten Hand". Zähflüssig setzten wir uns daraufhin in Bewegung, stellten uns nach Graduierung in einer Reihe auf, um nach dem Kommando „Stillgestanden!" die morschen Knochen zusammenzureißen, schließlich gehörten wir zu einer militärischen Einheit.

Danach kam der Appell oder war es doch eher ein Befehl: „Wir beginnen das Training mit einem einfachen Sport", woraufhin wir mit einem kurzen militärischen „frei" zu antworten hatten. Daraufhin kam eine weitere Aufforderung, die den Beginn der Erwärmung einleitete und uns über Jahre nervte: „Rechts um!" Kurze Pause und laufen. Durch die räumliche Begrenzung der Halle natürlich wie im Zirkus, immer im Kreis herum. Hätte "kalte Hand" aus Spaß – nein Quatsch, so etwas gab es nicht bei ihm, sagen wir eher irrtümlich – links um! gesagt, wir wären hundertprozentig rechtsherum gerannt. Der Mensch ist ein Gewohnheitstier.

Abwechslung brachte dabei immer ein Fußballspiel, sofern es der Trainingsplan zuließ oder wie wir zu sagen pflegten, ein „Schiebchen". Wann wir diesen Begriff erfanden, ist mir entfallen, wahrscheinlich ist er, wie so viele Wortschöpfungen, auf Ottos Mist gewachsen. Auf alle Fälle liebten wir diese Bezeichnung genauso, wie wir es mit dieser Ballsportart taten. Fußball spielten wir alle durch die Bank weg gerne und manche von uns sogar sehr gut.

Wir mussten nach dem miserablen Abschneiden bei den Europa-meisterschaften in Göteborg 1971 erst einmal aus dem mörderischen Tief raus. Unsere Nationalmannschaft, die sich aus Vertretern dreier Clubs zusammensetzte, also ASK, DHfK und Dynamo, holte nur drei Medaillen! Helmut H. aus Leipzig krallte sich die Goldmedaille im Halbschwergewicht und Silber und Bronze holten die Jungs vom ASK. Acht Athleten des Sport-clubs Dynamo Hoppegarten gingen leer aus. Immer noch, nach so vielen Jahren, überkommt mich ein Schmunzeln, wenn ich an den Empfang auf dem Flughafen Schönfeld denke. Zwei Vertreter der Clubleitung begrüßten uns wie eine Gruppe Psychos, bei denen man immer damit rechnet, dass unvorbereitet etwas ganz Schlimmes passieren kann. Bevor wir zu unseren Familien entlassen wurden, sollten wir im Flughafenrestaurant ganz vor-sichtig formulierte Fragen beantworten. Die Genossen hatten begriffen, dass sich etwas ändern muss, aber was? Der Zufall sollte die Lösung bringen, um den Makel des erfolglosen „Achters mit Steuermann" ein für alle Mal zu tilgen. Diesen Zufall haben wir ganz allein einem unserer so geliebten „Schiebchen" zu verdanken.

Die erste Trainingseinheit nach dem wohlverdienten Kurzurlaub war natürlich ein „Schiebchen"!

Bei bester Laune setzten wir uns in Trab, um nach einigen Minuten unseren Fußballacker zu erreichen. Dass diese holprige Buckelpiste in irgendeiner Form etwas mit dem herkömmlichen Bolzplatz zu tun haben könnte, ließen nur die zwei provisorisch errichteten Tore erahnen.

Ruck, zuck hatten sich zwei Mannschaften formiert. Auch unsere Trainer spielten meistens mit, was wir aber, was die „kalte Hand" betraf, nicht so gerne sahen. Seine eher unbeholfenen Aktionen waren schnell zu erkennen und meistens verlor er dabei den Ball. Umso glücklicher war er, als es ihm gelang, das Objekt seiner Begierde nach einer missglückten Flanke aus den

Reihen der Gegenmannschaft in seinen Besitz zu bringen. Dass er dabei fast bis nach „Mahlsdorf" rannte, wie Otto es so treffend formulierte, zählte nicht. Genüsslich trat er das Leder vor sich her, ohne dass ein Spieler in seiner unmittelbaren Nähe gewesen wäre. Keiner, der ihm den Ball hätte streitig machen wollen.

Tja, und da geschah es! Ohne jegliche „Feindberührung" brach die „kalte Hand" mit einem jämmerlichen Schmerzensschrei zusammen. Wir ahnten nichts Gutes und so sah es dann auch aus. Unser Trainer hatte sich selbst entschärft und das mit ganzer Gründlichkeit. Man musste kein Experte sein, um zu begreifen, dass er für einige Zeit ausfallen würde und seinem Beruf nicht nachgehen konnte, und das im wahrsten Sinne des Wortes. Das Sprunggelenk entwickelte sich unter unseren Blicken zu einer echten „Mauke", wie es in unserem Fachjargon hieß. Was ihn unfähig machte, auch nur einen Schritt zu tun. Also, was blieb uns weiter übrig? Alle Blicke richteten sich auf mich, den Schwergewichtler und „Numero Uno" im Kraftraum. Demzufolge wurde ich auserkoren, mir unseren total am Boden zerstörten Trainer über die Schultern zu packen und im „Kata-guruma-Griff" zu Sani-Mayer und Schwester Ella zu buckeln, die im medizinischen Punkt regelrecht darauf lauerten, endlich mal etwas anderes als nur grippale Infekte zu behandeln. Keiner ahnte, dass dieser Unfall den Gordischen Knoten gelöst hatte!

Logisch, dass der Verunfallte, wie es im Dienstgebrauch hieß, für längere Zeit ausfallen würde, was bedeutete, dass „Macky", unser zweiter Trainer, den im Zerfall begriffenen desolaten Haufen übernehmen musste.

Für die Clubleitung und natürlich auch für den größten Teil der Mannschaft die Lösung. Eine Problembewältigung der besonderen Art. Ich hätte nur zu gerne gewusst, wer sich mehr über das Lösungskonzept gefreut hat. Mir brachte die personelle Veränderung nicht viel. Mein Bauchgefühl hatte mich nicht getäuscht, als ich 1970 nach dem grandiosen Sieg gegen den amtierenden Weltmeister Willem Ruska als Sieger von der Matte ging. Mehr ging nicht, zumindest nicht mehr richtig. Ich hatte meine Grenze erreicht und wollte nicht mehr. Noch im gleichen Jahr wurde ich wieder einmal in der Charité operiert! Heinzi oder auch Nante, wie sein Spitzname war, hatte mir, dank seiner Körpermasse während eines Trainingskampfes mein linkes Standbein weggehauen und damit eine Absplitterung des Außenknöchels verursacht.

Auch das Jahr 1971 war nicht mein Bestes. Da die linke Schulter erhebliche Probleme bereitete, schickte mich meine Clubleitung zum vierten Mal in meiner bis dahin neunjährigen Laufbahn als „Diplomat im Trainingsanzug" zur „Notschlachtung" zu meinem Lieblingsoperateur OA Dr. Erich. Immerhin war ich potentieller Medaillengewinner für die Olympischen Spiele in München und wurde für zwei Goldmedaillen gehandelt. Es wurde also Zeit, meine Schulden abzutragen! Es konnte doch nicht sein, dass alles, was der Arbeiter- und Bauernstaat in mich investiert hatte, so mir nix, dir nix umsonst gewesen sein sollte. Am 22.02.1971 war ich zum Kandidaten für die Olympischen Spiele berufen worden, was nicht nur verpflichtete, sondern auch schmeichelte. Aber das Feuer brannte nur noch mit kleiner Flamme, welche sich ab und zu noch einmal durch einen zufälligen kräftigen Windstoß ihrer wahren Aufgabe bewusst wurde, dann aber wieder in sich zusammensackte. Doch es gab auch Momente, die mich das Grübeln vergessen ließen, von so einem Moment berichtet eine andere Geschichte.

61. Der Kahn der fröhlichen Meute

Wie das Leben so spielt, wenn sich eine größere Gruppe Menschen, aus welchem Grund auch immer, zusammenfindet, wie wir z. B. im mit Stacheldraht gesicherten Sportclub Dynamo Hoppegarten. Es wird immer ein paar Gleichgesinnte geben, die ähnlich ticken und mit denen man etwas anstellen kann. In meinem Fall war es die Liebe zur Musik und Geselligkeit. Legendär waren unsere Mannschaftsfeiern zum Jahresende, die stimmungsmäßig nach oben hin nicht zu toppen waren. Eine solche Vorweihnachtsfete der besonderen Art fand Ende des Jahres 1968 in einer Bierkneipe am S-Bahnhof Mahlsdorf statt. Die Stimmung war grandios, zumindest für uns Kampfsportler, ließ aber letztendlich bei dem Wirt die Warnleuchte aufblinken, so dass er uns riet, ein anderes Lokal aufzusuchen, weil er aus einem nebulösen Grund den Laden schließen müsse. Das hinderte uns aber nicht daran, unsere gute Stimmung beizubehalten. Johlend brachen wir auf zu neuen Ufern, denn ein uns wohlgesinnter Gast hatte den Tipp gegeben, dass es etwas entfernter ein Gartenlokal gäbe. Wir müssten allerdings einige Stationen mit dem Doppelstockbus fahren. Wo lag denn das Problem, bei zwanzig Pfennig Reisekosten pro Kopf? Also packten wir unsere Siebensachen, ich meine Gitarre und den „Fressbeutel", in den ich bei Verlassen des Clubs noch schnell aus der Küche einen Stapel vom Mittag übriggebliebener Eierkuchen eingepackt hatte. Man weiß doch nie! Nach einigen Bierchen kommt immer der Appetit.

Im Gänsemarsch ging es, lautstark singend, ein Bein auf der Bordsteinkante oben, das andere auf der Fahrbahn, Richtung Bushaltestelle. Der Bus schien nur auf uns gewartet zu haben, denn kaum waren alle an Bord, ging die Fahrt los. Unser musikalisches Repertoire war natürlich nicht zu vergleichen mit dem der heutigen Jugend. Während man sich jetzt per Knopfdruck beschallen lässt, machten wir „handmade music", zu der jeder textsicher mitsingen konnte. Während Otto meine organisierten Plinsen an alle verteilte, auch für die drei nicht zu uns gehörenden Fahrgäste fiel selbstverständlich etwas ab, und selbst der Busfahrer griff beherzt zu, spielte ich die Walzermelodie „Wenn das Wasser im Rhein goldner Wein wär!". Da es schon recht spät war und es so gut wie keinen Verkehr gab, ließ sich unser Doppelstockkapitän dazu verleiten, uns schwingend im Takt des Walzerliedes bis zum Eingang der Kleingartenkolonie zu fahren und genau davor abzusetzen. Was kann mehr Spaß bieten als dieser menschenfreundliche Zusammenhalt? Das nun war der Grund, mich mit Gleichgesinnten zusammenzutun. Anfangs war es nur ein flüchtiger Gedanke, der dann aber immer mehr Form annahm und greifbar wurde.

So fanden wir zusammen! Helmut, einer unserer Sanitäter, spielte in etwa so gut Gitarre wie ich und war unser Spezialist für Gassenhauer. Gerhard, der Clubelektriker, hämmerte leidenschaftlich auf Kartons und leeren Kisten herum. Was lag da näher, als ihm die Schießbude, also ein Schlagzeug, anzuvertrauen. Der Jüngste von uns, ein Wachsoldat, begeisterte sich ebenfalls für die Gitarre, während Matze, ein Stallknecht, ich erinnere, wir lebten in Hoppegarten, als Kind zur Strafe etwas Klavierunterricht von seinen Eltern verordnet bekomme hatte. Logisch, dass er der Mann für das Keyboard war. Es gab nur ein klitzekleines Problem. Bis auf zwei Akustikgitarren hatten wir keine weiteren Instrumente und die beiden Klampfer waren auch nicht die besten. Aber wo ein Wille ist, ist auch ein Weg! Wozu hatten wir einen Kulturoffizier?

Als ich ihm von meiner Idee berichtete, das kulturelle Niveau der Genossen Sportler in unserer Diensteinheit kräftig anzuheben und ihnen somit zu einer sinnvollen Freizeitbeschäftigung zu verhelfen, war er regelrecht begeistert!

Innerhalb kürzester Zeit besaßen wir die nötigen Instrumente und es konnte losgehen.

Alle waren wir mit Feuereifer dabei, so dass wir verhältnismäßig schnell ein ganz ordentliches Repertoire vorweisen konnten. Auch die vielen Zuhörer, die sich zu den Proben einfanden, bestärkten uns, war es doch auch für sie eine kleine Flucht, weg aus der Monotonie des Cluballtags.

Unser Kulturnatschalnik war es, der den Vorschlag machte, eine offizielle Auftrittsgenehmigung beim Regiment in Adlershof zu beantragen. Wenn nicht die dort, wer sollte sonst?

Damit war unser erster legitimierter musikalischer Auftritt sicher. Er fand in Dahlwitz in einem größeren Tanzsaal statt und war sozusagen unsere Feuertaufe. Was uns an diesem Abend maßlos irritierte, unser Publikum hatte anscheinend null Bock, zu unserer Musik zu tanzen oder lag es an etwas anderem? Wir hatten gemerkt, dass die Frauen durch die Bank weg gewillt waren, das Tanzbein zu schwingen, nur die Männer machten einen lustlosen Eindruck. Licht in diese Irritation brachte der Gewerkschaftsboss dieses müden Haufens. Die Angehörigen des Betriebes, für die wir das erste Mal auftreten durften, hatten im Rahmen einer Kampfgruppenübung an diesem Tag einen 45-km-Marsch in voller Ausrüstung hinter sich! Damit war uns klar, dass wir ein anderes Programm fahren mussten. Tutti Frutti, der Rock-'n'-Roll-Klassiker, brach den Bann und die Männer erinnerte sich daran, dass sie Mitglieder der Kampfgruppe der Arbeiterklasse waren.

Auch unsere Fallschirmspringer, die außerhalb in Eilenburg stationiert waren, forderten uns an, um auch in den Genuss unseres bescheidenen Könnens zu gelangen. Disco im herkömmlichen Sinne gab es noch nicht. Der richtige Hammer; der uns eines Tages erreichte, war eine Anfrage bzw. eine Einladung, die Betriebsfeier vom VEB Elektrokohle Lichtenberg musikalisch zu begleiten. Dieser Großbetrieb hatte 1200 bis 1300 Angehörige. Wo und wie sollte diese Riesenparty stattfinden? Nicht einmal das ausgewählte Ausflugslokal „Rübezahl" am Müggelsee hatte die Kapazität; um solche Massen aufzunehmen. Letztendlich startete man doch dort. Dank einer genialen Idee des betriebseigenen Kulturmenschen und Improvisationskünstlers.

Während zwei Drittel der Kolleginnen und Kollegen im Restaurant feierten, verlagerte man ein Drittel auf einen Ausflugsdampfer. Der machte eine große Runde von etwa sechzig Minuten, um wieder an der Anlegestelle anzudocken und dann seine Passagiere, ein Drittel, gegen ein anderes Drittel aus dem Tanzsaal des Restaurants auszutauschen. Zur Unterhaltung dieser „Bootspiepel" waren wir angeheuert worden. Der erste Moment für uns war Enttäuschung. Dampferkapelle, so hatten wir uns das nicht gedacht. Wir wurden eines Besseren belehrt. Schnell stellten wir uns auf das ständig wechselnde Publikum ein und versuchten, bestimmte Musikwünsche zu erfüllen. Das nahm zum Teil kuriose Formen an. Während sich einer „Es steht ein Haus in New Orleans" wünschte, kam der Nächste mit der Bitte, wir möchten doch mal „Zickenschulze aus Bernau" spielen. Sogar das alte Landserlied vom „schönen Polenmädchen" nahmen wir für die Rundfahrten in unsere Sammlung auf. Dabei lieferten wir auch manchmal nur die Musikbegleitung, wenn es einen Kollegen von der Elektrokohle danach verlangte, auch einmal ein Liedchen durchs Mikrofon zu schmettern. Die Stimmung konnte nicht besser sein.

Was wir beobachteten war, dass normalerweise immer neue Gesichter hätten auftauchen müssen, aber nein. Immer öfter standen dieselben Tänzer, die schon zuvor mit uns eine Runde gedreht hatten, auf dem Parkett. Auf meine Frage „Warum das?" meinte einer der Stammgäste: „Na, bei Euch is' doch wenigstens dufte Stimmung und da drinne", er meinte den Rübezahl-Saal, „is' det Berlin-Sextett und dit Orchester von Rundfunk mit nur Geigen und so! Wenn jetzt och noch det Sextett uffhört, spielen bloß noch die Pinguine in Frack und Fliege, na denne jute Nacht. Wollt ihr nich lieba an Land weiterspielen?" Dieses Problem konnte nur über den Kulturfuzzi geregelt werden, was besagter Stammgast auch schaffte. Es war schon etwas später und ein Teil der Belegschaft hatte schon die Heimreise angetreten, so dass der Dampfer eigentlich nicht mehr gebraucht wurde.

Nach der letzten Anlandung packten wir unsere Instrumente zusammen und wechselten den Tatort. Als wir den Rübezahl-Saal betraten, hatte besagtes Berlin-Sextett schon die Bühne geräumt, während das Tanzstreichorchester rechts davon gespannt auf die Neuankömmlinge äugte und vereinzelt auch mitleidige Blicke zu uns herüberwarf. Da ging uns schon ein bisschen die Muffe, zumal der Chef vom Berlin-Sextett und noch zwei Bandmitglieder neugierig am Eingang stehenblieben, um unseren Untergang der Titanic in sicherer Entfernung mitzuerleben! Hier kam mir mein Kampfsportler-instinkt zur Hilfe. Untergehen möglich, aber wenn, dann nur mit wehenden Fahnen. Also sagte ich als Hauptliedsänger: „Jungs, wir müssen gleich mit einer Granate starten und so das Überraschungsmoment ausnutzen." Was war da besser geeignet als Tutti Frutti, zumal wir diesem Song schon einmal eine Rettung zu verdanken hatten, der Muntermacher überhaupt in der Zeit des DDR-Lipsis!

Alles auf eine Karte und ab ging die Post. Schon nach den ersten Takten und dem von mir heiser herausgebrüllten „Say be-bop-a-lula" im allerfeinsten „Oxford-Englisch" welches ich nur von Hits aus dem West-radio kannte, tobte der Mob los. Im Nu war die Tanzfläche voll mit jubelnden Rock 'n ' Rollern, dass es nur so schepperte. Keiner kümmerte sich um meinen zusammengezimmerten Englischtext, vielleicht waren einige dabei, die vermuteten, dass ich aus der Lausitz kommen müsste, weil ich so gut mit dem R rollen konnte! Neidvoll blickten die „Streicher-pinguine", wie man sie genannt hatte, auf das volle Tanzparkett. Den glück-seligen Gesichtern der Rockenden sah man an –wieder einmal alles richtig gemacht. Auch die Vertreter vom Berlin-Sextett lächelten anerkennend und verschwanden nach Beendigung unseres Muntermachers.

Sieg auf der ganzen Linie. Von der Dampferkapelle zu umjubelten Rockern in nur knappen vier Stunden, das war schon eine Leistung.

Was ich damals noch nicht einmal erahnen konnte, Ende 1971 durfte ich zusammen mit eben diesem Berlin-Sextett für die zukünftige Olympia-mannschaft für München, zu der ich auch gehörte, auftreten! Ein Erlebnis der ganz besonderen Art, aber das ist wieder eine andere Geschichte.

62. Plakatliebe

Mein Anfahrtsweg zur Trainingsstätte war heftig. Die kleine Zwei-raumwohnung, die ich dank eines Schreibens in Form einer Eingabe an den Staatsrat erhalten hatte, lag in Köpenick-Wendenschloß. Dort hatte man zwischen den Villen, wo z. B. der Schauspieler Armin Mueller-Stahl residierte, und einer riesigen Gartenkolonie einige vierstöckige Wohn-blöcke mit einer Kaufhalle hingesetzt. Ofenheizung, aber ein kleines Bad und eine noch kleinere Küche. Die Krönung für mich war jedoch der Balkon oder wie der Berliner zu sagen pflegte, „eine kleine Raustrete". Was solls, wir hatten keinen anderen Wohnblock vor uns und schauten direkt auf die Dahme mit den vorbeigleitenden Lastkähnen oder Ausflugsdampfern. Manchmal, wenn der Wind günstig stand, trug er sogar das Gebrüll der Steuermänner von Ruderbooten herüber, denn auf der anderen Seite des Flusses lag Grünau mit seinen vielen Wassersportvereinen.

Irgendwie befand ich mich im Zwiespalt mit mir selbst. Einerseits war der Weg zur Diensteinheit Dynamo Hoppegarten ganz schön weit, andererseits war ich heilfroh, so weit weg zu wohnen. Aber ich denke, der letztere Teil überwog, zumal hinter dem Wohngebiet auch gleich der Wald mit den darin liegenden Müggelbergen begann.

Eines Tages, im sich ankündigenden Herbst mit dem so typisch grauen, schmuddeligen Wetter, stieg ich an der Endhaltestelle Mahlsdorf aus der Straßenbahn, um in die S-Bahn zu wechseln. Wollte man auf den Bahnsteig gelangen, musste man eine elend steile und lange Treppe hinaufkraxeln, was bei Muskelkater in den Beinen recht schmerzhaft sein konnte, ge-schweige denn, man hatte eine leichtere Knie- oder Fußverletzung. Er-reichte ich mein Ziel, stand genau in der Mitte eine Litfaßsäule. Ich konnte sie schon von ganz unten ab der ersten Stufe sehen, hatte also eine Weile Zeit, um festzustellen, ob wieder eine neue Sichtwerbung aufgeklebt worden war. Zu dieser Zeit, also zu Beginn der siebziger Jahre, gab es nichts Berauschendes zu bewerben: 1. Mai, Kampftag der Arbeiterklasse,

Tag der Republik. Wenn es hochkam, ein Plakat, welches den Weltfrieden forderte. Manches Mal gab es auch eine Ankündigung für einen neuen DEFA-Film wie z. B. „Zeit der Störche" mit „olle Winne Glatzeder".

Der 04.09.1971 sollte für mich unvergleichlich bleiben. Ich hatte meinen OP-Termin für die linke Schulter erhalten und musste am 08.09. in die Charité. Als ich nun auf besagter, endlos langer und steiler Treppe empor-stieg, mit dem unfreundlichen Wetter und meinem Schicksal sowieso hadernd, erblickte ich beim Nach-oben-Schauen ein bildhübsches Weib auf einem DIN-A1-Modeplakat. Sie schaute mir mit verführerischem Lächeln direkt in meine erstaunt aufgerissenen Augen. Mit jeder Stufe, die ich ihr näherkam, wurde sie für mich immer schöner. Blonde Haare lugten unter einem edlen, breitkrempigen Hut hervor, der mit Pfiff getragen und mit Früchten des Herbstes dezent und geschmackvoll dekoriert war, hervor, während die eine sichtbare Hand in einem Handschuh steckte, der die gleiche Farbe wie der Hut besaß und anmutig ihre rechte Wange berührte.

Das alles, diese geschmackvolle Harmonie zwischen dem Hut, dem tauben-grauen Handschuh und den magisch blickenden blaugrauen Augen, gepaart mit dem verführerisch rotgeschminkten Mund, ließ mich die Treppe hoch-schweben. Zehn Minuten blieben mir, um diese Schönheit zu genießen, dann würde meine Bahn kommen.

Von diesem Moment an hatte mein Leben wieder einen Sinn. Die folgenden vier Tage freute ich mich auf diesen Moment des Wiedersehens und ich genoss es, langsam, Stufe für Stufe, den Olymp zu erklimmen, ohne meinen Blick aus ihrem zu lösen. Dann stand ich vor ihr und hätte ihr so viel sagen wollen, aber die einfahrende Bahn trennte uns brutal. So verging ein Tag nach dem anderen, an denen ich mich wie ein zum ersten Mal verliebter Knabe auf den Mahlsdorfer S-Bahnsteig freute.

Alles hat ein Ende und es traf mich vollkommen unerwartet. Beschwingt strebte ich meiner Plakatliebe entgegen, denn am morgigen Tag musste ich ins Krankenhaus einrücken, also große Verabschiedung. Doch dann ver-schlug es mir nicht nur den Atem. Die Litfaßsäule hatte man neutralisiert, was bedeutete, sie wurde mit bräunlichem Papier beklebt, um so eine neue Werbung vorzubereiten.

Aus dem beschwingten war ein müdes, schweres Erklimmen geworden. Ungläubig starrte ich auf das frisch geklebte nackte Papier, nicht begreifen wollend, dass unsere Liebe so ein jähes Ende finden würde. Einmal noch wollte ich in diese Augen schauen, bitte, bitte, einmal noch! Also suchte ich in etwa die Höhe, in der sich die zugeklebten Augen befinden mussten, schaute vorsichtig nach links und rechts und begann, mit dem Fingernagel die oberste Schicht vorsichtig abzutragen. Das Attentat musste noch nicht so lange her sein, denn das Papier war noch feucht vom Kleister und das ließ mich hoffen. Volltreffer! Schon der erste Versuch gelang und ich blickte noch einmal in eines der wunderschönen Augen. Der einfahrende Zug riss mich in die Wirklichkeit zurück. Sollte es das gewesen sein? Ich könnte doch versuchen, als ehemaliger Siebdrucker bei der DEWAG-Werbung nach einem Restposten zu fragen. Aber wie so oft im Leben, es kommt meistens ganz anders und manches Mal sogar noch schöner.

Aber das ist wie immer eine andere Geschichte!

63. Fritz Heckert

Wer hat als Junge nicht das Buch „Robinsons Abenteuer" gelesen. Alles wurde von mir verschlungen, was irgendwie mit Windjammern, einsamen Karibikinseln und gestrauchelten Abenteurern zu tun hatte. Das ging so weit, dass meine Bibliothekarin eines Tages zu mir sagte, es tue ihr leid, aber da wäre nichts mehr, was sie mir empfehlen könnte, da war ich dreizehn Jahre. Wahrscheinlich war es auch einer der Gründe, weshalb ich mich vierzehnjährig bei unserem Ruderverein anmeldete, um wenigstens ein winziges Stück Abenteuerromantik zu erleben. Immerhin gibt es um Schwerin herum genug Seen und mit dem Pfaffenteich und dem Ziegelsee sogar mitten in der Stadt. Für meine Freunde war es immer ein Erlebnis, wenn wir in der Krone unseres Lieblingsbaumes saßen, den Blick über den Schweriner See mit seinen beiden Inseln schweifen ließen und ich Geschichten erzählte, die ich aus einem der vielen Bücher in unser Leben übertrug – dabei waren meine Beschreibungen von schweren Stürmen auf hoher See besonders beliebt, denn dann schaukelten wir wie wild im Wipfel und aus unserem Kletterbaum wurde ein stolzer Dreimaster, der gegen die anstürmenden Wogen kämpfte. Wenn es auch zu diesen, unseren Zeiten an vielem mangelte, so gewiss nicht an Fantasie. Nun scheint das genaue Gegenteil eingetreten zu sein, es gibt alles im Überfluss, nur die Fantasie ist auf der Strecke geblieben. Ich kann mich natürlich auch täuschen. Fakt ist, dass mein bester Freund später einmal Kapitän bei der Handelsmarine wurde, während ich Landratte blieb, aber dank meiner Liebe zum Judosport trotzdem viel von dieser Welt gesehen habe. Die Entschädigung, nicht zur See gefahren zu sein, kam so unverhofft und in so geballter Form, dass dieses Reiseerlebnis ganz vorn in meiner „Bestenliste" rangiert.

Es war der Herbst 1971, der Deutsche Turn- und Sportbund der DDR hatte sich etwas Besonderes einfallen lassen, um im sogenannten Vorolympischen Jahr die zukünftige Olympiamannschaft für die „Bunten Spiele" in München zusammenzuschweißen. Was war da besser geeignet als eine Schiffsreise? Alle wichtigen Sportler und Funktionäre für eine Woche auf engstem Raum zusammen, keine Störfaktoren von außen und somit alles unter Kontrolle, fast!

Damit es nicht ganz so eng wurde, hatte unsere Sportführung das FDGB-Urlauberschiff "Fritz Heckert" gechartert und um die Wichtigkeit dieser Reise zu demonstrieren, war das Ziel Leningrad, also jetzt wieder Sankt Petersburg. Im Klartext hieß das für mich, kein Entrinnen, dazu von morgens bis abends Schulung ohne Ende oder wie wir zu sagen pflegten, „Rotlichtbestrahlung"! Ich tröstete mich mit dem alten, weisen russischen Sprichwort „Der Tee wird nicht so heiß getrunken, wie er gekocht wird." Die alten Russen sollten recht behalten.

Bereits als ich die wacklige Gangway betrat, war mir, als würde ich die Seiten eines neuen Abenteuerromans aufschlagen. Der Deckoffizier, der mich beim Betreten des Schiffes begrüßte, teilte mir meine Kajütennummer mit und dass ich mich in einer halben Stunde in den großen Speisesaal begeben müsse, wo ich alles Weitere erfahren würde. Die Kabine teilte ich mir mit unserem Halbmittelgewichtler, der etwas früher an Bord war und es sich schon bequem gemacht hatte. Logisch, dass er sich im unteren Teil des Doppelstockbettes einquartiert hatte. Wie es sich später zeigen sollte, war es auch gut so. Ich war nur froh, dass es keine Hängematten waren, damit hatte ich während meines „Seemann-Lehrganges" bei der Gesellschaft für Sport und Technik als Vierzehnjähriger schlechte Erfahrungen gemacht. Jeden Morgen wachte ich durch bestialische Muskelkrämpfe in den Beinen auf und es dauerte eine kleine Ewigkeit, bis ich alles wieder unter Kontrolle hatte. Außerdem machten sich die älteren Kameraden einen diebischen Spaß, indem sie die Knoten der Hängematten mit einem kurzen Ruck lösten, so dass die Opfer entweder mit dem Oberkörper oder den Beinen auf dem Boden aufschlugen.

Beides hatte ich hier nicht zu befürchten, was schon mal beruhigend war und so konnte ich in aller Ruhe meine Reisetasche auspacken. Aber was mir sofort gefiel, war unser Fensterchen in dem winzigen Raum. Wie es sich für eine Seereise gehörte, war es ein kreisrundes Bullauge und verstärkte somit natürlich mein beginnendes maritimes Lebensgefühl.

Pünktlich nahmen wir an einem der Tische im Speisesaal Platz. Auf den Weg dahin zerbröselte die Illusion Abenteuer-Seefahrt etwas, da wir bis zum Ziel erst einmal durch eine wahre Einkaufspassage mussten, die auf beiden Seiten mit herrlich dekorierten Schaufenstern lockte, sogar einen Friseurladen gab es.

Spannend wurde es aber erst so richtig, als wir uns im Saal umschauten und die gesamte Sportelite unseres Landes vor uns hatten. Klar kannte man sich aus den Medien oder den Trainingslagern, aber so geballt wie hier auf engstem Raum, das war schon beeindruckend und wir gehörten dazu. Alles, was wir dann zu hören bekamen, war mehr oder weniger sportpolitische Routine. Was mich persönlich am meisten interessierte, waren die freien Stunden, die uns zur Verfügung gestellt wurden. Manfred Ewald brachte sein Programm locker über die Bühne, so dass bei allen Anwesenden die Hoffnung aufkeimte, keine Rotlichtverbrennung zu bekommen. Nach dem Abendessen hieß es dann nur noch, ab in die Bar, die im Vorschiff untergebracht war, während für die, die es nicht ganz so kuschelig liebten, Musik und Getränke im Speiserestaurant serviert wurden. Neben den Sportlern mit ihren Trainern hatte der DTSB auch bekannte Kulturschaffende, wie sie genannt wurden, mit auf die Reise genommen, die in Gesprächen mit uns und natürlich auch der Besatzung für Abwechslung sorgten. Aber ehe es soweit war, nutzte ich gleich am ersten Tag die wenige Freizeit, um mich mit dem Schiff vertraut zu machen. Logisch, als die angeworfenen Motoren den Rumpf unseres Dampfers erzittern ließen und somit ankündigten – Leinen los – stürmten alle an Deck, um nichts zu verpassen. Langsam und allmählich kehrte wieder Ruhe ein, der Leuchtturm von Warnemünde zog an uns vorbei, während eine erhebliche Menge Zuschauer von der Mole zum Abschied winkte. An das Brummen der Motoren, begleitet von einem leichten Zittern, welches das ganze Schiff ergriffen hatte, gewöhnten wir uns ganz schnell. Als die Silhouette von Warnemünde verschwunden war, befanden sich die meisten schon wieder unter Deck. Zeit für mich, auf meine ganz persönliche Entdeckungsreise zu gehen.

Schon bei der Einweisung hat uns der 1. Offizier darauf aufmerksam gemacht, dass die Reling an der Steuerbordseite bei der letzten Rückreise aus Leningrad beschädigt wurde. Ein alkoholisierter Kapitän eines russischen Schiffes musste sich dafür verantworten. Zeit für eine fachgerechte Reparatur hatte man keine, also reparierte unsere Besatzung notdürftig den Schaden mit Brettern und Vierkanthölzern. Auch die beiden Schornsteine der „Fritz Heckert" ließen altersbedingte Schwachstellen erkennen, welche allerdings mit einer kräftigen Schicht Farbe gut getarnt waren. Aber das nur nebenbei. Mein Ziel war der Bug und schnell hatte ich den Weg dorthin ausfindig gemacht. Das hört sich vielleicht etwas komisch an, aber Steuerbord wie Backbord waren mit zwei verschlossenen Türen, durch die ich zum Vorderschiff hätte kommen können, gesichert. Was Jahrzehnte später das Markenzeichen des Films „Titanic" wurde, als Leonardo di Caprio mit seiner Partnerin am Bug dieses riesigen Passagierdampfers stand, begleitet von der grandiosen Filmmusik, durfte ich, natürlich ohne musikalische Begleitung, schon mal als Vorkoster ausprobieren. Allerdings stand ich nicht so bühnenreif an der Spitze unseres Luxusliners, sondern ich kauerte mich mit dem Rücken in Fahrtrichtung hin und versuchte so, der doch schon empfindlich kalten und feuchten Seeluft zu trotzen.

Ein erhebendes, großes Gefühl, die mächtigen Aufbauten mit dem Peildeck zuoberst und den Fenstern darunter zu betrachten, wo ich nur erahnen konnte, dass dahinter der Kapitän mit seiner Navigationsmannschaft über unsere Sicherheit wachte.

Dann geschah es! Während ich alles um mich herum aufsog, meinen Körper noch mehr in den kleinen Hohlraum hineinpresste, fragte plötzlich eine Stimme hinter mir: „Ganz schön kalt, was?" Was war das, wer war das? Es konnte keiner hinter mir sein und wenn, musste er auf dem hochgezogenen Anker draußen an der Bordwand sitzen. Mein erschrockener Blick wanderte hoch zur Brücke und da sah ich sie, Mannschaft und Kapitän lachend und winkend hinter den Scheiben der Kommandozentrale. Na klar, nun leuchtete es mir ein, nicht immer ist die See so bleischwer und langweilig glatt wie in diesem Moment. Wenn es kräftig stürmt und der Wind orgelt, kann es schon sein, dass man sein eigenes Wort nicht mehr hört. Dann ist so ein Lautsprecher beim Kommandieren und Anweisunggeben äußerst nützlich.

Etwas Gutes hatte dieser Schreck in den späten Nachmittagsstunden letztendlich auch für mich. Ich kam mit einem Teil der Besatzung in lockeren Kontakt, was mir auf der Rückreise sehr von Nutzen sein sollte.

Vom Vordeck stieg ich hoch zum Peildeck. Das war schon ein toller Blick, den ich von hier aus über das gesamte Schiff hatte. Nachdem ich etwa zehn Minuten das Alleinsein genießen konnte und mir währenddessen wenigstens etwas Seegang wünschte, erhielt ich Besuch. Schmunzelnd kletterte einer meiner „Erschrecker" zu mir auf das Deck, um die Windgeschwindigkeit zu messen. Ehe ich mich versah, waren wir beide in ein richtiges Seemannsgespräch vertieft. Dabei machte er mich auf etwas aufmerksam, was ich sonst kaum bemerkt hätte. Für mich sah es aus wie ein dünnes, schwärzliches Rohr, das irgendwer in den Grund der Ostsee gerammt hatte, warum auch immer. Er klärte mich auf, dass es ihr ganz persönliches Begleit-U-Boot der Bundesmarine sei und das Rohr nichts anderes als das Periskop wäre, welches ausgefahren wurde, wenn es auf Tauchstation ging, um fleißig, aber unentdeckt weiter zu beobachten. Auf meine Frage, ob das nicht ein bisschen langweilig wird, ständig ein Passagierschiff zu begleiten, meinte er, die Kameraden reisen immer mit, in der Hoffnung, es könnte jemand von Bord „fallen" und dann könnten sie ruck, zuck auftauchen und dem „Mann über Bord" zur Hilfe eilen. Dabei schaute er mich grinsend an und zwinkerte mit einem Auge! Aha, ich hatte sofort begriffen.

Aber nun wurde es Zeit, die Bar aufzusuchen. Nachdem ich mich etwas frisch gemacht und auch die Kleidung gewechselt hatte, konnte es losgehen. Schon auf dem Weg dorthin war flotte Tanzmusik zu hören und die weibliche Stimme, die dazu sang, machte mich echt neugierig. Also, wenn sie annähernd so aussieht, wie sich ihre Stimme anhört, muss sie verteufelt gut aussehen. Beim Betreten des Raumes traute ich meinen Augen nicht. Oben auf der kleinen Bühne standen sechs Musiker und die Sängerin. Am kleinen Keyboarder und dem Gitarristen erkannte ich sie sofort! Es waren die zwei, welche bei unserem großen Auftritt für VEB Elektrokohle an der Tür verharrten, als meine kleine Musikgruppe ihre Instrumente auspackte und nur hoffen konnte, dass es nicht der Untergang der Titanic wird. Dort oben spielte in diesem Augenblick keine andere Band als das „Berlin-Sextett".

Die angesagte kurze Pause nutzte ich natürlich sofort, um mich zu Rudi, dem Chef der Truppe, zu begeben. Auch er erkannte mich gleich wieder und begrüßte mich mit großer Herzlichkeit und Verwunderung, mich ausgerechnet hier anzutreffen. Auch Ulli, der Gitarrist, ein stiller, bescheidener Mensch, schüttelte mit herzlich die Hände, während Rudi mich den übrigen Bandmitgliedern und der Sängerin Uta Jatzkowski vorstellte. Zu meiner Überraschung gab es noch einen männlichen Sangeskollegen, den ich anfangs gar nicht bemerkt hatte, denn er saß etwas abseits und stellte sich mir als Erhard Juza vor. Ich befand mich unter lauter lieben Kollegen! Unmittelbar an der Tanzfläche saßen unsere Honorationen vom DTSB und schauten neugierig zu uns herüber, da es ihnen doch etwas merkwürdig erschien, mit welcher Freude und Herzlichkeit einer ihrer Olympiakader begrüßt wurde, den sie höchstwahrscheinlich noch nicht einmal kannten. Hajo, unser Judo-Generalsekretär, klärte sie dann auf, dass ich einer von der „Randsportart Judo" wäre und dazu noch der Hoffnungsträger. Schade, dass er nicht hinzufügte: „ … den ihr damals bei der Auszeichnungsfeierlichkeit im Staatsrat vergessen habt."

Wie heißt es in einem wunderbaren Lied von Udo Lindenberg? „Ich mach mein Ding, egal, was die anderen labern"! Diesen Song gab es damals zwar noch nicht, er hätte mich aber ganz gut beschrieben.

Während unserer Plauderei meinte Rudi unerwartet: „Sag mal, willst du nicht auch was singen?" Er war mit der Stimmung dieses Abends nicht so recht zufrieden und meinte, wenn jemand aus der Olympiatruppe einen zum Besten gibt, wäre das schon eine feine Sache. Na aber, da ließ ich mich nicht lange bitten. Um unsere Chefs nicht allzu sehr zu schocken, startete ich als Überraschungsgast mit „Manne Krugs" Variante vom „Alten Haus in New Orleans" und schlug damit ein wie ein Torpedo in ein gegnerisches Schlachtschiff. Der Abend gehörte mir und es sollten noch weitere folgen. Grund genug für mich, die mir sofort äußerst sympathische Nachtigall um einen Tanz zu bitten. Während wir in voller Harmonie über das Parkett schwebten, war mir, als kenne ich sie schon eine gefühlte Ewigkeit. Auch Bernhardt J., der Sangeskollege von Britt, kam zum Einsatz, wobei es seiner Stimme etwas an Volumen fehlte und er nicht so gut rüberkam, was aber der jetzt schon überbordenden Stimmung keinen Abbruch tat. Rudi war voll und ganz zufrieden mit dem Verlauf des Abends und lud uns in seine Kajüte zum kleinen Absacker ein. Das war natürlich ein anderes Zimmerchen, was er bewohnte! Wir hatten alle bequem Platz und sogar der 1. Offizier und die bekannte Schauspielerin und „Kulturschaffende" Lissy Tempelhof kamen noch hinzu. Die Stimmung konnte nicht besser sein. Während ich zwischen der Sängerinnen Britt und Lissy Tempelhof meinen Platz gefunden hatte und den Gesprächen lauschte, die lautstark durch den Raum schwirrten, fragte mich Rudi unvermittelt: „Du sag mal Klaus, hast du eigentlich einen richtigen Beruf oder bist du nur Sportler?" „Nein, nein", meinte ich daraufhin, „ich habe den ehrenwerten Beruf eines Siebdruckers erlernt." An dem fragenden Gesichtsausruck der Zuhörer konnte ich erkennen, dass ich dazu einige erklärende Worte sagen musste. Zögerlich begann ich mit der Beschreibung, da es nicht das erste Mal war, dass ich auf tiefe Unwissenheit, was das Berufsbild betraf, stieß. Also erklärte ich, dass dieses Druckverfahren zum Bereich Kunst- und Werbedruck gehört, aber auch durchaus in der Industrie Verwendung findet, ein sogenanntes Durchdruckverfahren. Anscheinend reichte diese Erklärung noch nicht und ich vereinfachte das Ganze, indem ich sagte, na z. B. zum Plakate drucken. Kaum hatte ich das ausgesprochen, jubelte Britt neben mir auf und rief begeistert: „Ja, ich war auch einmal auf einem Plakat!"

Hätte ich gestanden, wäre ich wahrscheinlich stocksteif umgefallen, so aber saß ich wie vom Donner gerührt auf meinem Stuhl und dachte immer wieder: „Das gibt es nicht, das kann nicht wahr sein! Solche Zufälle gibt es nicht! Bin ich hier in einem Schnulzenfilm?" Sie war es! Sie, die mich eine knappe Woche mit ihrem Anblick glücklich gemacht hatte, wenn ich in Mahlsdorf die Stufen zum Bahnsteig emporstieg.

Noch in derselben Nacht setzte ich mich in den abgedunkelten Clubraum, wo mich um diese Zeit sowieso keiner störte und schrieb das Lied „Plakatliebe". Unserem Rudi und seinen Musikern gelang es am darauffolgenden Abend, einen ganz manierlichen Beat zu produzieren, so dass ich dieses Lied zur Uraufführung bringen konnte.

Das Leben kann so schön sein!

Wir hatten Leningrad erreicht und unser Luxusliner lag am Pier. Hier, in der Wiege der Oktoberrevolution, sollten wir Kraft und Energie tanken und sportlichen Ehrgeiz entwickeln, um bei den Spielen in München unsere Republik ehrenvoll zu repräsentieren. Wenn nicht hier, wo sonst sollten wir uns den nötigen Input holen?

Eine Armada großer Busse stand schon für uns bereit, um uns zu den unterschiedlichsten Sehenswürdigkeiten dieser einzigartigen Stadt zu transportieren. Die Wirkungsstätte Lenins, der Smolny, durfte genauso wenig fehlen wie der Panzerkreuzer Aurora, der mit seinen Bordgeschützen das Zeichen zum Beginn der Oktoberrevolution gab. Auch der riesige Friedhof für die Opfer der Hungerblockade während des letzten Weltkrieges war dabei, an dessen Mahn- und Gedenkstätte eine Abordnung einen Kranz niederlegte. Bemerkenswert die Schätze und Sehenswürdigkeiten der Eremitage. Nach dem Bernsteinzimmer suchte ich vergebens! Letztendlich waren alle froh, wieder auf dem Dampfer zu sein. Am nächsten Morgen sollte es wieder in Richtung Heimat gehen oder fachsprachlich, wir würden in aller Frühe auslaufen.

Nach Stunden des Tiefschlafes spürte ich beim Erwachen, dass der kommende Tag anders werden würde. Das, was ich die gesamte Zeit vermisst hatte, war eingetreten. Das Bullauge spendete schon etwas spärliches, im Grauton gehaltenes Licht, während mein Körper den Bewegungen des Schiffes folgte. Das Gewicht verlagerte sich im gleichbleibenden Rhythmus, erst nach links, um mich dann wieder sachte auf die rechte Seite hinüberzuschieben. Der morgendliche Bordfunk holte uns dann gänzlich in die Gegenwart zurück. Während der Sprecher tönte: „Einen wunderschönen guten Morgen, liebe Reisende! Wie Sie bereits bemerkt haben, befinden wir uns nicht mehr im Hafen." Daraufhin erfolgte für mich eine geradezu explosive Mitteilung, die vorher noch von einer Reihe Koordinaten gewürzt wurde, um dann die alles entscheidende Information durch den Lautsprecher zu pusten: „Sie werden zu Hause kein Seemannslatein erzählen müssen, denn der Wetterbericht sagt ein Sturmtief mit einer Windstärke von 11 bis 12 voraus!" Nach einigen Minuten, in denen wir nur das Brummen der Schiffsmotoren vernahmen, vermischt mit ab und zu einem kräftigen Wellenschlag gegen die Bordwand, ertönten auf den metallenen Platten des Ganges vor unserer Kajüte plötzlich schnelle, hektische Schritte. Ach ja, erinnerte ich mich, am Ende unseres Korridors lag das Behandlungszimmer des Arztes. Gab es etwa schon die ersten Seekranken?

Aber nun raus aus den Federn, das wollte ich noch vor dem Frühstück live erleben. Also ratzbatz Katzenwäsche, rein in die Klamotten, Jacke drüber und raus. Halleluja, sollte ich doch noch auf meine Kosten kommen? Nach und nach kamen immer mehr aus ihren Kabinen und gesellten sich dazu. Der Wind hatte schon beachtlich an Stärke gewonnen und produzierte weiße Schaumkämme bis zum Horizont. Ich hätte gut und gerne auf das Frühstück verzichtet, nur um das, was jetzt kommen würde, mit jeder Faser meines Körpers aufzunehmen. „Olle Fritze" schaukelte schon beträchtlich und ich fand es bombastisch, was hier abging, zumindest empfand ich es so. Beim Betreten des Speisesaales stellte ich sofort fest, dass ein beträchtlicher Teil der Plätze nicht besetzt war und es auch bleiben sollte. Hatte es doch schon einige entschärft? Meine Vermutung sollte sich bestätigen, ich hatte freie Platzwahl. Auch meinem Zimmerkameraden ging es nicht so gut und er zog es vor, seine Koje aufzusuchen, wie so viele andere auch. Das Personal erbrachte zum Teil artistische Leistungen beim Servieren des Essens, wobei einige auch schon etwas blass um die Nase aussahen. Ich musste feststellen, dass es zumindest bei mir zwischen Riesenradfahren und stürmischer See einen gewaltigen Unterschied gab. Hatte mein großer Bruder doch immer wieder beim Besuch eines Rummelplatzes versucht, aus mir einen harten Burschen zu machen, indem er mich zwangsvergatterte, dieses „Schaustellerfoltergerät" mit ihm zu besteigen. Das Resultat war jedes Mal die Entleerung meines gesamten Mageninhaltes. Aber jetzt und hier absolut nichts, es konnte mir nicht besser gehen. Während Herbert Jenter, der Trainer der Volleyballnationalmannschaft der Männer, mit allen Mitteln das Gleiche mit seinen Jungens durchzog wie mein Bruder mit mir, steigerte sich das Ganze zur Lächerlichkeit. Ließ er doch die Spieler mit den Bällen in den äußeren Seitengängen das Zuspiel trainieren, was natürlich unmöglich wurde. Die Bälle flogen überall hin, nur nicht dorthin, wo sie sollten. Missmutig brach er das Training, welches eher ein Spektakel war, ab. Während der Sturm immer heftiger wurde, sahen wir, die Standfesteren, unseren Abschiedsabend in Gefahr. Doch unsere Leitung reagierte souverän und so fand der Abschluss in zwei Gruppen statt. Die weniger Belastbaren feierten im Mittelschiff, also im Speisesaal, wo das Schaukeln nicht ganz so heftig empfunden wurde, während die besser Stabilisierten die Bar ansteuerten, die sich im Bug des Schiffes befand. Nun tauchte aber ein anderes Problem auf, von den sechs Musikern des „Berlin-Sextetts" waren vier nicht mehr einsatzfähig, genauso wie meine „Plakatliebe" und ihr Sangeskollege. Nur Rudi und der Bassgitarrist, beide leicht grün im Gesicht, standen noch zur Verfügung. Was nun? Rudi hatte die rettende Idee: „Klaus, du!" Dann musste er schnell irgendetwas hinunterschlucken, um danach zögerlich festzustellen, dass wir aber unbedingt noch einen Schlagzeuger brauchten. Auch den fanden wir in der dezimierten Masse. Hatte ich doch während eines Gespräches mit Roland Matthes, unserem Superschwimmer, mitbekommen, dass er manchmal ein kleines bisschen auf so einer „Schießbude" herumhämmerte, wenn sich die Gelegenheit bot. Jetzt bot sie sich.

Einige Schlucke Alkoholika mit offizieller Genehmigung spülten seine anfänglichen Bedenken fort, während sich noch ein weiterer Musikus zu uns gesellte. Mit an Bord war der DDR-bekannte Oktoberklub und dessen Gitarrist übernahm die Melodiegitarre. So wurde aus dem dezimierten „Berlin-Sextett" die Gruppe „Fritz Heckert Five"! In der Zwischenzeit hatte sich das zu Beginn zarte Lüftchen zu einem wirklich ausgewachsenen Sturm gemausert und das sollte erst der Anfang sein! Um das Schiff einigermaßen stabil zu halten, ließ der Kapitän den Kurs etwas ändern, so dass die Brecher nicht mehr seitlich an den Rumpf krachten, sondern der Bug direkt in die anstürmenden Wogen brach. Es sollten für uns unvergessliche Stunden werden. M. Ewald gab grünes Licht für die musikalische Gestaltung, wir Sportler kannten doch fast nur Schlager aus der westlichen Hemisphäre, außerdem wurde, um das Gleichgewicht aufrecht zu erhalten, nicht mehr darauf geachtet, wer, was und wieviel trank. Hin- und hergeschaukelt wurde soundso auch. Um zu verdeutlichen, mit welchen Problemen wir uns auseinanderzusetzen hatten, zwei Beispiele. Wir Musiker konnten uns kaum auf den Beinen halten, also verhakten wir drei Gitarristen unsere Unterschenkel in dem kleinen, etwa 40 cm hohen Gitterchen, welches die Bühne zur Tanzfläche absicherte. Rudi hielt sich an seinem Keyboard fest und Roland saß sowieso auf dem Schlagzeugersessel. Die Stimmung war grandios! Vergessen die Leidenden mittschiffs im großen Saal, jetzt zählten nur noch wir, die ganz Harten im Vorhof des Taifuns. Es ließ sich nicht vermeiden, dass es dabei auch zu gefährlichen Situationen kam, wenn z. B. den Tanzenden, die eher rhythmisch hampelten, plötzlich das Parkett unter den Füßen wegsackte.

Ich sehe noch deutlich eine Situation vor mir: Während sich der Rumpf des Schiffes gegen die über ihm brechenden Wogen stemmte, wurden die tanzenden Paare regelrecht auf das Parkett gedrückt, um dann ruckartig nach unten ins Bodenlose wegzusacken. In diesem Moment schwebten alle einen knappen halben Meter in der Luft, um danach krachend auf dem Tanzboden zu landen. Wie sagt doch so ein alter weiser Spruch: „Kleine Kinder und … beschützt der liebe Gott."

Mein wohl schönstes Erlebnis an diesem so einmaligen Abend war das Spielen meines absoluten Lieblingsliedes „Nights in White Satin" und noch immer nach so vielen Jahren läuft mir ein wonniglicher Schauer über den Rücken, wenn ich ihn höre. Wer kann schon von so einem Erlebnis berichten und dieses Mal hatte ich musikalische Begleitung vom Allerfeinsten. Immer wenn ich diesen Song höre, bin ich wieder mit den „Fritz Heckert Five" vereint und erlebe noch einmal diese Nacht der Naturgewalt mit all ihren Facetten.

Irgendwann war Schluss mit lustig und M. Ewald, der bis dahin ohne Probleme mitgehalten hatte, brach aus Sicherheitsgründen die Novembersturmparty ab. Immerhin war schon seit 16 Uhr das Betreten des Decks strikt untersagt, da die ersten Brecher um diese Zeit schon über die Reling krachten. Artig zogen wir uns in unsere Unterkünfte zurück. An Schlafen war nicht zu denken und als ich die Tür öffnete und mir ein säuerlicher Geruch entgegenschlug, war mir sofort klar, dass ich so nicht in meine Koje kriechen würde. Nicht auszudenken, wenn Dietmar das obere Bett genommen hätte. Schnell ergriff ich das wohlweislich am Vorabend geschnürte Paket und zog von außen die Tür hinter mir zu, um mir eine einsame Ecke zu suchen und das Bündel auszuwickeln. Ein Paar Gummistiefel, ein imprägnierter wadenlanger Wettermantel und das Allerwichtigste, ein Südwester! Dem Himmel sei Dank für den guten Kontakt zur Schiffsbesatzung. Ein Kind zur weihnachtlichen Bescherung hätte sich nicht mehr freuen können. Bedenken, dass mich jemand erwischen könnte, existierten in diesem Moment nicht. Mich hätte in der Verkleidung sowieso keiner erkannt, also konnte es losgehen. Nicht umsonst hatte ich mir die Tage zuvor alles genauestens eingeprägt. Den Weg zum Peildeck hätte ich im Schlaf gefunden. Dort angekommen, atmete ich noch einmal tief durch, dabei breitbeinig wie ein alter „Seebär" vor der schweren eisernen Tür balancierend, um sie mit ganzer Kraft unter Einsatz meines Körpers gegen den anpeitschenden Sturm aufzustemmen und mich dem bis dahin gewaltigsten Naturereignis meines jungen Lebens zu stellen. Ich konnte nicht anders, eine noch größere Kraft trieb mich hinaus. Es gab in diesem

Moment nur mich und das tobende, brüllende Meer im nächtlichen Schwarz.

Krampfhaft festhaltend an allem, was sich greifen ließ, kämpfte ich mich bis zu der Leiter, die mich auf das Peildeck der Glückseligkeit bringen sollte. Oben angekommen, klammerte ich mich an das eiserne Geländer und rutschte, mich daran festhaltend, Meter für Meter weiter bis zu dem Punkt, wo ich genau mittig den Bug vor mir hatte. Immer wieder den Kopf zwischen die Schultern ziehend, wenn ein besonders gewaltiger Brecher versuchte, mir die seemännische Spezialkleidung vom Körper zu reißen. Aber ohne mich, nicht mit mir, brüllte ich gegen den Sturm an. Das war es, was ich mir schon immer in meinen verrückten Träumen gewünscht hatte. Nun stand ich genau dort und konnte es noch immer nicht so recht glauben.

Später, wenn ich dieses Erlebnis in trauter Runde zum Besten gab, kam oft die Frage: „Hattest du gar keine Angst?" Ich kann ehrlichen Herzens sagen: „In keiner Sekunde!"

Mir fällt es schwer, das Erlebte in wirklich passende Worte zu kleiden, so etwas muss man am eigenen Leib erfahren haben, um es annähernd zu begreifen. Es wäre in etwa so, wie einem farbenblinden Menschen ein buntes Bild zu erklären und dabei zu schwärmen, welch großartige Farbkomposition dem Künstler doch gerade bei diesem Bild gelungen ist!

Mit keinem Wort kann man den Moment wiedergeben, wenn ein gewaltiger Brecher über dem Vorschiff zusammenkracht und versucht, dieses große Schiff mit dem Bug voran unter Wasser zu drücken.

Faszinierend, wenn der Moment eintrat, wo sich der Rumpf besann und begann, sich zu wehren. Unvergesslich, wenn die Bugspitze wieder aus den kochenden und brodelnden Wassermassen vor mir auftauchte, sich aufbäumte und das Deck sich wie eine riesige Wand vor mir aufrichtete, um Sekunden später zurückzustürzen, dabei das Peildeck flutend. Bevor sich die Fritz Heckert in das nächste Tal stürzte und ich geduckt diesem sich ständig wiederholenden Ereignis gebannt entgegensah, dabei das Eisengeländer mit aller Kraft umklammernd, hörte ich wieder dieses eigenartige

Geräusch, welches mich an einen Güterzug in voller Fahrt über eine Eisenbrücke erinnerte. Während des nächsten Sturzes in den tiefen schwarzen Abgrund erkannte ich es. Es waren die beiden Schiffsschrauben, die in dem Moment, wo der Bug nach vorn unten abtauchte, sich frei in der Luft drehten und dabei sogar den orgelnden und pfeifenden Sturm übertönten. Mit dieser Erkenntnis ließ ich die erneut anstürmenden Wassermassen auf mich zurollen, um sie mit kraftvollem Gebrüll zu empfangen, wohl wissend, davon keinen Ton zu hören, da es sofort beim Verlassen meines weit geöffneten Mundes weggerissen und zu einer winzigen Note auf der Partitur dieses infernalischen Konzertes wurde. Angst? In keiner Sekunde!

Irgendwann reichte es mir dann doch. Zurück in meiner Kabine, lag ich später überglücklich in der Koje, um meinen ständig stöhnenden Untermieter etwas zu bedauern. Während ich doch einschlummerte, hatte ich das Gefühl, der Sturm lässt etwa nach. Zum Frühstück wurde uns „Überlebenden" erst einmal bewusst, dass wir Sportler zum größten Teil seefester waren als das Personal, welches für unser leibliches Wohl verantwortlich war. Bekamen wir sonst alles serviert, mussten wir uns nun das Frühstück an der Durchreiche zur Küche selber abholen, wo ein einsamer Smutje mit leichtem Grünton im Gesicht die etwas spartanisch belegten Teller durchreichte. Auch der zweite Mann im Hintergrund befand sich nicht in Bestform.

Während wir aßen, stellte ich fest, dass wir die Tassen schon etwas voller gießen konnten, ohne Gefahr zu laufen, das alles überschwappt. Das Sturmtief verzog sich anscheinend genauso schnell, wie es gekommen war. Als die „Fritz Heckert" in Warnemünde einlief, merkten wir nichts mehr davon. Nur beim Verlassen des Schiffs schaukelte noch alles um mich herum und es sollte auch noch einige Zeit dauern, ehe ich mir das breitbeinige Laufen abgewöhnt hatte. Dem Schicksal sei Dank, ist die Erinnerung an diese Reise immer noch präsent und anhaltender als das Schwanken unter den Füßen nach Verlassen unseres Kreuzfahrtschiffes „Fritz Heckert".

64. Bunte Spiele und schwarze Trauer München 1972

Sie konnte also losgehen, die unmittelbare Vorbereitung auf die Olympischen Spiele in München. Jetzt, wo klar war, was ich meinem Arbeiter- und Bauernstaat alles schuldig bin, hielt mich nichts mehr davon ab, diese Schulden zu begleichen. Zumal ich vor Toresschluss auch noch die ultimative Traumreise mit der „Fritz Heckert" erleben durfte. Nein, nein, da ließ ich mich nicht lumpen, außerdem wusste ich von meinen Eltern, dass man es tunlichst vermeiden sollte, Schulden zu machen. Mit anderen Worten, ohne Last läuft es sich leichter.

Trotzdem war in meinem tiefsten Inneren immer wieder eine mahnende Stimme zu vernehmen, die mich ständig daran erinnerte, dass der Höhepunkt meiner sportlichen Karriere mit dem erkämpften Europameistertitel überschritten war. Mein klägliches „Ich kann es doch trotzdem versuchen!" wurde von eben dieser Stimme hämisch verlacht. Rückblickend ist man meistens klüger, was mir so richtig bewusst werden sollte, als ich bei der Kündigung nach 29 Jahren treuer Dienste bei den bewaffneten Organen und nach dem Untergang der DDR die Unterlagen aller meiner medizinischen Untersuchungen von den Siegern ausgehändigt bekam.

Aber langsam und der Reihe nach.

Um die Qualifikation für Olympia zu schaffen, war die Bedingung, eine Medaille bei den Europameisterschaften zu erringen. Dank unserer Sportmediziner und „Jenapharm" schaffte ich es mit Ach und Krach. Das eigentliche Problem bestand darin, dass ich vier Wochen vor dem Start in Holland alle schmerzlindernden Medikamente aus Angst vor einer Dopingkontrolle absetzen musste. Dementsprechend quälte ich mich, bis ich die Bronzemedaille sicher hatte. Ab da war dann Schicht im Schacht. Bevor wir die Heimreise antraten, besorgte unser Onkel Doktor, den wir zu solchen Großereignissen immer mitnahmen, für mich in Amsterdam erst einmal ein kräftiges schmerzstillendes Medikament für meinen gepeinigten Lendenwirbel. Aus Vorsicht oder weshalb auch immer hatte er meine

Tanderil-Tabletten nicht in seinem Koffer. Zur „Normalität" zurück-gekehrt, also wieder voll im Stoff, holte ich noch beide DDR-Meistertitel sowie jeweils den internationalen tschechischen, ungarischen und holländischen Titel und gaukelte mir damit vor, alles wird gut. Was dann kommen sollte, übertraf alle negativen Erwartungen und nicht nur meine. Ohne Übertreibung kann ich behaupten, dass der größte Teil der Welt-bevölkerung mit Ausnahme der meisten arabischen Staaten in eine totale Schockstarre verfiel. Aber ich greife vor.

Ein besonderes Highlight war die Einkleidung der Olympiamannschaft. Maßkonfektion und nur vom Feinsten, farblich abgestimmt und somit untereinander kombinierbar. Zwei Paar Lederschuhe sowie ein rotes Basecap und eine Schirmmütze aus superweichem Ziegenleder gehörten ebenfalls dazu. Am meisten Freude bereitete uns aber das Aussuchen der ganz individuellen Krawatten. Hier durfte jeder nach seinem Geschmack zuschlagen und manchmal tat es auch richtig weh. Was sollte es, knallbunt und breit war total in!

Um das alles wegzuschleppen, bekamen wir selbstverständlich einen Koffer in entsprechender Größe sowie eine stattliche Sporttasche. Olympia konnte kommen. Spätestens bei der Übertragung der Eröffnungs-feierlichkeiten am 26.08.1972, die wir Judokas zu Hause vor dem Bildschirm miterlebten, mussten wir feststellen, dass entweder der BND oder die Genossen von Erich Mielke Betriebsspionage betrieben hatten. Die Männer beider deutschen Mannschaften trugen beim Einmarsch die gleichen Farben, himmelblaues Sakko und dunkelblaue Hose, nur die hellen Kopfbedeckungen unterschieden sich etwas. Unsere waren aus echtem Ziegenleder, ätsch! War das der Versuch, eine gemeinsame deutsche Mannschaft ins Rennen zu schicken oder wollte hier wer wen ärgern? Keiner konnte von uns das Rätsel lösen.

Etwas bedrückt verließen wir später den Fernsehraum. Wurde uns doch auf einmal bewusst, dass wir um einen der schönsten Momente, den Einmarsch der Nationen, geprellt worden waren. Gerne hätte ich auf die Hälfte der Garderobe verzichtet, wenn ich nur beim Einmarsch in das Olympiastadion dabei gewesen wäre. Es war alles eine Frage der harten Währung. Nichts war umsonst bei den Spielen, auch nicht die tolle 4-Raumwohnung mit dem schwarz gefliesten Bad und dem riesigen Traumbalkon, in die wir als Judo-mannschaft einziehen durften. Apropos schwarze Fliesen im Bad! Nomen est omen?

Es begann für uns ziemlich aufregend. Keine zwei Tage nach unserer Ankunft lag im Briefkasten der DDR-Mannschaft eine ernstzunehmende Bombendrohung! Wie ernst sie gemeint war, sahen wir daran, dass ab sofort unser Objekt vom Bundesgrenzschutz bewacht wurde. Irgendwelche primitiven Rechtsradikalen wollten uns an die Wäsche. Vorsicht war also geboten, was unsere Führung veranlasste, den Kameraden vom BGS nicht die gesamte Verantwortung zu überlassen. Von dem Moment an waren alle Kampfsportler der GDR (olympisches Länderkürzel bis 1988) im Kampf-einsatz rund um die Uhr und schoben neben den bewaffneten Männern des Bundesgrenzschutzes Wachdienst. Olympia hatte ich mir eigentlich anders vorgestellt. Auch ich, der zwei Tage später im Schwergewicht starten sollte, blieb nicht davon verschont. Zusammen mit unserem Generalsekretär Hajo Kempa saß ich im Hausflur eines der Aufgänge unseres Quartiers und be-wachte den Frieden.

Da es zu dieser Jahreszeit und so dicht an den Alpen nachts ziemlich kalt war, zu allem Überfluss auch noch ein kräftiger Wind wehte, verkrochen sich unsere beiden Bundesgrenzschützer in die Ecke, in der wir kuschelig warm und mit einer großen Thermoskanne Bohnenkaffee hinter der Ein-gangstür saßen, um im Notfall die Bombe zu entschärfen!

Lange konnte ich mir die beiden frierenden Jungs nicht ansehen, dann machte ich Hajo den Vorschlag, unseren „Eduscho" brüderlich mit den Be-schützern vor der Glastür zu teilen. Warum funktioniert das nicht in der großen Politik? Logisch, dass ich mit den beiden Kaffeebechern für ehrliche, große Freude sorgte. Ruhig und zufrieden, eine gute Tat vollbracht zu haben, schlief ich nach unserer Wachablösung in meinem Bett ein. 24 Stunden blieben mir noch, um mich vor allem geistig auf den kommenden Start vorzubereiten.

Wie schon so oft in meiner Judokarriere hatte ich wieder einmal kein Glück mit der Auslosung. Glück bedeutet, zum Anfang etwas unbekanntere und nicht ganz so gute Gegner zu bekommen, um sich dann von Kampf zu Kampf zu steigern. Bevor ich richtig in Fahrt kam, traf der DDR-Klaus wieder einmal auf den BRD-Klaus und ich verlor mit 2:1 Richterstimmen. Dieses Mal hatte er Heimvorteil! Das war es dann vorerst, aber ich besaß noch die Möglichkeit, einige Tage später in der Gewichtsklasse „Alle Kategorien" doch noch eine der „geplanten" zwei Goldmedaillen zu holen!

Damit es nicht zu langweilig wird, hier einer meiner dummen Lieblingssprüche: „Denn erstens kommt es anders und zweitens als man denkt." Einen Tag nach meinem vorzeitigen Ausscheiden war unser Halbschwerer Helmut H. dran und flog so wie ich in der Hoffnungsrunde raus.

Am 02.09.1972 startete unser Mittelgewichtler Rudolph H. und machte ebenfalls in der Vorrunde die Jalousien runter.

Am 03.09.1972 leuchtete am Horizont ein schmaler Streifen Hoffnung, denn unser Halbmittelgewichtler Dietmar H. erkämpfte die erste Bronzemedaille und alle waren sich einig, dass Silber greifbar war, denn der nächste Gegner war ein Pole, den Dietmar schon öfter zusammengefaltet hatte. Aber dieses Mal kam es anders und es blieb beim 3. Platz. Nach jedem missglückten Kampf um den Thron auf dem Olymp musste ich mir von der Leitung anhören: „Na Klaus, du wirst das schon reißen in Alle Kategorien."

Am 04.09.1972 war dann der Leichteste von uns am Start. Karl-Heinz W. machte es seinen Vorturnern nach und schied ebenfalls in der Vorrunde aus und wieder hörte ich das Leitungsmantra: „Na Klaus, du wirst das schon machen!"

Wäre diese Last, die mir Tag für Tag aufgedrückt wurde, in Kilo messbar gewesen, hätte eine neue Gewichtsklasse erfunden werden müssen, in etwa „Übersupernochmehralsschwergewicht"!

So aber blieb mir nur die Hoffnung und die stirbt bekanntlich zuletzt.

65. Friedrich Schiller hatte nicht Recht

Wenn ich diesen Titel für die nächste Geschichte gewählt habe, so meine ich das Zitat aus Wilhelm Tell: „Der Starke ist am mächtigsten allein!" Nach dem sang- und klanglosen Abgang der meisten unserer Truppe blieb tatsächlich nur noch eine winzige Hoffnung, ich!

Diejenigen, die alles soweit überstanden hatten, ob mit oder ohne Erfolg, durften sich als Belohnung für die jahrelange Quälerei auf eine Floßfahrt den Inn hinunter freuen. Da hatte sich unsere Leitung etwas Tolles ausgedacht. Diejenigen, die nicht mehr auf die zusammengebundenen Baumstämme passten, lud Manfred Ewald zum Kaffee auf den Münchener Fernsehturm ein. Plötzlich tauchte ein simples Problem für die kleine Leitung unserer Mannschaft auf. „Was tun, sprach Zeus? Die Götter sind besoffen!"

Klar und logisch, wenn man sich in das Seelenleben eines „Ossis" hineinversetzen kann, versteht man es bedeutend besser. Das heißt, alles mitnehmen, was einem so angeboten wurde. Also sprach mein Verbandstrainer am 04.09.1972 nach dem Ausscheiden von Karl H.: „Lieber Klaus, wir fahren jetzt nach Füssen, um die Floßfahrt zu erleben, während du auf unser Appartement mit den schwarzen Fliesen im Bad und der tollen Terrasse aufpassen wirst. Ich hoffe natürlich, dass du während unserer Abwesenheit fleißig trainierst, um doch noch zu deiner Goldmedaille zu kommen." So in etwa habe ich seinen Kommentar übersetzt. Ja, und dann war ich alleine, aber natürlich noch hochmotiviert.

Der 05.09.1972 begann wie jeder andere Tag auch, nur dass ich alleiniger Herrscher über eine supermoderne Plattenbauwohnung war.

Diszipliniert begann ich am frühen Morgen mit der Gymnastik auf der Terrasse und ging dabei noch einmal die Geschehnisse des zurückliegenden Tages gedanklich durch. Logisch, dass bei solchen Großereignissen wie Olympia „himmelhochjauchzend" und „zu Tode betrübt" dicht nebeneinander liegen. Während wir, also unsere Judotruppe, zu den doch Betrübteren gehörten, tobte und tanzte vor unserem Haus das olympische Volk in Ekstase. In einem der wesentlich kleineren Reihenhäuser unmittelbar vor unserem Hauseingang auf der anderen Straßenseite hatten die Neuseeländer ihr Quartier. Im großen Rennen der Ruderachter wurden sie im Finale mit überzeugendem Abstand vor den USA und dem DDR-Boot Olympiasieger. Der so hochgepriesene Deutschlandachter spielte keine Rolle bei der Medaillenvergabe. Wo gewonnen wird, wird gefeiert und das taten die „Kiwis" bis zur Besinnungslosigkeit. Vorsorglich hielt ich die Balkontür geschlossen, denn feiern konnten die Jungs wirklich, was selbstverständlich mit entsprechender Lautstärke einherging.

Es musste etwa 6 Uhr morgens gewesen sein, denn die Connollystraße lag menschenleer unter mir und nur so konnte ich aufmerksam werden, dass sich etwas auf der gegenüberliegenden Seite tat. Bis dato wussten wir nicht, welche Mannschaft neben den Neuseeländern wohnte. Alles war wie eine große Familie und wer achtet da schon darauf, wer wohin gehört. Also nahm ich an, was jetzt da unten ablief, kam auf das Neuseeländerkonto. Zwei Männer trugen einen Leblosen, für mich in diesem Moment sturz-besoffenen „Kiwi", aus dem Haus und legten ihn vorsichtig ab. Man kann es auch ein bisschen übertreiben, damit war es für mich gegessen, denn ich hatte einen streng getimten Tag vor mir. Also ab ins Bad, danach zum Frühstück, welches in einem anderen Gebäude einzunehmen war und weiter zum Haupteingang, wo ich mich mit meinem Heimtrainer, der nicht im Dorf wohnte, treffen sollte. Zusammen fuhren wir zu der Trainingsstätte, die sich etwas entfernter auf dem Messegelände befand. Hier traf ich einige holländische Judokas, die mich herzlich begrüßten und mich in ihr Training integrierten. So kam ich mir dann doch etwas weniger einsam und verlassen vor. Danach wieder mit dem Nahverkehr ins Olympiadorf. Was uns ein wenig irritierte, waren die Menschenmassen, die unterwegs waren. Die gesamte Münchener Bevölkerung wollte, so wie es aussah, ins olympische Dorf! Dabei war für diesen Tag kein sportliches Großereignis zu erwarten.

Zu allem Überfluss hinderte mich dann auch noch ein Olympiapolizist daran, das Gelände zu betreten, obwohl ich meinen schicken blauen Trainingsanzug mit den drei unübersehbaren Buchstaben trug. Außerdem baumelte auch die Identifikationskarte, die mich als Olympioniken kennzeichnete, an meinem Hals. Was soll das Ganze? Jetzt erst fiel mir auf, dass Bundespolizei schwerbewaffnet überall postiert war.

Würde ich die Stimmung beschreiben müssen, wäre es eine Mischung aus Angst, Hysterie und krankhafter Neugierde, die besonders durch die sich vor dem Tor drängelnden Sensationstouristen verstärkt wurde.

Nach kurzer Diskussion ließ man mich dann doch durch die Absperrung mit dem Versprechen, das DDR-Quartier von hinten durch den Park zu betreten und den Weg über die Connollystraße zu meiden. Mit keiner Silbe wurde mir der wahre Hintergrund dieser Aktion erklärt. Was war geschehen? Als ich die Wohnung betrat, saß die junge Frau, welche für Sauberkeit und Ordnung in unserem Männerhaushalt verantwortlich zeichnete, Fingernägel kauend vor laufendem Fernseher und starrte wie hypnotisiert auf die Flimmerkiste. Auf die Frage, was denn eigentlich hier los sei, winkte sie mir nur aufgeregt zu, was heißen sollte, sei ruhig und halte die Klappe.

Was ich dann allerdings sah, verwirrte mich vollends. Auf dem Bildschirm flimmerte das gleiche Bild, was ich gehabt hätte, würde ich von unserem großen Balkon auf die kleineren Gebäude auf der anderen Straßenseite blicken, nur wurden diese Bilder von weit oben übertragen. Jetzt begannen meine kleinen grauen Zellen angestrengt zu arbeiten. Stück für Stück setzte ich das Puzzle zusammen und begriff auf einmal, dass der vermeintlich sturzbesoffene Neuseeländer, der von seinen Mannschaftskameraden vor der Tür abgelegt wurde, kein Neuseeländer war, sondern Mosche Weinberg, das erste Todesopfer der Israelischen Mannschaft, die Tür an Tür mit den Kiwis wohnte. Also warum sollte ich in die Ferne schauen, wenn ich live dabei sein kann? Kurzentschlossen nahm ich mir eine Decke, unsere Gastgeber hatten auch daran gedacht, und breitete sie auf dem Balkon aus. Da der untere Teil der Brüstung freien Blick zuließ und nur mit einer Plexiglasscheibe gesichert wurde, lag ich sozusagen in diesem „Brutalo-Theater" in der ersten Reihe. Zehn Meter Luftlinie bis zum Flachdach der israelischen bzw. neuseeländischen Mannschaft. Kaum lag ich in Position, kuschelte sich unsere Raumpflegerin an mich, was meinem Beschützerinstinkt guttat.

Jetzt darüber ein Urteil zu fällen, wie schlimm und niederträchtig dieser Überfall der palästinensischen Freischärler war, werde ich mich hüten. Darüber wurde in den vergangenen Jahren genug diskutiert, geschrieben und verfilmt. Seit über zweitausend Jahren hauen sich diese beiden Volksstämme gegenseitig die Ohren vom Stamm und die Köpfe ein und was hat es gebracht? Das lehrreichste Beispiel erlebte ich persönlich und hautnah als mein Vater einer Frau aus unserem Wohnhaus Beistand leisten wollte, weil ihr Mann sie fürchterlich verprügelte und sie hysterisch um Hilfe schrie!

Als sie jedoch bemerkte, dass ihr Prügelknabe gegen meinen Vater null Chance hatte, wechselte die Person sofort die Fronten und kämpfte auf der Seite ihres eben noch auf sie eindreschenden Ehemannes gegen Blödmann, der ihr Hilfe leisten wollte!

Also ließ ich die Politik außen vor und beobachtete. Wir sahen den maskierten Kopf aus dem Türspalt lugen, das Bild wurde millionenfach abgedruckt und auch im Fernsehen live gezeigt! Aber wie konnte das sein? Etwas später wussten wir warum: Die Sensationsmedien hatten auf dem Dach unseres Hauses ihre Kameras aufgebaut und übertrugen diese ganze Tragödie in Echtzeit. Dass damit auch die Attentäter bestens informiert wurden, was außerhalb geschah, interessierte keinen, entscheidend war die Einschaltquote! Pervers, oder? Für mich galt in diesem Moment das eherne Gesetz von Ehrlichkeit und Mut, für Falschheit war da kein Platz. Also war mir der Polizist, der sich auf dem Dach befand und in Bauchlage mühsam versuchte, behindert von unförmigen Stahlplatten unter dem Trainingsanzug, den für ihn markierten Punkt zu erreichen, der Gute. Während die Strumpfmaske, die ab und zu mal die Lage peilte, mir nicht sonderlich sympathisch schien. Na, war doch logisch, dass ich auf der Seite vom Guten war, aber wie konnte ich helfen? Naheliegend war, die Medienmeute vom Dach zu prügeln, aber die hatten sich bestimmt verbarrikadiert. Also konzentrierte ich mich auf das im wahrsten Sinne des Wortes noch näher

Liegende und das war der Polizist in Bauchlage. Vom landeseigenen Fernsehen begleitet, versuchte er immer noch, an besagte Position zu gelangen, doch er sah nichts. Das Vordach über den Balkonen hinderte ihn daran. Das war mein Moment! Irgendwann hatten wir Blickkontakt und begriffen zeitgleich die Möglichkeit, die sich hier bot. Also gestreckter Zeigefinger nach links, weiter rutschen und wieder Blickkontakt. So ging es eine ganze Weile, bis ich als sein alles überblickender Blindenhund den Daumen hob, der ihm signalisierte, Punkt erreicht! Ein dankbares Lächeln und ein ebenfalls erhobener Daumen waren meine Belohnung.

Plötzlich hörte ich die Stimme meines Verbandstrainers, der von uns unbemerkt die Wohnung betreten hatte. Auch er bekam in Füssen mit, was vor unserer Haustür passierte und setzte sich sofort in Bewegung, um dem Letzten seiner Mohikaner zur Seite zu stehen. Beim Film würde man jetzt „Cut!" sagen.

Alles, was dann geschah, erfuhr ich auch nur durch die Medien und ich erspare es mir, das noch einmal wiederzukäuen.

Um mich auf andere Gedanken zu bringen, fuhren wir in die City. Es musste doch irgendeinen Kinofilm geben, der mich wieder aufmunterte. Nichts mit Cowboys oder gar „Spiel mir das Lied vom Tod" mit der traumhaften Musik von Ennio Morricone. Also kein Western, wie wir es sonst taten, um uns vor Wettkämpfen im westlichen Ausland aufzuputschen. Wir landeten in einem „Soft-Porno"! Bis heute unvergesslich eine Szene auf einem Bauernhof irgendwo im Bayerischen. Der sehr stabile Knecht geht mit einem strammen Madel ins Heu. Während ihr die reifen Äpfel aus dem Dirndl fallen, setzt sie sich mit gerafftem Röckchen auf seinen Schoß und verdreht die Augen, dabei stöhnend im original bayerischen Dialekt ihn auffordernd, doch mal das Knie wegzunehmen. Woraufhin er etwas beleidigt meint: „Woas hoast hier Knie, dös issa!" Ich glaube, in dieser Nacht schlief ich ganz gut. Am folgenden Tag rückte auch mein Floßfahrtteam aus Füssen wieder an und so war ich doch etwas erleichtert, nicht mehr allein diese Diskussion des Komitees der Spiele ertragen zu müssen. Spiele abbrechen und damit eine Bankrotterklärung der olympischen Idee unterschreiben oder einen Tag in Andacht verweilen und dann weitermachen, als wäre nichts geschehen.

In meinem tiefsten Inneren hatte ich bereits die Heimreise angetreten, so dass ich regelrecht enttäuscht war, als es nach dem Tag Pause weitergehen sollte. Während im großen Stadion am 06.09.1972 um 10.00 Uhr die Trauerfeier begann und der Präsident des IOC, Avery Brundage, bekanntgab, die Spiele gehen weiter, wurde auf dem Flughafen Fürstenfeldbruck zum großen Massaker geblasen. Eine vollkommen mit der Situation überforderte Einsatzleitung konnte nur noch gelähmt zuschauen, wie die ganze Situation ausuferte und kollabierte. Das Ende des Geiseldramas ist bekannt. Die Tragödie der vergangenen Jahrhunderte setzte sich fort, Auge um Auge, Zahn um Zahn.

Israels Luftwaffe bombardierte am 08.09.1972 zehn Guerilla-Basen in Syrien und dem Libanon, das sagt eigentlich alles!

Was beneidete ich meine Jungs, die es hinter sich hatten, wenn auch außer Dietmar ohne Medaillen. Die Last der auferlegten Verantwortung, nicht auch noch in „Alle Kategorien" zu versagen, erdrückte mich förmlich. Die fiese Stimme in mir wurde immer gehässiger: "Habe ich doch gleich gesagt, dass du nach dem EM-Titel aufhören sollst. Das hast du nun davon." Tiefer konnte man doch nicht in die Kacke fassen, war eine beliebte Umschreibung in unserem Kampfsportvokabular und sie traf hier mit aller Kraft zu. Mein Selbstmitleid gewann immer mehr die Oberhand.

Was hatten mir die zwei Jahre, die hinter mir lagen, letztendlich gebracht? Eine Bronzemedaille zur EM in Holland, neben den beiden Landesmeistertiteln auch noch drei internationale und die ersten Plätze bei Turnieren. Das alles zählte schon nicht mehr. Dafür war das Gegengewicht auf der Waagschale dramatisch. Noch eine Schulteroperation, Bruch des linken Handgelenkes, Infraktion des linken Mittelfingers und zu allem Überfluss auch noch ein kleiner operativer Eingriff, um ein übergroßes Furunkel an der Innenseite des Oberschenkels mit der dazugehörigen Lymphangitis herauszuschneiden – und das zwei Monate vor Olympia!

Was mir jedoch am meisten Kopfzerbrechen bereitete, war der Schmerz-mittelentzug, der auf mich zukommen würde. Das Risiko, in einer Doping-kontrolle zu landen, wollten wir dann doch nicht eingehen, Schmerzen waren also vorprogrammiert. Wenn ich auch noch die Ereignisse der letzten Tage dazurechne, ist der Begriff desolates Nervenkostüm eher als schmeichelhaft zu verstehen.

Wieder hörte ich den Fiesling in mir geifern: „Deine Kumpels hatten wenigstens eine Floßfahrt! Nicht einmal zum Kaffee auf dem Fernsehturm hat es gereicht. Das hast du nun davon!" War das ungerecht. Da half mir auch nicht das Leitungsmantra: „Na Klaus, Alle Kategorien, Gold!"

Am 09.09.1972 war es dann soweit. Mein erster Kampf sollte auch mein letzter sein. Der einzige Name aus meiner Gruppe, der mich nervös machte, war Witali Kusnezow. Parisi aus England, der mein erster Gegner werden sollte, hatte ich schon einmal bei einem großen Turnier besiegt und der lag mir, dachte ich. Nach dem „Hajime" des Mattenleiters wurde es plötzlich dunkel um mich. Schwach sehe ich immer noch die verzerrten Gesichter des Trainers und unseres Sekretärs vor mir, die mit lautem Geschrei mich aus der elenden Dunstglocke herauslocken wollten. „Du musst etwas machen! Du musst kämpfen!" Leichter gesagt als getan. Meine Finger ge-horchten mir immer weniger und verkrampften sich zusehends, während mir meine Unterarme das Gefühl vermittelten, jeden Moment platzen zu wollen.

Der Aggressivkämpfer und Europameister von 1970 verlor den Kampf wegen Passivität. In den Katakomben der Halle, wo unter anderem die Physiotherapeuten untergebracht waren, begann ich, wieder etwas wahr-zunehmen. Der behandelnde Therapeut bereitete mir ein heißes durchblutungsförderndes Pykaryl-Bad für die Unterarme vor, während ein Arzt sich das ganze Drama näher betrachtete. Ich musste doch so schnell als möglich für den nächsten Kampf fitgemacht werden. Wobei auch er außer Kopfschütteln und immer wieder bestätigend, so etwas noch nicht erlebt zu haben, auch nichts machen konnte.

Währenddessen verfolgte ich den weiteren Verlauf der Kämpfe. Über einen Lautsprecher, der sich in einer Ecke des Behandlungsraumes befand, konnten wir den Hallensprecher deutlich hören. Mühsam traktierte der Masseur meine zum Platzen gespannten Unterarmmuskeln und war der Zweite, der behauptete, so etwas noch nie erlebt zu haben. Das, was er mit heißem Bad und Massage nicht schaffte, gelang dem Hallensprecher mit einer Kurzinformation. Parisi aus Großbritannien unterlag Kusnezow aus der UdSSR mit vollem Punkt! Das war es dann, ich war raus aus dem Rennen und somit löste sich auch die Hoffnung auf eine Goldmedaille endgültig auf. Was für mich in diesem Moment aber von weitaus größerer Bedeutung war, dass ich urplötzlich meine zu regelrechten Krallen gebogenen Finger wieder ohne Probleme strecken konnte und damit auch die Schmerzen in den Muskeln der Unterarme sachte aber merklich zurückgingen. In der Zwischenzeit hatte sich in der großen Politik etwas getan. Die Situation, in der sich die Regierung der BRD plötzlich befand, spitzte sich immer mehr zu. Nach dem Drama olympisches Dorf und Fürstenfeldbruck blieben nur noch drei Palästinenser übrig, die von der Polizei überwältigt werden konnten. Nun aber flatterte eine andere Negativnachricht aus dem arabischen Raum auf den Schreibtisch der Regierungsvertreter, in der gedroht wurde, eine Lufthansamaschine zu entführen, wenn die drei gefangen genommenen Palästinenser nicht umgehend freigelassen und nach Ägypten ausgeflogen werden. Das hatte letztendlich auch für uns nicht mehr kämpfende Olympioniken Folgen. Abflug aus der Gefahrenzone, und zwar so schnell wie möglich. Stunden später, am frühen Morgen des 10.09.1972, saßen wir in der Maschine, die uns nach Hause bringen sollte. Übrig und zurück blieben nur diejenigen, die noch im Rennen waren. Was wiederum bedeutete, dass ich auch die olympische Abschlussveranstaltung nicht miterleben durfte.

Ein schwacher Trost blieb mir dennoch: Ich gehörte zu der drittstärksten Olympianation dieser so tragischen bunten Spiele von München. Man bedenke, wir, die kleine, mickrige DDR hinter der ruhmreichen Sowjetunion und der verhassten imperialistischen Weltmacht USA. Das rückt mich in ein ganz anderes Licht! Den Ausmarsch der Gladiatoren sah ich mir dann, vor dem Fernseher sitzend, zu Hause an.

Ein kleines unangenehmes Andenken an die Spiele sollte mich allerdings noch Jahre später an das Erlebte erinnern. Während der Zeit meiner Fachschulausbildung zum Physiotherapeuten in Berlin-Buch gab es anfangs minimale Probleme, die mich dennoch unmissverständlich darauf aufmerksam machten, dass Verletzungen nicht unbedingt physischer Natur sein müssen. Kam z. B. Prof. Presber mit der überraschenden Mitteilung in das Klassenzimmer – alles vom Tisch, nur ein Blatt Papier und etwas zu schreiben, Kurzarbeit! – da krallten sich meine Finger zusammen, dass ich Schwierigkeiten hatte, die ersten Fragen schriftlich zu beantworten. Erst nach Anfrage seinerseits, was ich denn für eine „bestialische Sauklaue" hätte und ich ihm in einem passenden Moment mein olympisches Erlebnis geschildert hatte, wurde es zusehends besser.

Aber ich hatte es geschafft, zehn Jahre Hochleistungssport lagen hinter mir. Es konnte nur noch besser werden und ich wurde nicht enttäuscht. Klar gab es auch weniger schöne Momente in der Folgezeit, jedoch in keiner Phase bereute ich den Schritt, mich noch einmal auf die Schulbank gesetzt zu haben.

Nun konnte ich als Therapeut denen helfen, die ich am besten verstand, die Sportlerinnen und Sportler im Hochleistungssport.

Für meine Kinder, Enkelkinder und nachfolgende Generationen

Ich gehöre einer Generation an, deren Verfallsdatum immer näher rückt und die man als Kriegs- bzw. Nachkriegsgeneration bezeichnet. Erstaunlicherweise bekam ich trotzdem oft von meinen Kindern zu hören, dass ich doch eine sehr schöne Kindheit hatte. Immer dann, wenn ich einmal aus dem „Nähkästchen" plauderte. Noch merkwürdiger war es für mich, aus ihren Bemerkungen ein klein wenig Neid herauszuhören. Im Gegensatz zu ihnen hatte ich wirklichen Hunger und zum Teil große Entbehrungen kennengelernt. Je mehr ich aber von den Problemen jener Zeit berichtete und sie natürlich mit kleinen Anekdoten ausschmückte, umso mehr leuchteten die Augen meines Nachwuchses.

Wahrscheinlich liegt es an meinem „Sonnenschein-Gen", dass ich zu jener Sorte Mensch gehöre, deren Glas halb voll und nicht halb leer ist- So besitzt auch eine negative Erfahrung für mich etwas Positives, nämlich die Erfahrung an sich. Also hopp und ab auf die Habenseite. Damit sind wir bzw. ich auf dem kleinen Philosophenweg.

Das eigentliche Problem zwischen den Generationen liegt darin, dass wir Alten den Jungen unseren Erfahrungsschatz überhelfen wollen und ihnen damit eigentlich die eigenen Erfahrungen wegnehmen. Erfahrungen, die letztendlich notwendig sind, um in einer Gesellschaft, egal welchen Charakters, zu überleben. Erlebnisse jedweder Art formen und profilieren den jungen Menschen. Also, eine meiner ganz persönlichen Erfahrungen war folgende: Erfahrungen kann man nur begrenzt vermitteln, man muss sie machen. Beispiel:

Schmerz. Man kann tausend Mal den Nachwuchs von der heißen Herdplatte fortziehen, mit rollenden Augen und schauspielerischem Talent einen großen Schmerz simulieren. Das Kind wird erst beim tausendundersten Mal begreifen, was „Aua, Aua, heiß" bedeutet und es als Erfahrung verbuchen und das bis zum Lebensende.

Genug des Philosophierens, wie kriege ich jetzt die Kurve zum eigentlichen Thema? Bleiben wir einfach bei „Hunger".

Was stellten wir als Kinder nicht alles an, um dieses böse Knurren im Magen nicht zu richtigen Schmerzen werden zu lassen. Kaum einer aus den nachwachsenden Generationen weiß, wie herrlich süß und saftig Lindenblüten nach einem kurzen Sommergewitter schmecken. Auf Rotdornblüten trifft übrigens das Gleiche zu. Wenn dann erst noch die kleinen Früchte reif waren, die sogenannten Mehlbeeren, bekam man uns nur schwerlich aus den Bäumen. War es auch recht mühselig, das bisschen Fruchtfleisch abzunagen, so füllte es doch nach einiger Zeit unsere kleinen Mägen und drückte (unterdrückte) das Hungergefühl in den Bereich des Erträglichen. Was gab es nicht alles Essbares auf den herrlich saftigen, von keinem Kunstdünger verdorbenen Wiesen. Wie schmackhaft war ein Bündel Sauerampfer, das man, auf dem Rücken liegend, zerkaute und dabei in den blauen Himmel träumte. Und erst die Zeit, wenn der Mohn reif war. Die trockenen Hülsen bargen nicht nur die leckeren Körner, man konnte auch mit mehreren solcher kugeligen Köpfe herrlich Rhythmus rascheln. Allerdings besaßen sie auch negative Eigenschaften. Der Stuhlgang nach dem Genuss der Mohnkörner wurde meist etwas problematisch.

Eine weitere Möglichkeit, dem Hunger etwas entgegenzusetzen, war die Reifezeit sämtlicher Kornarten, wobei der Weizen mit seinen knuffeligen dicken Ähren und den kräftigen Körnern in der Beliebtheitsskala den ersten Platz einnahm. Fiel der Test positiv aus, war es dann soweit. Erst, wenn beim Verreiben zwischen den Handflächen die Körner heraussprangen, robbte man auf allen Vieren einige Meter ins Feld, wälzte sich hin und her und schon hatte man eine gemütliche, nicht einsehbare, duftende Speisekammer. Allerdings durfte man sich nicht vom Bauern erwischen lassen. Nicht, dass er auf die paar Körner hätte verzichten müssen, vielmehr rollten wir uns manchmal so ausgiebig hin und her, dass aus der Speisekammer ein Speisesaal wurde und dafür habe ich aus heutiger Erwachsensicht auch nicht mehr so viel Verständnis.

Eine ganz besondere Zeit war die Kartoffelernte. Wenn es in den Herbst- oder, wie wir zu sagen pflegten, Kartoffelferien aufs Land ging, um den Bauern bei der Ernte zu helfen. Eine echt schwere und über den Rücken gehende Arbeit. Die grandiose Entschädigung für diese Sklavenarbeit kam als Pausenbrot, welches uns die Bauersfrauen aufs Feld brachten, Frisches Brot, dick belegt oder beschmiert mit Hausschlachtenem. Unvergesslich! Was ist ein Doppelwhopper, fetttriefend mit hormongetrimmtem Fleisch und chemisch gedüngten Salatblättern dagegen. Aber – ich greife zu weit vor! Das Abenteuer Kartoffel begann für uns schon zeitig, nämlich dann, wenn man schon laufen und sich bücken konnte, und sie aufheben und in den Korb ablegen durfte. Der Bauer gab das Signal, um das abgeerntete Feld zu stürmen und nachzulesen. Die Ärmsten des Dorfes, und dazu ge- hörten wir als Umsiedler aus Schlesien allemal, standen schon mit Kind und Kegel in den Startlöchern am Feldrand. Keiner war zu klein, um zu helfen. Schließlich ging es darum, genug für den kommenden Winter im Keller oder, wer keinen hatte, im Schuppen zu haben.

Unvergesslich die Zeit, wenn die älteren Jungen Kartoffelkraut zusammen- trugen, es anzündeten, um dann die Erdäpfel in der noch glühenden Asche zu rollen. Was war das für ein Festmahl, wenn die verkohlte Schale abge- pellt wurde und darunter goldgelb und mehlig das Innere zum Vorschein kam. Mit ehrlichem Herzen kann ich sagen, dass mir nichts Vergleichbares einfällt. So etwas produziert nur der Hunger. Es war ein Ritual, eine heilige Handlung, wenn einer der großen Jungs nach einer Kostprobe „das Buffet" eröffnete.

Da ich jetzt über den Kampf gegen den Hunger berichtet habe, komme ich zum Kampf gegen die Kälte. Auch hier sind wir Menschen dem Gesetz der Polarität unterworfen. Eine richtig warme Wohnung kann man erst vollkommen genießen, wenn man aus eisiger Kälte in eine kuschelige, wohltemperierte Behausung tritt.

Noch eine Möglichkeit zum Vergleich! Minus 25 Grad – ich habe meine Handschuhe vergessen und irgendein Schelm hat meine Manteltaschen zu- genäht. Wie krampfhaft würden meine Finger einen Becher mit heißen Tee umklammern und es genießen, langsam wieder aufzutauen. Und was passiert, wenn ich jemanden diese Geschichte erzähle, der noch nie in seinem Leben so kalte Hände hatte, dass er sie nicht mehr spürte? Er kann es nicht nachvollziehen. Das mit dem heißen Tee funktioniert dann schon besser und wenn man das Ganze noch ein bisschen ausmalt, bekommen „die Kinder" glänzende Augen. Also, was sagt uns das? Man braucht auch das Unangenehme, um das Angenehme so richtig von ganz tief innen genießen zu können.

Aber zurück zur Kälte. Was unternahmen wir nicht alles, um nicht zu frieren. Wir, das waren meine Eltern, Opa und Oma, mein großer Bruder und natürlich ich. Die einzige Heizquelle war ein kleiner gusseiserner Ofen, der mitten im Zimmer stand. Dieser Raum war Küche, Wohnzimmer und gleichermaßen auch das Schlafzimmer unserer Eltern. Die Betten von meinem Bruder und mir standen in einem winzigen Raum gleich nebenan, ohne jegliche Heizmöglichkeit. Es hätte auch kein Ofen mehr hineingepasst. Alles, was brennbar war, kam in unseren „Kanonenofen". Diesen Namen verdankte er dem Abzugsrohr, welches fast bis zur Decke reichte, wo es in einem Winkel von 90 Grad zum winzigen Stubenfenster weiterlief, dort durch eine kreisrunde Öffnung in der obersten Scheibe das Zimmer verließ und damit dem Rohrende die Möglichkeit gab, sich in die beißende, kalte Winterluft zu recken. Dort qualmte das gähnende Ende mal mehr, mal weniger kräftig und in allen Schattierungen von Rauch vor sich hin, je nachdem, was gerade an brennbaren Materialien verheizt wurde.

Kohle war mehr als nur Mangelware. Trotzdem, was waren das für wunderschöne Momente, wenn wir alle vor unserem kleinen Ofen saßen. Wäsche hing zum Trocknen über dem langen Abzugsrohr. Die Eltern wechselten sich ab beim „Füttern" unseres kleinen, vor sich hin bullernden Vielfraßes und auf der glühenden Platte lagen Brotscheiben zum Rösten. Es bedurfte einiger Geschicklichkeit, sie im rechten Moment herunterzunehmen. Manchmal, wenn wir jetzt an Wochenenden den Toaster in Gang setzen und plötzlich riecht es leicht verbrannt, weil die Heizspiralen es gut meinten, dann spült die Erinnerung unsere winzige Wohnung in

Großböhla mit all dem tief Erlebten wieder an die Oberfläche. Vergessen sind meine beiden erfrorenen kleinen Zehen und Teile der Oberschenkel, die von der kurzen Hose und den zu kurzen, langen Strümpfen mit Strumpfbändern nur spärlich gegen die grimmige Kälte geschützt waren. Da half auch nicht das dünne Sommermäntelchen mit Kapuze. Wie wunderschön war es, wenn mich Mutti in die kleine, winzige Kammer trug, um mich schlafen zu legen. Im Kerzenschein glitzerten die bereiften Lehmwände wie der Schneepalast der bösen Eiskönigin und mein Atem verdichtete sich zu einem weißen Wölkchen, welches mir wie der Rauch von Vaters Selbstgedrehten vorkam. Das Unterschlüpfen unter das dicke Federbett musste ganz schnell gehen. Denn drinnen lag ein in Zeitungspapier gewickelter, heißer Ziegelstein, der sofort ans Fußende geschoben wurde. War das ein wonniges Gefühl, wenn die kalten Füße sich an den Stein schmiegten.

Nicht zu vergessen, der vorher frisch aufgeschüttelte Strohsack. Sein Duft und das Knistern, das jede Bewegung hervorrief, ließen mich stets sanft und glücklich einschlummern.

Genau wie zum Kartoffelsammeln war bei der Organisation von Brennmaterial jedes Familienmitglied gefordert. Ich erinnere mich daran, dass unsere umliegenden Wälder so was von leergefegt waren – wie ein frisch gebohnertes Tanzparkett. Kein Zweiglein, geschweige denn ein kräftiger Ast hätte längere Zeit unten gelegen. Kienäpfel und Tannenzapfen verschwanden sofort in unseren Hosentaschen, denn vom Besitzer des Waldes oder gar dem Förster durfte man sich nicht erwischen lassen. Denn das wäre Diebstahl gewesen.

Die absolut größte Sache war aber das Sammeln von Briketts am Bahndamm. Aus Mangel an Transportmitteln, insbesondere dem Fehlen von Eisenbahnwaggons, wurden die wenigen Wagen, die dem Krieg nicht zum Opfer gefallen waren, total überladen. Briketts fielen herunter, brachen dabei durch oder zerfielen in noch kleinere Stücke.

Ich glaubte damals zu wissen, warum man von schwarzem Gold sprach. Genauso glücklich wie ein Goldsucher war, der ein Nugget gefunden hat, waren wir es, wenn wir ein Stückchen Kohle erbeuteten. Genauso wie die

Goldsucher versuchten wir, es zu verheimlichen, um unseren wertvollen Fund nicht genauso schnell wieder zu verlieren.

An eine äußerst schmerzliche Begebenheit kann ich mich noch genau erinnern. Ein riesenlanger Güterzug, übervoll beladen, rollte aus Richtung Dahlen kommend gen Oschatz. Allein und mit einem blechernen 10-Liter-Eimer ausgerüstet, kam ich gerade im richtigen Moment, um die hier und da herunterpurzelnden Kohlen eifrig aufzusammeln. In kurzer Zeit war der Eimer voll und damit stand ich vor einem echten Problem. Er war für mich zu schwer. Wie üblicherweise hatte ich ihn abgestellt und rannte mit jedem Brikettstückchen hin, um es hineinzuwerfen. Guter Rat war teuer. Ich erinnerte mich an eine kleine Nische unter der Eisenbahnbrücke. Doch bis dahin waren es auch gute 50 Meter. Aber mit eisernem Willen und unter Aufbietung aller Kraftreserven gelang es mir, meine zerfallene Beute in dieses vermeintliche Versteck zu wuchten. Dann rannte ich, so schnell es meine kurzen, dünnen Beine erlaubten, nach Hause, um Hilfe zu holen. Als ich mit meinem großen Bruder zurückkam, war der Eimer weg und mit ihm auch die Kohle.

Solche Erlebnisse prägen den Menschen und erst dann ist er in der Lage, sich über ganz kleine Dinge wie eine zentralbeheizte Wohnung zu freuen.

Also versuche ich einfach, mein gelebtes Leben in Form von kleinen Geschichten zu erzählen, in der Hoffnung, bei den nachwachsenden Generation auf etwas Verständnis zu stoßen. Sie sollen wissen, dass sich unsere Leben gar nicht so sehr voneinander unterscheiden. Schmerz und Enttäuschung werden je nach Stärke immer den gleichen Wert besitzen, genauso wie Freude und positive Überraschung.

Jede Zeit bringt ihre Erlebnisse, die erzählenswert sind und den Kindern dieses gewisse Leuchten in die Augen zaubert, von dem wir behaupten, dass da so ein winziges bisschen Neid mitleuchtet. Ich glaube fest daran, dass unsere Urenkel eines Tages, wenn wir nur noch Erinnerung sind, mit ebenso leuchtenden Äuglein ihren Erzeugern lauschen. Diese werden mit Verwunderung bemerken, dass da so ein klitzekleines Neidsternchen mitflimmert.

In der Hoffnung, dass mein Sonnenschein-Gen ungeschwächt von Generation zu Generation weiterhüpft.

Danksagung

Danken möchte ich meinen vielen Patienten, die mich immer wieder ermuntert haben, meine Erlebnisse niederzuschreiben bzw. zu veröffentlichen. Sei es aus der darstellenden Kunst, wie Marten Sand oder die Schauspielerinnen Anja Stange und Justine del Corte, genauso eindringlich redete der Close-up-Comedian Alexander Simon auf mich ein. In besonderer Erinnerung sind mir der Kammersänger Siegfried Vogel und Herr Oertel, der ehemalige Pianist der Staatsoper, geblieben.

Sie beide, unabhängig voneinander, waren der Meinung: „Herr Hennig, Meister (in Anspielung auf meinen größten sportlichen Erfolg), Sie müssen ein Buch schreiben!" Aber auch die Normalos unter meinen Patienten forderten es regelrecht. Also, steter Tropfen höhlt den Stein. Letztendlich war es meine Familie, besonders meine geliebte Feli, die ausschlaggebend war und mir Mut machte. Der Vorschlag meines Tai-Chi-Trainers, Mario Pestel, mir hilfreich zur Seite zu stehen und es durch seine tippende Mutter Dagmar aufs Papier zu bringen, war der Startschuss. Uneigennützig begleitete mich mein Sohn Sebastian mit Unterstützung seiner technisch versierten Freunde von der Firma MADNIZZ, wenn es darum ging, die Hilfe der modernen Computertechnik zu nutzen. Dem spitzen Bleistift meiner Lektorin Frau Angela Strohwald konnte ich nicht entkommen, wofür ich mich mit einer tiefen Verbeugung und einem schelmischen Schmunzeln bedanken möchte.